KATERIN KATERINOV
MARIA CLOTILDE BORIOSI KATERINOV
professori associati presso
l'Università Italiana
per Stranieri di Perugia

LA LINGUA ITALIANA
per stranieri
con le 3000 parole più usate nell'italiano d'oggi (regole essenziali, esercizi ed esempi d'autore)

con la collaborazione di:
Laura Berrettini
Mauro Pichiassi
Giovanna Zaganelli

ricercatori presso l'Università
Italiana per Stranieri di Perugia

CORSO ELEMENTARE ED INTERMEDIO
(le 2000 parole più usate)

4ª EDIZIONE, 1985
EDIZIONI GUERRA, PERUGIA

3. 2. 1.
2000 99 98 97

Copertina a cura di R. Bienkowski
Disegni: Dino Tardioli
Progettazione eseguita con il Personal Computer IBM
Collaborazione al computo del lessico: Joanna Kraczek

Stampa: Guerra guru s.r.l. - Perugia

PREFAZIONE ALLA QUARTA EDIZIONE (1985)

Nella prefazione alla prima edizione dell'opera (1973) accennavamo al clima in cui si dibatteva in quegli anni la glottodidattica. Oggi, nel momento in cui vede la luce questa quarta edizione, la situazione non è meno incerta. Se negli anni '60 e '70 la questione si poneva in termini di validità in assoluto dei metodi moderni, oggi i più recenti sviluppi delle scienze psicopedagogiche e psicolinguistiche impongono di nuovo una revisione delle strategie didattiche sin qui adottate.

Gli oltre dieci anni di successi più che lusinghieri raccolti dal nostro testo non potevano, a nostro avviso, costituire la prova assoluta della sua adeguatezza alle tendenze più avanzate della glottodidattica. La fiducia che da anni ci testimoniano tanti insegnanti meritava la fatica di mettere a punto una nuova proposta metodologica in linea con i tempi, attenta ai bisogni linguistici dei destinatari d'oggi, e, insieme, alle esigenze di un insegnamento basato sull'approccio comunicativo.

In questo lavoro ci siamo ispirati alle tendenze più avanzate nel campo dell'insegnamento linguistico, non trascurando tuttavia i preziosi suggerimenti di colleghi che operano nei più diversi paesi del mondo.

*Nel campo della programmazione dei sussidi didattici ogni valutazione di adeguatezza non può prescindere dai bisogni dei destinatari prescelti e dagli obiettivi prefissati. Un programma **nozionale-sintetico** come quello qui proposto, imperniato sugli elementi lessicali e grammaticali di più alta frequenza, risulterà adeguato per chi intende dedicarsi allo studio sistematico delle strutture linguistiche, così da raggiungere una sufficiente **competenza linguistica.** Viceversa, un programma **nozionale-analitico** sarà in grado di soddisfare le esigenze di chi è interessato soprattutto a raggiungere una sufficiente **competenza comunicativa.***

Per quanto concerne la dicotomia "tradizionalista" - "antitradizionalista", diciamo subito che per noi il primo termine non ha sempre un significato negativo, come del resto il secondo non ha sempre un significato positivo. Nella storia, anche recente, della linguistica applicata sono frequenti le esaltazioni unilaterali di un sistema e la totale negazione di un altro. Il nuovo si presenta spesso come negazione della tradizione. A nostro avviso una nuova teoria scientifica non può essere intesa come rottura con ogni fase precedente, bensì va interpretata come sintesi delle esperienze del passato e del presente. Si tratta quindi di recuperare quanto di più positivo la tradizione offre per adattarlo al nuovo, accogliendo le più recenti conquiste della ricerca nel campo specifico.

La complessità del sistema grammaticale della lingua italiana è tale che difficilmente possono adattarsi al suo insegnamento schemi didattici di tipo prevalentemente comunicativo, applicabili a lingue come, ad esempio, l'inglese. Questa nuova proposta, recuperando l'acquisizione della competenza grammaticale, s'ispira all'approccio nozionale-sintetico, senza tuttavia trascurare le istanze dell'approccio comunicativo.

Anche in questa nuova edizione vengono affrontati in chiave didattica temi di fondamentale importanza, quali l'uso dei tempi passati (con particolate enfasi sull'opposizione perfetto/imperfetto), il condizionale, il congiuntivo, la concordanza dei tempi e dei modi, ecc... Non si tratta, però, di un ritorno al grammaticalismo: nello sviluppo delle unità didattiche viene dato il debito spazio all'acquisizione della competenza comunicativa che, come ben sa ogni insegnante, non sempre coincide con la mera competenza grammaticale.

Nel contesto delle situazioni più frequenti in cui uno straniero si trova ad interagire quando intrattiene rapporti con parlanti nativi, lo studente è chiamato ad assolvere le diverse funzioni linguistiche (come: esprimere consenso, dissenso, riserva, rammarico, ecc...) e a calarsi in ruoli sociali che presuppongono l'uso di diversi registri di lingua (confidenziale, formale, informale). Le strutture lessicali e morfosintattiche sono state computerizzate e messe a confronto con quelle delle precedenti edizioni e con le indicazioni delle opere più importanti per l'insegnamento delle lingue. Nell'ambito delle situazioni proposte sono quindi rintracciabili le strutture morfosintattiche, lessicali e fonologiche che, alla luce di ricerche preliminari condotte con l'elaboratore elettronico, risultano più frequenti in quei contesti di comunicazione. Il discorso grammaticale non costituisce il punto di partenza, bensì discende dalle situazioni opportunamente prescelte per farlo scaturire con naturalezza.

Particolare attenzione è stata riservata alla tendenza dell'adulto ad impadronirsi di strutture che gli consentono di comunicare nella L2 senza rinunciare al proprio "stile" espressivo e alla propria personalità. A ciò si deve la vasta gamma di strutture presentate per esprimere le diverse funzioni e la varietà del lessico pertinente a ciascuna situazione.

Il materiale linguistico è strutturato in 25 unità, precedute da una unità introduttiva, che presuppongono il costante coinvolgimento del discente. Non più relegato al ruolo di spettatore di situazioni da descrivere, egli è messo sin dall'inizio in condizione di acquisire ***attivamente*** *modelli di lingua viva e quindi di comunicare subito in italiano.*

Le unità sono organizzate in quattro momenti: ***comprensione, rinforzo, transfer e controllo.*** *Particolare rilievo viene dato alla fase del* ***transfer,*** *momento in cui il discente è condotto ad esprimersi in maniera autonoma riutilizzando nozioni e strutture linguistiche apprese di volta in volta nell'ambito dell'unità e riferendole ad esperienze che lo riguardano di persona.*

Nel suo insieme questo Corso risulta idoneo anche allo studio individuale. È infatti corredato di Supplementi in cui sono previsti esercizi sulle difficoltà più tipiche e frequenti per ciascun gruppo linguistico, brevi spiegazioni grammaticali nella lingua dello studente e accenni ai vari registri di lingua e ai contesti in cui possono venire usati.

Presupposti teorici di questo Corso sono alcune nostre ricerche sugli errori commessi in italiano da studenti di diverse lingue, sulla frequenza delle strutture lessicali e grammaticali dell'italiano contemporaneo, sulle motivazioni che inducono allo studio dell'italiano come L2 e sulle condizioni in cui s'insegna l'italiano all'estero.

La consapevolezza della peculiarità delle condizioni in cui operiamo come docenti all'Università per Stranieri di Perugia ci ha suggerito di considerare marginale la nostra esperienza e di attingere soprattutto a quella ben diversa delle migliaia di insegnanti incontrati nei numerosi Corsi di aggiornamento da noi tenuti su incarico del Ministero degli Esteri italiano e di istituzioni locali.

Nel licenziare alle stampe questa quarta edizione, ci anima la speranza che il nostro intento di offrire ai colleghi che operano per la diffusione dell'italiano nel mondo uno strumento di lavoro efficace ed aggiornato, sia stato raggiunto. Non ci nascondiamo, tuttavia, che anche quest'ultima fatica non può considerarsi definitiva. Siamo certi che al suo ulteriore perfezionamento vorranno contribuire ancora una volta i destinatari stessi.

Gli autori

PREFAZIONE ALLA PRIMA EDIZIONE (1973)

Questo lavoro esce in un momento particolarmente critico. Se da un lato i metodi tradizionali vengono quasi unanimemente considerati superati, dall'altro l'approvazione dei metodi moderni (metodi diretti, metodi audiovisivi, metodi audio-orali) non è più incondizionata come lo era fino a qualche anno fa.

Dal 1964, infatti, eminenti specialisti nel campo della didattica delle lingue straniere esprimono forti riserve sulla validà in assoluto dei citati metodi moderni (Carrol, Rivers, Stern, Titone, Wardhaugh, ecc.). Alcuni sono addirittura dell'opinione che non ci siano le premesse per giungere presto alla scoperta di un nuovo metodo in grado di provocare nel campo dell'insegnamento delle lingue una rivoluzione analoga a quella che negli anni cinquanta fece il metodo audio-orale, con cui pareva che si fosse data una risposta definitiva ai principali problemi di didattica linguistica.

Indice del clima di disorientamento metodologico che caratterizza il momento attuale sono anche le molteplici «riscoperte» di procedimenti didattici un tempo considerati superati.

Essendo anche noi coscienti dell'impossibilità di avanzare per ora proposte nuove e «rivoluzionarie», ci siamo limitati a tentare d'integrare l'esperienza del passato con quanto di più valido offrono i metodi moderni, arricchendo questa operazione con i risultati di nostre ricerche condotte per anni presso l'Università Italiana per Stranieri di Perugia, con studenti di diverse nazionalità.

I principi che stanno alla base del presente metodo sono i seguenti:

1. Frequenza d'uso. *Tale principio è stato seguito sia nella mediazione del lessico che in quella delle strutture della lingua.*
Stando alle statistiche in questo campo, le prime 1000 parole in ordine di frequenza coprono l'85% dell'uso che si fa di una lingua, le prime 3000 il 95% e le restanti solo il 5%. Conoscendo quelle *1000 parole si può dunque capire e dire tutto ciò che si ascolta o si vuole comunicare.*
Nel Corso elementare ed intermedio sono incluse le 1.500 parole di uso più frequente, mentre l'intero corso comprende le 3.000 parole più frequenti, vale a dire il 95% dell'uso. Secondo Verlee (1963), un bagaglio lessicale di tale consistenza «... permette di esprimersi in modo essenziale e corretto su un'innumerevole quantità di soggetti

non tecnici». La selezione del lessico è stata operata attraverso l'analisi comparata di una decina di opere lessicografiche relative all'italiano e ad altre lingue. Al lessico basico in tal modo dedotto sono state aggiunte alcune voci che, pur non essendo incluse nelle suddette opere, risultano di estrema utilità sin dai primissimi passi dello studio.

2. Diversità d'impostazione fra manuali d'italiano destinati ad italiani e manuali d'italiano destinati a stranieri.

   In quasi tutti i manuali tradizionali «per stranieri» oggi esistenti risulta chiara l'analogia con i criteri metodologici seguiti normalmente nei manuali destinati alla scuola italiana.

   Nella distribuzione della materia e nella esposizione si dovrebbe, invece, tenere conto delle particolari esigenze di studenti stranieri che devono imparare una lingua nuova, che non possono essere le stesse degli studenti italiani di scuola media o superiore, per i quali si tratta in definitiva di affinare le capacità espressive nella lingua materna.

   Se nelle grammatiche per italiani si può benissimo continuare a parlare dell'imperfetto come tempo che «esprime la DURATA di un'azione» e presentarlo staccato dal perfetto (passato prossimo e passato remoto), ciò sarebbe un grosso rischio nel caso di manuali per stranieri, soprattutto di lingue germaniche e slave, in quanto il risultato sarebbe la costruzione di frasi del tipo: «Ieri PIOVEVA tutto il giorno»; «STAVO male tutta la notte»; «Mio nonno VIVEVA la maggior parte della sua vita in campagna», «VIAGGIAVO molto l'anno scorso», ecc.

   Altro errore sarebbe, nel caso di un manuale destinato a stranieri, dividere il piuccheperfetto in trapassato PROSSIMO e trapassato REMOTO. Lo conferma anche una nostra esperienza personale. Avendo sottoposto a studenti che avevano già studiato l'italiano per 150-200 ore un test in cui comparivano i quesiti «Ha detto che quel film (vederlo)... già» e «Disse che quel film (vederlo)... già», si è potuto constatare che più del 95% degli studenti ha risposto nel modo seguente: «Ha detto che quel film l'aveva già visto» (abbinando il trapassato prossimo al passato prossimo) e «Disse che quel film l'ebbe visto già» (abbinando il trapassato remoto al passato remoto).

   Se in una grammatica per italiani si può ancora accettare che il periodo ipotetico venga distinto in tre casi (della realtà, della possibilità, dell'impossibilità), in una grammatica per stranieri tale suddivisione non appare conveniente, soprattutto perché questa struttura tanto frequente, introdotta dalla congiunzione «se» (registrata al n. 33 nel Lessico di frequenza della lingua italiana contemporanea *del Centro Nazionale Universitario di Calcolo Elettronico di Pisa (CNUCE) a cura di U. Bortolini, C. Tagliavini e A. Zampolli), non si dovrebbe proporre soltanto verso la fine del corso, dopo cioè lo studio del condizionale e dell'imperfetto e del trapassato del congiuntivo. Il primo ed il terzo caso si possono studiare nelle lezioni che trattano il presente, il futuro e l'imperfetto.*

   Tra l'altro va osservato che ben difficilmente una persona con una logica normale prima di formulare un pensiero si chiede se si tratta del periodo ipotetico della realtà, della possibilità, dell'impossibilità o di un caso misto.

3. Abilità orali e grafiche. *Soprattutto nella fase iniziale le abilità orali hanno la preminenza su quelle grafiche. Prima: «ascoltare-capire-parlare» (dialoghi e drills), poi:*

«leggere-capire-scrivere» (passaggio all'espressione scritta soltanto dopo l'acquisita padronanza dei suoni, al fine di evitare l'influenza della grafia sulla pronuncia e della lingua materna su quella da apprendere). Sin dal primissimo approccio con la lingua, la corretta pronuncia acquista un'importanza pari a quella della corretta grafia. A tale scopo sono previsti appositi esercizi di pronuncia e di intonazione.

4. Insegnamento su basi contrastive. *Come vari studi di linguistica applicata e di psicolinguistica hanno chiaramente messo in luce, il maggior ostacolo per l'apprendimento di una lingua straniera è costituito dall'interferenza che la lingua materna* (L1), *o un'altra lingua precedentemente studiata, esercita sulla lingua da apprendere* (L2). *Secondo CH. C. Fries, l'apprendimento di una lingua nuova viene reso difficile non tanto dalle caratteristiche strutturali di questa, quanto piuttosto dalle abitudini ormai radicate nella lingua materna o in un'altra lingua straniera precedentemente studiata. Per questa ragione, pur trattandosi di un insegnamento monolinguale, nell'elaborazione dei sussidi si è tenuto conto dei problemi che i discenti di diversi gruppi linguistici incontrano nell'approccio con l'italiano.*

Attraverso una ricerca statistica da noi condotta presso l'Università Italiana per Stranieri di Perugia e mediante l'analisi delle prove scritte d'esame e degli elaborati in classe di migliaia di studenti di diverse nazionalità del Corso Medio e Superiore, ci è stato possibile evidenziare con estrema esattezza gli errori tipici e gli errori più frequenti commessi da parlanti di ciascuno dei gruppi linguistici presi in esame.

Riportiamo qui di seguito alcuni dati parziali della nostra ricerca:

n. 100 studenti	di lingua tedesca	- totale errori:	696
n. 100 studenti	di lingua inglese	- totale errori:	928
n. 100 studenti	di lingua spagnola	- totale errori:	1.693
n. 100 studenti	di lingua francese	- totale errori:	712
n. 100 studenti	di lingua greca	- totale errori:	1.126
n. 100 studenti di diverse lingue slave		- totale errori:	875

Ed ecco un esempio di alcuni degli *errori più frequenti:*

TIPO DI ERRORE IN ITALIANO	100 studenti di lingua tedesca	lingua inglese	lingua spagnola	lingua francese	lingua greca	lingue slave
1. Uso delle preposizioni	148	137	289	107	197	175
2. Scambio perfetto-imperfetto	103	114	8	4	14	100
3. Articolo: forme ed uso	65	122	82	75	208	212
4. Pronomi personali	15	17	196	39	17	58
5. Doppie consonanti	36	57	135	63	190	94
6. Interferenze lessicali	59	40	124	200	150	87
7. Ausiliari: scelta	9	16	129	12	12	25
8. Ortografia: problemi vari	7	12	129	19	107	58

Sulla scorta di questi dati inoppugnabili, l'insegnante potrà dedicare una trattazione più approfondita a quegli aspetti che risultano di più difficile assimilazione da parte dei suoi studenti, riservando minore attenzione, o, a volte, sorvolando su quelli che non presentano particolari difficoltà. Nel caso, ad esempio, di una classe di studenti di lingua spagnola o francese, si sorvolerà sull'opposizione «perfetto-imperfetto», mentre nel caso di studenti di lingue germaniche o slave non ci si accontenterà di quanto il manuale offre, ma, sulla scorta dei modelli proposti, si potranno elaborare altri esercizi supplementari.

Va detto subito che l'insegnamento in chiave contrastiva andrebbe svolto, soprattutto nelle fasi iniziali, senza espliciti riferimenti alla lingua materna dei discenti, onde evitare i pericoli contro cui mette in guardia Parreren (Die Systemtheorie und der Fremdsprachenunterricht. Lernpsychologische Befunde, in "Praxis", 1964/3, pag. 215): *«Le indicazioni comparative sulla diversità fra le due lingue non evitano il pericolo di confusione, ma addirittura lo promuovono».*

5. Tipologia e frequenza degli errori: *«Per molte ragioni i programmatori stanno cambiando il loro atteggiamento nei riguardi dell'errore. Gli errori, precedentemente motivo di estese revisioni, hanno assunto un posto importante nel programma. Soltanto se lo studente ha l'occasione di commettere un errore, il programmatore ricava l'informazione su ciò che lo studente ha bisogno d'imparare» (Markle, 1963).*

   Nella elaborazione del presente manuale si è tenuto conto non solo della tipologia, ma anche della frequenza degli errori. Vi sono, infatti, errori che uno studente può commettere decine di volte al giorno («Oggi compravo *un disco» per studenti di lingue germaniche o slave; «Salutammo* al professore*» per studenti di lingua spagnola; «Sapeva che lui* verrà*» per studenti di tutte le lingue slave). Ve ne sono altri, invece, che si commettono molto più raramente («i diti - le dita»). Ricorrendo ancora alla statistica, possiamo affermare che se si riuscisse ad eliminare 5 errori con indice di frequenza 20, sarebbe come averne eliminati 100 con indice di frequenza 1.*

6. Fondamentale differenza fra l'atteggiamento dell'adulto nell'approccio con la lingua straniera (L2) e quello del bambino con la lingua materna (L1). *Essendo questo manuale rivolto ad* adulti *con qualsiasi tipo di preparazione, abbiamo cercato di evitare l'errore tipico in cui incorrono i metodi diretti classici, quello cioè di stabilire facili quanto errati parallelismi fra l'acquisizione della lingua materna e quella della lingua straniera.*

   Abbiamo tenuto conto di due fattori essenziali:

   a) Nell'apprendere la lingua materna, il bambino stabilisce il suo primo contatto con la vita e si accosta al primo sistema di simboli in cui essa si traduce. Per il bambino, apprendere la lingua significa né più né meno che VIVERE. Egli percepisce subito che la padronanza della lingua gli consente di comunicare con gli altri, di non essere alienato dalla società. La consapevolezza del fatto che la conoscenza della lingua materna è una necessità vitale costituisce per lui uno stimolo a fare rapidi progressi. Quando, viceversa, un adulto si accinge a studiare una lingua straniera, si tratta per lo più di un interesse culturale o economico, che, per quanto forte possa essere, non è mai vitale. Da ciò il diverso atteggiamento fra bambino e adulto nell'approccio con la lingua da apprendere.

   b) Durante l'apprendimento della lingua materna il bambino non subisce, evidentemente, le interferenze di un altro sistema linguistico. Per l'adulto, al contrario, la situazione è ben diversa: egli è continuamente sottoposto all'interferenza della lingua materna o di altre lingue straniere precedentemente studiate, la quale si configura in una serie di abitudini, saldamente automatizzate, che sfuggono al controllo della coscienza.

Avendo ben chiara tale differenza, abbiamo proposto argomenti che, oltre a riflettere le strutture più frequenti della lingua della comunicazione orale, rispecchiano situazioni reali nell'ambito della sfera d'interessi degli adulti.

Abbiamo prestato particolare attenzione anche al modo di presentare gli argomenti. Non abbiamo trascurato la necessità da parte dell'adulto di arrivare ad una sintesi, senza far affidamento soltanto sulla memoria. Come è noto, infatti, mediare centinaia di strutture e farle ripetere fino a quando gli studenti le abbiano memorizzate non è sufficiente: le abitudini acquisite in tal modo tendono a sparire con il tempo.

7. Una sola difficoltà alla volta. *Partendo da quello che è uno dei principi fondamentali della linguistica, vale a dire che l'unità minima del discorso non è la parola, ma la struttura, abbiamo evitato di fornire (dalla seconda ora di lezione in poi) parole isolate da un contesto. Ogni parola nuova viene inserita in strutture già assimilate e, a sua volta, ogni struttura nuova viene mediata con lessico noto e attraverso strutture già studiate. In tal modo il discente si trova ad affrontare di volta in volta o una difficoltà lessicale o una difficoltà grammaticale, e mai le due insieme.*

   In qualsiasi momento dello studio il discente può controllare la quantità di lessico appreso («A questo punto Lei conosce... parole italiane») ed in calce ad ogni pagina può vedere quali parole compaiono per la prima volta.
   Il rapporto «frasi-parole nuove» è di 3:1; il rapporto «parole note-parole nuove» è di 10:1. Anche per le strutture, come per le parole, esiste un rapporto «strutture note-strutture nuove».

8. Abitudini linguistiche / regole grammaticali. *Ci siamo scrupolosamente attenuti al principio che l'enunciazione della norma, o meglio, la sintesi, viene per ultima. Per assecondare il naturale processo mentale del discente che, osservando i fatti linguistici nuovi cerca di individuare* da solo *ciò che è tipico e ciò che non lo è, gli abbiamo fornito ogni volta numerosi esempi del fenomeno trattato, guidandolo nella sua ricerca della sintesi ed evitando al massimo di proporgliela in anticipo, per non annullare il suo spirito di osservazione.*

   Ci trova del tutto consenzienti l'affermazione di B. W. Beljaev secondo cui «Per quanto si riferisce alla padronanza pratica della lingua straniera non sono d'importanza determinante le conoscenze linguistiche teoriche, ma le abitudini linguistiche automatizzate, che non si formano con il semplice apprendimento delle regole, ma sono il risultato di un ricco training colloquiale nella lingua straniera». Meglio quindi mostrare e far ripetere più volte, che spiegare, anche bene, una sola volta.

   Abbiamo opposto ad un insegnamento basato sulla descrizione della lingua, *con le sue varie regole ed eccezioni, un tipo d'insegnamento che propone modelli da osservare e da imitare, dai quali si può dedurre una norma.*
   La grammatica tradizionale descrive *la lingua, più che insegnarla, ed il suo obiettivo*

è la pura mediazione dei fatti grammaticali. Per noi, al contrario, l'acquisizione dei fatti linguistici costituisce soltanto una fase intermedia del processo di apprendimento, il quale può considerarsi compiuto solo con il raggiungimento dell'automatismo. Siamo cioè dell'avviso che si debbano formare e consolidare abitudini linguistiche. *D'altra parte, però, la nostra esperienza ci conferma che raramente un discente adulto può giungere all'automatismo nell'uso di una struttura se prima non l'ha capita. «Conoscere di fatto una lingua implica non necessariamente l'esecuzione di comportamenti articolatori o percettivi, ma soprattutto una soggiacente competenza che rende possibile l'esecuzione» (R. Titone, 1971). Essendo il nostro messaggio diretto ad adulti, abbiamo inteso pertanto non escludere del tutto la regola, senza tuttavia darla in anticipo. Si è cercato di integrare le esperienze passate con quelle più recenti, scartando il grammaticalismo tradizionale (descrivere più che insegnare la lingua) ed il modernismo ad ogni costo (trascurare la naturale necessità della mente adulta di arrivare ad una sintesi). Si è tenuto conto anche dell'esperienza nell'insegnamento di altre lingue moderne.*

9. Automatismo. *È da noi considerato l'ultima fase dell'apprendimento. A questo traguardo si giunge attraverso un lungo training colloquiale sulla base dei modelli proposti e mediante esercizi-drills nel laboratorio linguistico. A quest'ultimo tipo di esercitazione abbiamo dedicato un'attenzione a parte. Il lavoro didattico è stato da noi ripartito nel modo seguente: a)* in classe: *apprendere modelli nuovi ed esercitarli; b)* nel laboratorio linguistico o con il magnetofono: *esercitare modelli già noti (evitando l'inserimento di elementi nuovi) fino all'acquisizione dell'automatismo nell'uso.*

10. Criterio «situazionale». *Le frasi-modello e le strutture grammaticali vengono proposte in contesti che riflettono situazioni della vita di ogni giorno, attraverso i quali esse risultano sempre motivate e mai artificiose. È lo sviluppo della situazione stessa che determina lo svolgersi dell'argomento grammaticale (v. il periodo ipotetico, il condizionale, ecc.) di cui essa è pretesto.*

11. Trattazione dialettica di argomenti grammaticali. *Ove ciò è possibile, gli argomenti grammaticali vengono affrontati nei loro rapporti dialettici. Per esempio, l'imperfetto ed il perfetto, il passato prossimo ed il passato remoto, sono presentati non separatamente, ma in opposizione, come avviene cioè nella pratica della lingua.*

12. Distribuzione della materia. *L'arricchimento del lessico e l'acquisizione di strutture sempre più complesse sono graduali. Le 1000 parole più usate nell'italiano d'oggi, vale a dire l'85% dell'uso secondo le statistiche, sono state mediate attraverso quelle strutture che costituiscono all'incirca la stessa percentuale per quanto riguarda l'uso della grammatica.*

13. Pratica della traduzione. *La massima graduazione della materia e delle difficoltà (una sola difficoltà alla volta) esclude del tutto la necessità di ricorrere alla traduzione per mediare i fatti grammaticali e linguistici. Essa viene suggerita, in forma di retroversione, qui e nelle fasi più avanzate, soltanto come mezzo per consolidare le nozioni apprese. È stata abolita del tutto la traduzione permanente («testo a fronte») che non permette al discente di staccarsi dalla propria lingua.*

14. Esercizi e test. *Gli esercizi, più che essere un semplice mezzo di controllo dell'avvenuto apprendimento della materia trattata, rappresentano qui, insieme ai modelli ed alle strutture proposti, lo strumento didattico principale per l'apprendimento stesso. La loro difficoltà è graduata e non vi compaiono* mai parole sconosciute, *per cui lo studente può concentrare l'attenzione esclusivamente sulle strutture nuove da esercitare.*

Non abbiamo proposto qui molte esercitazioni con modelli (pattern-drills), alle quali peraltro è stato dato uno spazio maggiore nella parte riservata al laboratorio linguistico, poiché, come osservano alcuni critici a proposito del metodo audio-orale che di tale tipo di esercizi fa ampio uso (Rivers, 1967; *Debyser,* 1970), *i pattern-drills, essendo troppo rigidamente guidati, non permettono al discente di acquisire l'abilità di formulare autonomamente un pensiero.*

Fanno parte degli esercizi anche una ventina di test «a catena» che, oltre a riflettere gli argomenti nuovi, ripropongono tutti gli errori che di solito si verificano con maggiore frequenza in ciascuno dei test precedenti. Tali test, insieme agli esercizi, se eseguiti senza esitazione, forniscono una prova attendibile dell'avvenuta comprensione dei fatti grammaticali. Sia gli esercizi che i test sono corredati di chiave, il che facilita il lavoro individuale degli studenti.

15. Dialoghi, conversazioni e letture. *Senza avere la pretesa di sostituirsi ad un manuale di conversazione, i modelli da noi proposti riflettono le situazioni più frequenti, fornendone il lessico basico. In essi si è cercato di suggerire il modo di porre le domande, oltre che di dare le risposte.*

Alla fine di ciascun testo introduttivo, in cui sono incluse tutte le forme grammaticali oggetto di trattazione della lezione, viene proposta una serie di domande alle quali il discente è invitato a dare una risposta, servendosi di strutture già note.

Per uno stadio più avanzato dello studio sono previsti alcuni brani di autore corredati di commento linguistico.

16. Lingua viva e lingua letteraria. *Molti autori ritengono che la dignità di un manuale di lingua dipenda prevalentemente dalla cospicua presenza di esempi tratti dalla lingua letteraria. Non sono pochi i manuali in cui ancor oggi si abbinano già alle primissime lezioni brani di autorevoli rappresentanti della letteratura italiana, quali Dante, Manzoni, Carducci, ecc..Se è vero che per entrare nello spirito della vita italiana d'oggi non è sufficiente leggere ciò che è rappresentativo della cultura del passato, si deve tuttavia tenere conto che non basterebbe soffermarsi esclusivamente sui suoi aspetti più attuali, sia nella sfera della vita quotidiana che nella sfera della cultura intesa in senso stretto.*

A nostro avviso il problema non è se insegnare la lingua viva o la lingua letteraria. La questione dell'insegnamento dell'italiano letterario a stranieri *si pone in termini di tempo: a quale tappa dello studio proporlo? La nostra scelta si può riassumere come segue: 1) Insegnare prima di tutto la lingua viva, della comunicazione orale e scritta d'uso quotidiano, con prevalenza della lingua parlata su quella scritta. 2) Proporre la lingua letteraria ad uno stadio più avanzato dello studio per due ordini di motivi: a) Presentando anzi tempo brani letterari, oltre a non consentire allo studente d'impa-*

dronirsi delle strutture essenziali della lingua viva, non gli si permette neppure di apprezzare la bellezza della lingua letteraria, dovendo egli necessariamente *ricorrere alla traduzione per capire il senso.* b) *Accanto a coloro che desiderano conoscere la letteratura italiana, c'è un numero, sicuramente maggiore, di persone che vogliono conoscere i diversi aspetti della vita italiana e che possono quindi raggiungere tale scopo attraverso la lingua che la gente parla, la lingua dei giornali, della televisione, ecc.. Difficilmente una persona normale sarebbe in grado d'imparare la lingua letteraria prima di quella viva.* d) *Ci sono altre persone che si accostano all'italiano per scopi di carattere ancora più pratico, per lavoro, ecc.*

17. Insegnamento delle lingue e cultura. *Il termine «cultura» viene solitamente inteso nell'accezione di bagaglio di nozioni di letteratura, arte, scienza, che portano all'arricchimento intellettuale di chi le possiede.*

Riferito all'insegnamento delle lingue, il termine «cultura» assume un'altra connotazione e sta ad indicare l'insieme delle norme di comportamento di un gruppo sociale, il modo di vivere dei suoi componenti. Essendo la lingua l'elemento più tipico di ogni cultura, ne consegue che la mediazione dei fatti linguistici non può prescindere da questa. A conforto di questa tesi si potrebbe citare l'esperienza del grande antropologo polacco Malinowski, il quale confessava che ogni qualvolta si accingeva a studiare il modo di vivere di un determinato gruppo etnico non gli riusciva d'imparare la lingua se non s'inseriva nella vita dei suoi componenti, pescando, cacciando, mangiando con loro.

Spesso i compilatori di sussidi didattici e gli insegnanti perdono di vista un fattore di grande importanza, vale a dire che l'acquisizione delle abilità orali e grafiche non sempre coincide con la padronanza e l'uso appropriato della lingua. Raggiungere questi ultimi obiettivi significa, fra l'altro, arrivare a conoscere perfettamente le situazioni in cui si collocano determinati atti linguistici.

Nel presente manuale abbiamo cercato, perciò, di proporre modelli di lingua in stretta correlazione con modelli di comportamento dei parlanti nativi, di modo che gli studenti potessero apprendere la lingua insieme alla cultura italiana. Ciò in ossequio all'affermazione di CH. C. Fries (1955): *«...lo studio della cultura e della vita di un popolo non è affatto un'aggiunta che si fa ad un corso pratico di lingua, qualcosa di separato e di estraneo al suo fine primario che può accompagnarvisi o meno a seconda delle difficoltà di tempo e delle circostanze. Tale studio è una caratteristica essenziale di ogni livello di apprendimento linguistico».*

Il presente manuale è corredato di Note Didattiche, pubblicate a parte, in cui vengono motivate le diverse scelte metodologiche e passati in rassegna i singoli stadi dell'intero processo didattico.

Base teorica del presente Corso è La Lingua Italiana per Stranieri *(Corso Medio e Corso Superiore) di Katerin Katerinov.*

Gli autori saranno grati a quei colleghi che vorranno contribuire, come nelle precedenti edizioni, con suggerimenti e consigli al perfezionamento di quest'opera che loro stessi considerano suscettibile di continuo rinnovamento.

Gli autori

Operazioni didattiche

1. È un libro.
2. Il libro è rosso.
3. Sono due libri.
4. I libri sono rossi.
5. È un fiore.
6. Il fiore è giallo.
7. Sono due fiori.
8. I fiori sono gialli.
9. È una penna.
10. La penna è gialla.
11. Sono due penne.
12. Le penne sono gialle.

unità introduttiva

Lessico nuovo: essere (è, sono) - un (una) - libro - il (i, la, le) - rosso - due - fiore - giallo - penna.
Termini tecnici: unità - introduttivo - operazione - didattico.

Operazioni didattiche

13. È una cornice.

14. La cornice è rossa.

15. Sono due cornici.

16. Le cornici sono rosse.

ATTENZIONE!

17.	**Singolare**	**Plurale**
	il libro	i libri
	il fiore	i fiori
	la cornice	le cornici
	la penna	le penne

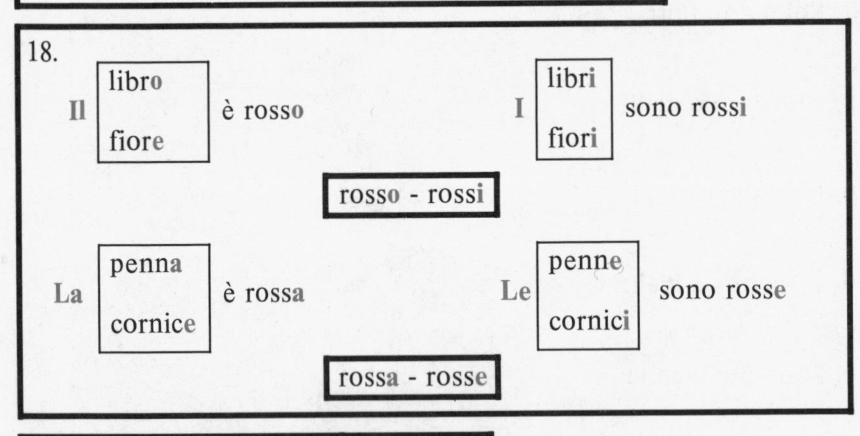

18.

Il libro / fiore è rosso — I libri / fiori sono rossi

rosso - rossi

La penna / cornice è rossa — Le penne / cornici sono rosse

rossa - rosse

19. Il libro e la cornice Il fiore e la penna	sono rossi

20. Il vestito è verde.

21. I vestiti sono verdi.

Lessico nuovo: cornice - attenzione - e - vestito - verde.
Termini tecnici: singolare - plurale.

Operazioni didattiche

22. La gonna è verde.

23. Le gonne sono verdi.

24.

Il vestito La gonna	è verde	I vestiti Le gonne	sono verdi

verde - verdi

25.

il libro — *maschile*
i libri

la penna — *femminile*
le penne

MASCHILE	FEMMINILE

Franco	Franca
Franco ha i pantaloni blu.	Franca ha il vestito blu.

Lessico nuovo: gonna - avere (ha) - pantaloni - blu.
Termini tecnici: maschile - femminile.

Operazioni didattiche

MASCHILE o FEMMINILE? il o la? i o le?

26. .... letto

27. .... casa

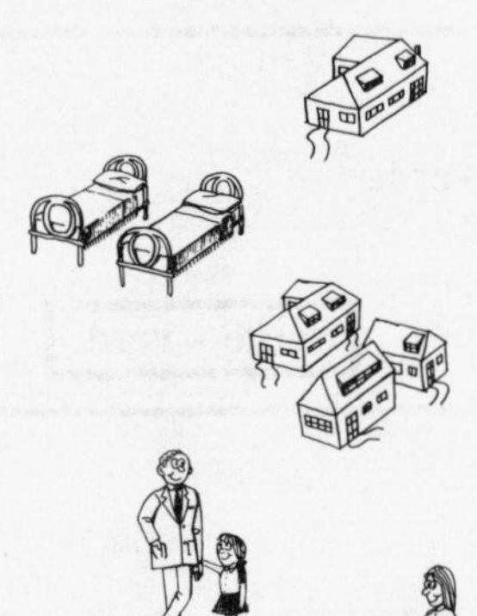

28. .... letti

29. .... case

30. .... padre

31. .... madre

32. .... giornale

33. .... chiave

34. .... padri

35. .... madri

36. .... giornali

37. .... chiavi

Lessico nuovo: o - letto - casa - padre - madre - giornale - chiave.

Operazioni didattiche

38. Questo è un quaderno.

39. Questa è una matita.

40. Questi sono i quaderni.

41. Queste sono le matite.

42. Che cosa è?

    È il libro
    il fiore
    la penna
    la chiave

43. Che cosa sono?

    Sono i libri
    i fiori
    le penne
    le chiavi

44. Questo è un libro?
    Sì, è un libro.

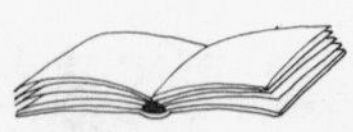

45. Questa è una chiave?
    Sì, è una chiave.

46. Questo è un libro?
    No, non è un libro, ma una chiave.

47. Questi sono libri?
    No, non sono libri, ma chiavi.

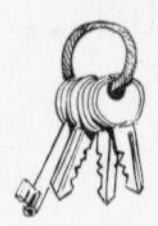

48.

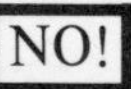

NON è ....
NON sono ....

Lessico nuovo: questo - quaderno - matita - che - cosa - sì - no - non - ma.

Operazioni didattiche

49. 

questo qui
(qua)

quello lì
(là)

50. 

Questa casa è vicina.

Quella casa è lontana.

51. 

Il signor
Bianchi
è grande.

Franco
è piccolo.

Franca
è piccola.

52. Chi è?

È Guido.

53. Chi è?

È Gabriella.

54. Chi sono? Sono Pietro e Guido.
Pietro e Franca.
Guido e Gabriella.
Clara e Rita.

Fate il I test.

Lessico nuovo: quello - lì - là - qui - qua - lontano - vicino - piccolo - signore (signor) - grande - chi - fare.
Termini tecnici: test.

Operazioni didattiche

55. io

tu, Gianni!
Laura!

Lei

Lei, signore!
signora!

noi

56. Di chi è questo libro? È Suo, signore?
No, non è mio, è di Pietro.

57. Di chi è questa penna? È Sua, signore?
No, non è mia, è di Maria.

58. Di chi sono questi libri? Sono Suoi, signore?
Sì, sono miei.

59. Di chi sono queste chiavi? Sono Sue, signore?
Sì, sono mie.

60. Il tuo libro è questo, Laura?
No, il mio è quello lì.

61. La tua penna è questa, Gianni?
No, la mia è quella lì.

62. I tuoi libri sono questi, Laura?
No, i miei sono quelli lì.

Lessico nuovo: io - tu - Lei - signora - noi - di - suo - mio - tuo.

Operazioni didattiche

63. Le tue chiavi sono queste, Gianni?
    No, le mie sono quelle lì.

64.
- Tu, Franco, **hai** la macchina?
- Sì, **ho** una Fiat.
- Lei, signor Bianchi, che macchina **ha**?
- Ho una Alfa Romeo.
- E voi che macchina **avete**?
- Noi **abbiamo** una Lancia e loro **hanno** una Ritmo.

Lessico nuovo: macchina - voi - loro.

Operazioni didattiche

65.

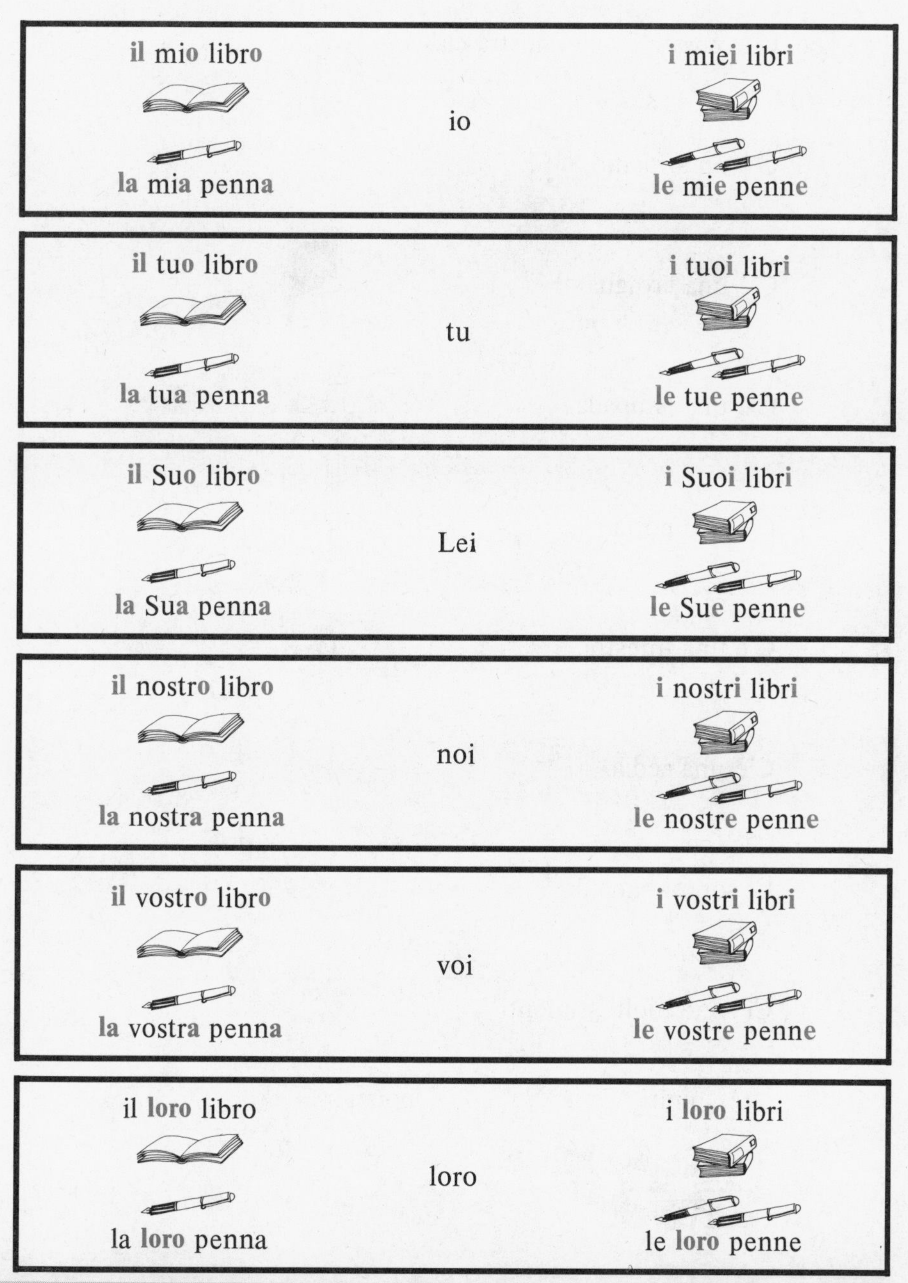

Lessico nuovo: nostro - vostro - loro (agg. poss.).

Operazioni didattiche

66. Che cosa c'è nella nostra classe?

C'è un armadio.

C'è una lavagna.

C'è una lampada.

C'è una porta.

C'è una finestra.

C'è una sedia.

Ci sono i banchi.

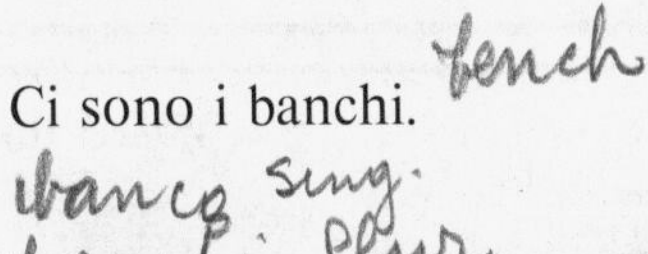

Ci sono molti studenti.

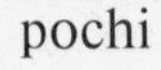

molti

pochi

Lessico nuovo: ci (esserci: c'è, ci sono) - in (nella = in + la) - classe - armadio - lavagna - lampada - porta - finestra - sedia - banco - molto - studente - poco.

Operazioni didattiche

67. Lei è italiano?
    No, sono straniero. Sono tedesco.
    Di dove è?
    Sono di Monaco.

68. Lei è italiana, signorina?
    No, sono tedesca.
    Di dove è?
    Sono di Colonia.

69. Chi è John Wilson? È un professore?
    No, è uno studente americano.
    Di dove è?
    È di Boston.

un professore uno studente

70. Chi è Mary?
    È una studentessa americana.
    Di dove è?
    È di New York.

71. Chi è John?
    È un americano.
    Chi è Mary?
    È un'americana.

un americano un'americana

72. Chi è Pierre?
    È un francese.
    Chi è Claudine?
    È una francese.
    Di dove sono Pierre e Claudine?
    Sono di Parigi.

un francese una francese

73. Chi è Klaus?
    È uno svizzero.
    Chi è Greta?
    È una svizzera.
    Di dove sono Klaus e Greta?
    Sono di Zurigo.

uno svizzero una svizzera

74. L'amico di Hans è tedesco o svizzero?
    È tedesco.
    E l'amica?
    Anche lei è tedesca.

l' amico l' amica

Lessico nuovo: italiano - straniero - tedesco - dove - signorina - professore - americano - francese - svizzero - amico - anche.

Operazioni didattiche

75. Chi è Herbert?
    È lo studente tedesco.
    E chi è Mary?
    È la studentessa americana.

lo studente
la studentessa

76. Sono molti gli studenti americani nella Sua classe?
    Sì, sono molti.
    Anche gli spagnoli sono molti?
    No, gli spagnoli non sono molti.

77.

ARTICOLO DETERMINATIVO

IL - LO - L': MASCHILE SINGOLARE

il	**t**edesco	lo	**sv**izzero	l'	**a**mericano
	libro		**sp**agnolo		**o**landese
	giornale		**st**udente		**i**taliano
	letto				**a**mico

I - GLI: MASCHILE PLURALE

i	**f**rancesi	gli	**sv**izzeri	gli	**a**mericani
	tedeschi		**sp**agnoli		**o**landesi
	libri		**st**udenti		**i**taliani
	giornali				**a**mici
	letti				

LA - L': FEMMINILE SINGOLARE

la	**f**rancese	l'	**a**mericana
	tedesca		**o**landese
	svizzera		**i**taliana
	spagnola		**a**mica
	chiave		
	finestra		

LE: FEMMINILE PLURALE

le	**f**rancesi	le	**a**mericane
	tedesche		**o**landesi
	svizzere		**i**taliane
	spagnole		**a**miche
	chiavi		
	finestre		

Lessico nuovo: spagnolo - olandese.
Termini tecnici: articolo - determinativo.

Operazioni didattiche

78. **ARTICOLO INDETERMINATIVO**

UN - UNO: MASCHILE SINGOLARE

	americano		
	olandese		
	amico		svizzero
un	francese	**uno**	spagnolo
	tedesco		studente
	libro		
	giornale		

UN' - UNA: FEMMINILE SINGOLARE

	francese		
	tedesca		americana
una	svizzera	**un'**	olandese
	chiave		italiana
	finestra		amica

	svizzero		svizzero
uno	spagnolo	**lo**	spagnolo
	studente		studente

79.

Il	vestito	di	Rita	è	nero.
La	lezione	di	spagnolo	è	facile.
L'	esercizio	di	francese	è	difficile.
L'amica		di	Franco	è	bella.
La	macchina	di	Pietro	è	grande.
I	libri	di	Carla	sono	nuovi.
I	giornali	di	Mario	sono	vecchi.
Gli	amici	di	Franco	sono	americani.
Le	chiavi	di	casa	sono	piccole.

articolo	nome	preposizione	nome	verbo	aggettivo

Fate il II test.

Lessico nuovo: nero - lezione - facile - esercizio - difficile - bello - nuovo - vecchio - nome - a - punto - conoscere - parola.
Termini tecnici: indeterminativo - preposizione - verbo - aggettivo.

A questo punto
Lei conosce 100 parole italiane
+ 15 termini tecnici

COME SI DICE E COME SI SCRIVE

A. Esercizio di pronuncia

1. *Vocali*

"a" Carla ha una casa grande. L'amica di Maria non è italiana, è americana.
"e" Le penne sono verdi. Quella cornice è bella.
"i" Abbiamo pochi amici.
"o" La gonna di Sonia è rossa.
"u" Ugo è uno studente.

2. *Dittonghi* (ia - ei - oi - io - ua - ue - ui - uo)

Sei di qui?
Lei è francese?
Il tuo quaderno è qui.
Questo vestito è nuovo, quello là è vecchio.
Sono Suoi questi libri?
Noi siamo spagnoli, e voi?

3. *Le consonanti* "l" e "r"

La porta è grande.
Quelli sono il padre e la madre di Carla.
Queste parole sono difficili.
È un giornale americano.

4. *Doppie consonanti* ("cc", "ff", "ll", "nn", "mm", "ss", "tt")

Questa classe è bella.
Il mio letto è piccolo.
Gianni ha una macchina vecchia.
L'esercizio è difficile.
Mary è una studentessa americana.
Hai una penna rossa?
Penna è una parola femminile.
Gemma ha una gonna gialla.

Lessico nuovo: come - dire (si dice) - scrivere - pronuncia - doppio.
Termini tecnici: vocale - dittongo - consonante.

5. ”C” e ”G” (”ca”, ”che”, ”chi”, ”ga”, ”go”)

Franca è amica di Carla.
Questa gonna è di Gabriella.
Franz e Hans non sono tedeschi, ma svizzeri.
Nella nostra classe i banchi sono vecchi.
Chiara ha molte amiche.

6. “Č” e “Ğ” (“ce”, “ci”, “gia”, “gio”)

Avete una cornice gialla?
L’esercizio di francese è facile.
Questi giornali sono dei miei amici.

7. “ci” / “chi” e “ce” / “che”

Chi sono Hans e Franz? Sono amici di Chiara.
Nella classe ci sono pochi banchi.
Le amiche di Vincenzo sono francesi.
La macchina è qui vicino.

8. ”GN”

Il signor Mignini è di Bologna.
Quella signorina è spagnola.
La lavagna è vicino alla porta.

Lessico nuovo: –

B. Esercizio di intonazione

Bella questa macchina! È tua?

Sì, è mia.

È difficile questo esercizio?

No, è molto facile.

Hans non è svizzero? No, è tedesco.

La casa di Carla è grande.

La casa di Carla è grande?

La casa di Carla è grande!

La casa di Carla non è grande.

La casa di Carla non è grande?

Termini tecnici: intonazione.

A questo punto Lei conosce
105 parole italiane

prima unità
(unità numero uno)

il presente indicativo - le tre coniugazioni

I *Se permette, mi presento*

Mi chiamo Jean Duvivier e sono un ragazzo francese. Vivo a Marsiglia, dove lavoro in un ufficio commerciale.
Ora sono in Italia per imparare l'italiano, una lingua utile per il mio lavoro.
Abito in una pensione del centro e dalla finestra della mia camera vedo la piazza principale della città; spesso guardo la gente che passa.
Per la pensione pago tanto, perciò cerco un appartamento in affitto a buon mercato.
Studio all'università e seguo un corso elementare. Quando la lezione finisce, torno a casa con una ragazza inglese e parliamo un po' in italiano.

Lessico nuovo: primo - numero - se - permette - presentarsi - chiamarsi - ragazzo - vivere - lavorare - ufficio - commerciale - ora (avv.) - per - imparare - lingua - utile - lavoro - abitare - pensione - centro - da (dalla = da+la) - camera - vedere - piazza - principale - città - spesso - guardare - gente - che (pr. rel.) - passare - pagare - tanto - perciò - cercare - appartamento - affitto - buono - mercato - studiare - università - seguire - corso - elementare - quando - finire - tornare - con - inglese - parlare - un po' (un poco, avv.).

Termini tecnici: presente - indicativo - coniugazione.

II ***Test***

	Vero	Falso
1. Jean vive in Italia	☐	☐
2. Jean lavora in un ufficio commerciale	☐	☐
3. L'italiano è utile per il lavoro di Jean	☐	☐
4. Jean abita in un piccolo appartamento	☐	☐
5. Jean torna a casa con una ragazza francese	☐	☐

III ***Ora ripetiamo insieme:***

- Sono in Italia per imparare l'italiano.
- L'italiano è utile per il mio lavoro.
- Abito in una piccola pensione del centro.
- Dalla finestra della mia camera vedo la piazza principale.
- Per la pensione pago tanto.
- All'università seguo un corso elementare.

IV ***Rispondete alle seguenti domande:***

1. Di dove è Jean?
2. Che cosa studia in Italia?
3. Che cosa vede dalla finestra della camera?
4. Perché cerca un appartamento?
5. Quale corso segue all'università?
6. Che cosa fa quando finisce la lezione?

Lessico nuovo: vero - falso - ripetere - insieme - rispondere - seguente - domanda - perché - quale.

V

A. guardare (-ARE)

Mario *guarda* sempre la televisione.
Lei *guarda* la televisione?
Tu *guardi* la televisione?
Voi *guardate* la televisione?

Mario e Paolo *guardano* la televisione.
Sì, *guardo* spesso la televisione.
No, *non guardo* mai la televisione.
Sì, *guardiamo* la televisione mentre mangiamo.

B. vivere (-ERE)

Io *vivo* in Francia; e tu dove *vivi?*
Io *vivo* a Vienna con i miei genitori; e Lei dove *vive*, signora?
Mario *vive* a Perugia. Franco e Paolo *vivono* a Roma.
Noi *viviamo* a Firenze; e voi dove *vivete?*

C. aprire (-IRE)

Paolo *apre* la finestra.
A che ora *apre* la libreria?
Gianni, perché *apri* la porta?
Perché *aprite* la finestra?

Franco e Roberto *aprono* la porta.
Tutti i negozi *aprono* alle nove.
Apro la porta perché fa caldo.
Apriamo la finestra per vedere la gente che passa.

D. finire (-IRE)

- Mario *finisce* di studiare quest'anno?
- No, lui *finisce* fra due anni.
- Anche Franco e Roberto *finiscono* fra due anni?
- No, loro *finiscono* quest'anno.
- E, Lei, signorina, quando *finisce* di studiare?
- Anch'io *finisco* quest'anno.
- Carlo, a che ora *finisci* di studiare oggi? Alle sei.
- E voi a che ora *finite*? *Finiamo* alle tre.

Lessico nuovo: sempre - televisione - mai - mentre - mangiare - genitore - aprire - ora (s.) - libreria - tutto - negozio - caldo - anno - lui - fra (= tra) - oggi.

E. Altri verbi.

in *-ARE*

Domando a Marco se ha le chiavi di casa. (domand*are*)
Il professor Martini *insegna* all'università. (insegn*are*)
Luisa e Carlos *parlano* la lingua italiana. (parl*are*)
Voi non *ricordate* l'indirizzo di Mario? (ricord*are*)
A Sandro che cosa *compriamo?* Un orologio. (compr*are*)
Io *viaggio* volentieri in treno. (viaggi*are*)
Carla *mangia* sempre in bianco. (mangi*are*)

in *-ERE*

Paul e Mary *conoscono* già l'italiano. (conosc*ere*)
Mario *chiede* a Carlo dov'è la mensa. (chied*ere*)
Voi *leggete* il giornale ogni giorno? (legg*ere*)
Io *rispondo* sempre alle lettere. (rispond*ere*)
Giulio, *prendi* tu la borsa? (prend*ere*)

in *-IRE*

Noi *sentiamo* troppo caldo, perciò apriamo la finestra. (sent*ire*)
Gli amici di Carlo *partono* alle tre da Roma. (part*ire*)
Io *dormo* poco. (dorm*ire*)
Chi mi *offre* una sigaretta? (offr*ire*)
Quando *partite* per Milano? (part*ire*)
Capite l'italiano? (cap*ire*)
Noi *capiamo* bene se parlate lentamente. (cap*ire*)
Preferisci un tè o un altro caffè? (prefer*ire*)
Mario e Teresa *preferiscono* mangiare al ristorante. (prefer*ire*)

Lessico nuovo: altro - domandare - insegnare - ricordare - indirizzo - comprare - orologio - viaggiare - volentieri - treno - bianco - già - chiedere - mensa - leggere - ogni - giorno - lettera - prendere - borsa - sentire - troppo - partire - dormire - mi (= a me) - offrire - sigaretta - capire - bene - lentamente - preferire - tè - caffè - ristorante.

	I. -ARE	*II. -ERE*	*III. -IRE*	
	guard*are*	viv*ere*	apr*ire*	fin*ire*
io	guard*o*	viv*o*	apr*o*	fin*isco*
tu	guard*i*	viv*i*	apr*i*	fin*isci*
lui lei Lei	guard*a* la TV	viv*e* in Italia	apr*e* la porta	fin*isce* di lavorare
noi	guard*iamo*	viv*iamo*	apr*iamo*	fin*iamo*
voi	guard*ate*	viv*ete*	apr*ite*	fin*ite*
loro	guard*ano*	viv*ono*	apr*ono*	finisc*ono*

-ARE (parlare)	*-CARE* (cercare)	*-GARE* (pagare)
parlo francese	cerco una casa	pago troppo
parli francese?	cer*chi* una casa?	pa*ghi* troppo?
parla francese?	cerca una casa?	paga troppo
parliamo francese	cer*chiamo* una casa	pa*ghiamo* troppo
parlate francese?	cercate una casa?	pagate troppo?
parlano francese?	cercano una casa	pagano troppo

	essere	
io	sono	italiano
tu	sei	tedesco?
lui lei Lei	è	francese?
noi	siamo	svizzeri
voi	siete	spagnoli?
loro	sono	americani

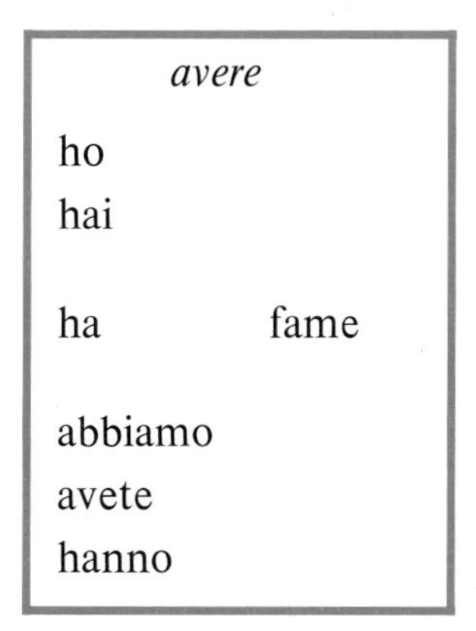

avere	
ho	
hai	
ha	fame
abbiamo	
avete	
hanno	

Lessico nuovo: fame.

VI

1. Completate le seguenti frasi:

Io guardo la televisione. Noi *guardiamo* la televisione.

1. Noi viviamo in Italia. — Io .... in Francia.
2. Io apro la porta. — Noi .... la porta.
3. Io finisco alle tre. — Lei .... alle due.
4. Lui vive a Vienna. — Loro .... a Londra.
5. Loro finiscono all'una. — Noi .... alle due.
6. Lei vive qui vicino. — Voi .... lontano?
7. Loro guardano spesso la televisione. — Tu .... spesso la televisione?
8. Dove preferite mangiare? — Noi .... mangiare al ristorante.
9. Apri tu la porta? — .... voi la porta?
10. Io viaggio volentieri in macchina. — Tu .... volentieri in treno?

2. Come sopra:

1. Quando finisci di studiare? — .... alle quattro.
2. Noi partiamo oggi. — Voi quando ....?
3. Vede spesso Paolo, signora? — No, ... spesso Carlo, ma non Paolo.
4. Io insegno all'università. — Lei dove ....?
5. Tu leggi il giornale? — Sì, ... il giornale tutti i giorni.
6. Lei, signorina, parla francese? — No, non .... francese.
7. Franco e Carlo mangiano al ristorante. — E voi dove ....?
8. Io prendo un caffè. — Tu che cosa ....?
9. Capite quando parlo italiano? — Sì, ... se parla lentamente.
10. Io vivo a Venezia. — E voi dove ....?

Lessico nuovo: completare - frase - sopra.

3. Sostituite l'infinito con il verbo al presente indicativo:

(cercare) Mario, *cerchi* il libro?

1. (pagare) Paolo .... tanto per la camera.
2. (non capire) Signora, che cosa ....?
3. (finire) Io .... di studiare alle tre.
4. (pagare) No, oggi non .... tu, ... noi!
5. (cercare) Elisa .... la chiave di casa.
6. (cercare) Noi .... una casa grande.
7. (preferire) Io .... leggere un giornale italiano.
8. (finire) Bruno e Carlo .... di lavorare alle otto.
9. (cercare) Tu perché .... Mario?
10. (pagare) Per questa casa tu .... troppo!

4. Completate le seguenti frasi secondo il modello:

Chiedete ad un amico dove vive. Dove vivi?

1. Chiedete ad un amico dove vive.

   ....

2. Chiedete ad un amico quando finisce di studiare.

   ....

3. Chiedete ad un amico quando guarda la televisione.

   ....

4. Chiedete ad un amico che cosa vede dalla finestra.

   ....

5. Chiedete ad un amico quando parte.

   ....

6. Chiedete ad un amico che cosa studia.

   ....

7. Chiedete ad un amico perché non risponde alle lettere.

   ....

Lessico nuovo: sostituire - secondo (prep.) - modello.
Termini tecnici: infinito.

5. Come sopra:

Chiedete ad un amico se paga tanto. Paghi tanto?

1. Chiedete ad un amico se paga tanto.

....

2. Chiedete ad un amico se guarda spesso la televisione.

....

3. Chiedete ad un amico se vede spesso Paolo.

....

4. Chiedete ad un amico se dalla finestra vede tutta la piazza.

....

5. Chiedete ad un amico se cerca un'altra casa.

....

6. Chiedete ad un amico se capisce l'italiano.

....

7. Chiedete ad un amico se sente caldo.

....

6. Completate le seguenti frasi:

Domanda	*Risposta*
1. A che ora aprite oggi?	....
2.	Vivo a Roma.
3. Capisci quando la gente parla?	....
4.	A casa guardo la televisione.
5. Chi paga?	....
6.	Non capisco la nuova lezione.
7. Che cosa leggi?	....
8.	Sì, vediamo spesso Paolo e Carla.
9. Signorina, quando finisce di studiare?	....
10.	Cerco il giornale.

Lessico nuovo: risposta.

VII

Enrico: – Ciao, Linda, come stai?
Linda : – Bene, grazie, e tu?
Enrico: – Non c'è male. Che fai stasera?
Linda : – Resto a casa: fra due giorni devo dare un esame.
Enrico: – Allora, buona fortuna!

A. Stare

Come *stai,* Piero?

Non *sto* molto bene: ho mal di denti.

Noi *stiamo* volentieri a Firenze.

Gianni, invece, non ci *sta* volentieri.

Louis e Peter *stanno* da molto tempo in Italia.

Voi da quanto tempo ci *state?*

Dare

Che esame *dai,* Piero?

Do l'esame di biologia. E tu?

Noi *diamo* l'esame di matematica la settimana prossima.

Gianni, invece, *dà* l'esame di fisica.

Oggi Louis e Peter *danno* l'esame ed hanno tanta paura.

Anche voi *date* l'esame oggi?

sto	
stai	
sta	bene
stiamo	
state	
stanno	

do	
dai	
dà	l'esame
diamo	
date	
danno	

Lessico nuovo: ciao - stare - grazie - male - stasera - restare - dovere (v.) - dare - esame - allora - fortuna - dente - invece - quanto - tempo - biologia - matematica - settimana - prossimo - fisica - paura.

B. Tradurre

Quando parli in italiano *traduci* dall'inglese?

Sì, ancora *traduco* dall'inglese.

Anche Gianni *traduce* ancora dall'inglese.

Pietro e Carla, invece, non *traducono.*

Noi *traduciamo* bene dal tedesco.

Anche voi *traducete* dal tedesco?

traduco traduci traduce traduciamo traducete traducono	dall'inglese

VIII

1. Completate le seguenti frasi:

1. (stare) Giovanna e Luisa .... bene in Francia.
2. (tradurre) Molti studenti .... dalla loro lingua.
3. (tradurre) Tu, Fred, quando parli in italiano .... dall'inglese?
4. (stare) .... a Roma da molti anni, signora?
5. (stare) Io .... volentieri con gli amici di Giorgio.
6. (tradurre) Io .... bene dal francese.
7. (restare) Che fate stasera? .... a casa.
8. (stare) Come ...., Sandro?
9. (restare) Voi quanto tempo .... in Italia?
10. (tradurre) Quando parliamo in italiano ancora .... dalla nostra lingua.

2. Completate il seguente testo:

Jean Duvivier .... a Marsiglia, dove .... in un ufficio commerciale. Jean .... in una pensione del centro. Dalla finestra della sua camera .... la gente che .... Per la pensione .... tanto, perciò .... un appartamento in affitto.

Lessico nuovo: tradurre - ancora - testo.

IX

1. Conversazioni.

A. *LEI* (formale)

- Buongiorno!
- Come sta, signor Rossi?
- Bene, grazie, e Lei?
- Non c'è male, grazie!
- ArrivederLa!

- Come sta, signorina?
- Oggi non sto molto bene.
- Che cosa ha?
- Ho mal di testa.

- E Lei come sta, signora?
- Anch'io non sto bene; ho mal di gola.
- Mi dispiace!

TU (confidenziale)

- Buongiorno!
- Come stai, Pietro?
- Bene, grazie, e tu?
- Non c'è male, grazie!
- Ciao! (Arrivederci! Addio!)

- Come stai, Carla?
- Oggi non sto molto bene.
- Che cosa hai?
- Ho mal di testa.

- E tu come stai, Paola?
- Anch'io non sto bene; ho mal di gola.
- Mi dispiace!

stare:	come stai? come sta?	Non c'è male, grazie!

bene — male

Lessico nuovo: conversazione - formale - confidenziale - buongiorno - arrivederLa - arrivederci - addio - testa - gola - mi dispiace (dispiacere).

B. Due studenti stranieri in Italia.

Ivan : Signorina, parla italiano?
Greta: No, non ancora.
Ivan : Però capisce quando io parlo?
Greta: Sì, capisco un po', ma non tutto.
Ivan : Che lingue parla?
Greta: Il tedesco, il russo e lo spagnolo. E Lei, quante lingue parla?
Ivan : Parlo un po' il francese e l'inglese, ma preferisco parlare italiano.
Greta: Quando Lei parla italiano, pensa direttamente in italiano, senza tradurre dalla Sua lingua?
Ivan : No, traduco ancora dalla mia lingua; è difficile pensare direttamente in una lingua straniera.
Greta: Per Lei l'italiano è una lingua facile o difficile?
Ivan : Per me è abbastanza facile. Posso capire e dire quasi tutto in italiano.

un po' = un poco

2. Completate il dialogo con le risposte di Jean:

Come ti chiami?
Jean: ....

Dove vivi?
Jean: ....

Perché sei in Italia?
Jean: ....

Dove abiti qui in Italia?
Jean: ....

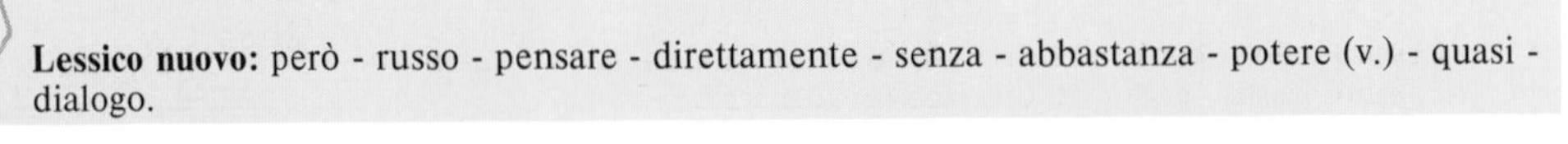

Lessico nuovo: però - russo - pensare - direttamente - senza - abbastanza - potere (v.) - quasi - dialogo.

Che cosa vedi dalla finestra della tua camera?

Jean: ....

Paghi tanto per la camera?

Jean: ....

Dove studi?

Jean: ....

Cosa fai quando finisce la lezione?

Jean: ....

3. Rispondete alle seguenti domande:

- Come si chiama?
- Dove vive?
- Perché è in Italia?
- Dove abita qui in Italia?
- Paga tanto per la camera o l'appartamento?
- Dove studia?
- Cosa fa quando finisce la lezione?

4. Domandi al Suo compagno di banco:

- dove vive
- che cosa fa quando finisce di studiare
- quante lingue parla
- quale corso segue

Lessico nuovo: compagno.

5. Traducete nella vostra lingua il testo introduttivo "Se permette, mi presento" e ritraducete in italiano, confrontando, poi, con il testo originale.

X *Test*

A. Completate le frasi con le parole mancanti:

1. Capisco bene se Lei parla ....
2. Devo tradurre queste frasi .... inglese .... italiano.
3. Come stai, Franco? Non .... male, grazie.
4. È difficile pensare .... in una lingua straniera.
5. Capisco ...., ma non tutto.

B. Completate le parole con le lettere mancanti:

1. Mario pag .... tanto e ora cerc.............. un'altra casa.
2. Tutti i negozi apr.............. all.............. nove.
3. Lei, signorina, quando fin.............. di studiare?
4. Quando tu parl.............. in italiano, tradu..........i dall'inglese?
5. Per Lei .... italiano è una lingua facil.............. o difficil..............?

C. Mettete in ordine le seguenti parole:

1. la/tutta/Jean/dalla/vede/finestra/piazza/./
2. sta/come/signorina/?/molto/oggi/bene/non/sto/./
3. treno/volentieri/viaggio/in/./
4. al/mangiare/Mario/e/ristorante/preferiscono/Teresa/./
5. caldo/sentiamo/noi/la/perciò/finestra/apriamo/./,/

Lessico nuovo: ritradurre - confrontare - poi - originale - mancante (mancare) - mettere - ordine.

A questo punto Lei conosce
276 parole italiane

seconda unità
(unità numero due)

verbi di moto - verbi modali - le preposizioni semplici

I *A sciare*

Carlo : Ciao, Roberto! Che programmi hai *per* domenica?

Roberto: Penso *di* andare *in* montagna.

Carlo : Dove?

Roberto: *Al* Terminillo.

Carlo : Vai *da* solo *o con* qualche amico?

Roberto: Vado *con* Luigi e Giorgio. Perché non vieni anche tu insieme a noi?

Carlo : Volentieri! Andiamo *in* macchina o *in* pullman?

Roberto: Forse *con* la macchina *di* Luigi.

Carlo : Che strada facciamo?

Roberto: Fino *a* Orte l'autostrada. Poi prendiamo la strada *per* Leonessa.

Carlo : *A* che ora pensate *di* partire?

Roberto: *Fra* le sette e le otto. Ti va bene?

Carlo : Sì, *per* me va bene.

Roberto: Allora *a* domani!

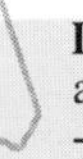

Lessico nuovo: secondo (agg.) - semplice - sciare - programma - domenica - andare - montagna - solo - qualche - venire - pullman - forse - strada - fino a - autostrada - ti (= a te) - domani.

Termini tecnici: moto - modale.

II *Test*

	Vero	Falso
1. Roberto pensa di andare in montagna domenica	☐	☐
2. Roberto ci va da solo	☐	☐
3. Roberto e gli amici vanno in pullman	☐	☐
4. Roberto e gli amici partono fra le sette e le otto	☐	☐

III *Ora ripetiamo insieme:*

- Che programmi hai per domenica?
- Penso di andare in montagna.
- Vai da solo o con qualche amico?
- Andiamo in macchina o in pullman?
- Forse con la macchina di Luigi.
- Prendiamo la strada per Leonessa.
- A che ora pensate di partire?
- Fra le sette e le otto.

IV *Rispondete alle seguenti domande:*

1. Che programmi ha Roberto per domenica?
2. Roberto va da solo o con qualche amico?
3. Roberto ed i suoi amici vanno in macchina o in pullman?
4. A che ora pensano di partire Roberto e i suoi amici?

V

A. - Ogni pomeriggio andiamo *in* biblioteca *a* studiare.
- Domani Luisa va *in* città *a* fare spese.
- Il mese prossimo vado *in* Inghilterra.
- Sono stanco: vado *a* letto presto stasera.
- Vai *a* Roma domani?
- I signori Bianchi vanno prima *a* cena e poi *a* teatro.
- Vado *a* pranzo *da* Paolo: è il suo compleanno.
- Andate *da* Luigi oggi pomeriggio?

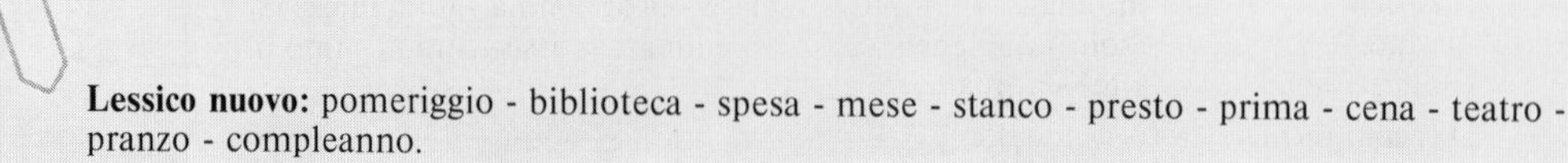

Lessico nuovo: pomeriggio - biblioteca - spesa - mese - stanco - presto - prima - cena - teatro - pranzo - compleanno.

B. - Ogni giorno vengo *a* scuola *in* autobus.
- Nessuno *di* voi viene *a* Firenze *con* me?
- Se finite *di* studiare presto, venite *a* fare una passeggiata *in* centro?
- Anche Paola e Gino vengono *in* discoteca *con* noi.
- John viene *in* Italia ogni anno.
- *Di* solito il signor Dotti viene *in* ufficio *a* piedi.
- Viene *da* Milano questo treno? No, *da* Genova.
- Più tardi veniamo tutti *da* te!

ANDARE	
Vado	in montagna
Vai	in montagna?
Va	in montagna
Andiamo	in montagna
Andate	in montagna?
Vanno	in montagna

VENIRE	
Vengo	da Milano
Vieni	da Milano?
Viene	da Milano
Veniamo	da Milano
Venite	da Milano?
Vengono	da Milano

VI ***Completate le seguenti frasi secondo l'esempio:***

(andare) Questo treno *va* direttamente a Bologna.

1. (venire) Oggi Giorgio .... a casa mia a studiare.
2. (voi-andare) .... in montagna domenica?
3. (venire) Da dove ...., signorina?
4. (venire) Io .... da Parigi. E tu da dove ....?
5. (andare) Noi .... a Firenze in macchina. Clara e Gianni .... in pullman.
6. (andare) Dove ...., signor Rolla?
7. (venire) Maria, ... in discoteca con noi, stasera?
8. (venire) Anche noi .... da Boston.
9. (andare) Io .... a mangiare alla mensa.
10. (andare) Carlo, ... in centro più tardi?

Lessico nuovo: scuola - autobus - nessuno - passeggiata - discoteca - solito - piede - più - tardi - esempio.

VII

A.

Claudia va

in	Germania, Inghilterra, ecc... biblioteca, discoteca, ecc... montagna, città, centro, ecc...
a	Bonn, Londra, ecc... letto, cena, teatro, ecc... fare spese, studiare piedi
da	Paolo, Luigi, ecc...

B.

Piero viene

in	Italia, Spagna, ecc... discoteca, ufficio, ecc...
a	Firenze, Madrid, ecc... scuola, casa, ecc... fare una passeggiata piedi
da	Milano, Barcellona, ecc... me, te, ecc...

Attenzione!

Piero	viene da	Milano
	è di	

Lessico nuovo: ecc. (eccetera).

VIII ***Completate le seguenti frasi secondo l'esempio:***

Carlo e Roberto vanno *in* montagna.

1. Andate .... scuola .... piedi?
2. Stasera andiamo .... discoteca.
3. Di solito la domenica Carlo va .... teatro.
4. Patrizia e Franco vengono .... studiare .... casa mia.
5. La signorina Giulia viene .... Venezia.
6. Mary, quando vieni .... Italia?
7. Domani vado .... pranzo .... Michele.
8. L'anno prossimo i signori Bellucci vanno .... Spagna.
9. Oggi pomeriggio vengo .... te.
10. Domani veniamo .... ufficio .... autobus.

IX

1.a. Marcello: Oh! È tardi! Devo tornare a casa.

Alberto : Non vuoi restare ancora un po'? Domani è domenica e puoi dormire fino a tardi.

Marcello: Non posso, perché domani mattina presto devo partire per Firenze.

Alberto : Allora, ciao! Ci vediamo quando torni.

1.b. Rispondete alle seguenti domande:

1. Che cosa dice Marcello?
2. Perché Marcello non può restare ancora?

2.a. *DOVERE*

Devi già partire, Carlo? — Sì, *devo* partire subito.

Dovete lavorare oggi? — Sì, *dobbiamo* lavorare anche oggi.

Ugo *deve* tornare a casa. — Anche Dina e Mauro *devono* tornare a casa.

Lessico nuovo: oh! - volere - mattina - subito.

2.b. *POTERE*

Puoi restare ancora? — Sì, *posso* restare ancora un po'.

Potete venire a casa mia oggi? — Sì, *possiamo* venire.

Domani Sandro *può* dormire fino a tardi. — Anche Luca e Fabio *possono* dormire fino a tardi.

2.c. *VOLERE*

Luisa, *vuoi* venire ad una festa domani? — E voi *volete* venire?

Stasera Carlo *vuole* studiare. — Anche Giovanna e Paola *vogliono* studiare.

Domani sera *voglio* andare a teatro. — Anche noi *vogliamo* andare a teatro domani.

DOVERE	POTERE	VOLERE	
Devo Devi Deve Dobbiamo Dovete Devono	Posso Puoi Può Possiamo Potete Possono	Voglio Vuoi Vuole Vogliamo Volete Vogliono	restare ancora un po' partire subito dormire

3. Completate le seguenti frasi secondo l'esempio:

(Tu-volere) *Vuoi* venire a cena con me?

1. (voi-dovere) .... cercare un'altra casa?
2. (potere) Signorina, ... capire quando parliamo?
3. (voi-potere) Quanti giorni .... restare?
4. (noi-volere) Stasera .... vedere la televisione.
5. (io-dovere) .... lavorare fino a tardi.
6. (volere) Massimo e Gina .... fare una passeggiata.
7. (noi-dovere) .... studiare molto.
8. (io-non potere) .... prendere la macchina oggi.
9. (tu-volere) .... venire con noi?
10. (tu-potere) .... restare ancora un po'?

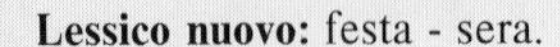

Lessico nuovo: festa - sera.

4. Formate delle domande secondo il modello:

Chiedete a Carlo se va in montagna con gli amici. Vai in montagna con gli amici?

1. Chiedete a Carlo se va in montagna con gli amici.

   ....

2. Chiedete a Carlo se viene a Roma con voi.

   ....

3. Chiedete a Carlo se va a cena a casa.

   ....

4. Chiedete a Carlo se viene in discoteca stasera.

   ....

5. Chiedete a Carlo se deve partire domani mattina.

   ....

6. Chiedete a Carlo se vuole venire a teatro con voi.

   ....

7. Chiedete a Carlo se può venire in biblioteca.

   ....

8. Chiedete a Carlo se parte presto domani.

   ....

9. Chiedete a Carlo se va in Inghilterra a studiare.

   ....

10. Chiedete a Carlo se viene a Napoli quest'anno.

   ....

5. Osservate!

- *Torno* sempre volentieri *a Roma.*
- Karl è tedesco, ma *vive a Parigi.*
- Questo aereo *arriva a Milano a mezzogiorno.*
- Quando *ritornate in Italia?*
- Paola *abita a Firenze*, *in via Tornabuoni.*

Lessico nuovo: formare - osservare - aereo (s.) - arrivare - mezzogiorno - ritornare - via (s.)

- La signora Johnson *vive in America.*
- Carlo *arriva* stasera *in aereo da Francoforte.*
- *Ritorno da Verona* alla fine del mese.
- Mary *vive da Carla.*
- Domani *parto da Zurigo per Roma.*

6.

Franco	vive abita va	a Parigi
		in America in via Tornabuoni
		da Carla

Laura	arriva torna viene	a Parigi
		in America
		da Carla
		da Zurigo

Claudia	parte	da Zurigo
		per Roma per la Francia per la montagna
		in aereo in macchina in treno

ATTENZIONE!

Per esprimere la direzione:

andare *a* + *nome di città*
andare *in* + *nome di paese*
andare *da* + *nome di persona*

partire *per* + nome di città / paese / località

Lessico nuovo: fine (la f.) - esprimere - direzione - paese - persona - località.

7. Completate le seguenti frasi secondo l'esempio:

Vivo volentieri *in* Italia.

1. Quando partite .... Parigi?
2. Marco, dove abiti? .... Perugia .... via Pellini.
3. Mary vive .... un'amica.
4. A che ora torni .... casa?
5. Laura arriva .... treno o .... aereo?
6. Viviamo .... Londra da due anni.
7. Arrivo ora .... Milano.
8. Giorgio e Sofia ritornano .... Grecia tra qualche giorno.
9. Jerry parte .... New Jork .... mezzogiorno.

8. Formate delle domande secondo il modello:

Chiedete ai signori Rossi se vivono in città.
Vivete in città?

1. Chiedete ai signori Rossi se vivono in città.
   ....
2. Chiedete ai signori Rossi se abitano a Milano.
   ....
3. Chiedete ai signori Rossi se tornano tardi stasera.
   ....
4. Chiedete ai signori Rossi se arrivano presto domani.
   ....
5. Chiedete ai signori Rossi se partono in macchina.
   ....
6. Chiedete ai signori Rossi se ritornano in treno.
   ....
7. Chiedete ai signori Rossi se vogliono tornare in Francia.
   ....
8. Chiedete ai signori Rossi se devono partire domani.
   ....
9. Chiedete ai signori Rossi se possono restare ancora un po'.
   ....
10. Chiedete ai signori Rossi se tornano a casa in autobus.
   ....

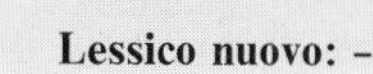

Lessico nuovo: –

9. Osserviamo ancora:

a

1. Devo *imparare a memoria* una poesia.
2. Voglio *battere a macchina* questa lettera.
3. Devo *scrivere a mano* questa lettera.
4. Il bar *di fronte a* casa mia è aperto anche di notte.
5. *Comincio a* studiare fra poco.
6. Se bevo troppo caffè *non riesco a* dormire.
7. È buio: *attenzione a* non cadere per le scale!
8. Vado *a fare* le cure termali *a* Ischia.
9. La porta è *chiusa a chiave.*

per

1. Studio l'italiano *per un mese.*
2. *Per me* tu sbagli.
3. Che strada fai *per andare* a casa?

fra e *tra*

1. Torno *fra un momento.*
2. Pisa è *tra Firenze e Livorno.*

con

1. Dove vai *con questa pioggia?*
2. Ho un *appuntamento con Luigi.*
3. Mauro mangia sempre *con appetito.*

di

1. Questa macchina non è nuova; *è di seconda mano.*
2. Non trovo più *le chiavi di casa.*
3. Anche Gianni viene a ballare stasera? *Credo di no.*

Lessico nuovo: memoria - poesia - battere - mano - bar - di fronte a - aperto - notte - cominciare - bere - riuscire a - buio - cadere - scala - cura - termale - chiuso - sbagliare - momento - pioggia - appuntamento - appetito - trovare - ballare - credere.

da

1. È un *film da vedere;* è molto bello.
2. Prendi *qualcosa da bere?* Niente, grazie!
3. Preferisco *vivere da solo.*
4. Il televisore a colori è in *camera da letto.*

10. Completate le seguenti frasi:

1. Preferisco viaggiare .... giorno che .... notte.
2. La lezione finisce .... un'ora.
3. Mario va ...... Oxford .... Inghilterra .... studiare l'inglese.
4. Andate .... casa .... pranzo?
5. Vivo .... questa casa .... un amico.
6. .... chi vai .... montagna? .... mio padre.
7. Oggi ho molto .... fare; non posso venire .... te.
8. Dove abita, signorina? .... Pisa .... via Mazzini.
9. Paola, andiamo .... fare una passeggiata .... centro?
10. Juan vive .... Madrid? Credo .... sì.

11.a. Alla stazione.

- Un biglietto di andata e ritorno per Ancona.
- Prima o seconda classe?
- Seconda.
- Quindicimilacinquecento lire.
- A che ora parte il treno?
- Alle dodici e quarantacinque.
- Da quale binario?
- Dal terzo.

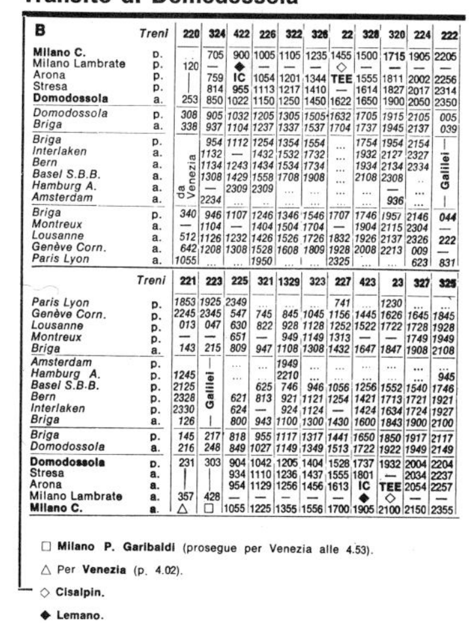

Transito di Domodossola

B	Treni	220	324	422	226	322	326	22	328	320	224	222
Milano C.	p.	...	705	900	1005	1105	1235	1455	1500	1715	1905	2205
Milano Lambrate	p.	120	—	◆	—	—	—	◇	—	—	—	—
Arona	p.	|	759	IC	1054	1201	1344	TEE	1555	1811	2002	2256
Stresa	p.	|	814	955	1113	1217	1410	—	1614	1827	2017	2314
Domodossola	a.	253	850	1022	1150	1250	1450	1622	1650	1900	2050	2350
Domodossola	p.	308	905	1032	1205	1305	1505	1632	1705	1915	2105	005
Briga	a.	338	937	1104	1237	1337	1537	1704	1737	1945	2137	039
Briga	p.	da Venezia	954	1112	1254	1354	1554	...	1754	1954	2154	— Galilei —
Interlaken	a.		1132	—	1432	1532	1732	...	1932	2127	2327	
Bern	a.		1134	1243	1434	1534	1734	...	1934	2134	2334	
Basel S.B.B.	a.		1308	1429	1558	1708	1908	...	2108	2308	...	
Hamburg A.	a.		—	2309	2309	...	...	...	...	—	...	
Amsterdam	a.		2234	...	...	...	...	...	...	936	...	
Briga	p.	340	946	1107	1246	1346	1546	1707	1746	1957	2146	044
Montreux	a.	—	1104	—	1404	1504	1704	—	1904	2115	2304	—
Lousanne	a.	512	1126	1232	1426	1526	1726	1832	1926	2137	2326	222
Genève Corn.	a.	642	1208	1308	1528	1608	1809	1928	2008	2213	009	—
Paris Lyon	a.	1055	...	...	1950	...	...	2325	...	...	623	831
	Treni	221	223	225	321	1329	323	227	423	23	327	325
Paris Lyon	p.	1853	1925	2349	...	...	...	741	...	1230	...	...
Genève Corn.	p.	2245	2345	547	745	845	1045	1156	1445	1626	1645	1845
Lousanne	p.	013	047	630	822	928	1128	1252	1522	1722	1728	1928
Montreux	p.	—	—	651	—	949	1149	1313	—	—	1749	1949
Briga	a.	143	215	809	947	1108	1308	1432	1647	1847	1908	2108
Amsterdam	p.		— Galilei —	...	...	1949	...	...	...	...	...	...
Hamburg A.	p.	1245		...	...	2210	...	...	...	...	...	945
Basel S.B.B.	p.	2125			625	746	946	1056	1256	1552	1540	1746
Bern	p.	2328		621	813	921	1121	1254	1421	1713	1721	1921
Interlaken	p.	2330		624	—	924	1124	—	1424	1634	1724	1927
Briga	a.	126		800	943	1100	1300	1430	1600	1843	1900	2100
Briga	p.	145	217	818	955	1117	1317	1441	1650	1850	1917	2117
Domodossola	a.	216	248	849	1027	1149	1349	1513	1722	1922	1949	2149
Domodossola	p.	231	303	904	1042	1205	1404	1528	1737	1932	2004	2204
Stresa	a.	|	|	934	1110	1236	1437	1555	1801	—	2034	2237
Arona	a.	|	|	954	1129	1256	1456	1613	IC	TEE	2054	2257
Milano Lambrate	a.	357	428	—	—	—	—	—	◆	◇	—	—
Milano C.	a.	△	□	1055	1225	1355	1556	1700	1905	2100	2150	2355

□ **Milano P. Garibaldi** (prosegue per Venezia alle 4.53).
△ Per **Venezia** (p. 4.02).
◇ **Cisalpin.**
◆ **Lemano.**

Lessico nuovo: film - qualcosa - niente - televisore - colore - stazione - biglietto - andata - ritorno - lira - binario - terzo.

b. Che ora è?

Sono le dodici e quarantacinque.

È l'una.

È mezzogiorno (mezzanotte).

Sono le sei e mezzo.

Sono le otto e un quarto.

Sono le nove meno cinque.
Mancano cinque minuti alle nove.

Sono le cinque meno un quarto.
Manca un quarto alle cinque.

b.1. Rispondete alle domande:

Che ora è?

1. .... (6,15)
2. .... (9,30)
3. .... (5,35)
4. .... (7,45)
5. .... (12,15)

Lessico nuovo: mezzanotte - mezzo (agg.) - quarto (s.) - meno - minuto.

A che ora?

1. A che ora parte il treno per Milano? .... (16,25)
2. A che ora arriva il treno a Bologna? .... (18,40)
3. A che ora torna Gianni? .... (11,30)
4. A che ora finisce la lezione? .... (12,55)
5. A che ora aprono i negozi? .... (15,30)

12.

- Che tempo fa da voi?
- Fa bel tempo.
- Fa caldo?
- Abbastanza, ma non troppo.
- Da noi, invece, fa brutto tempo: fa freddo, piove e tira vento.

- Come è il tempo da voi?
- È bello.
- È caldo?
- Abbastanza, ma non troppo.
- Da noi, invece, il tempo è brutto: è freddo, piove e tira vento.

fa bel tempo
il tempo *è* bello

13. Conversazioni.

a. Bruno: Fabio, dove vai in vacanza quest'anno?
Fabio : Vorrei fare un giro in Sicilia.
Bruno: Da solo?
Fabio : No, in compagnia di amici.

b. Sergio : Franco, vieni in piscina con noi sabato pomeriggio?
Franco: Mi dispiace, ho già un impegno.

c. - Pronto, albergo "Bellavista"?
- Sì, dica!
- Vorrei prenotare una camera per domenica notte.
- Una singola?
- No, una matrimoniale.

Lessico nuovo: brutto - freddo - piovere - tirare - vento - vacanza - giro - compagnia - piscina - sabato - impegno - pronto - albergo - prenotare - singolo - matrimoniale.

d.

Che giorno è oggi?
È lunedì
martedì
mercoledì
giovedì
venerdì
sabato
domenica

14. Completate il seguente dialogo:

Carlo : Ciao, Roberto! Che .... hai .... domenica?
Roberto: Penso di andare .... montagna.
Carlo : Dove?
Roberto: Al Terminillo.
Carlo : .... da solo o .... qualche amico?
Roberto: .... con Luigi e Giorgio. Perché non vieni .... tu?
Carlo : Volentieri! .... in macchina o .... pullman?
Roberto: Forse .... la macchina .... Luigi.
Carlo : .... strada facciamo?
Roberto: Fino .... Orte l'autostrada. Poi .... la strada .... Leonessa.
Carlo : .... che ora pensate .... partire?
Roberto: .... le sette o le otto. Ti .... bene?
Carlo : Sì, ... me va bene.
Roberto: Allora .... domani!

Lessico nuovo: lunedì - martedì - mercoledì - giovedì - venerdì.

15. Rispondete alle seguenti domande:

1. Lei che cosa fa, di solito, il sabato e la domenica?
2. Che programmi ha per domenica?
3. Preferisce viaggiare in macchina o in pullman?
4. Domandi al Suo compagno di banco come preferisce passare il sabato e la domenica.
5. Che cosa chiede ad un amico per sapere dove va in vacanza?
6. Lei è alla stazione e vuole prendere il treno per Ancona. Che cosa domanda?

X *Test*

A. Completate il seguente testo con le parole mancanti:

Oh! È, ... ! Devo tornare .... casa!

Perché non .... ancora un po'? Domani è domenica e .... dormire .... tardi.

Non posso, perché domani mattina .... devo partire .... Firenze.

Allora ciao! .... quando torni.

B. Completate le parole con le lettere mancanti:

1. Paola vien............... a scuola in autobus.
2. Se fini...............i di studiare presto, ... eni a fare una passeggiata in centro?
3. Karl è te...............esco, ma viv............... .... Parigi.
4. Clara e Gianni ....anno a Firenze; noi, invece, and...............mo a Roma.
5. Noi d...............iamo studiare ancora molto.

Lessico nuovo: sapere.

C. Mettete in ordine le seguenti parole:

1. oggi/a/biblioteca/pomeriggio/studiare/in/andiamo/./
2. noi/anche/Paola/vengono/in/Gino/e/con/discoteca/./
3. mezzogiorno/a/aereo/Milano/a/questo/arriva/./
4. troppo/se/caffè/bevo/a/non/dormire/riesco/./
5. sabato/con/piscina/pomeriggio/Franco/in/vieni/noi/?/

D. Traducete nella vostra lingua il dialogo "A sciare" e ritraducete in italiano, confrontando, poi, con il testo originale.

E. Fate il III test.

Lessico nuovo: -

A questo punto Lei conosce
399 parole italiane

terza unità
(unità numero tre)

il presente di alcuni verbi irregolari - le preposizioni articolate - gli interrogativi "che", "quale"

I *Una serata al cinema*

Giuliana: Che facciamo stasera, Marco, usciamo?

Marco : Volentieri! Che ne dici di andare *al* cinema?

Giuliana: È una buona idea! Sai che film danno *al* "Lux"?

Marco : Un giallo di Dario Argento; *all'*"Imperiale", invece, c'è una commedia *all'*italiana con Alberto Sordi. Quale scegliamo?

Giuliana: Mah! Forse è meglio il secondo. Qual è il titolo?

Marco : "In viaggio con papà".

Giuliana: Ah, sì! So che è molto divertente. Chiediamo a Giorgio e Paola se vogliono venire con noi?

Marco : D'accordo, adesso telefono!

Giuliana: Sì, così facciamo in tempo *per lo* spettacolo *delle* dieci e mezzo.

Lessico nuovo: alcuno - serata - cinema - uscire - ne - idea - commedia - scegliere - mah! - meglio - titolo - viaggio - papà - ah! - divertente - accordo adesso - telefonare - così - spettacolo.

Termini tecnici: irregolare - articolato - interrogativo.

II *Test*

1. Giuliana e Marco vanno
   - [a] al ristorante
   - [b] a teatro
   - [c] al cinema

2. Giuliana e Marco vanno a vedere
   - [a] un giallo
   - [b] una commedia all'italiana
   - [c] un western

3. Giuliana e Marco vanno allo spettacolo
   - [a] delle dieci e mezzo
   - [b] delle sei e mezzo
   - [c] delle otto e mezzo

III *Ora ripetiamo insieme:*

- Che facciamo stasera, usciamo?
- Che ne dici di andare al cinema?
- Sai che film danno al "Lux"?
- Quale scegliamo?
- So che è molto divertente.
- Chiediamo a Giorgio e Paola se vogliono venire con noi?
- D'accordo, adesso telefono!

IV *Rispondete alle seguenti domande:*

1. Dove vogliono andare Marco e Giuliana?
2. Che film danno al "Lux"?
3. E all'"Imperiale" che film c'è?
4. Quale film scelgono Marco e Giuliana?
5. A chi telefona Marco?
6. A quale spettacolo vanno?

Lessico nuovo: -

V

A. *FARE*

- Tu *fai* colazione a casa di solito? No, di solito *faccio* colazione al bar.
- Lucio *fa* sempre tardi la sera. Anche noi qualche volta *facciamo* tardi.
- Luca e Carla *fanno* molto sport. E voi, *fate* qualche sport?

faccio	
fai	
fa	colazione al bar
facciamo	
fate	
fanno	

B. *SAPERE*

- Tu *sai* guidare? Sì, *so* guidare ma non ho la macchina.
- Gianni *sa* quattro lingue. Noi, invece, *sappiamo* solo l'italiano.
- Ragazzi, *sapete* il numero di telefono di Renzo? No, ma Stefano e Cristina *sanno* dove abita.

so	
sai	
sa	guidare
sappiamo	
sapete	
sanno	

C. *USCIRE*

- Quando *esci?*
- *Esco* fra qualche minuto.
- È vero che Elena *esce* con voi stasera?
- Sì, stasera *usciamo* insieme per andare ad una festa di compleanno.
- I signori Valente *escono* di casa alle otto la mattina.
- E voi a che ora *uscite?*

esco	
esci	
esce	
usciamo	alle otto
uscite	
escono	

Lessico nuovo: colazione - volta (qualche v.) - sport - guidare - telefono.

D. *DIRE*

Laura chiede se vogliamo andare al mare. Io *dico* di sì.

Paolo *dice* che fa troppo caldo per restare in città.

Le ragazze *dicono* che è troppo tardi per andare al mare.

E tu che cosa *dici*?

Anche noi *diciamo* che fa troppo caldo.

E voi, ragazzi, che cosa ne *dite*?

dico dici dice diciamo dite dicono	di sì

E. *BERE*

Che cosa *bevi*, Pietro?

Jane *beve* solo tè.

I signori Gatti di solito *bevono* vino rosso.

Bevo un'aranciata, grazie!

Noi, invece, *beviamo* molta birra.

Anche voi *bevete* vino rosso?

bevo bevi beve beviamo bevete bevono	un'aranciata

Lessico nuovo: mare - aranciata - birra - vino.

F. *SCEGLIERE*

Tu, Piero, che disco *scegli?*

Scelgo un disco di musica classica.

Ada, invece, *sceglie* un disco di musica leggera.

Noi *scegliamo* due cassette di musica folk.

Sergio e Bianca *scelgono* una cassetta di Mina.

Ragazzi, *scegliete* un disco anche voi?

scelgo scegli sceglie scegliamo scegliete scelgono	un disco

Signor Rossi : - A che piano sale, signora?

Signora Mori: - Al terzo, e Lei?

Signor Rossi : - Io vado al secondo. E Lei, signore?

Signor Pini : - Salite pure, prego! Io rimango qui perché ho le valigie.

G. *SALIRE*

Sali con l'ascensore o a piedi?

Io *salgo* con l'ascensore.

Giulio, di solito, *sale* a piedi.

Saliamo da Gianni o telefoniamo prima?

Pietro e Marco *salgono* sull'autobus.

Voi non *salite* con noi?

salgo sali sale saliamo salite salgono	con l'ascensore

Lessico nuovo: disco - musica - classico - leggero - cassetta - piano (s.) - salire - pure - prego - rimanere - valigia - ascensore - su.

H. *RIMANERE*

Rimani in città o vai in campagna questo fine-settimana?

Rimango in città: ho un sacco di cose da fare.

La sera Bianca *rimane* quasi sempre a casa.

Anche noi *rimaniamo* spesso a casa ad ascoltare un po' di musica.

Alessio e Sofia *rimangono* in Italia per due mesi.

Voi per quanto tempo *rimanete?*

rimango rimani rimane rimaniamo rimanete rimangono	in città

VI

1. Completate le seguenti frasi secondo l'esempio:

(uscire) Giorgio e Maria *escono* sempre insieme.

1. (noi-fare) Che cosa .... domani?
2. (sapere) .... guidare, ma non ho la macchina.
3. (tu-dare) È vero che domani .... una festa?
4. (bere) Che cosa ...., signora: caffè o tè?
5. (dire) Pietro .... che "Lo straniero" è un bel film.
6. (salire) Renzo e Stefano sono stanchi: .... con l'ascensore.
7. (scegliere) Stasera .... io il programma alla televisione!
8. (rimanere) Ragazzi .... a casa o venite con noi?
9. (voi-fare) .... spesso tardi la sera?
10. (tu-scegliere) .... un disco per Mario?

Lessico nuovo: campagna - fine-settimana - sacco (un s. di...) - ascoltare.

2. Come sopra:

(tu fare) Di solito *fai* colazione a casa o al bar?

1. (io-dare) Domani .... l'esame di fisica.
2. (dire) Che ne ...., Giorgio, andiamo a teatro?
3. (tu-uscire) A che ora .... di casa la mattina?
4. (voi-sapere) .... a che ora comincia lo spettacolo?
5. (salire) .... a piedi anche tu?
6. (io-rimanere) .... volentieri a casa stasera.
7. (noi-bere) .... qualcosa?
8. (noi-scegliere) .... un disco di musica classica. E voi?
9. (noi-uscire) Stasera non .... perché Mary sta male.
10. (sapere) Carlo, tu .... scrivere a macchina?

3. Formate delle domande secondo il modello:

Chiedete a Mario se sa guidare la macchina. Mario, sai guidare la macchina?

1. Chiedete a Mario se sa guidare la macchina.

   ....

2. Chiedete a Mario se beve un caffè.

   ....

3. Chiedete a Mario se esce spesso la sera.

   ....

4. Chiedete a Mario se sale a piedi.

   ....

5. Chiedete a Mario se dà l'esame di fisica domani.

   ....

Lessico nuovo: -

4. Come sopra:

Chiedete al signor Rossi se sa dov'è il cinema "Lux". Signor Rossi, sa dov'è il cinema "Lux"?

1. Chiedete al signor Rossi se sa dov'è il cinema "Lux".
....
2. Chiedete al signor Rossi se viaggia spesso in treno.
....
3. Chiedete al signor Rossi se è qui da molto tempo.
....
4. Chiedete al signor Rossi se sale al terzo piano.
....
5. Chiedete al signor Rossi se fa qualche sport.
....

5. Come sopra:

Chiedete ai signori Rossi che disco scelgono. Signori Rossi, che disco scegliete?

1. Chiedete ai signori Rossi che disco scelgono.
....
2. Chiedete ai signori Rossi che cosa bevono.
....
3. Chiedete ai signori Rossi quanto tempo rimangono qui.
....
4. Chiedete ai signori Rossi a che ora escono di casa la mattina.
....
5. Chiedete ai signori Rossi che cosa fanno stasera.
....

Lessico nuovo: -

VII

A. Osservate!

1. *Alle tre* andiamo *all'aeroporto* a prendere Luisa.
2. Prendo l'autobus due volte *al giorno.*
3. Preferisco il mare *alla montagna.*
4. Di solito lascio la macchina *davanti all'edicola.*

1. Mangiamo bene *nei ristoranti* italiani.
2. *Nella fabbrica* di mio zio lavorano molti giovani.
3. *Nelle biblioteche* non si può fumare.

1. Questa moto è *dell'amico* di Mario.
2. Nel bar *dell'università* ci sono sempre molti studenti.
3. In Italia molti operai *del Sud* vanno a lavorare al Nord.
4. Andiamo allo spettacolo *delle otto* o *delle dieci e mezzo?*

1. Dopo molti anni Franco torna *dagli Stati Uniti.*
2. Giorgio, puoi prendere quel libro *dallo scaffale,* per favore?
   Sì, subito!
3. Domani vado a pranzo *dal mio amico.*
4. La mia casa non è *lontana dal centro.*

1. Gianni e Piero arrivano *con il treno* delle cinque.
2. Vado al mare *con gli amici* di Carlo.
3. *Con il caldo* che fa in città è meglio andare al mare.
4. Roberto gioca *con il* gatto.

1. La finestra della mia camera dà *sulla strada.*
2. *Sulle spiagge* italiane ci sono molti turisti stranieri.
3. Signorina, è Suo quel libro *sul tavolo?*
4. *Sugli autobus* che vanno in centro è difficile trovare un posto a sedere.

1. *Per il concerto* di domani non ci sono più biglietti.
2. *Per la fretta* dimentico sempre le chiavi.
3. Passeggio volentieri *per le vie* del centro.
4. Forse facciamo in tempo *per lo spettacolo* delle sei.

1. Devo ricevere una telefonata da mio zio *fra le sei e le sette.*
2. *Fra gli amici* di Mario c'è un ragazzo spagnolo.
3. Finisco *fra un momento.*

Lessico nuovo: aeroporto - lasciare - davanti a - edicola - fabbrica - zio - giovane (s.) - fumare - moto (la m.) - operaio - sud - nord - dopo - scaffale - favore - giocare - gatto - spiaggia - turista - tavolo - posto - sedere - concerto - fretta - dimenticare - passeggiare - ricevere - telefonata.

B.

	il	lo	la	l'	i	gli	le
a	al	allo	alla	all'	ai	agli	alle
da	dal	dallo	dalla	dall'	dai	dagli	dalle
su	sul	sullo	sulla	sull'	sui	sugli	sulle
di	del	dello	della	dell'	dei	degli	delle
in	nel	nello	nella	nell'	nei	negli	nelle

C. Preposizioni semplici e articolate

1.

Carlo va *in* America / Olanda / Russia

ma:

Carlo va *negli* Stati Uniti / *nei* Paesi Bassi / *nell'* Unione Sovietica

2. *DOVE?*

Paolo va *in* banca / chiesa / biblioteca ← luogo non determinato

ma: *IN QUALE ...?*

luogo determinato → Paolo va *alla* Banca d'Italia / *nella* chiesa di S. Francesco / *nella* biblioteca dell' università

Lessico nuovo: banca - chiesa - luogo - determinato - santo (s./san).

3. *COME?* *CON CHE MEZZO?*

- Veniamo *in* treno (o, *con il* treno)
- Vado *in* macchina (o, *con la* macchina)
- Torniamo *in* autobus (o, *con l'*autobus)

mezzo non determinato

ma soltanto:

mezzo determinato

- Veniamo *con il* treno delle 9,15.
- Vado *con la* macchina di Luigi.
- Torniamo *con* l'autobus 28.

VIII

1. Completate le seguenti frasi con le preposizioni mancanti:

Pietro viene *dalla* Spagna.

1. Preferisco il francese .... spagnolo.
2. Noi facciamo sempre colazione .... bar.
3. Perché non salite .... ascensore?
4. L'università non è lontana .... casa dove abito.
5. A che ora comincia il secondo spettacolo? .... dieci e mezzo.
6. Se cerchi le chiavi sono .... tavolo.
7. Vivo .... ragazzo americano che tu conosci.
8. Danno un bel film .... "Imperiale".
9. Jean parte .... Stati Uniti fra due giorni.
10. Lavoro .... ufficio di mio padre.

2. Come sopra:

1. Domani andiamo a Torino .... macchina di Luigi.
2. Franz e Cristina viaggiano volentieri .... autostrade italiane.
3. .... amici di Renata c'è anche una ragazza olandese.
4. Mangio spesso .... ristorante davanti a casa mia.
5. Non viaggio volentieri .... pioggia.
6. La finestra .... mia camera dà .... piazza.
7. Andate .... concerto, stasera?
8. Non posso vivere lontano .... mio paese.
9. Quei due ragazzi vengono .... Grecia.
10. .... città italiane preferisco Venezia.

Lessico nuovo: mezzo (s.) - soltanto.

IX

1. Completate il seguente dialogo:

Giuliana: Che .... stasera, Marco, usciamo?

Marco : Volentieri! Che ne .... di andare .... cinema?

Giuliana: È una buona ....! Sai che film .... al "Lux"?

Marco : Un giallo .... Dario Argento; .... "Imperiale", invece, c'è una commedia all'italiana con Alberto Sordi. Quale ....

Giuliana: Mah! Forse è meglio il secondo. Qual è il ....?

Marco : "In viaggio con papà".

Giuliana: Ah, sì! .... che è molto divertente. .... a Giorgio e Paola se vogliono venire .... noi?

Marco : ...., adesso telefono!

Giuliana: Sì, così facciamo .... tempo .... lo spettacolo .... dieci e mezzo.

2. Conversazioni.

- Pronto, teatro "Sistina"?
- Sì, dica pure!
- A che ora comincia lo spettacolo?
- Alle ventuno precise.
- Quanto dura?
- Tre ore circa.
- Grazie dell'informazione!

- Signorina, siamo un po' in ritardo. Possiamo entrare lo stesso?
- No, signore, non è più possibile. Deve aspettare l'intervallo fra il primo ed il secondo atto.

- Due biglietti, per piacere!
- Platea o galleria?
- Platea. Quant'è?
- Seimila lire.
- Ecco a Lei!
- È cominciato da molto il film?
- No, è appena all'inizio.

Lessico nuovo: preciso - durare - circa - informazione - ritardo - entrare - stesso - possibile - aspettare - intervallo - atto - piacere (per p.) - platea - galleria - ecco - appena - inizio.

- Scusi, è libero questo posto qui?
- No, è occupato, mi dispiace.

- Scusi, sa dov'è la discoteca "L'altro mondo"?
- Deve continuare fino in fondo alla strada e poi girare a destra.
- Grazie mille!

3. Rispondete alle seguenti domande:

1. Lei vuole andare al cinema con un amico. Che cosa dice?
2. Lei vuol sapere che film danno al cinema. Che cosa domanda?
3. Lei vuole due biglietti per il cinema. Che cosa domanda?
4. Lei vuol sapere a che ora comincia il film. Che cosa domanda?
5. Lei vuole andare in una discoteca, ma non sa dov'è. Che cosa domanda?
6. Lei preferisce andare al cinema o a teatro?
7. Il Suo compagno di banco preferisce il cinema o il teatro?
8. In Italia gli spettacoli teatrali cominciano alle ventuno. Nel Suo paese?

«Come si dice»

conoscere - sapere

a) *Conosco* bene l'italiano
il francese
due lingue
il numero di
telefono di Renzo

= *So* bene l'italiano
il francese
due lingue
il numero di telefono
di Renzo

b) *Conosci* Carla?
il fratello di Carla?
la casa di Carla?

....

c) ....

Sai guidare la macchina?
cucinare?
suonare la chitarra?
dove abita Carla?

Lessico nuovo: scusare - libero - occupato - mondo - continuare - fondo (in f. a) - girare - destro - mille (grazie m.) - teatrale - fratello - cucinare - suonare - chitarra.

X *Test*

A. Completate le seguenti frasi con le parole mancanti:

1. Stasera scelgo .... il .... alla televisione.
2. Rimani in città .... vai .... campagna questo .... settimana?
3. A che .... comincia .... spettacolo?
4. Sandro e Lucia danno l'............ di biologia.
5. Mario, ... è il .... del film?

B. Completate le parole con le lettere mancanti:

1. Renzo e Stefano sono stanchi: sal.........no con l'ascensore.
2. Che cosa ....ev........, signora: caffè o tè?
3. Stasera io rima...............o a casa, e tu che fai?
4. Carlo e Pietro fa...............o spesso tardi la sera.
5. Mario, a che ora ....sc.......... di casa la mattina?

C. Completate le seguenti frasi con le preposizioni semplici o articolate:

1. Carlo telefona a Maria due volte .... giorno.
2. Quando tornate .... Madrid?
3. .... questo tempo è meglio restare .... casa.
4. Stasera andiamo tutti .... Paola.
5. La finestra .... mia camera dà .... piazza Garibaldi.

D. Mettete in ordine le seguenti parole:

1. fare/città/da/ho/rimango/in/perché/./
2. voi/stasera/che/vero/Elena/è/esce/con/?/
3. suo/sabato/perché/festa/sera/dà/una/Maria/compleanno/è/il/./
4. per/tempo/lo/otto/forse/delle/facciamo/spettacolo/in/./
5. ragazzo/di/anche/Pietro/c'è/amici/gli/fra/inglese/un/./

E. Traducete nella vostra lingua il dialogo "Una serata al cinema" e ritraducete in italiano, confrontando, poi, con il testo originale.

Lessico nuovo: -

A questo punto Lei conosce
511 parole italiane

quarta unità
unità numero quattro

participio passato - perfetto (passato prossimo)
verbi transitivi e intransitivi - verbi ausiliari -
accordo del participio passato con il soggetto

I *Paolo ha cambiato casa*

Gianni: So che hai cambiato casa. Dove sei andato ad abitare?

Paolo : Ho comprato un appartamento in centro.

Gianni: È grande?

Paolo : Non tanto: due camere più servizi; ma in compenso c'è una bella terrazza.

Gianni: Hai speso molto?

Paolo : Abbastanza! Ho finito quasi tutti i miei risparmi.

Gianni: In ogni caso sei stato fortunato! Di questi tempi è un vero affare trovare un appartamento in centro.

Lessico nuovo: quarto - cambiare - servizio - compenso (in c.) - terrazza - spendere - risparmio - caso - fortunato - affare.

Termini tecnici: participio - passato - perfetto - transitivo - intransitivo - ausiliare - soggetto.

II *Test*

	Vero	Falso
1. Paolo è andato ad abitare in centro	☐	☐
2. Per comprare l'appartamento Paolo ha finito quasi tutti i risparmi	☐	☐
3. L'appartamento di Paolo è molto grande: ha anche una terrazza	☐	☐

III *Ora ripetiamo insieme:*

- Dove sei andato ad abitare?
- Hai speso molto?
- Sei stato fortunato!
- Oggi è un vero affare trovare un appartamento in centro!

IV *Rispondete alle seguenti domande:*

1. Cosa ha fatto Paolo?
2. Dove è andato ad abitare?
3. Quante camere ha l'appartamento?
4. Perché Paolo è stato fortunato?

Lessico nuovo: -

V

A. Presente		**Passato**
Oggi Paolo *rientra* presto.	⇦ ⇨	Ieri, invece, *è rientrato* tardi.
Di solito Mario *finisce* di lavorare alle cinque.	⇦ ⇨	Ieri, invece, *ha finito* di lavorare alle sei.
Ogni giorno Gianni *va* in centro a piedi.	⇦ ⇨	Ieri, invece, *è andato* in centro in macchina.
Di solito il treno *parte* in orario.	⇦ ⇨	Questa mattina, invece, *è partito* in ritardo.

Passato prossimo {
è rientrato
ha finito
è andato
è partito

PASSATO PROSSIMO = *presente di* AVERE o ESSERE
\+ *participio passato*

B. Il participio passato (forme regolari).

I. verbi in -ARE	II. verbi in -ERE	III. verbi in -IRE
cambiARE cambiATO	vendERE vendUTO	finIRE finITO

Lessico nuovo: ieri - rientrare - orario - forma - regolare - vendere.

C.

Ieri	io tu Paolo/Luisa noi voi Paolo e Luisa	ho hai ha abbiamo avete hanno	cambiato casa venduto l'appartamento in centro finito di lavorare alle undici

1. Completate le seguenti frasi con il verbo al participio passato:

(fin*ire*) Gianni ha *finito* i suoi risparmi.

1. (ricev*ere*) Ieri Silvia ha .... una lettera da Carla.
2. (cap*ire*) Non abbiamo .... bene la lezione di ieri.
3. (trov*are*) Signore, ha .... una camera?
4. (conosc*ere*) Signorina, dove ha .... quel ragazzo?
5. (fin*ire*) Carlo, quando hai .... l'università?
6. (cambi*are*) I Rossi hanno .... il numero di telefono.
7. (cerc*are*) Mi ha .... nessuno, ieri sera?
8. (vend*ere*) Avete poi .... il vostro appartamento?
9. (dorm*ire*) Questa notte ho .... poco.
10. (lavor*are*) Ieri sera abbiamo .... fino a tardi.

D. Osservate!

Paolo ha cambiat*o* casa
Luisa ha cambiat*o* casa
Paolo e Gianni hanno cambiat*o* casa

ma diciamo, invece:

Paol*o* è andat*o* in centro
Luis*a* è andat*a* in centro
I ragazz*i* sono andat*i* in centro
Le ragazz*e* sono andat*e* in centro

così come:

Paol*o* è italian*o*
Luis*a* è italian*a*
I ragazz*i* sono italian*i*
Le ragazz*e* sono italian*e*

Lessico nuovo: –

Ieri	io sono andato / a tu sei andato / a Paolo è andato Luisa è andata noi siamo andati/e voi siete andati/e Paolo e Carlo sono andati Luisa e Franca sono andate	in centro a piedi

1. Ora completate le seguenti frasi con il verbo al participio passato:

(partire) *Carla* è *partita* per Milano ieri sera.

1. (partire) *Luisa* è .... per Siena giovedì.
2. (andare) Ieri sera *Mario e Franco* sono .... al cinema.
3. (arrivare) *Il professore* è .... in ritardo.
4. (uscire) *I giornali* oggi non sono ....
5. (cadere) Ieri è .... *molta pioggia.*
6. (tornare) *Io e Luigi* siamo .... prima di cena.
7. (entrare) Conosci *le due ragazze* che sono .... ora?
8. (stare) Pia dice: *"Io e Marta* siamo .... molto bene a casa di Francesca".
9. (ritornare) Sono le undici e *Piero* non è ancora ....
10. (rientrare) *I ragazzi* sono .... a mezzanotte.

2. Completate le seguenti frasi secondo il modello:

Di solito Paolo viene a scuola a piedi.
Anche ieri è venuto a scuola a piedi.

1. Di solito Giulio guarda la televisione a casa di Mario.

....

2. Di solito Mario mangia al ristorante.

....

Lessico nuovo: -

3. Di solito Marta esce con i suoi amici.

....

4. Di solito Giorgio finisce di lavorare alle otto.

....

5. Di solito Franca parte con l'autobus delle sette.

....

6. Di solito Roberta riceve molte telefonate.

....

7. Di solito Carlo torna a casa tardi.

....

8. Di solito Paola va a teatro con Luca.

....

9. Di solito Marco viaggia di notte.

....

10. Di solito Ugo dorme fino a tardi.

....

E. Abbiamo visto il participio passato regolare:

-ARE = -ATO	–ERE = -UTO	-IRE = -ITO

Però non tutti i verbi formano il participio passato in questo modo:

Infinito	*Participio*	
essere	stato	Claudio non è stato mai né a Roma né a Milano.
accendere	acceso	Chi ha acceso il televisore?
chiudere	chiuso	Hai chiuso la porta a chiave?
mettere	messo	Ho messo già lo zucchero nel caffè.
perdere	perso (perduto)	Mario ha perso (perduto) il passaporto.
prendere	preso	Chi ha preso il mio ombrello?
promettere	promesso	Laura ha promesso di venire alle due.
rendere	reso	Hai reso i soldi a Franco?
scendere	sceso	Sei sceso con l'ascensore o a piedi?
spendere	speso	Paul, hai speso molto per far riparare la macchina?

Lessico nuovo: modo - né - accendere - chiudere - zucchero - perdere - passaporto - ombrello - promettere - rendere - soldo - scendere - riparare.

correre	corso	Sono stanco perché ho corso tutto il giorno.
succedere	successo	Stamattina è successo un grave incidente in Via Verdi.
giungere	giunto	Oh, finalmente siamo giunti a casa!
leggere	letto	Ho letto tutto il libro.
vincere	vinto	La Roma ha vinto il campionato nel 1983.
fare	fatto	Che cosa avete fatto ieri sera?
scegliere	scelto	Che disco avete scelto?
spegnere	spento	Avete spento la luce prima di uscire?
scrivere	scritto	Ho scritto a macchina una lettera.
dire	detto	Che cosa ha detto quell'uomo?
nascere	nato	La mamma di Anna è nata ad Atene.
chiedere	chiesto	Mario ha chiesto scusa a Carla.
rispondere	risposto	Hai risposto alla lettera di Bruno?
rimanere	rimasto	Sono rimasto a casa di Giulio fino a tardi.
vedere	visto (veduto)	Avete visto (veduto) il film fino alla fine?
bere	bevuto	Ieri sera abbiamo bevuto tre bottiglie di vino.
vivere	vissuto	Lorenzo è vissuto due anni a Parigi.
aprire	aperto	Perché non avete aperto la finestra?
offrire	offerto	Il signor Rossi ha offerto la cena a tutti.
morire	morto	Il padre di Carlo è morto in guerra.
venire	venuto	Perché non siete venuti dentro?

1. Ora mettete al passato prossimo i verbi delle seguenti frasi:

(prendere) Chi *ha preso* il mio giornale?

1. (mettere) Fabrizio, dove .... la lettera di Giorgio?
2. (chiedere) .... voi il numero di telefono a Carlo?
3. (rispondere) Marcello, non .... ancora alla mia domanda!
4. (leggere) Signorina, ... già questo libro?
5. (dire) Che cosa .... Maria e Franca?
6. (bere) Ieri sera .... troppo ed ora sto male.
7. (scegliere) .... tu questo disco?
8. (aprire) Giovanna e Carla .... un ristorante a Parigi.
9. (accendere) Mariella ed io .... la televisione per vedere un film giallo.
10. (chiudere) Chi .... la porta a chiave?

Lessico nuovo: correre - succedere - stamattina - grave - incidente - giungere - finalmente - vincere - campionato - spegnere - luce - uomo - nascere - mamma - scusa - bottiglia - morire - guerra - dentro.

F. Hanno il passato prossimo formato da *essere + participio passato:*

a. Verbi di moto che presuppongono un punto di partenza o di arrivo, come ad es.:

- **partire ⇦ ⇨ arrivare (giungere)**
  Il treno *è partito da* Bologna alle nove ed *è arrivato a* Firenze alle dieci e un quarto.
- **andare ⇦ ⇨ venire**
  Domenica Piero ed io *siamo andati allo* stadio.
  La signora Fedeli *è venuta a* casa nostra.
- **tornare**
  Quando *siete tornati da* Parigi?
  A che ora *siete tornati a* casa?
- **entrare ⇦ ⇨ uscire**
  Il dottor Sarti *è entrato in* ufficio alle nove ed *è uscito* alle due del pomeriggio.
- **salire ⇦ ⇨ scendere**
  Luigi *è salito al* quarto piano con l'ascensore e dopo un po' *è sceso al* pianoterra.
- **cadere**
  Stanotte *è caduta* molta neve.

b. Alcuni verbi di stato in luogo, come: stare, rimanere, restare:

- Carla *è stata* a Londra l'estate passata.
- Luisa *è rimasta* a cena da Paola.
- Chi *è restato* a casa con i bambini?

c. Alcuni verbi intransitivi, come ad es.:

essere	*Sei stato* fortunato a trovare casa!
nascere	Dov'*è nato,* professor Manetti?
morire	Garibaldi *è morto* nell'isola di Caprera.
succedere	Che cosa *è successo* ieri?
costare	Questo appartamento mi *è costato* un occhio della testa.
piacere	Ti *è piaciuta* la commedia di ieri?
riuscire	Paolo *è riuscito* a trovare un lavoro.
sembrare	Luigi *è sembrato* preoccupato anche a me.
diventare	Com'*è diventato* grande tuo figlio!

Lessico nuovo: presupporre - partenza - arrivo - stadio - dottore - pianoterra - stanotte - neve - stato - estate - bambino - isola - costare - occhio - piacere (v.) - sembrare - preoccupato - diventare - figlio.

G. Osservate!

Le parole "sempre", "mai", "ancora", "più", "già", "appena", "anche" stanno di solito fra l'ausiliare ed il participio passato:

Hai *già* chiuso la valigia?
Non ho *mai* visto un film giallo.
Marco è *appena* arrivato da Roma.

1. Ora completate le seguenti frasi con il verbo al passato prossimo:

(tornare) Maria *è tornata* da Milano ieri sera.

1. (andare) A vent'anni Luisa .... a vivere da sola.
2. (riuscire) Mario, ... a finire gli esami?
3. (succedere) L'incidente .... sull'autostrada.
4. (costare) Quanto ti .... quella gonna?
5. (rimanere) Ragazzi, ... fino alla fine dello spettacolo?
6. (diventare) Come .... difficile trovare lavoro oggi!
7. (nascere) Dante Alighieri .... a Firenze nel 1265.
8. (arrivare) Quando .... i tuoi genitori?
9. (restare) Signora Rosa, ... a casa tutto il giorno?
10. (scendere) Mio padre .... a prendere il vino.

VI

1. Mettete al posto dell'infinito il verbo al passato prossimo:

Carlo, (lèggere) *hai letto* il giornale stamattina?

1. Che cosa (tu-fare) .... ieri?
2. Ieri (lei-andare) .... in campagna.
3. Ieri sera loro (essere) .... al cinema.
4. Margherita (dire) .... che (vedere) .... molte cose a Firenze.
5. Carla, (essere) .... mai a Roma?
6. Noi (non essere) .... ancora ad Assisi.
7. Luisa (andare) .... a comprare il vino.
8. Chi (venire) .... ieri sera?
9. (Venire) .... Pietro e Maria.
10. Giorgio, (dare) .... una festa ieri?

Lessico nuovo: –

2. Come sopra:

1. (Io-non trovare) .... ancora una camera.
2. Di che cosa (parlare) .... ieri il professore?
3. (Io prendere) .... l'autobus per venire a scuola.
4. Chi (aprire) .... la porta?
5. Dove (tu-mettere) .... la chiave?
6. (Tu-sentire) .... il concerto di ieri?
7. Dove (tu-conoscere) .... Paolo?
8. (Tu-capire) .... che cosa (dire) .... Bruno?
9. Ieri sera noi (vedere) .... un film.
10. Chi (entrare) ....?

3. Come sopra:

1. Quando (arrivare) .... Marta e Laura?
2. (Tornare) .... da Todi Luisa e Carlo?
3. (Io-cercare) .... Paolo, ma lui (non rispondere) ....
4. Da dove (entrare) .... il gatto?
5. Noi (finire) .... di studiare.
6. Dove (andare) .... in vacanza, Maria?
7. Noi (scrivere) .... tutte le parole nuove.
8. Perché (tu-rispondere) .... male a Gianni?
9. Noi (cominciare) .... a studiare l'italiano il mese passato.
10. Ieri Ugo e Rita (uscire) .... insieme.

4. Completate le seguenti frasi con la domanda o con la risposta:

Domanda	*Risposta*
1.	Sì, sono rimasta a casa.
2. Dov'è nata, signorina?	....
3. .... ieri sera, Giulio?	Ho visto Maria.
4. Che cosa hai perso?	....
5. ...., signor Mori?	Sono stato a Milano.
6. Quando siete venuti?	....
7.	Ha offerto la cena il signor Rossi.
8. A chi hai scritto?	....
9.	Siamo scesi con l'ascensore.
10. Che cosa avete scelto per Carlo?	....

Lessico nuovo: –

VII

1.

- Scusi, signora, è passato il 21?
- No, non ancora.
- Aspetta da molto?
- Da circa dieci minuti.

La signora *aspetta* l'autobus *da* dieci minuti.
(e ancora l'autobus non è passato)

La signora *ha aspettato* l'autobus per dieci minuti.
(e finalmente l'autobus è passato)

2.

- Ciao, Carlo! Quando sei tornato da Milano?
- Due giorni fa.
- È tornata anche Luisa?
- No, lei è ancora a Milano e ritorna domani.

Carlo è tornato	due giorni fa pochi giorni fa molti giorni fa	
	un mese fa due mesi fa pochi mesi fa molti mesi fa	*il* mese passato (scorso)
	un anno fa due anni fa pochi anni fa molti anni fa	*l'*anno passato (scorso)

un mese fa = il mese passato
un anno fa = l'anno passato

due anni fa
due mesi fa

domenica passata (scorsa)
sabato passato (scorso)

Lessico nuovo: fa (due giorni fa) - scorso (scorrere).

VIII *Fate un segno (x) in corrispondenza della forma giusta:*

1. Mario lavora all'Alfa Romeo
   [a] tre anni fa.
   [b] da tre anni.

2. Ha studiato in Inghilterra
   [a] due mesi fa.
   [b] fa due mesi.

3. Siamo arrivati qui la settimana
   [a] passata.
   [b] prossima.

4. Ho aspettato
   [a] dalle
   [b] per le
   tre alle cinque.

5. Ieri sera ho studiato
   [a] da due ore.
   [b] per due ore.

6. [a] Da tre mesi che cerco un appartamento.
   [b] Sono tre mesi che cerco un appartamento.

IX

1. Completate il seguente dialogo:

Gianni: So che .... casa. Dove .... ad abitare?
Paolo : .... un appartamento in centro.
Gianni: È grande?
Paolo : Non tanto: due camere più ...., ma in compenso c'è una bella ....
Gianni: Hai .... molto?
Paolo : Abbastanza! .... quasi tutti i miei risparmi.
Gianni: In ogni caso sei stato ....! Di questi tempi è un vero .... trovare un appartamento in centro.

Lessico nuovo: segno - corrispondenza (in c.) - giusto.

2. Conversazioni.

a. - Ha una camera da affittare?
- Sì, prego, si accomodi!
- A che piano è?
- All'ultimo.
- Quanto costa?
- Centotrentamila lire.
- Mi sembra un po' cara!

b. - Quant'è l'affitto di questo appartamento?
- Trecentomila lire al mese, compreso il riscaldamento e il condominio.
- Bisogna dare un anticipo?
- Sì, è necessario.

c. *Annunci pubblicitari:*

Affitto a Pietra Ligure, in zona centrale vicino al mare, un alloggio arredato con posto macchina. Se vi interessa telefonatemi di sera al numero 0714/81428.

A Baveno, sul Lago Maggiore, un privato vende tutto il primo piano di una villa, composto da 5 locali, grande terrazza, cantina e box. L'appartamento è libero. Gli interessati mi possono telefonare al n. 02/4451510.

d. - Pronto, Gabetti?
- Sì, dica!
- Cerco un appartamento ammobiliato in zona Monte Mario, di circa centocinquanta metri quadrati.
- Ne abbiamo uno in vendita. Le interessa?
- No, io lo vorrei in affitto.

Lessico nuovo: affittare - accomodarsi - ultimo - caro - qualcuno - presente (s.) - ci (= a noi) - indicare - compreso (comprendere) - riscaldamento - condominio - bisognare - anticipo - necessario - annuncio - pubblicitario - zona - centrale - alloggio - arredato (arredare) - vi (= a voi) - interessare - privato (s.) - villa - composto (comporre) - locale (s.) - cantina - interessato (s.) - ammobiliato - metro quadrato - vendita - Le (= a Lei) - lo (pr.).

3. Rispondete alle seguenti domande:

1. Che cosa domanda ad un Suo amico che ha cambiato casa?
2. In Italia, soprattutto nelle grandi città, è molto difficile trovare appartamenti in affitto. E nel Suo paese? Perché?
3. In Italia comprare una casa è sempre più difficile, perché ci vogliono molti soldi. E nel Suo paese?
4. L'appartamento dove abita è Suo?
5. Parli del Suo appartamento.

X *Test*

A. Completate le seguenti frasi con le parole mancanti:

1. Paolo ha preso .... un appartamento .... centro.
2. Ho letto gli .... sul giornale.
3. Gianni ha trovato solo appartamenti in ....
4. Carlo .... andato .... Milano due giorni ....
5. Aspetto la telefonata .... Maria .... un'ora.

B. Completate le parole con le lettere mancanti:

1. Gianni ha finit........ tutt........ i suoi risparmi.
2. Maria .... andat........ a........ abitare in centro.
3. Signorina, dove ha conosc........t........ que........ ragazzo?
4. Avet........ chiest........ voi il numero di telefono .... Carlo?
5. Marta e Gianni sono arrivat........ a Firenze due giorni fa.

C. Mettete in ordine le seguenti parole:

1. appartamento/riuscito/in/come/sei/centro/trovare/a/?/un/
2. male/ieri/ed/troppo/sera/sto/ho/ora/bevuto/./
3. vedere/Giorgio/un/acceso/io/la/giallo/ed/abbiamo/per/televisione/film/./
4. per/Giulio/il/affitto/quanto/mini-appartamento/tuo/d'/paghi/?/
5. zona/a/vicino/Pietra/mare/affitto/Ligure/in/al/macchina/un/arredato/con/centrale/alloggio/posto/./

Lessico nuovo: soprattutto.

D. Raccontate il contenuto del dialogo fra Gianni e Paolo, ricordando i seguenti punti:

Paolo/appartamento in centro/camere/servizi/quasi tutti i risparmi/fortunato/

E. Traducete nella vostra lingua il dialogo "Paolo ha cambiato casa" e ritraducete in italiano, confrontando, poi, con il testo originale.

F. Fate il IV test.

Lessico nuovo: raccontare - contenuto.

A questo punto Lei conosce
619 parole italiane

XI *Esercizi di ricapitolazione.*

1. Completate le seguenti frasi con il presente indicativo:

Mario (cercare) *cerca* le chiavi di casa.

1. Signora, a che ora (finire) .... di lavorare?
2. Ragazzi, (capire) .... tutto quando il professore (spiegare) .... ?
3. Signorina, Lei (pensare) .... direttamente in italiano o (tradurre) .... dalla Sua lingua?
4. Signorina, a che ora (uscire) .... dall'università?
5. Maria, (sapere) .... se Marco (potere) .... venire?

2. Completate le seguenti frasi con le preposizioni semplici o articolate:

Vado *alla* stazione, perché parto *per* Firenze.

1. Carla preferisce l'inglese .... spagnolo.
2. Il mio ufficio non è lontano .... università.
3. Ho conosciuto Fred .... Stati Uniti .... Boston.
4. Dove vai? Vado .... zio Bruno e poi .... cinema.
5. Come vai .... Roma? .... macchina .... mio amico.

3. Mettete al passato prossimo le seguenti frasi:

Metto dei dischi ed ascolto un po' di musica. Ho messo dei dischi ed ho ascoltato un po' di musica.

1. Franca scende al bar per bere un caffè.

   ....

2. Aldo legge un libro giallo.

   ....

3. Marta arriva a Milano alle sei di sera.

   ....

4. Vediamo per la prima volta un film di Fellini.

   ....

5. Mario offre da bere a tutti.

   ....

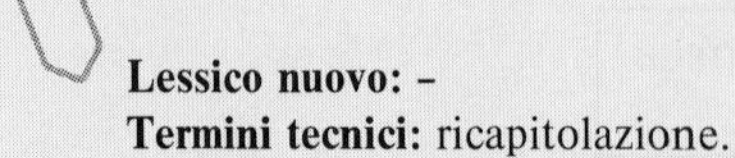

Lessico nuovo: –
Termini tecnici: ricapitolazione.

I *Una lettera*

L'ingegner Roberto Magri è a Siviglia per motivi di lavoro. Scrive alla moglie per dare *sue* notizie.

Siviglia, 16 aprile

Cara Cristina,
finalmente trovo un momento di tempo per scriverti. Come puoi immaginare, le *mie* giornate sono molto intense e la sera torno a casa stanco morto. Tutto sommato, però, mi trovo bene qui.
Le *mie* prime impressioni su questo paese sono più che positive. Gli spagnoli sono veramente simpatici e ospitali, ma devo dire che non è facile abituarsi al *loro* modo di vita, così diverso dal *nostro*. È un'esperienza senz'altro piacevole, tuttavia sento molto la mancanza *tua* e dei *nostri* figli e ho una grande nostalgia della *nostra* casa. Spero di ricevere presto notizie *tue* e dei bambini.
Ti abbraccio con affetto,

tuo Roberto

Lessico nuovo: quinto - ingegnere - motivo - moglie - notizia - aprile - immaginare - giornata - intenso - sommato (sommare) - trovarsi - impressione - positivo - veramente - simpatico - ospitale - abituare - vita - diverso - esperienza - senz'altro - piacevole - tuttavia - mancanza - nostalgia - sperare - abbracciare - affetto.

Termini tecnici: possessivo.

II *Test*

	Vero	Falso
1. Roberto Magri è a Siviglia come turista	□	□
2. Roberto Magri scrive una lettera alla figlia	□	□
3. Secondo Roberto Magri gli spagnoli sono simpatici e ospitali	□	□
4. Roberto Magri sente molta nostalgia della sua casa	□	□
5. L'esperienza di Roberto Magri non è piacevole	□	□

III *Ora ripetiamo insieme:*

- Finalmente trovo un momento di tempo per scriverti.
- La sera torno a casa stanco morto.
- Gli spagnoli sono veramente simpatici e ospitali.
- Sento molto la mancanza tua e dei nostri figli.
- Spero di ricevere presto notizie tue e dei bambini.
- Ti abbraccio con affetto.

IV *Rispondete alle seguenti domande:*

1. Perché Roberto Magri è a Siviglia?
2. A chi scrive?
3. Come sono le sue giornate?
4. Di chi sente la mancanza?
5. Come sono le sue impressioni sulla Spagna?

Lessico nuovo: –

V ***Attenzione!***

le *mie* impressioni
le *mie* giornate

il *loro* modo di vita
la *nostra* casa

le mie, il loro, la nostra ecc... sono POSSESSIVI

io	*tu*	*lui, lei*
il mio bambino	il tuo bambino	il suo bambino
la mia bambina	la tua bambina	la sua bambina
i miei bambini	i tuoi bambini	i suoi bambini
le mie bambine	le tue bambine	le sue bambine

Lei

il Suo bambino
la Sua bambina
i Suoi bambini
le Sue bambine

noi	*voi*	*loro*
il nostro bambino	il vostro bambino	il loro bambino
la nostra bambina	la vostra bambina	la loro bambina
i nostri bambini	i vostri bambini	i loro bambini
le nostre bambine	le vostre bambine	le loro bambine

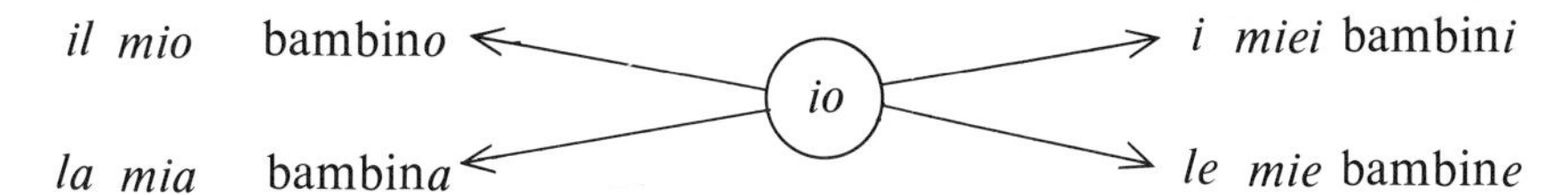

Questo è il bambino *di Roberto* — È *il suo* bambino
Questo è il bambino *di Silvia* — È *il suo* bambino
Questo è il bambino *di Roberto e Silvia* — È *il loro* bambino

> il suo bambino = il bambino di Roberto/Silvia
> la sua bambina = la bambina di Roberto/Silvia

Lessico nuovo: –

VI

1. Completetate le seguenti frasi secondo l'esempio:

Franco è uscito con *la sua* ragazza.

1. Paolo racconta a tutti .... esperienza.
2. Carla ha messo in ordine .... camera.
3. Di solito la sera esco con .... amici.
4. È questa .... borsa, professore?
5. È difficile .... lavoro, signorina?
6. È cara .... città, Franco?
7. Vivete da soli o con .... genitori?
8. Paola, posso vedere .... giornale?
9. I Rossi cercano una baby-sitter per .... bambino.
10. Abbiamo speso tutti .... risparmi.

2. Come sopra:

Carlo, *il tuo* amico non viene? Signor Valenti, *il Suo* amico non viene?

1. Franco, va bene .... orologio?
2. Signora, ... ufficio è lontano da qui?
3. Paola, come passi .... tempo libero?
4. Signor Valli, ... macchina va molto bene.
5. Maria, ... amici sono già partiti?
6. Signora, ... bambini vanno già a scuola?
7. Sergio, ... idea è veramente buona.
8. Signor Neri, ... giornate sono sempre così intense?
9. Carla, quali sono .... valigie?
10. Signor Massi, mi può ripetere .... indirizzo?

Lessico nuovo: –

3. Completate le seguenti frasi secondo il modello:

È di Roberto quella casa? Sì, è la sua.

1. È di Luisa quella borsa?

 ....

2. È di Marco quella macchina?

 ....

3. È di Carla quel vestito?

 ....

4. È di Giovanni quella camera?

 ....

5. È di Franca quel disco?

 ....

4. Come sopra:

È dei vicini di casa quel gatto? Sì, è il loro.

1. È di Gianni e Guido quell'ufficio?

 ....

2. È dei signori Grassi quel numero di telefono?

 ....

3. È dei signori Rasimelli quella fabbrica?

 ....

4. È di Franco e Lucio quella macchina?

 ....

5. È degli amici di Carlo quel negozio?

 ....

Lessico nuovo: vicino (s.).

5. Trasformate le seguenti frasi secondo il modello:

Roberto dice: "La mia giornata è molto intensa". Roberto dice che la sua giornata è molto intensa.

1. Carlo dice: "La mia esperienza è molto piacevole".

....

2. Marco dice: "Il mio lavoro è molto difficile".

....

3. Luigi dice: "La mia ragazza è molto simpatica".

....

4. Giuseppe dice: "Il mio orologio è molto vecchio".

....

5. Bernardo dice: "La mia città è molto bella".

....

6. Come sopra:

Roberto e Cristina dicono: "I nostri figli sono già grandi". Roberto e Cristina dicono che i loro figli sono già grandi.

1. Riccardo e Maria dicono: "Le nostre impressioni sono positive".

....

2. Lucio e Grazia dicono: "I nostri impegni sono tanti".

....

3. Mauro e Gina dicono: "La nostra bambina va già a scuola".

....

4. Silvio e Carla dicono: "Il nostro numero di telefono è cambiato".

....

5. Massimo e Bianca dicono: "La nostra macchina va molto bene".

....

Lessico nuovo: trasformare.

7. Completate le seguenti frasi secondo l'esempio:

Le mie impressioni su questa città sono molto buone e *le Sue* come sono, professore?

1. Le mie valigie sono in macchina e .... dove sono, Carlo?
2. Le mie sigarette preferite sono le Nazionali e .... quali sono, signor Marini?
3. I miei bambini sono a casa e .... dove sono, signora?
4. Il nostro esame è domani e .... quando è, ragazzi?
5. I nostri posti sono questi e .... qual è, signorina?

VII

LEI (formale)

- Buongiorno, avvocato!
- Buongiorno, signor Tassi! Le presento mia moglie.
- Molto lieto!

- ArrivederLa, dottore! Mi saluti Sua sorella!
- Grazie, presenterò.

- È Suo nipote questo bel bambino, signora?
- Sì, è il figlio di mia figlia.

- Suo figlio cade dal sonno, signora.
- È tardi! Ora lo metto a letto.

TU (confidenziale)

- Ciao, Carla!
- Ciao, Giuliano! Ti presento mio marito.
- Piacere!

- Ci vediamo, Mario! Salutami tuo fratello!
- Senz'altro, grazie!

- È tua nipote questa bella bambina, Gianna?
- Sì, è la figlia di mio fratello.

- Il tuo bambino cade dal sonno, Marta.
- È tardi! Ora lo metto a letto.

Attenzione!

1.

mio figlio tuo fratello sua sorella

ma:

i miei figli i tuoi fratelli le sue sorelle

Con *padre, madre, figlio, figlia, fratello, sorella, marito, moglie, zio, zia, cugina, nipote, nonno, nonna,* ecc.., non si usano gli articoli "il" e "la" davanti al possessivo.

Lessico nuovo: avvocato - presentare - marito - lieto - salutare (v.) - sorella - nipote - sonno - cugino - nonno - usare.

2.

il loro bambino la loro famiglia	i loro bambini le loro famiglie

e anche

il loro figlio la loro sorella	i loro figli le loro sorelle

Davanti al possessivo "loro" si mette *sempre* l'articolo.

VIII ***Completate le seguenti frasi secondo l'esempio:***

Paolo viene con *sua* cugina.

1. Sono stata a Roma con .... padre.
2. Signorina, come sta .... madre?
3. Dottore, ... figli studiano ancora?
4. Francesco, perché non telefoni a .... cugino?
5. Signorina, quando arriva .... fratello?
6. Roberto, viene anche .... sorella con noi?
7. Signor Bianchi, ... figlio è già tornato?
8. Carlo, ... nonni sono tornati in città?
9. Signora, sono a casa .... figlie?
10. Signor Rossi, perché non è venuta anche .... moglie?

IX

1. Completate il seguente testo:

Cara Cristina, ... trovo un momento di tempo per scriverti. Come puoi ...., le mie giornate sono molto .... e la sera torno a casa stanco ...., però, mi trovo bene qui. Le mie prime .... questo paese sono più che .... Gli spagnoli sono veramente simpatici e ...., ma devo dire che non è facile .... modo di vita, così diverso .... nostro. È un'esperienza senz'altro ...., tuttavia sento molto la .... tua e dei .... figli e ho una grande .... della nostra casa. Spero di .... presto .... tue e dei bambini. Ti .... con affetto, ... Roberto.

Lessico nuovo: famiglia.

2. Conversazioni.

A. Dal tabaccaio

1° Cliente: Vorrei un francobollo per una lettera.
Tabaccaio: Per l'Italia o per l'estero?
1° Cliente: Per Varsavia, via aerea.
Tabaccaio: Sono settecento lire.
1° Cliente: Scusi, dove posso imbucarla?
Tabaccaio: C'è una buca per le lettere un po' più avanti a sinistra.
1° Cliente: Grazie! ArrivederLa.
Tabaccaio: Prego! ArrivederLa.
2° Cliente: Vorrei un foglio, una busta e due cartoline.
Tabaccaio: La busta normale o per posta aerea?
2° Cliente: Normale.
Tabaccaio: Desidera altro, signore?
2° Cliente: Sì, un pacchetto di MS e una scatola di cerini. Quant'è?
Tabaccaio: Millequattrocento lire.

B. Alla posta

- Vorrei spedire un telegramma in Grecia.
- Scriva su questo modulo l'indirizzo del mittente, quello del destinatario e il testo del telegramma.
- Quanto pago?
- Sono venticinque parole ..... tremilasettecentocinquanta (3750) lire.

C. Tra uno sciopero e ..... l'altro

- Giovanni, hai ricevuto notizie dai tuoi?
- Ancora no, ma sai, c'è stato lo sciopero delle poste negli ultimi giorni.

D. Accettare un invito

a voce:

- Vuoi venire a cena da me domani sera?
- Grazie, accetto con piacere l'invito!

per iscritto:

- Caro Franco, ti ringrazio vivamente del tuo cortese invito, che accetto con piacere.
  Cordialmente, tuo Mario.

Lessico nuovo: tabaccaio - cliente - francobollo - estero - aereo (agg.) - imbucare - buca - avanti - sinistro - foglio - busta - cartolina - normale - posta - desiderare - pacchetto - scatola - cerino - spedire - telegramma - modulo - mittente - destinatario - sciopero - accettare - invito - voce - per iscritto - ringraziare - vivamente - cortese - cordialmente.

E. Declinare un invito

a voce:

- Vorrei invitarLa a cena per domani sera, signor Longhi.
- Mi dispiace veramente, ma non posso accettare: ho già un impegno.

per iscritto:

- Gentile signora Bianconi, La ringrazio sentitamente del Suo cortese invito, che purtroppo non posso accettare a causa di un precedente impegno.
  Con i miei più cordiali saluti,
  Suo Giulio Parri.

F. LEI (formale)

- Signor Bianchi, prende un whisky?
- No, grazie, non bevo liquori.
- Che cosa posso offrirLe, allora?
- Un cappuccino, grazie!
- Quanto zucchero?
- Tre cucchiaini: mi piace dolce.

- Che cosa prende, signora Russo?
- Una bibita fresca, forse un succo di pompelmo.
- E Lei, signor Russo, che cosa prende?
- Un caffè corretto, grazie!
  Cameriere! Un succo di pompelmo, un caffè corretto e una spremuta d'arancia, per piacere!

TU (confidenziale)

- Maria, prendi una tazza di tè?
- Sì, volentieri!
- Al limone?
- No, al latte.
- Quanto zucchero?
- Niente, grazie, lo preferisco amaro.

- Carlo, prendi qualcosa?
- Soltanto un bicchiere d'acqua minerale, perché ho molta sete.
- Cameriere! Un bicchiere d'acqua minerale, un latte macchiato e una pasta per favore!

3. Rispondete alle seguenti domande:

1. Lei vuole presentare la persona che è con Lei ad un amico. Che cosa dice?
2. Lei vuole dei francobolli per una lettera. Dove va? Cosa dice?
3. In Italia è possibile comprare i francobolli e la carta da lettere anche dal tabaccaio. E nel Suo paese?
4. Lei vuole mandare un telegramma. Che cosa fa?
5. Che cosa pensa del servizio postale in Italia? Com'è nel Suo paese?

Lessico nuovo: declinare - invitare - gentile - sentitamente - purtroppo - causa - precedente - cordiale - saluto - liquore - cappuccino - cucchiaio (cucchiaino) - dolce (agg.) - tazza - limone - latte - amaro - bibita - fresco - succo - pompelmo - corretto (caffè c.) - cameriere - spremuta - arancia - bicchiere - acqua - minerale (acqua m.) - sete - macchiato (latte m.) - pasta - carta - mandare - postale.

6. Che cosa risponde per declinare l'invito di un amico?
7. Lei vuole offrire qualcosa da bere ad un suo amico. Che cosa dice?
8. Lei vuole offrire qualcosa da bere ad una signora. Che cosa dice?
9. Lei beve liquori?
10. Lei che cosa prende, di solito, a colazione?

4. Scriva una lettera alla Sua famiglia in cui racconta le Sue impressioni su un'esperienza di lavoro o di studio o su una vacanza all'estero.

X *Test*

A. Completate le seguenti frasi con le parole mancanti:

1. Ho una grande.......................... della .... casa.
2. Bernardo sente molto la .... della .... famiglia.
3. Silvio e Carla dicono che il .... numero di telefono .... cambiato.
4. Signor Tassi, Le .... mia moglie!
5. Ci ...., Mario, e salutami .... fratello.

B. Mettete al posto dei puntini i possessivi convenienti:

Cara Elisa, ho ricevuto .... lettera e mi fa piacere sentire che voi tutti state bene.

.... vacanze in campagna sono quasi finite e penso già .... ritorno in ufficio. Da qualche giorno sono qui anche .... cugino e .... moglie. Sono arrivati da soli, perché .... figli hanno preferito andare al mare da amici .... compagnia è molto piacevole, perché sono persone simpatiche e aperte.

Mi hanno invitato a casa .... e penso di andarci per due o tre giorni prima di tornare al lavoro. Chiudo qui perché voglio dare questa .... ad una persona che va in città, così sono sicura che parte stasera stessa. Ti abbraccio con affetto, ... Clara.

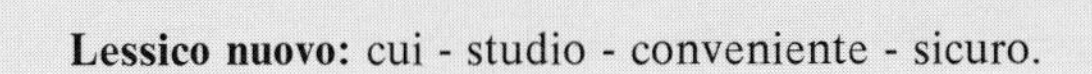

Lessico nuovo: cui - studio - conveniente - sicuro.

C. Mettete in ordine le seguenti parole:

1. scriverti/di/momento/per/trovo/un/tempo/finalmente/./
2. al/abituarsi/di/modo/è/non/vita/loro/facile/./
3. la/sento/nostri/molto/tua/dei/mancanza/e/figli/./
4. presto/notizie/di/spero/ricevere/vostre/./
5. imbucare/scusi/posso/cartoline/dove/queste/?/

D. Trovate gli errori nelle seguenti frasi:

1. La mia sorella è ancora in vacanza.
2. Chi è questa bel bambina, signora?
3. Roberto e Cristina hanno nostalgia dei suoi figli.
4. Sono venuti anche miei fratelli.
5. Giovanna, hai ricevuto notizie dei suoi?

E. Traducete nella vostra lingua il testo introduttivo "Una lettera" e ritraducete in italiano, confrontando, poi, con il testo originale.

Lessico nuovo: errore.

A questo punto Lei conosce 732 parole italiane

sesta unità
(unità numero sei)

il futuro semplice e composto
la particella avverbiale "ci"

I *Un fine-settimana al mare*

Enrico : Che *farai* questo fine-settimana, Alberto?
Alberto: *Andrò* al mare. E tu che pensi di fare?
Enrico : Non ho ancora deciso: forse *rimarrò* a casa.
Alberto: Perché non vieni anche tu a Roseto?
Enrico : È lontano?
Alberto: Mica tanto! *Ci vorranno* al massimo tre ore.
Enrico : *Saremo* solo noi?
Alberto: No, ci *verranno* pure Luigi e Franca. Dai, vieni via! Sono sicuro che *staremo* bene! *Faremo* una bella nuotata e... *mangeremo* pesce fresco.
Enrico : Mi hai convinto! *Passerete* voi a prendermi?
Alberto: Senz'altro! Va bene alle sette?
Enrico : È un po' presto, ma almeno non *troveremo* molto traffico.
Alberto: Allora alle sette *saremo* sotto casa tua.

Lessico nuovo: sesto - decidere - mica - massimo - nuotata - pesce - convincere - almeno - traffico - sotto.
Termini tecnici: futuro - particella - avverbiale.

II *Test*

1. Questo fine-settimana Alberto andrà
   - [a] in montagna
   - [b] al mare
   - [c] in campagna

2. Alberto partirà
   - [a] con gli amici
   - [b] con la famiglia
   - [c] da solo

3. Alberto ed Enrico faranno
   - [a] una passeggiata
   - [b] un giro in macchina
   - [c] una nuotata

4. Alberto ed Enrico vogliono partire presto
   - [a] per non trovare troppo traffico
   - [b] per non sentire troppo caldo
   - [c] per non arrivare troppo tardi

III *Ora ripetiamo insieme:*

- Che farai questo fine-settimana, Alberto?
- Andrò al mare. E tu?
- Forse rimarrò a casa.
- Perché non vieni anche tu a Roseto?
- Saremo solo noi?
- No, ci verranno pure Luigi e Franca.
- Sono sicuro che staremo bene!

IV *Rispondete alle seguenti domande:*

1. Che cosa farà Alberto questo fine-settimana?
2. Quanto tempo ci vorrà per arrivare a Roseto?
3. Che cosa faranno i due amici al mare?
4. A che ora partiranno Alberto ed Enrico?
5. Perché pensano di partire così presto?

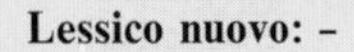

Lessico nuovo: –

V

IERI (passato)	OGGI (presente)	DOMANI (futuro)
- Alberto, che hai fatto ieri?	- Alberto, che fai oggi?	- Alberto, che farai domani?
- Sono andato al mare. E tu, Paola?	- Vado al mare. E tu, Paola?	- Andrò al mare. E tu, Paola?
- Sono rimasta a casa.	- Rimango a casa.	- Rimarrò a casa.

Il futuro semplice.

A. Arrivare (-ARE)

A che ora *arriverai,* Mauro? — *Arriverò* verso le sette.

E tua sorella? — Lei *arriverà* un po' più tardi.

E voi, ragazzi, a che ora *arriverete?* — *Arriveremo* in tempo per la cena; Giorgio e Pina, invece, *arriveranno* dopo cena.

B. Prendere (-ERE)

Prenderai la macchina oggi pomeriggio, Anna? — No, *prenderò* l'autobus, perché non trovo mai un parcheggio.

Signor Martini, a che ora *prenderà* il treno? — Alle nove, se non ci sarà uno sciopero.

Non *prenderete* un periodo di riposo? — Sì, *prenderemo* un mese di ferie appena possibile.

Quando *prenderanno* in affitto l'appartamento di sopra i signori Bolli? — Il mese prossimo.

C. Partire (-IRE)

Partirà presto domattina, signora Meucci? — Mah! *Partirò* verso le otto.

E tu, Marco, quando *partirai?* — Alle nove; Marta e Gianni, invece, *partiranno* più tardi.

E voi, ragazzi, quando *partirete?* — *Partiremo* fra una settimana.

Lessico nuovo: verso (prep.) - parcheggio - periodo - riposo - ferie (le f.) - domattina.

I.-ARE	II.-ERE	III.-IRE
io arriv*erò*	prend*erò*	part*irò*
tu arriv*erai*	prend*erai*	part*irai*
lui / lei / Lei arriv*erà* verso le sette	prend*erà* il treno	part*irà* più tardi
noi arriv*eremo*	prend*eremo*	part*iremo*
voi arriv*erete*	prend*erete*	part*irete*
loro arriv*eranno*	prend*eranno*	part*iranno*

Attenzione!

DARE	*FARE*	*STARE*
io d*a*rò	f*a*rò	st*a*rò
tu d*a*rai	f*a*rai	st*a*rai
lui / lei / Lei d*a*rà l'esame	f*a*rà tardi	st*a*rà bene
noi d*a*remo	f*a*remo	st*a*remo
voi d*a*rete	f*a*rete	st*a*rete
loro d*a*ranno	f*a*ranno	st*a*ranno

VI

1. Ed ora completate le frasi con il verbo al futuro:

Oggi offro io. Domani *offrirai* tu.

1. Oggi resto a casa. Anche domani .... a casa.
2. Adesso telefono a Cristina. Fra poco .... a Giulio.
3. Oggi fanno sciopero gli autobus. Domani .... sciopero i treni.
4. Gianni parte in treno. Luisa e Marta, invece, ... in macchina.
5. Oggi ho scritto a Paolo. Stasera .... a Lucia.
6. I negozi aprono alle nove. I negozi non .... per due giorni.
7. Franco arriva oggi da Milano. Patrizia, invece, ... domani sera.
8. Di solito passiamo le vacanze al mare. L'anno prossimo .... un mese in montagna.
9. Guido e Giulio cominciano subito a studiare. Noi .... fra un'ora.
10. Oggi ho finito di lavorare tardi. Domani .... un po' prima.

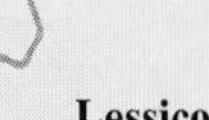

Lessico nuovo: –

2. Completate le seguenti frasi secondo il modello:

Chiedete a Gina se tornerà presto. Gina, tornerai presto?

1. Chiedete a Luisa se affitterà l'appartamento.
 ....
2. Chiedete ad Anna se starà con i bambini.
 ....
3. Chiedete a Marta se lavorerà anche sabato.
 ....
4. Chiedete a Lucia se prenderà un periodo di riposo.
 ....
5. Chiedete a Bruno se dormirà fino a tardi.
 ....
6. Chiedete a Marco se uscirà dopo cena.
 ....
7. Chiedete a Lisa se darà l'esame d'inglese.
 ....
8. Chiedete a Wanda se accetterà l'invito di Lucia.
 ....
9. Chiedete a Giorgio se seguirà tutte le lezioni.
 ....
10. Chiedete a Nicola se cambierà casa.
 ....

VII ***Ora vediamo il futuro semplice di altri verbi:***

A. *ESSERE*

- Laura, ti va di fare una partita a tennis domani pomeriggio?
- Mi dispiace, Giusy, ma domani *sarò* a Firenze per tutta la giornata.

AVERE

- Gianni, hai ancora molto da fare?
- Sì, ma vorrei finire in serata, così domani *avrò* tutta la giornata libera.

Lessico nuovo: partita - tennis.

domani	sarò	a Firenze	domani	avrò	tutta la giornata libera
	sarai			avrai	
	sarà			avrà	
	saremo			avremo	
	sarete			avrete	
	saranno			avranno	

B. *VEDERE*

- Ciao, Carlo! Sto per partire. Salutami Anna!
- Senz’altro! La *vedrò* proprio stasera.

POTERE

- A che ora arriverà Michele?
- Ha detto che non *potrà* essere qui prima delle nove.

il futuro di	avere	è	«avrò»
	potere		«potrò»
	sapere		«saprò»
	dovere		«dovrò»
	vedere		«vedrò»
	andare		«andrò»

C. *RIMANERE*

- Salve, Francesco! Quando partirai per Monaco?
- Domani sera tardi.
- Verrà con te anche Giulia?
- No, lei *rimarrà* qui.

VOLERE

- Giuseppe, lo sai che Gianni si presenterà alle prossime elezioni?
- Non *vorrai* mica scherzare?

il futuro di	rimanere	è	«rimarrò»
	venire		«verrò»
	volere		«vorrò»
	bere		«berrò»

D. *PAGARE*

- Chiediamo i conti separati?
- No, *pagherò* io e poi divideremo fra noi la spesa.

CERCARE

- Gino, non ho capito bene quello che hai detto.
- Allora *cercherò* di essere più chiaro.

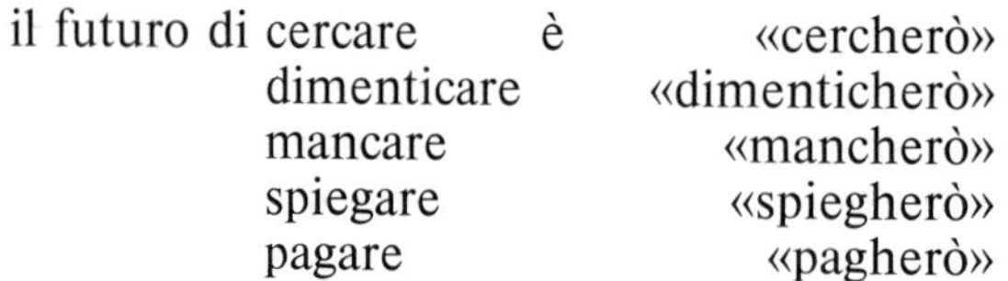

il futuro di	cercare	è	«cercherò»
	dimenticare		«dimenticherò»
	mancare		«mancherò»
	spiegare		«spiegherò»
	pagare		«pagherò»

Lessico nuovo: proprio - salve! - elezione - scherzare - conto - separato (separare) - dividere - chiaro - spiegare.

VII-1

1. Completate le seguenti frasi secondo il modello:

Domattina (io dovere) *dovrò* uscire presto.

1. Mi dispiace, ma stasera (noi non potere) .... uscire insieme.
2. Mauro è sicuro che domani Angela (volere) .... andare al mare.
3. Signorina, quando (vedere) .... il signor Neri?
4. La prossima settimana (io sapere) .... quando (arrivare) .... Carla.
5. Quanto tempo (rimanere) .... in Italia, signora?
6. Anche Marco (venire) .... con noi al concerto, stasera?
7. Oggi pago io, un'altra volta (pagare) .... voi.
8. Prima di partire (io andare) .... a salutare tutti gli amici.
9. Se (tu bere) .... un caffè, (stare) .... subito meglio.
10. (Io non dimenticare) .... mai quello che hai fatto per me.

2. Mettete al posto dell'infinito il verbo al futuro:

Franco, (uscire) *uscirai* con Paola stasera?

1. Quando (voi sapere) .... se (potere) .... partire?
2. Stasera (noi spiegare) .... a Carlo come stanno le cose.
3. Domani mattina (io dormire) .... fino alle undici, perché non devo uscire.
4. L'anno prossimo (io finire) .... di pagare l'appartamento.
5. La prossima settimana Carla e Paolo (dovere) .... cambiare casa.
6. Quanto (durare) .... le Sue vacanze, signora?
7. Domani sera i signori Rossi (dare) .... una festa.
8. Se (voi fare) .... presto, (trovare) .... ancora dei posti a sedere.
9. Se (noi rimanere) .... ancora qualche giorno (vedere) .... anche Positano.
10. Appena (io arrivare) .... a Milano, (io telefonare) .... a Fabio.

Lessico nuovo: –

3. Completate le seguenti frasi con la domanda o con la risposta:

Domanda	*Risposta*
1. ...., Giovanna?	Tornerò domenica notte.
2. Andrete al mare o in montagna per le vacanze?	....
3.	No, Maria non verrà.
4. Rimarrai a casa stasera?	....
5.	Partiremo in treno.
6. Oggi spiegherà qualcosa di nuovo, professore?	....
7. ...., signorina?	Starò via tre mesi.
8. Quanto tempo ci vorrà per arrivare a Roma?	....
9.	Telefonerò prima delle tre.
10. Parlerà Lei per primo, signor Grassi?	....

VII-2 ***In viaggio.***

Durante il viaggio per Roseto i nostri amici parlano del più e del meno:

Enrico: Sono proprio contento di passare una giornata al mare!
Con questo caldo, appena saremo arrivati, farò subito un bel bagno!

Alberto: Io, invece, prima di buttarmi in acqua, prenderò un po' di sole.

Attenzione!

Appena *saremo arrivati,* farò un bel bagno.

e ancora:
- Quando *avrò mangiato,* farò quattro passi.
- Quando *avrò conosciuto* meglio Carla, ti dirò cosa penso di lei.
- Dopo che *avrò dormito* un po', starò meglio.

Nel caso di due azioni future:
Per l'azione che avviene *PRIMA* usiamo il futuro composto.
Per l'azione che avviene *DOPO* usiamo il futuro semplice.

"saremo arrivati", "avrò mangiato", "avrò conosciuto", "avrò dormito":
futuro composto

Lessico nuovo: durante - bagno - buttare - sole - passo - azione - futuro (agg.) - avvenire (v.).

Il futuro composto o futuro anteriore.

	I. ARRIVARE	*II. CONOSCERE*	*III. DORMIRE*
io	sarò arrivato (a)	avrò conosciuto	avrò dormito
tu	sarai arrivato (a)	avrai conosciuto	avrai dormito
lui lei Lei	sarà arrivato (a)	avrà conosciuto	avrà dormito
noi	saremo arrivati (e)	avremo conosciuto	avremo dormito
voi	sarete arrivati (e)	avrete conosciuto	avrete dormito
loro	saranno arrivati (e)	avranno conosciuto	avranno dormito

VII-3 Completate i dialoghi secondo il modello:

- Fra un anno finirò la scuola.
- Che farai dopo?
- *Dopo che avrò finito la scuola,* cercherò subito un lavoro.

1. Devo dormire un po'.
   Che farai dopo?
   ...., comincerò a lavorare.
2. Voglio fare un bagno.
   Che farai dopo?
   ...., andrò subito a letto.
3. Fra cinque giorni darò l'esame di matematica.
   Che farai dopo?
   ...., prenderò qualche giorno di riposo.
4. Domani mattina telefonerò ai miei.
   Che farai dopo?
   ...., uscirò a fare spese.
5. Tra dieci minuti finirò di mangiare.
   Che farai dopo?
   ...., andrò a fare una passeggiata.

Lessico nuovo: –
Termini tecnici: anteriore.

VII-4 Osservate!

- Scusi, sa che ora è? - Non lo so di sicuro, perché non ho l'orologio, ma *saranno* le undici.	(= *forse sono* le undici)
- A quest'ora Carlo *sarà arrivato* a Milano.	(= *forse è arrivato* a Milano)
- Non credo: *sarà* ancora a Bologna.	(= *forse è* ancora a Bologna)
- Come mai Luisa è così giù?	
- Non so, *avrà* qualche problema.	(= *forse ha* qualche problema)
- Allora *avrà* bisogno di aiuto!	(= *forse ha* bisogno di aiuto)
- Perché ieri sera Gianni non è venuto?	
- Non lo so: *avrà avuto* altre cose da fare.	(= *forse ha avuto* altre cose da fare)

VII-5 ***A Siena.***

Ugo : Senti, Mark, mi hanno detto che a Siena c'è una mostra d'arte moderna. Vogliamo andar*ci*?

Mark: Sì, *ci* vengo volentieri, anche perché è un'occasione per visitare la città.

Ugo : Bene! *Ci* andiamo in treno oppure in macchina?

Mark: Possiamo andar*ci* con la mia macchina, così non avremo problemi di orario.

Ugo : È sicuramente meglio.

VII-6 Rispondete alle seguenti domande:

1. Dove vuole andare Ugo?
2. Perché ci vuole andare?
3. Mark è mai stato a Siena?
4. Con quale mezzo andranno a Siena Ugo e Mark?

VII-7

- Vogliamo andar*ci*, Mark?	Mark, vogliamo andare *a Siena*?
- *Ci* vengo volentieri.	Vengo volentieri *a Siena.*
- *Ci* andiamo in treno?	Andiamo *a Siena* in treno?
- Possiamo andar*ci* con la mia macchina.	Possiamo andare *a Siena* con la mia macchina.

Lessico nuovo: giù - problema - bisogno - aiuto - mostra - arte - moderno - occasione - visitare - oppure - sicuramente.

VII-8 andare

- Vai *in Francia* l’anno prossimo?
- Vai *al cinema* stasera?
- Va *alla partita* di calcio, dottore?
- Luigi, oggi vai *dal medico?*

Sì, *ci vado.*
No, *non ci vado.*

venire

- Vieni *a casa di Paola* stasera?
- Vieni *a teatro* domani sera?
- Vieni *al museo* con noi?
- Signorina, viene *a lezione* domani?

Sì, *ci vengo.*
No, *non ci vengo.*

essere, stare, restare, rimanere

- È *a casa* la signora?	- No, *non c’è.*
- Sta volentieri *in questa città?*	- Sì, *ci sto* volentieri.
- Chi resta *a casa* con i bambini?	- *Ci resta* la nonna.
- Quanto tempo rimane *a Napoli,* signora?	- *Ci rimango* due mesi.

VIII

1. Completate le risposte alle seguenti domande:

1. Con chi siete andati a sciare ieri?	.... con Sandro.
2. Quante volte è stato a Venezia, signor Arnold?	.... molte volte.
3. Quanto tempo rimarrà a Livorno, signora Pucci?	.... due mesi.
4. Chi viene a Firenze con te?	.... Carla.
5. Alex, stai volentieri a Torino?	No, ...
6. Chi è andato a prendere i ragazzi?	.... Francesca.
7. Quando tornerà in ufficio, signorina?	.... la prossima settimana.
8. Sai se Paola è andata a scuola?	Sì, ...

Lessico nuovo: calcio - medico - museo.

9. Chi resta ad aspettare Giulia? .... Mario.
10. Signor Di Marco, da quanto tempo lavora in questo ufficio? .... da sei mesi.

2. Completate le seguenti frasi con la domanda o con la risposta:

Domanda	*Risposta*
1. Quando tornerai nella tua città?	.... il mese prossimo.
2. ...., Carlo? (in piscina)	Sì, ci vado spesso.
3. È andata in campagna domenica scorsa, signora?	Sì, ... No, ...
4. ....? (a Pisa)	Ci siamo stati due volte.
5. A che ora siete andati a letto ieri sera?	.... alle undici.
6. ....? (a comprare il vino)	Ci vado io.
7. Quanto tempo rimarrai a casa di Paola?	.... una settimana.
8. ....? (a ballare)	No, loro non ci vengono.
9. Signora Negri, è mai stata in Inghilterra?	Sì, ... No, ...
10. ....? (al concerto)	Sì, ci verranno anche loro.

3. Completate il dialogo con la forma conveniente dei seguenti verbi:

andare - esserci - fare - preferire - venire

Giulio: Che cosa .... domani, Franco?

Franco: .... al museo. Ci .... anche tu?

Giulio: No, ... già .... un altro programma: .... a Spoleto, perché in questi giorni .... il "Festival dei due mondi". Domani .... un bellissimo concerto in piazza.

Franco: Io, invece, ... vedere lo spettacolo quando .... meno gente.

Lessico nuovo: –

IX

1. Completate il seguente dialogo:

Enrico: Che .... questo ...., Alberto?
Alberto: .... al mare. E tu che pensi .... fare?
Enrico: No ho .... deciso: forse .... a casa.
Alberto: Perché non .... anche tu .... Roseto?
Enrico: È ....?
Alberto: .... tanto! Ci .... al massimo tre ore.
Enrico: Saremo .... noi?
Alberto: No, ... verranno pure Luigi e Franca ....,
vieni..................! Sono sicuro che .... bene! Faremo una
bella .... e .... pesce fresco.
Enrico: Mi hai ....! Passerete voi a ....?
Alberto: ....! Va bene .... sette?
Enrico: È un po' ...., ma .... non troveremo molto ....

2. Rispondete alle seguenti domande:

1. Che cosa chiede ad un Suo amico per sapere come passerà il fine-settimana?
2. Che cosa risponde ad un amico che Le chiede di passare il fine-settimana con lui?
3. Come passerà il prossimo fine-settimana?
4. Ha mai visto una mostra d'arte moderna?
5. Che genere di musica Le piace di più?

3. Parli di un viaggio che pensa di fare in futuro.

4. Quanti ne abbiamo?

I mesi

È il 16 gennaio	14 luglio
2 febbraio	30 agosto
5 marzo	18 settembre
12 aprile	31 ottobre
9 maggio	4 novembre
1° giugno	28 dicembre

Lessico nuovo: genere - gennaio - febbraio - marzo - maggio - giugno - luglio - agosto - settembre - ottobre - novembre - dicembre.

Le stagioni

- In primavera la campagna è tutta verde.
- In estate fa caldo e la gente va in vacanza.
- In autunno le foglie degli alberi cadono.
- In inverno fa freddo e cade la neve.

X *Test*

A. Completate le seguenti frasi con le parole mancanti:

1. Domani io .... al mare. Tu che pensi .... fare?
2. Per arrivare .... Rimini .... vorranno .... tre ore.
3. Oggi .... l'autobus, perché non trovo mai un ....
4. I negozi non apriranno .... sabato.
5. Secondo te, quanti anni .... quella ragazza?

B. Completate le seguenti frasi con le lettere mancanti:

1. Luigi, quando prender.................. un per............do di riposo?
2. Non mi dimentic..........er....... di ....pedire la tua lettera.
3. Gino, se be..........ai un caffè, star.......... subito meg..........io.
4. La prossima settimana Carlo dov..............à cambiare casa.
5. Mi lasci qui? Non vo..........ai mica sc..........er.........are!

C. Mettete in ordine le seguenti parole:

1. sono/bene/che/sicuro/staremo/!/una/e/mangeremo/nuotata/pesce/bella/fresco/faremo/./
2. appena/caldo/subito/bel/un/farò/arrivati/con/saremo/bagno/!/questo/
3. è/ora/che/sa/scusi/?/so/ho/non/orologio/lo/saranno/ma/le/sicuro/di/undici/ho/perché/non/l'/!/
4. che/c'/mostra/a/detto/Siena/una/arte/d'/è/moderna/hanno/mi/./
5. così/non/la/orario/di/problemi/con/macchina/ci/avrò/vado/. /

Lessico nuovo: stagione - primavera - autunno - foglia - albero - inverno.

D. Raccontate il dialogo introduttivo “Un fine-settimana al mare”, ricordando i seguenti punti:

Alberto al mare/Enrico forse a casa/Roseto/tre ore/Luigi e Franca/una bella nuotata e pesce fresco/Enrico convinto/passare a prendere/alle sette/non molto traffico/

E. Traducete nella vostra lingua il dialogo introduttivo “Un fine-settimana al mare” e ritraducete in italiano, confrontando, poi, con il testo originale.

F. Fate il V test.

Lessico nuovo: -

A questo punto Lei conosce
799 parole italiane

I *In cerca di lavoro*

Carlo : Sei riuscita a trovare lavoro, Marina?

Marina: Proprio ieri mi hanno offerto un impiego, ma sono ancora in dubbio se accettar*lo* o meno.

Carlo : Che tipo di lavoro è?

Marina: Un posto di dattilografa nello studio di un avvocato.

Carlo : Non è un lavoro di grande soddisfazione, ma almeno è conveniente dal punto di vista economico?

Marina: No, lo stipendio non è alto e inoltre l'orario di lavoro è piuttosto pesante.

Carlo : Certo, con il titolo di studio che hai, puoi pretendere qualcosa di meglio.

Marina: *Lo* so, ma con i tempi che corrono non si può scegliere molto.

Carlo : Comunque è sempre meglio un lavoro modesto che niente.

Marina: La mia situazione *la* conosci bene; ho bisogno di lavorare e devo prendere quello che capita.

Carlo : Proprio per questo ti consiglio di accettare subito quel lavoro, altrimenti *lo* prenderà qualcun altro.

Marina: *Mi* hai convinto: dovrò rassegnarmi a fare un lavoro che non mi piace.

Carlo : In fondo gli stessi svantaggi *li* presentano tanti altri lavori, compreso il mio.

Marina: Ma, almeno, tu puoi fare carriera!

Carlo : Questa prospettiva per ora tu non ce *l'*hai, ma in futuro forse puoi cambiare lavoro.

Marina: Con la disoccupazione che c'è, sarà molto difficile.

Lessico nuovo: settimo - cerca (in c. di) - impiego - dubbio - tipo - dattilografo - soddisfazione - vista - economico - stipendio - alto - inoltre - piuttosto - pesante - certo - pretendere - comunque - modesto - situazione - capitare - consigliare - altrimenti - rassegnarsi - svantaggio - carriera - prospettiva - disoccupazione.
Termini tecnici: pronome - diretto.

II Test

	Vero	Falso
1. Marina è riuscita a trovare lavoro	☐	☐
2. Ha già deciso di accettarlo	☐	☐
3. Lo stipendio è alto	☐	☐
4. Marina ha bisogno di lavorare	☐	☐
5. Con quel lavoro Marina può fare carriera	☐	☐

III *Ora ripetiamo insieme:*

- Sei riuscita a trovare lavoro?
- Mi hanno offerto un impiego, ma sono in dubbio se accettarlo o meno.
- Con il titolo di studio che hai, puoi pretendere qualcosa di meglio.
- Lo so, ma con i tempi che corrono, non si può scegliere molto.
- La mia situazione la conosci bene; ho bisogno di lavorare.

IV *Rispondete alle seguenti domande:*

1. Che tipo di lavoro hanno offerto a Marina?
2. È conveniente dal punto di vista economico?
3. Com'è l'orario?
4. Perché, alla fine, decide di accettarlo?
5. Con quel lavoro può fare carriera?

V *Attenzione!*

Conosci *Paolo?*	Sì, *lo* conosco
Conosci *questo paese?*	No, non *lo* conosco
Conosci *Carla?*	Sì, *la* conosco
Conosci *questa città?*	No, non *la* conosco
Conosci *Mauro e Lucio?*	Sì, *li* conosco
Conosci *questi posti?*	No, non *li* conosco
Conosci *Anna e Lucia?*	No, non *le* conosco
Conosci *queste strade?*	No, non *le* conosco

LO, LA, LI, LE: sono pronomi diretti

Lessico nuovo: –

VI ***Ed ora completiamo insieme:***

Ascolti sempre il giornale radio? Sì, *lo* sento ogni mattina.

1. Maria, metti questo vestito! Ti sta bene.
   D'accordo,.............................. metterò.
2. Quando vedrai Maria e Franca?
   .... vedrò stasera.
3. A che ora prendi il treno?
   .... prendo alle cinque.
4. Signora Galli, dove lascia la macchina di solito?
   .... lascio sotto casa.
5. Paolo non sa se cambiare lavoro o no.
   Perché qualcuno non .... consiglia?
6. Per chi compri questi dischi?
   .... compro per Marcella.
7. Dobbiamo andare a prendere Luigi.
   .... vado a prendere io.
8. Capisci questa parola?
   Sì, ... capisco.
9. Conoscete il nuovo indirizzo di Carlo?
   No, non .... conosciamo.
10. Mangi volentieri le paste?
    Sì, ... mangio volentieri.

Lessico nuovo: giornale radio.

VII *Attenzione!*

1.

A. *Lo* può stare anche al posto di un'intera frase:

- Sai *che facoltà ha scelto Mauro?*	
- Sai *chi ha aiutato Lucia a trovare lavoro?*	
- Sai *dov'è un garage pubblico?*	Sì, *lo* so
- Sai *che cosa hanno regalato a Stefano e Marta per il loro matrimonio?*	No, non *lo* so
- Sai *qual è il significato di questa espressione?*	
- Sai *chi ha accompagnato Luigi all'aereoporto?*	

B. Forma di cortesia del pronome diretto

Dico alla signora Rossi: "Signora Rossi, *LA* prego di aspettare un momento".

Dico al signor Rossi: "Signor Rossi, *LA* prego di aspettare un momento".

Come vediamo, la forma *"LA"* è usata tanto per il maschile quanto per il femminile.

2. Pronomi diretti

1. Carlo ha paura di non sentire la sveglia:	*lo*	chiamerò io.
2. Carla ha paura di non sentire la sveglia:	*la*	chiamerò io.
3. Lei, signora, ha paura di non sentire la sveglia?	*La*	chiamerò io.
4. Lei, signore, ha paura di non sentire la sveglia?	*La*	chiamerò io.
5. Carlo e Gino hanno paura di non sentire la sveglia:	*li*	chiamerò io.
6. Carla e Laura hanno paura di non sentire la sveglia:	*le*	chiamerò io.
7. Mario e Gianna hanno paura di non sentire la sveglia:	*li*	chiamerò io.

Lessico nuovo: intero - facoltà - aiutare - garage - pubblico (agg.) - regalare - matrimonio - significato - espressione - accompagnare - cortesia - pregare - sveglia - chiamare.

3. Ora completiamo insieme:

Signora, non *La* sento: può ripetere?

1. Signor Finzi, ... prego di tornare la prossima settimana.
2. Professore, ... invitiamo a pranzo per domani.
3. Signora, ... ringrazio molto della Sua cortesia e .... saluto.
4. Signorina, ... accompagno io in macchina.
5. Dottore, c'è una persona che .... aspetta da mezz'ora.
6. Signor Danieli, ... aiuterò io a trovare la strada.
7. Signorina, ... capisco, ma non .... posso aiutare.
8. Professore, ... ricorderò con piacere!
9. Signorina, ... vedrò domani?
10. Signor Betti, arriveder........, spero di sentir....... presto!

4. Qualche giorno dopo...

Carlo : Che fai di bello oggi pomeriggio, Marina?

Marina: Torno in ufficio.

Carlo : Ma è sabato!

Marina: Lo so, ma ho una decina di lettere urgenti da scrivere.

Carlo : Pensi di finirle tutte?

Marina: No, *ne* scriverò alcune e le altre le lascerò per lunedì.

Carlo : Allora perché non rimandi tutto a lunedì?

Marina: Forse hai ragione!

Lessico nuovo: decina - urgente - rimandare - ragione.

5. Il pronome "NE".

- Carlo, bevi tutto quel vino?
  No, non lo bevo tutto, *ne* bevo solo *un bicchiere.*
- Carlo, mangi tutti quegli spaghetti?
  No, non li mangio tutti, *ne* mangio *un piatto.*
- Carlo, fai tutta la strada a piedi?
  No, non la faccio tutta a piedi, *ne* faccio *un po'* a piedi e *un po'* in autobus.
- Carlo, le conosci tutte quelle persone?
  No, non *ne* conosco *nessuna.*

TUTTO

LO	bevo	*tutto*
LA	faccio	*tutta*
LI	mangio	*tutti*
LE	conosco	*tutte*

UNA PARTE O NIENTE

NE	bevo	*un bicchiere*
NE	faccio	*un po'*
NE	mangio	*un piatto*
NE	conosco	*poche*

LO	bevo	*tutto*

	NE bevo	*un bicchiere* *poco* *molto*
NON	NE bevo	*affatto* *per niente*

LE	conosco	*tutte*

	NE conosco	*due* *poche* *tante*
NON	NE conosco	*nessuna*

Lessico nuovo: spaghetti - piatto - parte - affatto.

6. Ora completiamo insieme:

Quante lingue conosce, signorina? *Ne* conosco tre.

1. Quanti caffè prende al giorno, signorina?
   .... prendo molti.
2. Quante sigarette fuma al giorno, professore?
   .... fumo più di un pacchetto!
3. Spendete molti soldi in questa città?
   Sì, ... spendiamo molti.
4. Quanti bambini ha, signora?
   .... ho due.
5. Fa qualche sport, ingegnere?
   No, non .... faccio nessuno!
6. Hai sete?
   Sì, ... ho molta!
7. Avete molti amici qui?
   Sì, ... abbiamo abbastanza.
8. Hai esperienza in questo lavoro?
   No, non .... ho affatto.
9. Quanti giornali legge di solito, avvocato?
   .... leggo pochi.
10. Signora, conosce qualcuno dei miei fratelli?
    No, non .... conosco nessuno.

Lessico nuovo: –

7.

- Scusi, signore, ha *denaro liquido?*
  - Sì, *ce l'ho.*
  - No, *non ce l'ho*: non ne porto mai con me.
- Carla, hai *la patente?*
  - Sì ce l'ho: eccola!
  - No, *non ce l'ho:* non ho ancora compiuto diciotto anni.
- Gianni, hai tu *i miei occhiali da sole?*
  - Sì, *ce li ho* io: eccoli!
  - No, *non ce li ho.*
- Scusi, signorina, ha *diecimila lire* da cambiare?
  - Sì, *ce le ho.*
  - No, mi dispiace, *non ce le ho:* ho solo pochi spiccioli.

Ha *denaro liquido?* Hai *la patente?*	Sì, *ce l'ho.* No, *non ce l'ho.*
Hai *i miei occhiali da sole?* Ha *diecimila lire* da cambiare?	Sì, *ce li ho.* No, *non ce le ho.*

8. Completate le seguenti frasi con la domanda o con la risposta:

Domanda	*Risposta*
1. Hai il garage?	....
2.	Sì, ce li ho: eccoli.
3. Avete una casa al mare?	....
4.	No, non ce le ho.
5. Signora, ha il numero di telefono di Paola?	....
6.	No, non ce l'ho.
7. Ha spiccioli per l'autobus?	....
8.	Sì, ce l'ho: eccola!
9. Avete due buste grandi?	....
10.	Sì, ce li ho.

Lessico nuovo: denaro - liquido (agg.) - portare - patente - compiere - occhiali - spicciolo.

9. Completate le seguenti frasi secondo il modello:

> Da quanto tempo studi l'italiano?
> *Lo* studio da tre mesi.

1. Da quanto tempo conosci Paola? .... da due anni.
2. Posso pregarti di imbucare questa lettera? .... farò con piacere.
3. Quanti anni ha, signorina? .... diciannove.
4. Hai mille lire spicciole? Sì, ... ho.
5. Signorina, può aspettarmi un momento? Sì, ... aspetterò al bar.
6. Spendi molti soldi per i vestiti? Sì, ... spendo molti.
7. Se Lei non conosce il numero di telefono di Giulia .... può chiedere a Mauro che .... sa.
8. Signor Martini, ... ringrazio e arriveder..........
9. La bambina non sta bene: dobbiamo portar.......... dal medico.
10. Sai quando torna Roberta da Parigi? No, non .... so.

10. Al telefono.

Claudio: Pronto, Pietro, sono Claudio...
Pietro : Pronto, Claudio, non *ti* sento bene. Puoi parlare più forte, per favore?
Claudio: *Mi* senti adesso?
Pietro : Sì, adesso *ti* sento bene: parla pure!
Claudio: Il direttore ha deciso di fare una riunione con tutti gli impiegati. È una questione importante. *Ci* vuole vedere tutti domani sera alle sei e mezzo. Vieni anche tu?
Pietro : Sì, ma ho un problema; sono senza macchina...
Claudio: Non fa niente; *ti* passo a prendere io!
Pietro : *Ti* ringrazio. A che ora *ti* aspetto?
Claudio: Alle sei, va bene?
Pietro : Va benissimo! Grazie e... ciao!
Claudio: Ciao, a domani!

Lessico nuovo: forte - direttore - riunione - impiegato - questione - importante - ci (pr. dir.).

11. Rispondete alle seguenti domande:

1. Che cosa fa Claudio?

   ....

2. Cosa dice Pietro?

   ....

3. Che cosa ha deciso il direttore?

   ....

4. Che problemi ha Pietro?

   ....

5. Che cosa farà allora Claudio?

   ....

12.

Pietro, *mi* senti?	Sì, Claudio, *ti* sento!
A che ora *mi* passi a prendere?	*Ti* passo a prendere alle sei.

13. Vediamo ora tutti i pronomi personali insieme:

Soggetto			*Oggetto diretto*
io	chiamo		*mi* chiama (chiama me)
tu	chiami		*ti* chiama (chiama te)
lui (egli)	chiama		*lo* chiama (chiama lui)
lei (ella)	chiama		*la* chiama (chiama lei)
Lei	chiama	Ada	*La* chiama (chiama Lei)
noi	chiamiamo		*ci* chiama (chiama noi)
voi	chiamate		*vi* chiama (chiama voi)
loro (essi)	chiamano		*li* chiama (chiama loro)
loro (esse)	chiamano		*le* chiama (chiama loro)

Lessico nuovo: personale (agg.) - egli - ella - esso.
Termini tecnici: oggetto.

14. Attenzione!

Il direttore vuole veder*ci* domani.
Il direttore *ci* vuole vedere domani.

Passo a prender*ti* alle sei.
Ti passo a prendere alle sei.

Puoi chiamar*mi* a qualsiasi ora.
Mi puoi chiamare a qualsiasi ora.

Come vediamo, questi pronomi possono seguire l'infinito.
Il significato non cambia.

VIII

1. Completate le seguenti frasi secondo il modello:

> Gianni, mi senti bene adesso?
> Sì, ora *ti* sento bene!

1. Maria, mi chiami alle sette, per favore? Sì, ... senz'altro.
2. A che ora ci venite a prendere? .... alle quattro.
3. Signora, mi aiuta, per cortesia? .... volentieri, signorina.
4. Chi passerà a prendere Mario? .... noi.
5. Dove ci aspettano Carlo e Maria? .... al bar.
6. Mi ascolti un momento, per favore! D'accordo, ... signora.
7. Mario, ci accompagni alla stazione? Sì, ... subito!
8. Chi invita Marco e Laura? .... noi.
9. Che mi consiglia di fare? .... di accettare quel lavoro.
10. Signorina, prende un caffè? Sì, grazie .... volentieri!

Lessico nuovo: qualsiasi.

2. In ufficio.

Dr. Lenzi: Signorina Fedeli!
Marina : Dica, avvocato!
Dr. Lenzi: Ha scritto quelle lettere per Milano?
Marina : Sì, le ho scritte: sono sul Suo tavolo.
Dr. Lenzi: Ha fissato l'appuntamento con il signor Righi?
Marina : Sì, l'ho fissato per le undici di domani.
Dr. Lenzi: Va bene!
Marina : Poco fa L'ha cercata Sua moglie e ha detto che ritelefonerà più tardi. È anche venuta la figlia del dottor Vitali; l'ho fatta accomodare nel Suo studio.
Dr. Lenzi: Grazie, signorina! Ha cominciato a vedere le pratiche relative alle lottizzazioni in via Palermo?
Marina : No, purtroppo; non ne ho vista nessuna; sabato ho avuto tanto da fare. Comunque comincerò a studiarle questa mattina.
Dr. Lenzi: Non importa, signorina, per ora non sono urgenti.

3. Rispondete alle seguenti domande:

1. Che cosa chiede l'avvocato Lenzi a Marina?
2. Chi ha telefonato all'avvocato?
3. Dove aspetta la signorina Vitali?
4. Perché Marina non ha studiato le pratiche sulle lottizzazioni?

4. Osservate!

A.

Ho letto

quel libro;	l'	ho lett	o	ieri
quei giornali;	li	ho lett	i	tempo fa.
quella lettera;	l'	ho lett	a	ieri sera.
quelle riviste;	le	ho lett	e	l'altro ieri.

l' = lo / la

Lessico nuovo: fissare - ritelefonare - pratica - relativo - lottizzazione - importare - rivista.

B.

Di libri	ne	ho letto uno
Di giornali		ho letti tre
Di lettere non		ho letta nessuna
Di riviste		ho lette molte

5. Rispondete alle domande secondo il modello:

Perché non vai a vedere quel film?
Perché *l*'ho già vist*o*.

1. Perché non vai a vedere la mostra di Guttuso?
2. Perché non paghi il conto?
3. Perché non finisci gli esercizi?
4. Perché non scrivi le lettere?
5. Perché non dai l'esame d'inglese?
6. Perché non compri il nuovo disco di Venditti?
7. Perché non prendete il caffè?
8. Perché non leggi questo libro?
9. Perché non fai la spesa?
10. Perché non accendi il riscaldamento?

6. Come sopra:

A Parigi hai conosciuto molt*e* person*e*?
Sì, ne ho conosciut*e* molt*e*.

1. Al mare hai conosciuto molte ragazze?
2. Avete speso molto denaro questo mese?
3. Hai perso molti soldi al Casinò?
4. Ha invitato molte persone Carla alla sua festa?
5. Hai preso molto sole al mare quest'anno?
6. Signorina, ha fatto molta strada per arrivare qui?
7. I tuoi amici hanno avuto molti problemi per la casa?
8. Avete imparato molte parole in queste prime settimane di corso?
9. Ha ricevuto molta posta Luigi questa settimana?
10. Piero, hai visto molti spettacoli negli ultimi tempi?

Lessico nuovo: -

7. Ed ora completate le seguenti frasi:

> Hai trovato un posto per la macchina?
> Sì, l'ho parcheggiata qui vicino.

1. Ha già visto quel film, signorina? Sì, ...
2. Dove ha imbucato la lettera, signora? .... alla posta centrale.
3. Roberta è già partita? Sì, ... ho accompagnat.................. ieri alla stazione.
4. Dove hai messo i miei occhiali? .... ho mess......... nella borsa.
5. Sai dove sono le mie chiavi? .... ho vist......... poco fa sul tavolo.
6. Vuole una sigaretta, signorina? No, grazie ....ho già fumat......... troppe.
7. Vuole bere un caffè con noi? No, grazie, ... ho bevut......... già tre stamattina.
8. Dove ha comprato questo bel vestito? .... ho comprat......... in un negozio del centro.

IX

1. Completate il seguente dialogo con le parole mancanti:

Carlo : .... riuscita .... trovare lavoro, Marina?
Marina: Proprio ieri mi hanno offerto un ...., ma sono ancora .... dubbio se accettarlo o ....
Carlo : Che .... di lavoro è?
Marina: Un posto di .... nello studio di un avvocato.
Carlo : Non è un lavoro .... grande .... ma almeno è .... dal punto di vista ....?
Marina: No, lo .... non è alto e inoltre l'.............................. di lavoro è piuttosto ....
Carlo : Certo, con il .... di studio che hai, puoi pretendere qualcosa .... meglio.
Marina: .... so, ma con i tempi che .... non si può scegliere molto.
Carlo : Comunque è sempre .... un lavoro modesto .... niente.

Lessico nuovo: parcheggiare.

Marina: La mia situazione .... conosci bene; ho bisogno ....
lavorare e devo prendere quello che ....

Carlo : Proprio per questo .... consiglio di .... subito quel lavoro, altrimenti .... prenderà .... altro.

Marina: .... hai convinto; dovrò rassegnarmi .... fare un lavoro che non mi piace.

Carlo : .... fondo gli stessi svantaggi .... presentano tanti altri lavori, ... il mio.

Marina: Ma, almeno, tu puoi fare ....!

Carlo : Questa prospettiva per ora tu non .... hai, ma in futuro forse puoi .... lavoro.

Marina: Con la .... che c'è, sarà molto difficile.

2. Interviste sul lavoro.

A. - Che lavoro fa?
- Sono operaio specializzato alla Fiat di Torino.
- Il salario che prende Le basta per vivere?
- Direi proprio di no. Con il costo della vita in continuo aumento e con il blocco delle retribuzioni, è difficile sbarcare il lunario.
- Qual è il suo orario di lavoro?
- Sette ore al giorno, escluso il sabato pomeriggio.
- Quanti giorni di ferie ha all'anno?
- Un mese.
- Ha famiglia?
- Sì, ho moglie e due figli.
- I suoi figli studiano?
- Mio figlio ancora sì; studia all'università. Mia figlia, invece, è laureata in Lettere, ed è ancora disoccupata. Oggi è molto difficile trovare un posto come insegnante.

B. - Da quanti anni lavora in questo ufficio, signor Rossi?
- Da trent'anni.
- Non è stufo di questa routine?
- Sì, e non vedo l'ora di andare in pensione per dedicarmi al mio hobby preferito.

Lessico nuovo: intervista - specializzato - salario - bastare - costo - continuo - aumento - blocco - retribuzione - sbarcare - lunario - escluso (escludere) - laureato - Lettere - disoccupato - insegnante - stufo - pensione (andare in p.) - dedicarsi.

C. - Che lavoro fa Suo padre?
- L'artigiano, lavora il legno.
- È soddisfatto del suo lavoro?
- Direi di sì: è un mestiere faticoso, ma per lui è più importante la soddisfazione personale che il guadagno.

3. Rispondete alle seguenti domande:

1. Cosa domanda ad un amico che ha appena trovato lavoro?
2. Lei che lavoro fa?
3. Perché ha scelto questo lavoro?
4. Qual è il Suo orario di lavoro?
5. Quanti giorni di ferie ha all'anno?
6. Se studia ancora, che tipo di professione pensa di fare in futuro?
7. A che età si va in pensione nel Suo paese?
8. Secondo Lei, nel lavoro sono più importanti la soddisfazione, lo stipendio o la carriera?
9. Che tipi di lavoro preferiscono i giovani nel Suo paese?
10. Ci sono giovani che per mantenersi agli studi fanno un lavoro part-time? Quale?
11. Quali categorie di lavoratori guadagnano di più?
12. Ci sono molti disoccupati nel Suo paese?

4. Dite come e perché avete scelto la professione o il lavoro che fate. Se studiate ancora, parlate della professione o del lavoro che volete fare in futuro.

X ***Test***

A. Completate le seguenti frasi con le parole mancanti:

1. Il mio problema .... conosci bene: devo trovare un lavoro.
2. Ti consiglio .... accettare quel lavoro, altrimenti .... prenderà .... altro.
3. Signor Martini .... ringrazio, arriveder..................!
4. Marcella, hai spiccioli per l'autobus? Sì, ... ho.
5. Conosci una buona libreria? .... conosco una vicino a Piazza di Spagna.

Lessico nuovo: artigiano (s.) - legno - soddisfatto - mestiere - faticoso - guadagno - professione - età - mantenersi - categoria - lavoratore - guadagnare.

B. Completate le seguenti frasi con le lettere mancanti:

1. Piero è stuf......... del suo lavoro, non ved......... l'o.........a di andare in pe.....................one.
2. Mio padre prende un buono st............pendio.
3. Con i tempi che co.................ono, non è facil......... trovare un imp............go.
4. Che me............................re fa tuo fratello?
5. Do................ò rasse.......................mi a fare un lavoro che non mi piace.

C. Trovate eventuali errori nelle seguenti frasi:

1. Marta e Carla non sanno decidere se prendere quell'appartamento in affitto. Li vogliamo convincere noi?
2. Sai a che ora chiudono i negozi? No, mi dispiace ma non lo so.
3. Di solito passiamo le vacanze al mare, ma l'anno prossimo le passeremo in montagna.
4. Signora, vuole un po' di aranciata? Sì, grazie, la prendo un po'.
5. Ha i biglietti per il teatro? Sì, ce ne ho!

D. Mettete in ordine le seguenti parole:

1. meglio/il/studio/hai/che/titolo/puoi/di/qualcosa/pretendere/con/di/./
2. capita/di/quello/bisogno/che/ho/e/prendere/devo/lavorare/./
3. niente/è/meglio/sempre/che/lavoro/un/modesto/./
4. le/diecimila/signorina/da/ha/ce/sì/cambiare/ho/?/lire/
5. con/lavoro/che/molto/sarà/disoccupazione/c'è/difficile/cambiare/la/./

E. Raccontate il dialogo introduttivo "In cerca di lavoro", ricordando i seguenti punti:

Marina/cercare lavoro/posto di dattilografa/dubbio/stipendio/orario di lavoro/bisogno di lavorare/accettare/prospettive di carriera/ disoccupazione/

F. Traducete nella vostra lingua il dialogo introduttivo "In cerca di lavoro" e ritraducete in italiano, confrontando, poi, con il testo originale.

Lessico nuovo: eventuale.

XI *Esercizi di ricapitolazione.*

1. Rispondete alle seguenti domande secondo il modello:

Franco, sei mai stato a Venezia? Sì, *ci sono stato* una volta.

1. Quando torna nel Suo paese, signorina? .... tra due mesi.
2. Signora, è già stata dal medico? Sì, ... due giorni fa.
3. Carlo, vai a Roma in macchina? No, ... con il treno.
4. Franco, rimani molto tempo a Padova? Sì, ... tre anni.
5. Signora, sta bene in questa casa? No, ... bene.

2. Completate le seguenti frasi secondo il modello:

Stasera Carla esce con *i suoi* amici.

1. Stefano e Giulia hanno due bambine. .... bambine sono Silvia e Rosetta.
2. Signora, è .... questa borsa? Sì è ....
3. È questa la macchina di Franco? No, non è ....: lui ha un'Alfa Romeo.
4. Luisa, dov'è .... madre?
5. Mario è uscito con .... ragazza.

3. Mettete al futuro le seguenti frasi, secondo il modello:

Oggi sono occupato. Forse domani sarò libero.

1. Oggi pomeriggio Maria non è a casa. Domani, invece .... a casa.
2. Di solito la domenica rimango a casa. Anche domenica prossima .... a casa.
3. Vedo volentieri un bel film. Stasera .... un bel film alla tv.
4. Vado a casa e poi in ufficio. Fra poco .... a casa e poi in ufficio.
5. Faccio quello che posso. .... quello che ....

Lessico nuovo: –

4. Rispondete alle seguenti domande secondo il modello:

Compri i giornali ogni mattina?
Sì, *li* compro sempre.
Quanti ne compri?
Ne compro due o tre.

1. Chi accompagna Luisa e Carla?
   .... io!
2. Quante sigarette fuma al giorno, signorina?
   .... fumo venti.
3. Luigi, hai i cerini? Sì, ... ho, ecco ....!
4. Quando vedi Maria? .... vedrò fra poco.
5. Dove mi vuole aspettare, signorina? .... aspetto al bar.
6. Quanti figli ha, dottore? .... ho quattro.
7. Prendete il caffè anche voi, ragazzi?
   Sì, ... prendiamo volentieri!
8. Ha il passaporto, signore? Sì .... ho.
9. Chi va a prendere i bambini a scuola?
   .... va a prendere la baby-sitter.
10. Dove lascia la macchina, ingegnere?
    .... lascio al parcheggio.

Lessico nuovo: –

A questo punto Lei conosce
908 parole italiane

I *Soggiorno di studio in Italia*

Franco: È la prima volta che vieni in Italia, ma parli già bene. Che corso *hai frequentato?*

Susan : Un corso per principianti, perché quando *sono arrivata* qui *non sapevo* una parola d'italiano.

Franco: Complimenti! *Hai fatto* molti progressi in così poco tempo.

Susan : Grazie, ma il merito non è solo mio. Devo dire che le lezioni *erano* ottime.

Franco: *Hai avuto* l'occasione di parlare italiano anche fuori della classe?

Susan : Sì, ma per due settimane *ho avuto* molta difficoltà a capire e ad esprimere ciò che *pensavo.*

Franco: E dopo come *hai superato* questi problemi?

Susan : Con le lezioni che *seguivo* ogni giorno e con il lavoro che *ho trovato* quasi subito. *Sono arrivata* il 1° luglio e il 10 *avevo* già un lavoro. Per tre mesi *ho fatto* la baby-sitter e mentre *stavo* con i bambini *praticavo* la lingua.

Franco: *Sei stata* fortunata! Quando *lavoravi* e *studiavi, hai fatto* anche qualche gita?

Susan : Sì, ogni fine-settimana *sono andata* in una città diversa, così ora posso dire di conoscere abbastanza bene l'Italia.

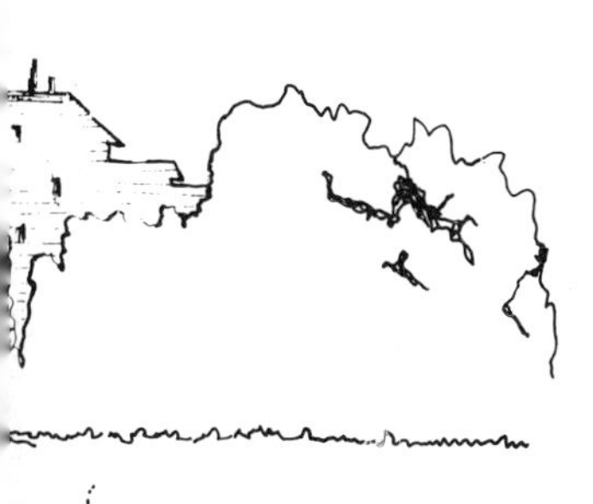

Lessico nuovo: ottavo - soggiorno - frequentare - principiante - complimento - progresso - merito - ottimo - fuori - difficoltà - ciò - superare - praticare - gita.
Termini tecnici: imperfetto.

II Test

	Vero	Falso
1. Quando Susan è arrivata in Italia, sapeva qualche parola d'italiano	☐	☐
2. Le prime due settimane ha avuto dei problemi con la lingua	☐	☐
3. Ha superato questi problemi solo con le lezioni	☐	☐
4. Ha trovato quasi subito un lavoro	☐	☐
5. Durante il periodo di studio e di lavoro ha fatto anche qualche gita	☐	☐

III *Ora ripetiamo insieme:*

- Quando sono arrivata qui non sapevo una parola d'italiano.
- Per due settimane ho avuto molta difficoltà a capire.
- Ho superato questi problemi con le lezioni che seguivo ogni giorno.
- Sono arrivata il 1° luglio e il 10 avevo già un lavoro.
- Mentre stavo con i bambini praticavo la lingua.
- Ogni fine-settimana sono andata in una città diversa.

IV *Rispondete alle seguenti domande:*

1. Che corso ha frequentato Susan?
2. Perché Franco dice che Susan è stata fortunata?
3. Che tipo di lavoro ha fatto Susan?
4. Perché ora Susan può dire di conoscere abbastanza bene l'Italia?
5. Come ha superato i problemi che aveva all'inizio del corso?
6. Ha avuto occasione di parlare italiano anche fuori della classe?

Lessico nuovo: –

V

A. Forme dell'imperfetto indicativo.

	–ARE	–ERE	–IRE
	lavor*are*	sap*ere*	cap*ire*
io	lavorAVO	sapEVO	capIVO
tu	lavorAVI	sapEVI	capIVI
lui lei	lavorAVA	sapEVA	capIVA
noi	lavorAVAMO	sapEVAMO	capIVAMO
voi	lavorAVATE	sapEVATE	capIVATE
loro	lavorAVANO	sapEVANO	capIVANO

B. Osservate!

1. Per tre mesi *ho fatto* la baby-sitter.
2. *Hai fatto* molti progressi in così poco tempo.
3. Che corso *hai frequentato?*
4. Per due settimane *ho avuto* molta difficoltà...
5. *Sono arrivata* il 1° luglio.

perfetto (pass. pross.)

tutta l'azione

(che cosa è accaduto)

imperfetto

un momento dell'azione

(che cosa accadeva *in quel momento*)

1. Il 10 luglio *avevo* già un lavoro.
2. Mentre *stavo* con i bambini *praticavo* la lingua.

perfetto + imperfetto

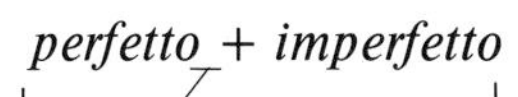

1. Quando *sono arrivata* qui *non sapevo* una parola d'italiano.
2. Per due settimane *non sono stata* in grado di esprimere ciò che *pensavo.*
3. Quando *lavoravi* e *studiavi, hai fatto* anche qualche gita?

Lessico nuovo: accadere - grado (essere in g.).

1. Completate i dialoghi secondo il modello:

Ieri *ho lavorato* fino alle sette. Io, invece, alle sette *lavoravo* ancora.

ore 7
ore 7 ....

1. Ieri ho dormito fino alle nove.

   ....

2. Ieri ho studiato fino alle due.

   ....

3. Ieri ho aspettato fino alle dieci.

   ....

4. Ieri ho letto fino alle undici.

   ....

5. Ieri ho passeggiato fino alle otto.

   ....

2. Come sopra:

Per quattro anni Carla *ha studiato* e *ha lavorato* come baby-sitter. Infatti, quando l'ho conosciuta, *studiava* e *lavorava* come baby-sitter.

1. Per un anno Giulio ha abitato a Bologna e ha lavorato a Firenze.
   Infatti, quando l'ho conosciuto, ...
2. Per qualche anno Franco ha fumato e ha bevuto troppo.
   Infatti, quando l'ho conosciuto, ...
3. Per dieci anni Sergio ha avuto un negozio e ha guadagnato molto.
   Infatti, quando l'ho conosciuto, ...
4. Per tanto tempo Paola è stata senza lavoro ed ha avuto problemi economici.
   Infatti, quando l'ho conosciuta, ...

Lessico nuovo: infatti.

5. Per alcuni mesi Giorgio è vissuto con Lucia ed è andato d'accordo con lei.
   Infatti, quando l'ho conosciuto, ...
6. Per cinque settimane Lucia ha frequentato un corso d'inglese ed ha studiato molto.
   Infatti, quando l'ho conosciuta, ...
7. Per sei mesi Remo è stato male e ha fatto una cura molto forte.
   Infatti, quando l'ho conosciuto, ...
8. Per diversi anni Luca ha abitato in centro e ha pagato molto d'affitto.
   Infatti, quando l'ho conosciuto, ...
9. Per alcune settimane Gina ha preso l'autobus per andare in ufficio e non ha avuto problemi di parcheggio.
   Infatti, quando l'ho conosciuta, ...
10. Per tre anni Sandro è dovuto andare a Roma ogni settimana e ha speso molto.
   Infatti, quando l'ho conosciuto, ...

C. Il perfetto si usa:

a) Quando vogliamo presentare *tutta* l'azione passata, e non un solo momento di essa.

Per tre mesi *ho fatto* la baby-sitter.

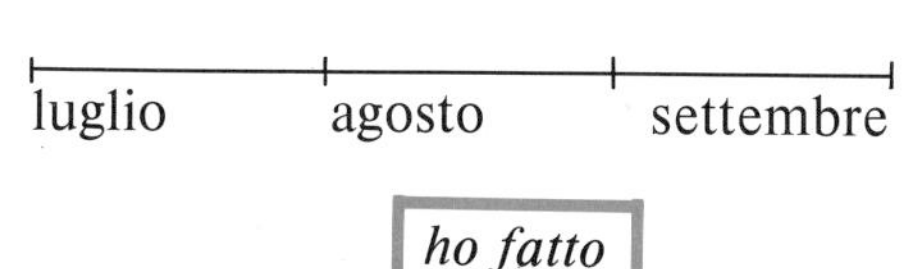

l'imperfetto si usa:

a) Quando vogliamo presentare *un solo momento* di una o più azioni passate.

Il 10 luglio *facevo* già la baby-sitter.

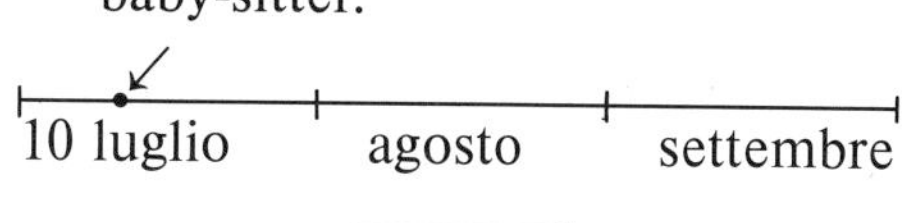

facevo

quindi:

Ogni azione passata, proprio perché è *già finita,* si può esprimere con il *perfetto,* se ci interessa dire soltanto ciò che è accaduto.
Se, invece, vogliamo dire che cosa *accadeva* in un dato momento, usiamo, per la stessa azione, *l'imperfetto;*

cioè:

perfetto: che cosa *è accaduto*

imperfetto: che cosa *accadeva* in quel momento.

Lessico nuovo: quindi - dato - cioè.

b) Quando vogliamo presentare più azioni passate, accadute una dopo l'altra, e non ci interessa dire che le abbiamo fatte per abitudine.

Ogni fine-settimana *sono andata* in una città diversa.

├─┤ + ├─┤ + ├─┤ + ├─┤

È la somma di più azioni passate, accadute una dopo l'altra.

b) Quando vogliamo presentare più azioni passate, accadute una dopo l'altra, e ci interessa dire che le abbiamo fatte *per abitudine.*

Ogni fine-settimana *andavo* in una città diversa.

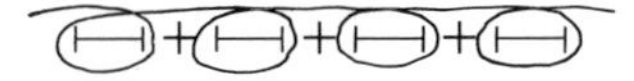

È la somma di più azioni passate, accadute una dopo l'altra, ma con una informazione in più: quelle azioni le abbiamo fatte *per abitudine.*

1. Rispondete alle domande secondo il modello:

Che *facevi di solito* la sera? *Uscivo* con gli amici.	(uscire)

1. Che *facevi di solito* la domenica?
   .... in casa. (restare)
2. Che *facevi di solito* in montagna?
   .... molto. (camminare)
3. Che *facevi di solito* durante le vacanze?
   .... tante ore. (dormire)
4. Che *facevi di solito* il fine-settimana?
   .... fuori città. (andare)
5. Che *facevi di solito* quando non uscivi?
   .... la musica. (ascoltare)

Lessico nuovo: abitudine - somma.

2. Completate le frasi secondo il modello:

L'estate scorsa noi *siamo andati* al mare *tutti i fine-settimana.*	(andare)

1. Il mese scorso Paola .... a pranzo Giulio *tutte le domeniche.* (invitare)
2. Da giovane Luigi .... *spesso* lavoro. (cambiare)
3. In quel periodo loro .... di casa *tutte le mattine* alle otto. (uscire)
4. L'anno scorso Carla .... *spesso* dai nonni. (dormire)
5. Due anni fa Franco e Remo .... *quasi tutti i giorni* insieme. (studiare)

3. Come sopra:

L'estate scorsa noi *andavamo* al mare *tutti i fine-settimana*	(andare)

1. Il mese scorso Paola .... a pranzo Giulio *tutte le domeniche.* (invitare)
2. Da giovane Luigi .... *spesso* lavoro. (cambiare)
3. In quel periodo loro .... di casa *tutte le mattine* alle otto. (uscire)
4. L'anno scorso Carla .... *spesso* dai nonni. (dormire)
5. Due anni fa Franco e Remo .... *quasi tutti i giorni* insieme. (studiare)

Lessico nuovo: –

D. Quando parliamo al passato, nella frase possono esserci:

a) perfetto + perfetto

b) imperfetto + imperfetto

c) perfetto + imperfetto / imperfetto + perfetto

1. perfetto + perfetto

a) Ieri sera, prima *ho mangiato* e poi *ho guardato* la tv.

prima (1) + poi (2)

b) Ieri sera *ho mangiato* e nello stesso tempo *ho guardato* la tv.

ho mangiato
ho guardato

Nel caso b) le due azioni (ho mangiato, ho guardato), anche se fatte nello stesso tempo, sono presentate per intero: PERFETTO.

2. imperfetto + imperfetto

a) Ieri sera, mentre *mangiavo, guardavo* la tv.

b) Di solito, mentre *aspettavo* l'autobus *leggevo* il giornale.

mangiavo
guardavo

Non voglio dire, come nel caso 1.b., che cosa *ho fatto;* voglio dire, invece, che cosa *facevo* in un dato momento o che cosa *facevo* per abitudine: IMPERFETTO.

Attenzione!

1) Di solito, mentre *aspettavo* l'autobus, *leggevo* il giornale.
(= cosa facevo in un dato momento per abitudine).
2) Stamattina, mentre *aspettavo* l'autobus, *leggevo* il giornale.
(= cosa facevo in un dato momento).
3) Stamattina, mentre *aspettavo* l'autobus, *ho letto* il giornale.
(= cosa ho fatto per intero: ho letto *tutto* il giornale).

Lessico nuovo: –

3. perfetto + imperfetto / imperfetto + perfetto

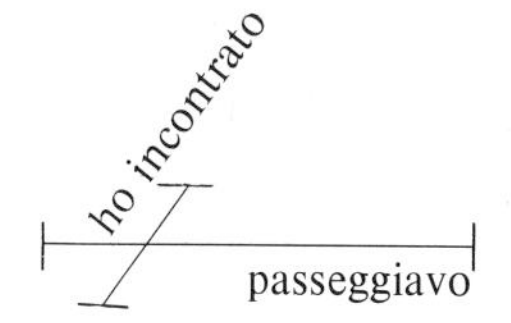

a) Ieri sera, mentre *passeggiavo, ho incontrato* Paolo.

b) Ieri sera *ho incontrato* Paolo mentre *passeggiavo.*

Usiamo l'imperfetto per l'azione che è cominciata prima dell'altra (al perfetto).

Nota: Con i verbi che descrivono aspetti/stati fisici o psichici si preferisce, di solito, *l'imperfetto:*

Es.: Da bambino *portava* già gli occhiali da vista.
In quel periodo *ero* sempre stanco.
Aveva una barba lunga di dieci giorni.
Allora lei *era* contenta del suo lavoro.

4. Mettete i verbi fra parentesi al tempo passato conveniente:

Mentre *guardavo* la televisione, *parlavo* con Lucia.	(guardare/parlare)

1. Mentre Carlo .... la lezione, ... sul foglio. (seguire/scrivere)
2. Mentre Laura e Sandra .... al sole, ... il giornale. (stare/leggere)
3. Mentre .... Roberto, ... ad altro. (io-ascoltare/pensare)
4. Mentre Franco e Sergio .... in ufficio, ... di calcio. (andare/parlare)
5. Mentre Giulio .... l'autobus, ... una sigaretta dopo l'altra. (aspettare/fumare)

Lessico nuovo: incontrare - nota - descrivere - aspetto - fisico - psichico - barba - lungo - contento - parentesi.

5. Come sopra:

Mentre *andavo* in centro, *ho incontrato* Carla.	(andare/incontrare)

1. Mentre Maria .... l'autobus, ... Paola. (aspettare/vedere)
2. Mentre Rita .... la musica, ... una lettera. (ascoltare/scrivere)
3. Mentre (noi) .... il sole, ... tutto il giornale. (prendere/leggere)
4. Mentre (loro) ...., ... una telefonata da Roberto. (mangiare/ricevere)
5. Mentre Carlo .... a casa, ... di passare da Luisa. (tornare/pensare)

6. Come sopra:

Quando Mario *è arrivato,* io non *dormivo* ancora.	(arrivare/dormire)

1. Quando mio nonno ...., io non .... ancora a scuola. (morire/andare)
2. Quando Renato .... a lavorare, non .... ancora vent'anni. (cominciare/avere)
3. Quando noi ...., non .... ancora forte. (partire/piovere)
4. Quando Laura .... a vivere a Torino, non .... ancora nessuno lì. (andare/conoscere)
5. Quando Sandro e Lucio .... per l'Australia, non .... ancora bene l'inglese. (partire/parlare)

Lessico nuovo: –

E. Per le ragioni che abbiamo spiegato, con le varie espressioni di tempo si usa ora l'una ora l'altra forma del passato.

1. Si usa il *perfetto* con espressioni del tipo: "tutto il giorno" (il mese, l'anno, ecc.); "per un anno" (un mese, una settimana ecc.); "da .... a"; "fino a ..."; "una volta"; "molte volte"; ecc.:

Es.: Ieri *siamo rimasti* **tutto il giorno** a casa.

Ho lavorato **per un anno** in un ufficio.

Sono stata a Parigi **da** gennaio **a** marzo.

Ho letto **fino a** mezzanotte.

In quel periodo *siamo usciti* **molte volte** insieme.

2. Si usa l'*imperfetto* con espressioni del tipo: "mentre"; "nel momento in cui"; "a quest'ora"; (a quell'ora); "da due anni"; (mesi, settimane, giorni, ecc.):

Es.: **Mentre** *andavo* in centro, ho incontrato Luigi.

Paolo è arrivato **nel momento in cui** noi *andavamo* via.

Ieri **a quest'ora** *eravamo* ancora a Firenze.

Lavoravo **da** ben **due anni** quando ho fatto la prima vacanza.

3. Si usano tutti e due i tempi (*perfetto* e *imperfetto*) con espressioni del tipo: "quando"; "sempre"; "mai"; "tutti i giorni"; (i mesi, gli anni ecc.); "ogni volta"; "tutte le volte"; "allora"; "di solito"; "spesso"; ecc.:

Es.: **Quando** Luisa *è partita,* la madre è rimasta sola. (quando = dopo che)
Quando lui *parlava,* nessuno l'ascoltava. (quando=ogni volta che; nel momento in cui...)

Maria *è andata* **sempre** bene a scuola.
Da giovane *viaggiavo* **sempre** in moto.

Non *ho* **mai** *visto* Venezia.
In quel periodo *non facevo* **mai** tardi la sera.

Per andare a Roma *ho preso* **ogni volta** il treno.
Ricordo che Marco *arrivava* **ogni volta** in ritardo.

Lessico nuovo: vario.

In quel periodo *sono uscito* **tutti i giorni** con Maria.
Per andare in ufficio *prendevo* **tutti i giorni** l'autobus.

Avevo troppo da fare, **allora** *ho deciso* di restare a casa. (allora = perciò, quindi)
Allora *abitavo* in periferia e la sera non uscivo quasi mai. (allora = in quel periodo)

VI

1. Completate i dialoghi secondo il modello:

Quando ha comprato la macchina?
Il 28 dicembre.
Ha fatto un affare!
Sì, perché all'inizio dell'anno *costava* già di più. (costare)

1. Quando ha cominciato il corso, signorina?
   Il 1° aprile.
   Ha imparato subito l'italiano?
   Sì, alla fine del primo mese .... già abbastanza bene. (parlare)
2. Quando sei tornato?
   Alle dieci.
   Sei andato subito a letto?
   Sì, alle undici .... già. (dormire)
3. Quando siete partiti per le vacanze?
   Il 1° luglio alle sei di mattina.
   Siete andati subito al mare?
   Sì, alle dieci .... già sulla spiaggia. (stare)
4. Quando hai cominciato a sciare, Luisa?
   Quando ero molto piccola.
   Hai imparato subito?
   Sì, a cinque anni .... già sciare. (sapere)
5. Quando hai finito gli studi?
   Il 30 luglio.
   Hai trovato subito un lavoro?
   Sì, il 1° settembre .... già. (lavorare)

Lessico nuovo: periferia.

2. Rispondete alle domande secondo il modello:

> *Hai lavorato* anche sabato, Lucio?
> Sì, *ho lavorato tutto il giorno.*

1. Hai dormito oggi pomeriggio, Maria?
   Sì, ... *un'ora.*
2. Ha fatto già qualche lavoro, signorina?
   Sì, ... la baby-sitter *per sei mesi.*
3. Avete letto fino a tardi?
   Sì, ... *fino a mezzanotte.*
4. Hai passato le vacanze al mare?
   Sì, ... *tre settimane* a Rimini.
5. Ha aspettato molto ieri sera, signora?
   Sì, ... *più di un'ora.*

3. Mettete i verbi fra parentesi al tempo passato conveniente:

> Franca *è andata* subito a letto, perché *aveva* sonno. (andare/avere)

1. Sandra .... a casa, perché .... poco bene. (rimanere/stare)
2. Sergio .... tardi, perché non .... la strada. (arrivare/trovare)
3. I miei amici .... in treno, perché .... viaggiare di notte. (venire/preferire)
4. Marco .... tutte le finestre, perché .... troppo caldo. (aprire/sentire)
5. Luisa .... a mano, perché non .... la macchina da scrivere. (scrivere/avere)

Lessico nuovo: –

4. Ed ora trasformate le frasi dell'esercizio secondo il modello:

> Franca è andata a letto, perché aveva sonno.
> Franca aveva sonno, perciò è andata a letto.

1. Sandra è rimasta a casa, perché stava poco bene.

   ....

2. Sergio è arrivato tardi, perché non trovava la strada.

   ....

3. I miei amici sono venuti in treno, perché preferivano viaggiare di notte.

   ....

4. Marco ha aperto tutte le finestre, perché sentiva troppo caldo.

   ....

5. Luisa ha scritto a mano, perché non aveva la macchina da scrivere.

   ....

VII ***Soltanto pochi verbi hanno le forme dell'imperfetto diverse da quelle che abbiamo visto al punto V.A.:***

1. ESSERE

Mi	io	ERO	
Ti	tu	ERI	
Lo	lui		
La cercavano al bar, ma	lei	ERA	già a casa
La	Lei		
Ci	noi	ERAVAMO	
Vi	voi	ERAVATE	
Li	loro	ERANO	

Lessico nuovo: -

2. FARE (← FACERE)

	FACEVO	
	FACEVI	
Mentre	FACEVA	colazione, ha cominciato a piovere
	FACEVAMO	
	FACEVATE	
	FACEVANO	

3. DIRE (← DICERE)

	DICEVO	
	DICEVI	
Mentre	DICEVA	le solite cose, nessuno ascoltava
	DICEVAMO	
	DICEVATE	
	DICEVANO	

4. TRADURRE (← TRADUCERE)

	TRADUCEVO	incontravo	
	TRADUCEVI	incontravi	
Mentre	TRADUCEVA	incontrava	spesso parole difficili
	TRADUCEVAMO	incontravamo	
	TRADUCEVATE	incontravate	
	TRADUCEVANO	incontravano	

5. BERE (← BEVERE)

	ero		BEVEVO	il vino del Reno
	eri		BEVEVI	il vino del Reno?
Quando	era	in Germania	BEVEVA	il vino del Reno
	eravamo		BEVEVAMO	il vino del Reno
	eravate		BEVEVATE	il vino del Reno?
	erano		BEVEVANO	il vino del Reno

Lessico nuovo: -

VIII

1. Mettete i verbi fra parentesi al tempo passato conveniente:

Ieri sera io non *sono uscito* perché *ero* troppo stanco.	(uscire/essere)

1. Quando noi .... in Inghilterra, ... di solito il tè. (essere/bere)
2. Io non .... bene il francese, perché .... sempre dalla mia lingua. (imparare/tradurre)
3. Mentre Carla .... la spesa, Giulio .... a prendere la macchina. (fare/andare)
4. Prima di partire Gianni .... che .... a Milano per cercare lavoro. (dire/andare)
5. Sergio e Franco .... in ritardo, perciò gli altri .... a mangiare. (essere/cominciare)

2. Rispondete alle domande secondo il modello:

Quando hai conosciuto Piero? Tanti anni fa, quando (io) *facevo* ancora l'università.	(fare)

1. Quando hai visto quel film?
   Alcuni mesi fa, quando .... in vacanza. (essere)
2. Quando sei stato al mare, Franco?
   La settimana scorsa, quando .... tanto caldo. (fare)
3. Perché hai lasciato il tuo ragazzo. Maria?
   Perché .... troppo. (bere)
4. Perché sei uscito quando parlava Luisa?
   Perché .... le solite cose. (dire)
5. Perché ieri siete venuti a piedi?
   Perché .... lo sciopero degli autobus. (esserci)

Lessico nuovo: –

3. Completate le frasi secondo il modello:

Giulio *provava* molto dolore, ma non diceva niente.	(provare)

1. Carla .... molto stanca, perciò è andata a letto presto. (essere)
2. Dopo la passeggiata Franco e Mario .... molta fame. (avere)
3. Laura è tornata subito a casa, perché .... freddo. (sentire)
4. Sergio .... male, perciò ha chiamato il medico. (stare)
5. .... paura di arrivare in ritardo, quindi abbiamo preso un taxi. (avere)

4. Completate la storia di Ferdinando, usando i verbi al passato (perfetto e imperfetto):

Come al solito, anche ieri mattina la sveglia (suonare) .... presto. Appena (sentirla) ...., Ferdinando (andare) .... a svegliare il figlio che (dovere) .... andare a scuola.

Il bambino (guardare) .... fuori e (vedere) .... che (cadere) .... la neve, perciò (pregare) .... il padre di lasciarlo dormire ancora.

Ferdinando, ancora mezzo addormentato, (entrare) .... nel letto del bambino e (continuare) .... a dormire anche lui.

Lessico nuovo: provare - dolore - storia - svegliare - addormentato.

IX

1. Osservate!

A.

Ho dovuto Ho potuto Ho voluto	prendere il treno delle sette.	= l'ho preso
Siamo dovuti Siamo potuti Siamo voluti	rimanere ancora un po'.	= siamo rimasti

B.

Dovevo Potevo Volevo	prendere il treno delle sette	=	1) e l'ho preso. 2) ma non l'ho preso.
Dovevamo Potevamo Volevamo	rimanere ancora un po'	=	1) e siamo rimasti. 2) ma non siamo rimasti.

Nota: Il perfetto (passato prossimo) è sufficiente a comunicare che l'azione è veramente accaduta. Con l'imperfetto, invece, dobbiamo completare la frase, altrimenti non è chiaro se l'azione è accaduta o no.

2. "sapere" e "conoscere" al passato:

- Sapevi che Franca ha avuto un bambino?
- Sì, lo sapevo.

- Conoscevi già la ragazza di Fred?
- Sì, la conoscevo.

- Come hai saputo che Franca ha avuto un bambino?
- L'ho saputo dalla madre.

- Quando hai conosciuto la ragazza di Fred?
- L'ho conosciuta l'anno scorso a Livorno.

Lessico nuovo: sufficiente - comunicare.

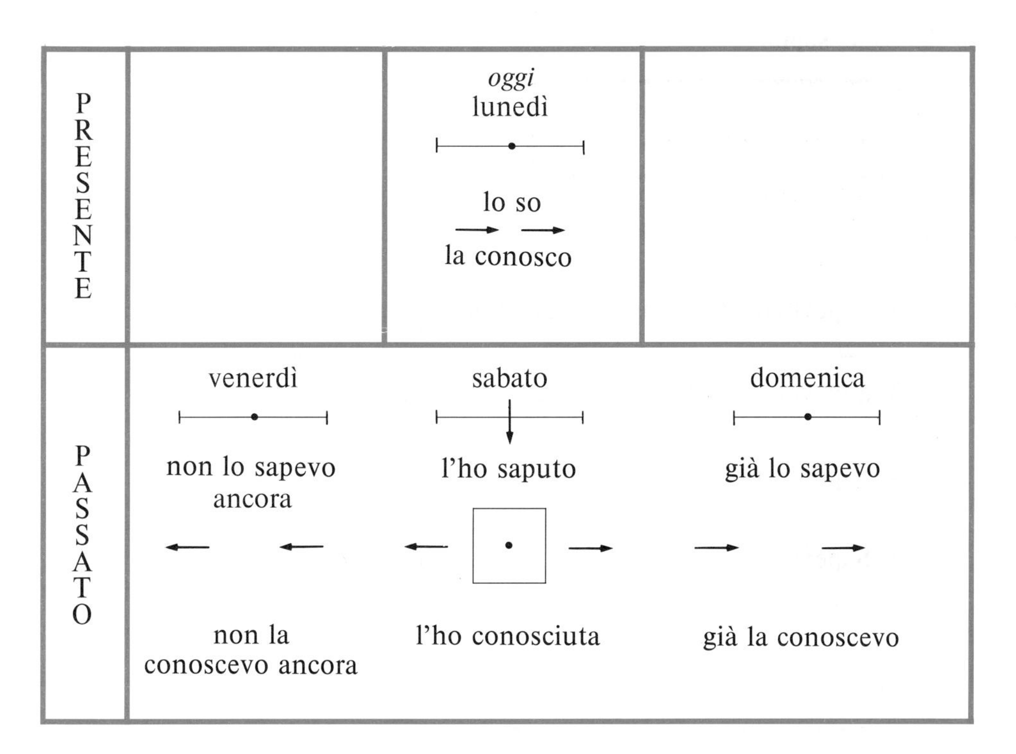

2.a. Completate i dialoghi secondo il modello:

> Lucio è partito.
> Lo sapevo: l'ho saputo da Luisa.

1. Marco sta male.
   .... da Gina.
2. Anna ha trovato lavoro.
   .... da Franco.
3. Giulio ritorna fra tre giorni.
   .... da suo fratello.
4. Carla aspetta un bambino.
   .... da suo marito.
5. Mario ha comprato la macchina.
   .... da Laura.

Lessico nuovo: –

b. Come sopra:

Sapevi che Lucio è partito? Sì, l'ho saputo stamattina.

1. Sapevi che Marco sta male?

   ....

2. Sapevi che Anna ha trovato lavoro?

   ....

3. Sapevi che Giulio ritorna fra tre giorni?

   ....

4. Sapevi che Carla aspetta un bambino?

   ....

5. Sapevi che Mario ha comprato la macchina?

   ....

c. Come sopra:

Perché non hai ascoltato quella storia? Perché la conoscevo già.

1. Perché non hai scelto la Sicilia per le vacanze?

   ....

2. Perché non hai comprato quel disco?

   ....

3. Perché non hai provato quelle sigarette?

   ....

4. Perché non hai chiesto l'indirizzo?

   ....

5. Perché non hai visitato gli Uffizi?

   ....

Lessico nuovo: –

d. Come sopra:

Conoscevi anche tu quella ragazza? Sì, l'ho conosciuta pochi giorni fa.

1. Conoscevi anche tu il signor Neri?
   ....
2. Conoscevi anche tu il fratello di Laura?
   ....
3. Conoscevi anche tu la madre di Marco?
   ....
4. Conoscevi anche tu le amiche di Pietro?
   ....
5. Conoscevi anche tu i signori Petrini?
   ....

3. Completate il seguente dialogo con le parole mancanti:

Franco: È la prima volta che vieni in Italia, ma parli già bene. Che corso ....?
Susan : Un corso per principianti, perché quando .... qui non .... una parola d'italiano.
Franco: ....! Hai fatto molti .... in così poco tempo.
Susan : Grazie, ma il .... non è solo mio. Devo dire che le lezioni erano ....
Franco: .... l'occasione di parlare italiano anche fuori della classe?
Susan : Sì, ma per due settimane .... molta difficoltà a capire e ad esprimere ciò che ....
Franco: E dopo come .... questi problemi?
Susan : .... le lezioni che .... ogni giorno e con il lavoro che .... quasi subito. .... il 1° luglio e il 10 .... già un lavoro. Per tre mesi .... la baby-sitter e mentre stavo con i bambini .... la lingua.
Franco: .... fortunata! Quando lavoravi e studiavi .... anche qualche ....?
Susan : Sì, ogni fine-settimana .... in una città diversa, così ora posso dire di conoscere .... bene l'Italia.

Lessico nuovo: –

4. Rispondete alle seguenti domande:

1. Lei vuole fare i complimenti ad una persona straniera che parla bene l'italiano. Cosa Le dice?
2. Cosa risponde ad una persona che dice che Lei parla già bene l'italiano?
3. Lei ha l'occasione di parlare italiano anche fuori della classe? Perché?
4. I primi tempi Lei ha sicuramente avuto dei problemi con la lingua italiana; quali?
5. Ha ancora quei problemi o li ha superati?
6. Perché ha scelto di studiare l'italiano?
7. Quando ha cominciato a studiarlo conosceva già qualche parola?
8. Conosce l'Italia?
9. Ha qualche persona amica in Italia? Se sì, come e quando l'ha conosciuta?
10. Prima dell'italiano ha studiato un'altra lingua straniera? Quale? Per quanto tempo?

5. Raccontate un vostro soggiorno di studio in un paese straniero.
Se non avete fatto questa esperienza, parlate delle vostre impressioni sullo studio dell'italiano nel vostro paese.

Lessico nuovo: –

X *Test*

A. Fate un segno (x) in corrispondenza della risposta giusta:

1. Oggi sto bene perché dormivo fino alle undici. (a)
   Oggi sto bene perché ho dormito fino alle undici. (b)
   Oggi sto bene perché sono dormito fino alle undici. (c)
2. Ho aspettato già due ore quando è arrivata Maria. (a)
   Aspettavo già da due ore quando è arrivata Maria. (b)
   Ho aspettato già da due ore quando è arrivata Maria. (c)
3. Ieri a quest'ora il bambino dormiva ancora. (a)
   Ieri a quest'ora il bambino ha dormito ancora. (b)
   Ieri a quest'ora il bambino è dormito ancora. (c)
4. Ieri siamo rimasti a casa tutto il giorno. (a)
   Ieri rimanevamo a casa tutto il giorno. (b)
   Ieri abbiamo rimasto a casa tutto il giorno. (c)
5. L'anno scorso andavo una sola volta a Roma. (a)
   L'anno scorso ho andato una sola volta a Roma. (b)
   L'anno scorso sono andato una sola volta a Roma. (c)
6. L'anno scorso andavo molte volte a Milano. (a)
   L'anno scorso ho andato molte volte a Milano. (b)
   L'anno scorso sono andato molte volte a Milano. (c)
7. Non sono venuta perché non avevo soldi. (a)
   Non sono venuta perché non ho avuto soldi. (b)
   Non venivo perché non ho avuto soldi. (c)
8. Perché non sei andato ad Assisi? Perché l'ho conosciuta già. (a)
   Perché non sei andato ad Assisi? Perché la conoscevo già. (b)
   Perché non andavi ad Assisi? Perché l'ho conosciuta già. (c)
9. Carla è partita? Sì, doveva partire questa mattina. (a)
   Carla è partita? Sì, ha dovuta partire questa mattina. (b)
   Carla è partita? Sì, è dovuta partire questa mattina. (c)
10. Giulio è partito? No, è dovuto partire, ma poi è rimasto a casa. (a)
    Giulio è partito? No, doveva partire, ma poi è rimasto a casa. (b)
    Giulio è partito? No, doveva partire, ma poi rimaneva a casa. (c)

Lessico nuovo: -

B. Trovate eventuali errori nelle seguenti frasi:

1. Tre anni fa rimanevo senza lavoro per otto mesi.
2. Quando siamo arrivati qui non abbiamo conosciuto ancora nessuno.
3. La notte passata andavo a letto alle due.
4. Quando Giovanna era piccola stava spesso con i nonni.
5. Lucio ha imparato l'inglese quando aveva sedici anni.
6. Ieri, mentre aspettavo il treno, leggevo tutto il giornale.
7. Da chi hai saputo che Carlo è a Venezia?
8. Ho dovuto telefonare a Sergio, ma non c'era un telefono.
9. Avevo sonno, perciò ho preso un caffè.
10. Quando Franco è partito era ancora notte.

C. Completate il testo con le parole mancanti:

Susan .... un corso per principianti, perché quando .... in Italia non .... una parola .... italiano. Per due settimane .... molta difficoltà a capire e ad esprimere ciò che .... fortunata, perché .... quasi subito un lavoro. Infatti .... il 1° luglio e il 10 .... già la baby-sitter. Quando lavorava e studiava .... anche diverse gite, così ora conosce .... bene l'Italia.

D. Raccontate il dialogo introduttivo "Soggiorno di studio in Italia", ricordando i seguenti punti:

Susan / corso per principianti / molti progressi / molta difficoltà / superare problemi / lezioni / lavoro / gite

E. Traducete nella vostra lingua il seguente testo e ritraducete in italiano, confrontando, poi, con il testo originale:

Sabato scorso Luisa è tornata tardi dal lavoro, perciò non aveva voglia di andare alla festa a casa di Paolo. Ha telefonato per dire che non poteva uscire, ma quando ha saputo che c'era Luigi, ha cambiato idea e ci è andata. Quando è arrivata c'erano già molte persone. Alcune le conosceva già, altre le ha conosciute in quella occasione. Ha passato una bella serata ed è stata contenta di vedere i vecchi amici e di conoscere gente nuova.

Lessico nuovo: voglia.

F. Fate il VI test.

XI

«Come si dice»

mentre – durante

a) MENTRE *c'era* la guerra era difficile trovare cose da mangiare.
b) DURANTE *la guerra* era difficile trovare cose da mangiare.

- *Mentre* pranzavamo abbiamo parlato del più e del meno.
- *Mentre* stavamo in Italia abbiamo imparato un po' d'italiano.
- *Mentre* passeggiavamo abbiamo incontrato alcuni amici.

- *Durante* il pranzo abbiamo parlato del più e del meno.
- *Durante* i mesi passati in Italia abbiamo imparato un po' d'italiano.
- *Durante* la passeggiata abbiamo incontrato alcuni amici.

Mentre *c'era* la guerra.....
pranzavamo.....
stavamo in Italia.....
passeggiavamo.....

Durante *la guerra*.....
il pranzo.....
i mesi passati.....
la passeggiata.....

mentre + verbo

durante + nome

Lessico nuovo: pranzare.

A questo punto Lei conosce
951 parole italiane

£ 10000
Dino 84

I *In giro per acquisti*

Signora Rossi: Vorrei vedere una camicia per mio figlio.
Commessa : Di che colore?
Signora Rossi: Non saprei .....
Commessa : *Le* consiglio il colore rosa. Se Suo figlio segue la moda, *gli* piacerà senz'altro.
Signora Rossi: Ma il rosa non è un colore un po' troppo da donna?
Commessa : Prima era così, ma ora i giovani non badano a queste cose: *gli* piace la moda unisex.
Signora Rossi: Mio figlio preferisce le camicie sportive e questa *mi* sembra piuttosto elegante.
Commessa : Se è così, può prender*gli* una camicia a mezze maniche.
Signora Rossi: Vediamo!
Commessa : Ecco: c'è questa camicia a quadri. Come *Le* sembra?
Signora Rossi: Secondo me può andar bene; la prendo.
Commessa : *Le* occorre nient'altro?
Signora Rossi: Sì, *mi* interessa una gonna blu per mia figlia.
Commessa : Che taglia porta?
Signora Rossi: La quarantaquattro.
Commessa : Ora *Le* faccio vedere i modelli che abbiamo.
Signora Rossi: È ancora una ragazzina, ma *le* piace il classico.
Commessa : Allora *le* andrà bene una gonna a pieghe come questa, non crede?
Signora Rossi: Sì, è carina e anche la stoffa *mi* sembra di ottima qualità.
Commessa : Infatti è di pura lana. Vedrà che Sua figlia resterà contenta.
Signora Rossi: Speriamo! 

Lessico nuovo: nono - acquisto - camicia - commesso - rosa (agg.) - moda - donna - badare - gli (= a lui, a loro) - sportivo - elegante - manica - quadro - occorrere - taglia - piega - carino - stoffa - qualità - puro - lana.
Termini tecnici: indiretto.

II *Test*

	Vero	Falso
1. La signora Rossi chiede di vedere una camicia rosa per suo figlio	☐	☐
2. Il figlio della signora Rossi preferisce le camicie eleganti	☐	☐
3. La commessa consiglia alla signora una camicia a mezze maniche	☐	☐
4. La signora decide di prendere una camicia a quadri	☐	☐
5. Per sua figlia sceglie una gonna blu a pieghe	☐	☐

III ***Ora ripetiamo insieme:***

- Vorrei vedere una camicia per mio figlio.
- Le consiglio il colore rosa. Gli piacerà senz'altro.
- Può prendergli una camicia a mezze maniche.
- Mi interessa anche una gonna blu per mia figlia.
- È ancora una ragazzina, ma le piace il classico.

IV ***Rispondete alle seguenti domande:***

1. Che cosa vuol vedere la signora Rossi?
2. Perché la commessa consiglia il colore rosa?
3. Che genere di moda preferiscono i giovani d'oggi?
4. Che tipo di camicia prende la signora Rossi?
5. Che cosa vuol vedere la signora per sua figlia?
6. Che taglia porta la figlia della signora?
7. Perché la signora Rossi prende la gonna a pieghe?

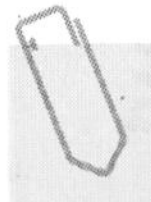

Lessico nuovo: -

V

A me interessa una gonna blu.	= *Mi* interessa una gonna blu.
A te piace il colore rosa?	= *Ti* piace il colore rosa?
A mio figlio piacciono le camicie sportive.	= *Gli* piacciono le camicie sportive.
A mia figlia piace il classico.	= *Le* piace il classico.
A Lei, consiglio il colore nero, signore.	= *Le* consiglio il colore nero, signore.
A Lei, consiglio il colore rosa, signora.	= *Le* consiglio il colore rosa, signora.
A noi piace questa camicia di seta.	= *Ci* piace questa camicia di seta.
A voi piace questa stoffa?	= *Vi* piace questa stoffa?
A Carla e Maria piace la moda unisex. / *A Giorgio e Carlo* piace la moda unisex.	= *Gli* piace la moda unisex.

Pronomi indiretti

tonici		*atoni*
a me	=	mi
a te	=	ti
a lui	=	gli
a lei	=	le
a Lei	=	Le
a noi	=	ci
a voi	=	vi
a loro	=	gli

Osservate!

- *Ai giovani* d'oggi piace la moda unisex?

- Sì, *gli* piace / piace *loro* molto.

Lessico nuovo: seta.
Termini tecnici: tonico - atono.

VI

1. Trasformate le seguenti frasi secondo il modello:

> *A noi* sembra troppo caro.
> *Ci* sembra troppo caro.

1. A noi sembra molto elegante.

   ....

2. A me piace poco.

   ....

3. A te dice sempre tutto.

   ....

4. A Lei consiglio una camicia a quadri, signore.

   ....

5. A lei racconterò tutto quando torno.

   ....

6. A loro regalerò dei dischi italiani.

   ....

7. A voi interessa una macchina da scrivere?

   ....

8. A lui piacciono le moto sportive.

   ....

9. A me occorrono centomila lire.

   ....

10. A voi manca molto per finire?

    ....

Lessico nuovo: –

2. Rispondete alle domande:

Carlo, hai scritto a Luigi? Sì, *gli* ho scritto.

1. Carlo, hai telefonato a Mario?

   ....

2. Carlo, hai risposto a Gianni e Marisa?

   ....

3. Carlo, hai telefonato a Giovanna?

   ....

4. Carlo, hai scritto a Laura e Paola?

   ....

5. Carlo, hai risposto al signor Bassi?

   ....

3. Come sopra:

Che cosa hai regalato a Luigi? *Gli* ho regalato un libro.

1. Che cosa hai chiesto a Carlo?
   .... un disco.
2. Che cosa hai comprato a tua madre?
   .... una borsa.
3. Che cosa hai dato ai bambini?
   .... un'aranciata.
4. Che cosa hai offerto a Lucia e Antonio?
   .... un caffè.
5. Che cosa hai raccontato a tuo fratello?
   .... quello che è successo.

Lessico nuovo: –

4. Completate le seguenti frasi secondo il modello:

Signora, *Le* presento il signor Neri.

1. Signora, come .... sembra questo film? .... sembra buono.
2. Carlo, ... piace quella ragazza? Mica male!
3. Lo spettacolo che ho visto ieri sera non .... è piaciuto.
4. Carla .... ha scritto tre lettere ed io non .... ho ancora risposto.
5. Signorina, ... piace vivere in questa città?
6. Che tipo di macchina .... piace di più, signor Bassi?
7. Ragazzi, venite con noi? .... dispiace, ma non possiamo.
8. Marco vieni al concerto? No, perché la musica classica non .... piace.
9. Che cosa hai detto a Mario e Luigi? .... ho detto di venire stasera alle otto.
10. Ragazzi, ... rendete i libri che .... abbiamo dato?

5. Completate i seguenti dialoghi:

1. ....? Gli telefono io (a Luigi).
2. Che cosa hai offerto a Paola? .... un caffè.
3. ....? Le telefono stasera, dottore.
4. Roma piace ai tuoi amici? Sì, ...
5. ....? Puoi telefonarmi in ufficio, Mario.
6. ....? Può telefonarmi in ufficio, signora.

VII

1. Attenzione!

1.
- Scusi, *mi* sa dire a che piano sono le confezioni per bambini?
- Al terzo piano.
- C'è l'ascensore?
- No, c'è la scala mobile.

- Scusi, sa dir*mi* a che piano sono le confezioni per bambini?
- Al terzo piano.
- C'è l'ascensore?
- No, c'è la scala mobile.

Lessico nuovo: confezione - mobile (agg.).

2. - Questa borsa è proprio bella! Quanto viene?
   - Centosessantacinquemila lire.
   - *Mi* può fare uno sconto?
   - Mi dispiace, abbiamo prezzi fissi.

   - Questa borsa è proprio bella! Quanto viene?
   - Centosessantacinquemila lire.
   - Può far*mi* uno sconto?
   - Mi dispiace, abbiamo prezzi fissi.

3. - Dica, signora!
   - Vorrei una saponetta, un dentifricio e una crema per le mani.
   - Desidera altro?
   - No, grazie. Quant'è?
   - Seimilacinquecento lire.
   - Ecco a Lei.
   - Un momento, signora! *Le* devo dare lo scontrino.

   - Dica, signora!
   - Vorrei una saponetta, un dentifricio e una crema per le mani.
   - Desidera altro?
   - No, grazie. Quant'è?
   - Seimilacinquecento lire.
   - Ecco a Lei.
   - Un momento, signora! Devo dar*Le* lo scontrino.

4. - Vado in centro a fare spese. *Ti* serve qualcosa?
   - Sì, *ti* volevo proprio chiedere di prendermi le pastiglie per la tosse e mezzo chilo di pane.
   - Senz'altro!

   - Vado in centro a fare spese. *Ti* serve qualcosa?
   - Sì, volevo proprio chieder*ti* di prendermi le pastiglie per la tosse e mezzo chilo di pane.
   - Senz'altro!

Mi sa dire	=	Sa dir*mi*
Mi può fare	=	Può far*mi*
Le devo dare	=	Devo dar*Le*
Ti volevo chiedere	=	Volevo chieder*ti*

2. Ora cambiate il posto del pronome:

> Signorina, *Le* posso chiedere una sigaretta?
> Signorina, posso chieder*Le* una sigaretta?

1. Devo scrivergli oggi stesso. ....
2. Ti posso offrire qualche cosa? ....
3. Quando posso telefonarLe, signorina? ....
4. Sai dirmi a che ora comincia il film? ....
5. Mario vuole presentarmi la sua ragazza. ....
6. Carlo, puoi darmi un momento il tuo giornale? ....
7. Voglio dirLe come stanno le cose. ....
8. Devo comprarti le sigarette? ....
9. Sapete dirci fino a che ora è aperta la posta? ....
10. Non posso darvi le notizie che volete. ....

Lessico nuovo: sconto - prezzo - fisso - saponetta - dentifricio - crema - scontrino - servire - pastiglia - tosse - chilo - pane.

3.

TU

- Gianni, *ti* è piaciuto il maglione che *ti* ha fatto Luisa?
- Sì, *mi* è piaciuto molto.

- Roberto, *ti* è piaciuta la cravatta che *ti* ha portato tuo fratello?
- Sì, *mi* è piaciuta molto.

- Carla, *ti* sono piaciuti gli stivali che ho comprato a Firenze?
- Sì, *mi* sono piaciuti molto.

- Paola, *ti* sono piaciute le cassette che *ti* ho mandato?
- Sì, *mi* sono piaciute molto.

LEI

- Signorina, *Le* è piaciuto il maglione che *Le* ha fatto Luisa?
- Sì, *mi* è piaciuto molto.

- Signor Valli, *Le* è piaciuta la cravatta che *Le* ha portato Suo fratello?
- Sì, *mi* è piaciuta molto.

- Signora Rosi, *Le* sono piaciuti gli stivali che ho comprato a Firenze?
- Sì, *mi* sono piaciuti molto.

- Signorina, *Le* sono piaciute le cassette che *Le* ho mandato?
- Sì, *mi* sono piaciute molto.

Osservate!

mi ti	è	piaciut*o*	il maglion*e* di Luisa il vestit*o* di Laura
gli le		piaciut*a*	la cravatt*a* rossa la camici*a* rosa
Le ci	sono	piaciut*i*	gli stival*i* nuovi i guant*i* di lana
vi gli		piaciut*e*	le cassett*e* le scarp*e* nere

VIII

1. Completate le seguenti frasi con il pronome conveniente:

1. Carlo, ... è piaciut...... il nuovo libro di Moravia? Sì l'ho appena finito di leggere e .... piaciut...... molto.
2. Signorina, ... sono piaciut...... i dischi che .... ho regalato? Sì, molto!
3. Ragazzi, ... è dispiaciut...... lasciare le vostre famiglie?
4. Carla ha visto il film e ha detto che non .... è piaciut...... per niente.
5. Abbiamo visto alcune città italiane e .... sono piaciut...... tanto.

Lessico nuovo: maglione - cravatta - stivale - guanto - scarpa.

2. Completetate le seguenti frasi secondo il modello:

> Devo comprare un paio di scarpe a mio figlio, perché quelle che ha non *gli* vanno più bene.

1. Ieri era la festa di Luisa e .... ho regalato una gonna.
2. Stamattina ho incontrato Bruno e .... ho offerto un caffè.
3. Ragazzi, non .... interessa guardare la partita alla tv?
4. Giulia, ... bastano i soldi che ti ho dato?
5. Signor Berti, ... consiglio di prenotare un posto per lo spettacolo di stasera.
6. Mi scusi, signora; .... ho fatto male?
7. Anna e Giulia aspettano una risposta da noi. Quando .... telefoniamo?
8. Che cosa portiamo a Carla? Possiamo portar............ (............... possiamo portare) dei fiori.
9. Che cosa desidera, signora? Volevo far.......... (............ volevo fare) una domanda, professore.
10. Lucia, ... va di fare quattro passi?

3. Come sopra:

> Perché Mario ha cambiato lavoro?
> Perché lo stipendio che prendeva non *gli* bastava.

1. Perché Luisa è tornata a casa?
   .... faceva male la testa.
2. Perché Antonio ha preso la tua macchina?
   .... serviva per accompagnare Rita alla stazione.
3. Perché Laura e Giovanna non sono andate in Inghilterra?
   .... non .... bastavano i soldi.
4. Perché Carla non ha accettato quel lavoro?
   .... dispiaceva lasciare la sua città.
5. Perché Angela e Piero non hanno preso in affitto quella casa?
   .... sembrava troppo cara.

Lessico nuovo: –

IX

1. Completate il seguente dialogo con le parole mancanti:

Signora Rossi: Vorrei vedere una .... per mio figlio.
Commessa : Di .... colore?
Signora Rossi: Non saprei.
Commessa : Le .... il colore rosa. Se Suo figlio .... la moda, ... piacerà ....altro.
Signora Rossi: Ma .... rosa non è un colore un po' troppo .... donna?
Commessa : Prima era cosí, ma ora i giovani non .... a queste cose: .... piace la moda unisex.
Signora Rossi: Mio figlio preferisce le .... sportive e questa .... sembra .... elegante.
Commessa : Se è così, può prender.......... una camicia a mezze ....
Signora Rossi: Vediamo!
Commessa : Ecco: c'è questa camicia .... quadri. Come .... sembra?
Signora Rossi: Secondo .... può andar bene; .... prendo.
Commessa : .... occorre nient'altro?
Signora Rossi: Sì, mi .... una gonna blu per mia figlia.
Commessa : Che .... porta?
Signora Rossi: La quarantaquattro.
Commessa : Ora .... faccio vedere i .... che abbiamo.
Signora Rossi: È ancora una ragazzina, ma .... piace il ....
Commessa : Allora .... andrà bene una gonna .... pieghe come questa, non crede?
Signora Rossi: Sì, è carina e anche la stoffa .... sembra di ottima ....
Commessa : Infatti è di pura .... Vedrà che Sua figlia .... contenta.
Signora Rossi: ....!

Lessico nuovo: –

2.A. In un negozio di calzature.

- Buongiorno! Desidera?
- Mi servirebbero un paio di scarpe marroni.
- Sportive o eleganti?
- Sportive, con il tacco basso.
- Che numero porta?
- Il trentanove.

B. In libreria.

- Mi occorre una guida illustrata della città.
- Le consiglio questa: è la più recente e ci troverà tutte le informazioni che Le servono.

C. In un negozio di generi alimentari.

- Vorrei un etto e mezzo di prosciutto cotto e due panini.
- Basta così?
- Mi dia anche un litro di latte.

3. Raccontate il contenuto del dialogo fra la signora Rossi e la commessa del negozio di abbigliamento, ricordando i seguenti punti:

Signora Rossi/camicia per il figlio/commessa/colore rosa/moda/figlio/sportivo/camicia a quadri/figlia/classico/gonna a pieghe/stoffa/

4. Rispondete alle seguenti domande:

1. Che genere di vestiti preferisce portare?
2. Qual è il Suo colore preferito?
3. Che taglia ha?
4. Che numero di scarpe porta?
5. Per Lei è importante seguire la moda?
6. Le piace il modo di vestire degli italiani? Perché?
7. La moda italiana è famosa in tutto il mondo. Lei conosce il nome di qualche stilista italiano?
8. Nel Suo paese tutti i negozi hanno prezzi fissi?

Lessico nuovo: calzatura - paio - marrone - tacco - basso - guida - illustrato - recente - alimentare (agg.) - etto - prosciutto - cotto (cuocere) - panino - litro - abbigliamento - vestire - famoso - stilista.

5. Parole con significato uguale.

succedere - accadere - capitare

a. Ieri mi *è successo* (mi *è accaduto*, mi *è capitato*) un fatto strano: ho incontrato un vecchio amico e non l'ho riconosciuto subito.
b. Sai che cosa *è accaduto* (*è successo, è capitato*) a Carlo? Lo vedo molto strano. Mah, non so: chi ci capisce è bravo!
c. Ogni volta che faccio un programma mi *capita* (mi *succede, mi accade*) qualcosa e devo rimandarlo.
d. Se *capiti* a Roma, ti prego di telefonarmi, Gianni.
e. Sai chi *è capitato* improvvisamente a casa mia ieri? Carlo Rossi: non lo vedevo da tanto tempo e mi ha fatto molto piacere rivederlo.

Se *capiti* a Roma ... Paolo *è capitato* a casa mia

roba - cose

a. In quel negozio vendono *roba* buona.
b. Chi ti ha portato questa *roba* (queste cose)?
c. Spesso la mia borsa è piena di *roba* inutile (di *cose* inutili).
d. È *roba* da matti (Sono *cose* da pazzi)! Quel ragazzo non soltanto pretendeva di restare a dormire e a mangiare da noi, ma voleva anche dei soldi in prestito!

comunque - in ogni caso in ogni modo

a. Sono sicuro che a quest'ora Paolo non è a casa; *comunque (in ogni caso)* puoi provare a telefonargli.
b. Capisco che hai avuto molto da fare: *comunque* (*in ogni modo*) potevi avvertirmi che non venivi!

Lessico nuovo: uguale - fatto - strano - riconoscere - bravo - improvvisamente - rivedere - roba - pieno - inutile - matto - pazzo - prestito - avvertire.

nemmeno - neppure - neanche

a. - Carlos, darai l'esame alla fine del corso?
- Sì, lo darò; e tu?
- Sì, lo darò *anch'io.*

- Carlos, darai l'esame alla fine del corso?
- No, non lo darò; e tu?
- No, non lo darò *neanch'io* (*nemmeno io, neppure io*).

b. Paolo era così arrabbiato con me che non mi ha *nemmeno* (*neppure, neanche*) salutato.
Addirittura! Non ci posso credere!

X *Test*

A. Completate il testo con le parole mancanti:

La signora Rossi vorrebbe comprare una camicia per suo figlio.

La commessa .... consiglia di prenderne una di colore ....

perché .... molto .... moda. Ma, dato che suo figlio

preferisce il .... sportivo, ... prende una camicia ....

quadri, a mezze .... La signora, inoltre, fa un altro ....:

una gonna a .... di genere classico per sua figlia.

B. Completate le frasi con il pronome conveniente:

1. Se Suo figlio segue la moda, questa camicia .... piacerà senz'altro.
2. Carlo, hai scritto ai tuoi genitori? No, non .... ho ancora scritto.
3. Laura non viene con noi alla partita? No, perché il calcio non .... interessa.
4. Si accomodi, signora! .... faccio vedere i modelli che abbiamo.
5. Ragazzi, ... rendete i soldi che .... abbiamo dato?

Lessico nuovo: nemmeno - neppure - neanche - arrabbiato - addirittura.

C. Completate le frasi con le preposizioni convenienti:

1. Vorrei vedere una gonna .... pieghe .... mia figlia.
2. Questa stoffa mi sembra .... ottima qualità.
3. Il rosa è un colore che va .... moda.
4. Ho comprato una camicia .... mezze maniche .... mio figlio.
5. Mi servirebbero un paio .... scarpe marroni .... il tacco basso.
6. .... che colore è il maglione che hai regalato a Marco?
7. Vorrei un francobollo .... trecento lire.
8. Belle queste cartoline .... colori! Dove le hai comprate?
9. Giorgio, mi dai una .... tue pastiglie .... la tosse?
10. Non mi piace il suo modo .... vestire.

Lessico nuovo: –

A questo punto Lei conosce
1029 parole italiane

I *Nozze in vista*

Carla : Sapevi che Rita *si sposa?*

Marina: Certo! Ho anche ricevuto l'invito.

Carla : Ah sì? Come mai ti ha invitato?

Marina: Siamo parenti alla lontana: sua madre e mio padre sono cugini.

Carla : Conosci anche lo sposo?

Marina: Naturalmente! *Si chiama* Gianfranco Rosi. È un ragazzo molto in gamba. È ingegnere elettronico: *si è laureato* a pieni voti l'anno scorso a giugno e due settimane dopo è entrato a lavorare all'Olivetti. Lui e Rita *si conoscono* dai tempi dell'università.

Carla : È stato davvero fortunato a *sistemarsi* così presto! *Si sposano* in chiesa?

Marina: No, in municipio. Preferiscono una cerimonia intima e breve.

Carla : Allora la sposa *non si vestirà* in bianco?

Marina: No, *si metterà* un abito celeste che *si è fatta* fare dalla sarta.

Carla : Dove andrete a pranzo?

Marina: All'Hotel Ausonia.

Carla : È davvero un'ottima scelta. *Si mangia* molto bene in quel ristorante! Sai anche dove andranno in viaggio di nozze?

Marina: Faranno una lunga luna di miele. *Si fermeranno* due giorni a Venezia e poi andranno alle Maldive.

Carla : Lo immaginavo! Oggi, quando *uno si sposa,* preferisce di solito fare il viaggio di nozze all'estero.

Lessico nuovo: decimo - nozze - sposarsi - parente - sposo - naturalmente - gamba - elettronico - laurearsi - voto - davvero - sistemarsi - municipio - cerimonia - intimo - breve - abito - celeste - sarto - scelta - luna - miele - fermarsi.
Termini tecnici: riflessivo - impersonale.

II *Test*

	Vero	Falso
1. Marina è una parente dello sposo	☐	☐
2. Lo sposo è ingegnere elettronico	☐	☐
3. Dopo la laurea Gianfranco ha trovato subito lavoro	☐	☐
4. Gianfranco e Rita si sposeranno in chiesa	☐	☐
5. Faranno una breve luna di miele a Venezia	☐	☐

III ***Ora ripetiamo insieme:***

- Come mai Rita ti ha invitato?
- Conosci anche lo sposo?
- Naturalmente!
- È stato davvero fortunato a sistemarsi così presto!
- La sposa non si vestirà in bianco?
- Si mangia molto bene in quel ristorante!

IV ***Rispondete alle seguenti domande:***

1. Perché Marina ha ricevuto l'invito alle nozze di Rita?
2. Da quando si conoscono Gianfranco e Rita?
3. Come si vestirà Rita per il matrimonio?
4. Perché si sposano in municipio?
5. Dove andranno in viaggio di nozze?

Lessico nuovo: laurea.

V

1. Verbi riflessivi reciproci.

Gianfranco e Rita *si conoscono* dai tempi dell'università.

Marco incontra Paola

Paola incontra Marco

Marco e Paola si incontrano

Marco saluta Paola

Paola saluta Marco

Marco e Paola si salutano

(noi) io e Carlo ci incontriamo
(voi) tu e Mario vi incontrate
(loro) lui e Gianni si incontrano

1.a. Completate le frasi secondo il modello:

Io incontro Claudio.
Io e Claudio *ci incontriamo.*

1. Io saluto Carla.	Io e Carla ....
2. Claudio sposa Lina.	Claudio e Lina ....
3. Carla conosce Gianni.	Carla e Gianni ....
4. Tu incontri Luisa.	Tu e Luisa ....
5. Io do del "tu" a Piero.	Io e Piero ....

Lessico nuovo: reciproco.

2. Verbi riflessivi.

Carlo lava il cane

Carlo lo lava

Carlo lava sé

Carlo si lava

io	mi	lavo
tu	ti	lavi
lui, lei, Lei	si	lava
noi	ci	laviamo
voi	vi	lavate
loro	si	lavano

2.a. Completate le frasi secondo il modello:

> (lavarsi) Di solito io *mi lavo* con l'acqua calda.

(svegliarsi)	1. Carlo la mattina .... alle sei e un quarto.
(fermarsi)	2. Se non vi dispiace, noi .... qui per la notte.
(sbagliarsi)	3. Se pensi di aver ragione, Michele, ...
(sedersi)	4. Carla e Sandra .... sempre al primo banco.
(mettersi)	5. E per l'occasione tu cosa ....?
(scusarsi)	6. Arriva sempre in ritardo ma non .... mai.
(trovarsi)	7. Lei, signora, come .... nella nuova casa?
(vestirsi)	8. Arrivo subito: .... in cinque minuti.
(esprimersi)	9. Complimenti, Ingrid! .... veramente bene in italiano.
(laurearsi)	10. Se tutto va bene, a giugno .... anch'io.

3. Una levataccia.

Pietro: Che faccia stanca, stamattina, Erika!
Erika : Per forza! Mi sono addormentata dopo mezzanotte e mi sono alzata alle cinque per accompagnare Ingrid all'aeroporto.
Pietro: È già partita? Peccato! *Non ci siamo* neanche *salutati.*
Erika : Perché non sei venuto ieri sera alla festa d'addio? Eravamo in tanti e *ci siamo divertiti* un mondo!
Pietro: Purtroppo avevo già un impegno.

Lessico nuovo: lavare - cane - sé - levataccia - faccia - forza - addormentarsi - alzarsi - peccato! - divertirsi.

4. Osservate!

Stamattina	io mi sono tu ti sei lui / lei si è	alzato/a	molto presto
	noi ci siamo voi vi siete loro si sono	alzati/e	

4.a. Completate le frasi secondo il modello:

> Spesso Maria *si alza* prima di me.
> Anche stamattina *si è alzata* prima di me.

1. Spesso Carla si veste in fretta.
   Anche stamattina ....
2. Spesso io e Franco ci incontriamo al bar.
   Anche ieri mattina ....
3. Spesso tu, Giulio, ti dimentichi di chiudere a chiave.
   Anche stamattina ....
4. Spesso i bambini si addormentano tardi la sera.
   Anche ieri sera ....
5. Spesso le due ragazze si mettono a studiare dopo cena.
   Anche ieri sera ....

b. Come sopra:

> Mio padre *si è arrabbiato* per il ritardo.
> Anche mia madre *si è arrabbiata* per il ritardo.

1. Io mi sono divertito molto ieri sera.
   Anche noi ....
2. Io mi sono trovato bene in questa città.

   Anche i miei ....

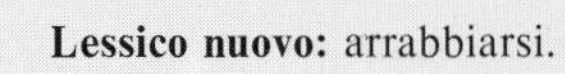
Lessico nuovo: arrabbiarsi.

3. Mi sono decisa a cambiare casa.
   Anche Federico ....
4. Luisa si è sposata l'estate scorsa.
   Anche Carlo e Anna ....
5. Io mi sono alzato presto stamattina.
   Anche Erika ....

5. Verbi riflessivi preceduti da verbi modali.

- Abbiamo un appuntamento con il direttore.
- In questo momento è occupato. Nell'attesa *potete accomodarvi* qui.
- Vi siete annoiati di lavorare? No, ma *vogliamo riposarci* un po' prima di continuare.
- Marco, se vuoi venire a teatro con noi, *devi sbrigarti!*
- D'accordo, faccio subito!

- Abbiamo un appuntamento con il direttore.
- In questo momento è occupato. Nell'attesa *vi potete accomodare* qui.
- Vi siete annoiati di lavorare?
- No, ma *ci vogliamo riposare* un po' prima di continuare.
- Marco, se vuoi venire a teatro con noi, *ti devi sbrigare!*
- D'accordo, faccio subito!

potete accomodar*vi*	*vi* potete accomodare
vogliamo riposar*ci*	*ci* vogliamo riposare
devi sbrigar*ti*	*ti* devi sbrigare

5.a. Ora trasformate le frasi secondo lo schema precedente:

1. Dobbiamo vederci domani.	1. ....
2.	2. Ci vogliamo incontrare a Pisa.
3. Voglio riposarmi un po'.	3. ....
4.	4. Non possiamo permetterci questa spesa.
5. Domattina dobbiamo alzarci presto.	5. ....

Lessico nuovo: precedere - attesa - riposarsi - annoiarsi - sbrigarsi - schema (lo s.).

6.

PRESENTE	PASSATO
Franco ed io *dobbiamo alzarci* presto domattina.	Franco ed io *abbiamo dovuto alzarci* presto ieri mattina.
ci dobbiamo alzare presto domattina.	*ci siamo dovuti alzare* presto ieri mattina.
Carla e Cinzia *vogliono vedersi* in serata.	Carla e Cinzia *hanno voluto vedersi* in serata.
si vogliono vedere in serata.	*si sono volute vedere* in serata.

Osservate!

Maria	deve / ha dovuto	alzar*si* presto	=	Maria	*si* deve / *si* è dovuta	alzare presto

Nei tempi composti i verbi modali ("dovere" - "potere" - "volere") prendono l'ausiliare AVERE se precedono l'infinito riflessivo. Se, invece, sono preceduti dal pronome riflessivo, prendono l'ausiliare ESSERE, come verbi riflessivi veri e propri.

si alza ——— si deve alzare
si è alzata ——— *si è dovuta* alzare.

6.a. Completate le frasi secondo il modello, mettendo il verbo al tempo conveniente:

Carlo (volere lavarsi) *si vuole lavare/vuole lavarsi* i capelli.

1. Comincia a fare freddo: (noi-dovere vestirci) .... / .... bene la sera.
2. Carla, (non dovere mettersi) .... / .... questo vestito: ti sta male!
3. Sabato scorso Sandro ed io (volere fermarsi) .... / .... a Firenze per visitare gli Uffizi.
4. Stamattina Carla e Giulia (non potere vedersi) .... / .... in centro, perché Giulia è arrivata tardi all'appuntamento.
5. Siamo stati così occupati che (non potere permettersi) .... / .... un momento di riposo.

Lessico nuovo: capello.

VI

1. Completate le frasi con il verbo al presente indicativo:

> Maria e Franco (non salutarsi) *non si salutano* perché (non parlarsi) *non si parlano.*

1. Quando Lina e Pia (incontrarsi) .... (non salutarsi) ....
2. Fra loro gli studenti (darsi) .... del "tu".
3. Quando quelle due ragazze (mettersi) .... a parlare vanno avanti per delle ore.
4. Come (chiamarsi) .... quella ragazza che parla con Federico?
5. Carlo ed io (vedersi) .... alle 7 davanti al municipio.
6. Signor Franchi, (non dovere dimenticarsi) .... di telefonare al direttore domani.
7. Signorina, (potere riposarsi) .... qui, se vuole.
8. (Dovere sbrigarsi) .... se non vogliamo arrivare in ritardo.
9. Appena (svegliarsi) .... prendo subito un caffè.
10. Giulio (volere presentarsi) .... all'esame anche se non ha studiato molto.

2. Completate le frasi con il verbo al passato:

1. Franca (laurearsi) .... l'anno scorso in Lettere ed ora lavora a Milano.
2. Finalmente Sergio (decidersi) .... a venire da noi!
3. Carla sentiva freddo e (mettersi) .... un vestito di lana.
4. La signorina Rossi stamattina (sentirsi) .... male ed è tornata a casa.
5. Mario e Luisa (lasciarsi) .... dopo dieci anni di matrimonio, perché non andavano più d'accordo.
6. Mia madre (preoccuparsi) .... molto, quando non mi ha visto tornare alla solita ora.
7. Carla ha trovato un buon lavoro: finalmente (sistemarsi) ....!
8. I nostri amici (fermarsi) .... da noi per una settimana.
9. Marco (presentarsi) .... all'esame, anche se non stava bene.
10. Appena Cinzia e Roberto (vedersi) .... (abbracciarsi) ....

Lessico nuovo: preoccuparsi.

3. Completate le frasi con il verbo ausiliare conveniente:

1. Io e Piero ci .... dovut........ alzare presto per prendere il treno.
2. Questa mattina Gianna si .... volut....... incontrare con il direttore.
3. I posti erano quasi tutti occupati, perciò .... dovut........ sedermi in fondo.
4. Carla e Franco si .... volut........ sposare in municipio.
5. Come mai avete fatto tanto tardi, ragazze? Non vi .... potut....... sbrigare prima?

4. Mettete al passato prossimo la seguente storia:

Ogni mattina Carlo si sveglia alle sette, si alza subito, va in bagno e si fa la doccia. Poi si fa la barba con il rasoio elettrico. Quindi torna in camera, si veste e si prepara per uscire.

a. Ieri mattina ....

....

....

VII ***Forma impersonale.***

Al ritorno dal viaggio di nozze

Marina: Bentornata, Rita! Com'è andato il viaggio alle Maldive?

Rita : Benissimo! Abbiamo trovato un tempo magnifico e le spiagge non erano molto affollate.

Marina: Insomma è stata una bella esperienza?

Rita : Sì. Siamo rimasti contenti della scelta. E poi, quando *uno viaggia* per piacere, *si trova* bene in qualsiasi posto.

Marina: Hai ragione!

Lessico nuovo: doccia - rasoio - elettrico - prepararsi - bentornato - magnifico - affollato - insomma.

Osservate!

Quando *uno viaggia* per piacere, *si trova* bene in qualsiasi posto.
Quando *si viaggia* per piacere, *ci si trova* bene in qualsiasi posto.

a. In aereo *uno viaggia* comodamente. In aereo *si viaggia* comodamente.
b. In aereo *uno non si stanca* troppo. In aereo *non ci si stanca* troppo.

forma impersonale a.	*verbo non riflessivo*	uno + verbo alla 3ª pers. singolare si + verbo alla 3ª pers. singolare
b.	*verbo riflessivo*	uno + si + verbo alla 3ª pers. singolare ci + si + verbo alla 3ª pers. singolare

VIII

1. Trasformate le frasi secondo il modello:

Su questo letto *uno dorme* bene.
Su questo letto *si dorme* bene.

1. In Italia uno pranza di solito all'una e mezzo.

 ....

2. In questa casa uno paga molto di condominio.

 ....

3. Uno viaggia in aereo per arrivare prima.

 ....

4. Uno cerca sempre di guadagnare di più.

 ....

5. Al ristorante uno spende molto.

 ....

Lessico nuovo: comodamente - stancarsi.

2. Come sopra:

D'estate *uno si alza* presto la mattina.
D'estate *ci si alza* presto la mattina.

1. Dopo una giornata faticosa uno si riposa volentieri.

   ....

2. Dopo una bella vacanza uno si sente in forma.

   ....

3. Oggi, per andare a teatro, uno si veste anche in modo sportivo.

   ....

4. Dopo tre mesi di studio uno si esprime bene in italiano.

   ....

5. Alle feste uno si diverte di più quando è fra amici.

   ....

IX

1. Completate il testo con le parole mancanti:

.... alcuni giorni Rita si sposerà con Gianfranco, un ingegnere elettronico che .... l'anno scorso a pieni .... Si .... ai tempi dell'università. Si sposano in municipio perché preferiscono una cerimonia .... e .... La sposa .... un abito celeste che .... dalla sarta.
Passeranno la .... di .... alle Maldive, ma prima .... due giorni .... Venezia.

Lessico nuovo:–

2. Un regalo di nozze.

Carla: Ormai manca poco alle nozze di Rita. Dobbiamo *sbrigarci* a scegliere un regalo.

Luisa: Ho sentito che anche Anna e Sergio vogliono partecipare alla spesa, dunque possiamo *orientarci* su un regalo più costoso.

Carla: Che ne dici di un servizio di posate?

Luisa: Secondo me può andar bene un radioregistratore stereo. Rita e Gianfranco amano molto la musica e sono sicura che saranno felici di averlo.

Carla: D'accordo, però *non si può* decidere se *non si sa* quanto costa.

Luisa: Possiamo *informarci* oggi stesso, così sapremo subito quanto dobbiamo mettere a testa.

Carla: Se non raggiungiamo la somma necessaria per il radioregistratore, compreremo qualcosa di meno caro.

Luisa: Secondo me, se *si vuole* fare una bella figura *non si deve* badare a spese.

3. Rispondete alle seguenti domande:

1. Sicuramente Lei ha partecipato alle nozze di qualche amico. Ne racconti i diversi momenti.
2. Se è sposato (sposata): cosa ricorda in particolare del giorno delle nozze?
3. Gli italiani preferiscono fare il viaggio di nozze all'estero. È così anche nel Suo paese?
4. A che età ci si sposa di solito nel Suo paese?
5. Da alcuni anni in Italia esiste il divorzio, eppure sono relativamente poche le coppie che lo chiedono. Com'è la situazione nel Suo paese?
6. In Italia il divorzio si ottiene dopo 5 anni di separazione legale se i due coniugi sono d'accordo e dopo 7 anni se uno dei due non lo vuole. Nel Suo paese si ottiene allo stesso modo?

Lessico nuovo: regalo - ormai - partecipare - dunque - orientarsi - costoso - posata - radioregistratore - stereo - amare - felice - informarsi - raggiungere - figura - particolare - esistere - divorzio - eppure - relativamente - coppia - ottenere - separazione - legale - coniuge.

X *Test*

A. Completate le frasi al passato usando i seguenti verbi: addormentarsi - conoscersi - divertirsi - ricordarsi - scusarsi.

1. Le tue amiche .... alla festa di fine d'anno?
2. La bambina .... tardi ieri sera, perché aveva mal di gola.
3. Ragazzi, ... di comprarmi i francobolli?
4. Peter è arrivato in ritardo e .... con il professore.
5. Luisa e Mauro .... l'anno scorso in montagna.

B. Indicate il contrario dei seguenti verbi:

1. stancarsi ....
2. annoiarsi ....
3. svegliarsi ....
4. alzarsi ....
5. ricordarsi ....

C. Completate le frasi con il verbo conveniente:

1. A viaggiare in treno non .... come quando si guida.
2. In quel ristorante .... a tutte le ore.
3. Gianfranco .... a pieni voti l'anno scorso.
4. Se .... fare bella figura non .... badare a spese.
5. Alla festa di ieri sera noi .... un mondo.

D. Completate le frasi con il conveniente verbo modale (dovere - potere - volere):

1. Franco e Giulio .... alzare presto stamattina per non perdere il treno.
2. Perché non .... fermarsi a pranzo, signora? Mi dispiace, ma .... proprio andare. Sarà per un'altra volta.
3. Dopo tanti giri, finalmente .... sistemarci in un piccolo albergo di periferia.
4. Ragazzi, non .... dimenticare di chiudere la porta a chiave quando uscite.
5. Ho lasciato il rasoio elettrico a casa, per questo non .... farmi la barba questa mattina.

Lessico nuovo: contrario (s.).

E. Completate le frasi con la forma impersonale dei seguenti verbi: arrivare - cominciare - esprimersi - lavorare - volere.

1. .... meglio la giornata con un buon caffè.
2. Dopo tre mesi di studio di una lingua .... abbastanza bene.
3. Se .... rimanere in forma, bisogna fare dello sport.
4. In quell'ufficio .... dalle otto alle quattordici.
5. Il centro è chiuso al traffico: ci .... soltanto a piedi.

F. Fate il VII test.

Lessico nuovo: -

A questo punto Lei conosce
1108 parole italiane

XI *Letture.*

A. Storia di parole.

"Nozze"

La parola "nozze" deriva dal latino "nubere", che significa "coprire", "velare". Prima della cerimonia nuziale, infatti, nella Roma antica si usava avvolgere la sposa in un ampio velo giallo, che stava ad indicare il rapimento con il quale lo sposo sottraeva la ragazza alla potestà del padre.
Tale usanza continua ancor oggi nel mondo cristiano. Nei matrimoni religiosi la sposa porta il velo, anche se di dimensioni ridotte e di colore bianco.

B. Note di civiltà.

I due matrimoni.

In Italia si può contrarre matrimonio in municipio, con rito civile, o in chiesa, con rito religioso. Per la Chiesa un uomo ed una donna uniti in matrimonio dal sindaco, invece che dal parroco, non sono marito e moglie.
Prima dell'11 febbraio 1929, lo Stato si comportava allo stesso modo nei confronti della Chiesa: il matrimonio religioso non aveva alcun valore per la legge dello Stato. I due sposi "religiosi" conservavano lo stato civile precedente al matrimonio: lui rimaneva scapolo, lei nubile, e i figli erano dunque illegittimi.
Con il Concordato fra Stato e Chiesa la situazione è cambiata. Lo Stato riconosce gli effetti civili al matrimonio religioso, sicché i cittadini sono liberi di scegliere fra il matrimonio civile e quello religioso.

Lessico nuovo: lettura - derivare - latino - significare - coprire - velare - nuziale - antico - avvolgere - ampio - velo - rapimento - sottrarre - potestà - tale - usanza - cristiano - religioso - dimensione - ridotto (ridurre) - civiltà - contrarre - rito - civile - unire - sindaco - parroco - comportarsi - confronto - valore - legge - conservare - scapolo - nubile - illegittimo - concordato (s.) - effetto - sicché - cittadino.

A questo punto Lei conosce
1147 parole italiane

T.Dino 84

undicesima unità
(unità numero undici)

pronomi combinati - imperativo diretto
(tu - voi - noi) - forma perifrastica

I *Parlando di politica*

Carlo : *Leggi* qui e poi *dimmi* se non ho ragione io!
Mario: Di che *stai parlando?*
Carlo : Di questo articolo nel giornale di oggi.
Mario: *Fammelo* vedere!
Carlo : *Te lo* dicevo io che anche il tuo partito è come gli altri!
Mario: *Lasciami* leggere e poi ne parliamo.
Carlo : Allora...?
Mario: Un momento! ... *Sto per finire.*
Carlo : *Scusami!*
Mario: Sono veramente sorpreso di sapere che anche il mio partito è coinvolto in un simile scandalo, *te lo* confesso.
Carlo : E tu gli hai dato il voto!
Mario: Sì, ma quando *gliel'*ho dato queste cose non succedevano.
Carlo : E ora che pensi di fare?
Mario: *Non chiedermelo!* Così su due piedi è difficile rispondere.
Carlo : Io non sono iscritto a nessun partito, e, a differenza di te, posso criticare apertamente la politica della sinistra, della destra e dei partiti di centro.
Mario: Io sono militante, ma posso esprimere ugualmente il mio dissenso dal partito.
Carlo : Allora *dimostralo!*
Mario: *Dammi* il tempo di farlo. Prima voglio vederci chiaro in questa faccenda.
Carlo : *Senti, accetta* un consiglio da amico: *strappa* la tessera!

Lessico nuovo: undicesimo - politica - articolo - partito - iscritto - sorpreso - coinvolto (coinvolgere) - simile - scandalo - confessare - criticare - apertamente - militante - ugualmente - dissenso - dimostrare - faccenda - consiglio - strappare - tessera.

Termini tecnici: combinato - imperativo - perifrastico.

II Test

	Vero	Falso
1. Carlo dice che il partito di Mario è come tutti gli altri	☐	☐
2. Mario sapeva già che il suo partito era coinvolto in quello scandalo	☐	☐
3. Mario non ha dato il voto al suo partito	☐	☐
4. Carlo può criticare tutti i partiti perché è militante	☐	☐
5. Carlo è sicuro che anche Mario può esprimere il suo dissenso dal partito	☐	☐
6. Prima di uscire dal partito, Mario vuole vederci chiaro in quella faccenda dello scandalo	☐	☐

III *Ora ripetiamo insieme:*

- Leggi qui e poi dimmi se non ho ragione io!
- Di che stai parlando?
- Fammelo vedere!
- Un momento...! Sto per finire.
- Sono veramente sorpreso, te lo confesso.
- Così su due piedi è difficile rispondere.
- Allora dimostralo!
- Senti, accetta un consiglio da amico!

IV *Rispondete alle seguenti domande:*

1. Cosa diceva sempre Carlo a Mario?
2. Di che cosa è sorpreso Mario?
3. Mario ha dato il voto al suo partito?
4. Perché Carlo può criticare la politica di tutti i partiti?
5. Cosa può fare Mario, anche se è militante?
6. Cosa gli consiglia di fare Carlo?

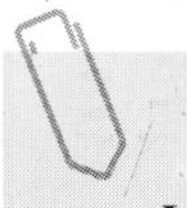

Lessico nuovo: -

V *I pronomi combinati.*

- Sono veramente sorpreso, *te lo* confesso.
- Tu gli hai dato il voto? Sì, *gliel'*ho dato.

A. Vediamo uno schema generale dei pronomi combinati:

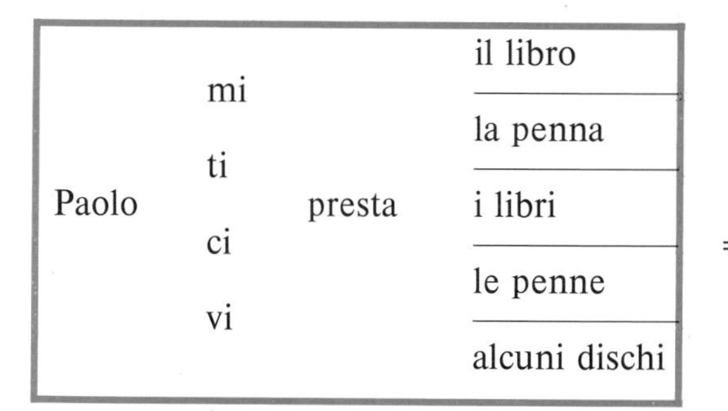

Paolo	mi / ti / ci / vi	presta	il libro
			la penna
			i libri
			le penne
			alcuni dischi

=

me / te / ce / ve	lo / la / li / le	presta
	ne presta alcuni	

(a lui)	gli	presto	il libro
(a lei)	le		la penna
(a Lei)	Le		i libri
(a loro)	gli		le penne
			alcuni dischi

=

glielo presto
gliela presto
glieli presto
gliele presto
gliene presto alcuni

Mario non ha Carla non ha Lei, signore, non ha Lei, signora, non ha Mario e Carla non hanno Luisa e Paola non hanno	il libro?	Non importa, **GLIELO** presto io!

Lessico nuovo: generale (agg.) - prestare.

Osservate!

1. I pronomi indiretti (mi, ti, ci, vi) cambiano la vocale "i" in "e" quando si uniscono ai pronomi diretti (lo, la, li, le) e alla particella "ne".
2. "gli" prende una "e", formando una sola parola con il pronome diretto (gli + lo = glielo).
3. Il pronome "le" si trasforma in "glie" quando si unisce al pronome diretto o alla particella "ne", formando con essi una sola parola.

1. Trasformate le frasi secondo il modello:

Ti porterò *le foto* del viaggio.
Te le porterò appena posso.

1. Ti manderò quelle cassette.
   .... appena le avrò.
2. Ti scriverò una lettera.
   .... appena arrivo.
3. Vi racconterò i fatti.
   .... appena ritorno.
4. Le offrirò un caffè, signorina.
   .... appena usciamo.
5. Le renderò i soldi, signor Bianchi.
   .... appena prendo lo stipendio.

2. Come sopra:

Luigi *ti* presta mai *la sua macchina?*
Sì, *me la* presta spesso.

1. Carla vi prepara mai la colazione?
   ....
2. Luisa ti presta mai i suoi dischi?
   ....

Lessico nuovo: foto (fotografia).

3. Marco ti compra mai il giornale?

   ....

4. Paolo vi chiede mai mie notizie?

   ....

5. Franco ti dà mai la macchina?

   ....

3. Completate le frasi con le forme convenienti del pronome combinato:

1. Se sei uscito senza soldi, ... presto io.
2. Se non ha i soldi, signorina, ... presto io.
3. Carina quella tua amica! .... presenti?
4. Ho quasi finito di leggere il giornale. Se aspetti un momento, ... do, Carla.
5. Gianna ha dimenticato qui alcuni libri: .... manderò per posta.

B. I pronomi combinati con i verbi modali (dovere, potere, volere):

- Carlo, puoi procurarmi dei biglietti per il concerto di domani sera?
- Sì, posso procurar*tene* quattro o cinque.
- Non puoi trovarne di più?
- Mi dispiace, non *te ne* posso prendere di più: sono andati a ruba.

- Dottor Mari, può procurarmi dei biglietti per il concerto di domani sera?
- Sì, posso procurar*Gliene* quattro o cinque.
- Non può trovarne di più?
- Mi dispiace non *Gliene* posso prendere di più: sono andati a ruba.

Non	*te ne* / *Gliene*	posso prendere di più = Non posso	prender*tene* / prender*Gliene*	di più

Lessico nuovo: procurare - ruba.

1. Completate le frasi con i pronomi combinati:

1. Marco ha lasciato qui la borsa: dobbiamo portar.............................. stasera.
2. L'informazione che chiedete .... può dare qualsiasi impiegato.
3. Anche se conosci già i fatti, ... voglio raccontare dal mio punto di vista.
4. Il gatto vuole ancora da mangiare, ma non posso dar .... di più, se no gli fa male.
5. Se non potevate venire da me, dovevate dir .... subito.

C. I pronomi combinati con i verbi ai tempi composti:

TU	LEI
1. Bello questo bracciale!	
- Chi *te l'*ha regalato? - *Me l'*ha regalato Carlo.	- Chi *Gliel'*ha regalato? - *Me l'*ha regalato mio marito.
2. Bella questa giacca!	
- Chi *te l'*ha regalata? - *Me l'*ha regalata Luisa.	- Chi *Gliel'*ha regalata? - *Me l'*ha regalata mia moglie.
3. Belli questi orecchini!	
- Chi *te li* ha regalati? - *Me li* ha regalati Carlo.	- Chi *Glieli* ha regalati? - *Me li* ha regalati mio marito.
4. Belle queste rose!	
- Chi *te le* ha regalate? - *Me le* ha regalate Carlo.	- Chi *Gliele* ha regalate? - *Me le* ha regalate mio figlio.

Lessico nuovo: bracciale - giacca - orecchino - rosa (s.).

1. Completate le frasi con le forme convenienti del pronome combinato, facendo attenzione all'accordo con il verbo al passato:

1. Abbiamo già preso il caffè: .... ha offert.......... Franca.
2. Questi libri sono Suoi o .... hanno prestat.........?
3. Ho scritto una lettera a Marco, ma non .... ho ancora spedit.........
4. Abbiamo notizie di Luisa: .... ha dat......... sua madre.
5. Questa penna non l'ho comprata: .... ha regalat......... un amico.
6. Oggi pomeriggio devo tornare in ufficio: .... ha chiest......... il direttore.
7. Bella questa foto, Gianni! Chi .... fatt..........?
8. Siamo sicuri che verrà anche Carla: .... ha promess...........
9. Avete ancora le cassette di Marta? No, ... abbiamo res....................
10. Hai mai fumato questo tipo di sigarette? Sì .... ha fatt.......... provare una il signor Rossi.

VI

1. Completate le frasi usando i pronomi convenienti:

1. Se siete rimasti senza pane, ... diamo un po' noi.
2. Noi non abbiamo visto quel film: .... racconti, Marco?
3. Roberto è senza sigarette, perciò .... offro un pacchetto delle mie.
4. Se a Sergio e Luisa piace questo disco, ... regalo.
5. Se Laura e Carla vogliono i biglietti per il teatro, ... prendo io.
6. Maria sa che domani sera c'è un bel concerto? Credo di sì, comunque .... dico io appena la vedo.
7. Avete capito bene quello che ho detto? Altrimenti .... ripeto.
8. Hai già chiesto al direttore se ti dà due giorni di ferie? No, non ancora: .... chiederò stasera.
9. Sai se Luisa ha qualche impegno per domenica? Scusa, ma perché non .... domandi da solo?
10. Se loro non credono che ho perduto una buona occasione .... dimostro subito.

Lessico nuovo: –

2. Completate le frasi con i verbi fra parentesi e con i pronomi convenienti:

1. È di Carlo quella bella macchina? No, ... (prestare) suo cugino.
2. Se a Franca piace l'acqua di Colonia, ... (regalare) io una bottiglia.
3. Conosci già il ragazzo di Marta? Sì, ... (presentare) lei qualche giorno fa.
4. Ti piacciono queste stoffe di seta? .... (portare) un'amica dal Giappone.
5. Hai detto a Roberta e Silvia di venire? (dire) Sì, ...
6. Le servono i cerini, signora? No, grazie, (comprare) .... poco fa Luigi.
7. Sergio mi ha chiesto la macchina, ma oggi (poter dare) non ...., perché serve a me.
8. Maria ha bisogno del mio aiuto, ma non (voler chiedere) ....
9. Sai cosa significa questa parola o (dover spiegare) .... io?
10. Sapete che cosa è successo ad Anna? Sì, (raccontare) .... proprio lei.

Lessico nuovo: -

VII *Imperativo diretto* (TU - VOI - NOI)

Indicativo presente	Imperativo
leggere	
Mario, tu *leggi* poco.	*Leggi* di più!
Ragazzi, voi *leggete* poco.	*Leggete* di più!
Noi *leggiamo* poco.	*Leggiamo* di più!
sentire	
Mario, perché *senti* solo lei?	*Senti* anche loro!
Ragazzi, perché *sentite* solo lei?	*Sentite* anche loro!
Perché *sentiamo* solo lei?	*Sentiamo* anche loro!
finire	
Mario, perché *finisci* sempre tardi?	*Finisci* presto almeno una volta!
Ragazzi, perché *finite* sempre tardi?	*Finite* presto almeno una volta!
Noi *finiamo* sempre tardi.	*Finiamo* presto almeno una volta!

> verbi in -ERE e -IRE
> TU - NOI - VOI = indicativo presente

Attenzione!

Indicativo presente	Imperativo
accettare	
Perché non *accettate* il suo consiglio?	*Accettate* un consiglio da amico!
Perché non *accettiamo* il suo consiglio?	*Accettiamo* un consiglio da amico!
ma:	
Perché non accetti il suo consiglio?	Accett*a* un consiglio da amico!
Se strappi la tessera, dimostri il tuo dissenso.	Strapp*a* la tessera e dimostr*a* così il tuo dissenso!

> accettA(re) ______ accettA!
> strappA(re) ______ strappA!
> dimostrA(re) ______ dimostrA!

> verbi in -ARE
> TU: -A

Lessico nuovo: -

1. Mettete ora le seguenti frasi all'indicativo nella forma dell'imperativo:

1. Sergio, vieni con noi? ....
2. Ragazzi, bevete la birra? ....
3. Vediamo il film alla tv? ....
4. Luisa, parti in aereo? ....
5. Luigi, rispondi tu al telefono? ....
6. Offriamo noi la cena? ....
7. Marta, chiedi una borsa di studio? ....
8. Ragazzi, salite a piedi? ....
9. Prendiamo l'ascensore? ....
10. Carla, esci con gli amici? ....

2. Chiedete ad una persona amica:

1. di avvertire gli amici ....
2. di chiudere la porta ....
3. di scrivere a macchina ....
4. di aprire la finestra ....
5. di accendere la luce ....
6. di mettere un disco ....
7. di finire il discorso ....
8. di esprimere la sua opinione ....
9. di bere di meno ....
10. di decidere subito ....

Lessico nuovo opinione.

3. Completate le frasi con le forme dell'imperativo dei verbi fra parentesi:

Mario, *studia* l'inglese! Ti sarà utile per il lavoro.	(studiare)

1. Lucia, ti prego, ... a bassa voce! (parlare)
2. Carlo, ... come hai passato le vacanze! (raccontare)
3. Lisa, perché stai sulla porta? ...., prego! (entrare)
4. Stefano, ... di capirmi, non avevo altra scelta! (cercare)
5. Carlo, ... un momento, vengo subito! (aspettare)
6. ...., Anna, ti ho fatto male? (scusare)
7. Non è lì che devi guardare, ... là! (guardare)
8. Quando vai a Roma, ... Franco da parte mia! (salutare)
9. Carla, ti prego, ... in tempo per la cena! (tornare)
10. Livio, ... le parole che ti ho detto! (ricordare)

4. L'imperativo diretto con i pronomi (semplici e combinati):

- Scusa*mi* per il ritardo, Franca! Avevo una questione importante da risolvere.
- Lascia*mi* leggere questo articolo e poi ne parliamo.
- Se è interessante, leggi*melo*!
- È un consiglio da amico: accettiamo*lo*!
- Se è giusto quello che dite, dimostrate*celo*!
- Se vuoi venire con noi, decidi*ti*!
- Non siamo stati ancora a Venezia: andiamo*ci* questo fine settimana!

4.a. Completate le frasi con le forme convenienti dell'imperativo dei verbi fra parentesi:

1. Questo disco è molto bello: .... anche tu! (ascoltarlo)
2. Se vedete Maria, ... da parte mia! (salutarla)
3. Quando hai finito di leggere il giornale, ..., per favore! (passarmelo)
4. Marco è senza macchina: .... la nostra! (prestargli)
5. Se loro vanno al cinema, ... anche voi! (andarci)

Lessico nuovo: risolvere - interessante.

b. Completate le frasi con la forma conveniente dell'imperativo e del pronome:

1. Franco non sa che Luisa è tornata: .... noi! (dire)
2. Appena hai finito, ..., così passo a prenderti. (telefonare)
3. Se volete fare felice Anna, ... dei fiori! (regalare)
4. Per favore, ...: devo dirti una cosa importante! (ascoltare)
5. Luisa non può venire a prendere il libro che le serve: .... tu, per favore! (portare)

c. Come sopra:

1. Paola, questo posto è libero: ....! (accomodarsi)
2. Mario, ... a partire: tra poco sarà buio! (sbrigarsi)
3. Il film comincia fra un quarto d'ora: .... se vuoi venire con noi! (decidersi)
4. Ci conosciamo ormai da tanto tempo: .... del "tu"! (darsi)
5. Ragazzi, ...: il treno sta per arrivare! (prepararsi)

5. Attenzione!

andare	TU
- Carlo, *va'* a vedere quel film: è molto bello!	va'!
- Carlo, se vuoi andare al cinema, *vacci* pure!	vacci!
- Carlo, se ti annoi a stare qui, *vattene!*	vattene!
dare	
- Roberto, *da'* qualcosa da mangiare al cane!	da'!
- Roberto, ho molto da fare, *dammi* una mano!	dammi!
- Roberto, se hai finito di leggere il giornale, *dammelo!*	dammelo!
fare	
- Anna, *fa'* presto, ti prego!	fa'!
- Anna, *fammi* il favore di chiudere la porta!	fammi!
- Anna, non ho tempo di fare la spesa, *fammela* tu, per favore!	fammela!

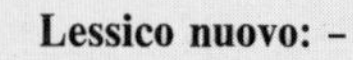

Lessico nuovo: -

stare

- Piero, *sta'* attento a dove metti i piedi! sta'!
- Piero, se qui ti trovi bene, *stacci* quanto vuoi! stacci!
- Piero, è quasi un'ora che parli: *stattene* un po' zitto! stattene!

dire

- Luisa, *di'* a Marta di telefonarmi! di'!
- Luisa, *dimmi* quando sei stanca! dimmi!
- Luisa, se c'è qualcosa che non va, *dimmelo!* dimmelo!

Nota:

Come abbiamo visto al punto VII.4., il pronome segue l'imperativo diretto e forma con esso una sola parola. Quando il pronome si unisce alle forme *da', va', fa', sta'* e *di'* raddoppia la consonante iniziale:

Es:

datemi!	ma:	da*mmi*!
andiamola a vedere!		va*lla* a vedere!
fateci un favore!		fa*cci* un favore!

Unica eccezione è il pronome "gli":

Es.:

dategli da bere!	e anche:	dagli da bere!
fateglielo voi!		faglielo tu!

avere

- Lucia, *abbi* pazienza! Finisco subito! (tu) abbi!
- Amici, *abbiate* pazienza! Sto per finire! (voi) abbiate!

essere

- Lucia, *sii* più calma e prendi la vita come viene! (tu) sii!
- Amici, *siate* più calmi e prendete la vita come viene! (voi) siate!

Lessico nuovo: attento - zitto - raddoppiare - iniziale - unico - eccezione - pazienza - calmo.

5.1. Completate le frasi con la forma conveniente dell'imperativo:

1. Non ho tempo di andare alla posta: .... tu, per favore! (andarci)
2. Hai comprato una borsa? .... vedere! (farmela)
3. Laura è sola: .... compagnia tu! (farle)
4. Devo dirti una cosa importante: .... a sentire! (starmi)
5. Questo libro è di Anna: quando la vedi, ..., per favore! (darglielo)
6. Se incontri Giulio, ... che lo aspetto a casa. (dirgli)
7. Abbiamo finito il vino, ... un po' del tuo! (darci)
8. .... più gentile con tua madre! (essere)
9. .... cura di te: .... un periodo di riposo! (avere) (prendersi)
10. Se ti senti stanco, ... un bel bagno caldo! (farti)

6.

a. Forma negativa dell'imperativo diretto.

Osservate!

- Bambini, *andate* a giocare in giardino!
- Ragazzi, *parliamo* un po' insieme!

ma:

- Carlo, *parla* più piano!
- Giulio, *prendi* pure la mia macchina!
- Luisa, *finisci* tutto per stasera, mi raccomando!

- Bambini, *non andate* a giocare sulla strada!
- Ragazzi, *non parliamo* tutti insieme!
- Carlo, *non parlare* così forte!
- Giulio, *non prendere* la mia macchina!
- Luisa, *non finire* tutto, non è urgente!

verbi in -ARE, -ERE, -IRE - non parlARE! - non prendERE! - non finIRE!
TU = NON + INFINITO

Lessico nuovo: negativo - giardino - piano (avv.) - raccomandarsi.

b. Imperativo negativo con i pronomi.

- È un libro interessante: leggi*lo*!
- È un libro noioso: non legger*lo*! o anche: non *lo* leggere!

- È una persona simpatica: invita*la*!
- È una persona antipatica: non invitar*la*! o anche: non *la* invitare!

- Fa molto freddo: copri*ti* bene!
- Fa piuttosto caldo, oggi: non coprir*ti* troppo! o anche: non *ti* coprire ...

- Hanno aperto un nuovo locale: andate*ci*, è molto carino!
- Hanno aperto un nuovo ristorante: non andate*ci*, si mangia male! o anche: non *ci* andate ...

- Fa*mmi* dare un'occhiata al giornale di oggi!
- Non far*mi* aspettare troppo, ho fretta! o anche: non *mi* far aspettare ...

Forma positiva	*Forma negativa*
prendi*lo!*	non prender*lo!* / non *lo* prendere!
prendete*lo!*	non prendete*lo* / non *lo* prendete!
prendiamo*lo!*	non prendiamo*lo!* / non *lo* prendiamo!

verbo + pronome	*verbo + pronome* o anche *pronome + verbo*

Lessico nuovo: noioso - antipatico - occhiata.

6.1. Completate le frasi con la forma negativa dell'imperativo dei verbi fra parentesi:

1. Carla, ... la luce: serve a me! (spegnere)
2. Ragazzi, ... sotto le finestre, voglio riposarmi! (giocare)
3. Amici, ... altro tempo: siamo già in ritardo! (perdere)
4. Giorgio, ... sempre l'ultimo momento per fare le tue cose! (aspettare)
5. Anna, ..., se non ti senti bene! (uscire)
6. Lucio, ... complimenti: prendi ancora del cognac! (fare)
7. Sergio, ... in piedi: siediti qui vicino a me! (stare)
8. Marta, ... paura: vedrai che tutto andrà bene! (avere)
9. Ragazzi, ... in montagna; venite al mare insieme a noi! (andare)
10. Mauro, ... così formale; siamo fra amici! (essere)

6.2. Completate le frasi con la forma negativa dell'imperativo e con il pronome conveniente:

1. Ormai i tuoi amici non vengono: .... più! (aspettare)
2. Il libro di fisica ti può servire ancora: .... via! (buttare)
3. È una macchina troppo vecchia: ragazzi, ...! (comprare)
4. Il tempo è denaro, Luigi: .... in cose inutili! (perdere)
5. Tuo padre dorme? Allora, ...; passerò più tardi! (svegliare)
6. Piero, quando esci .... di chiudere bene la porta e di spegnere tutte le luci! (dimenticarsi)
7. È un ragazzo poco gentile, Luisa, ...! (frequentare)
8. Ecco che arriva Giulio: mi raccomando, ragazzi, ... niente di quello che è successo! (dire)
9. Eccoti centomila lire: .... tutte in discoteca! (spendere)
10. La tua macchina è ancora nuova: ....! (vendere)

Lessico nuovo: -

7. Forme perifrastiche (con l'infinito e con il gerundio).

Franca: Che fai di bello?

Carla : Niente di speciale: *sto leggendo* un romanzo. E tu?

Franca: *Stavo pensando* di venire a trovarti e ti ho chiamato per sapere se eri a casa.

Carla : Sì, oggi non ho voglia di uscire e *stavo* proprio *per telefonarti* per fare quattro chiacchiere.

Franca: Allora non ti disturbo se vengo?

Carla : No di certo! Vieni subito?

Franca: Sì, sono già pronta: *sto per uscire.*

Carla : Allora ti aspetto: a fra poco!

A. Osservate!

Per costruire le forme perifrastiche è necessario conoscere le forme dell'infinito e del gerundio.

Infinito e gerundio.

(infinito)	parlARE	leggERE	seguIRE
(gerundio)	parlANDO	leggENDO	seguENDO

ma:

fare ______ facendo
dire ______ dicendo
bere ______ bevendo
tradurre ______ traducendo
comporre ______ componendo
contrarre ______ contraendo

Le frasi perifrastiche esprimono:

1. un'azione in preparazione: *stare + per + infinito*
2. un'azione in svolgimento: *stare + gerundio*

Lessico nuovo: speciale - romanzo - chiacchiera - disturbare - costruire - preparazione - svolgimento.
Termini tecnici: gerundio.

1. Azione in preparazione:

STARE + PER + INFINITO

a. al presente:

- Franca è pronta e *sta per uscire.* (= si prepara ad uscire)

b. al passato:

- Franca era pronta e *stava per uscire.* (= si preparava ad uscire)

2. Azione in svolgimento:

STARE + GERUNDIO

a. al presente:

- Che cosa fa Piero in questo momento?

- Parla al telefono.	o anche:	- Sta parlando al telefono.
- Legge il giornale.		- Sta leggendo il giornale.
- Segue la partita alla tv.		- Sta seguendo la partita alla tv.

b. al passato:

- Che cosa faceva Piero quando siete andati da lui?

- Parlava al telefono.	o anche:	- Stava parlando al telefono.
- Leggeva il giornale.		- Stava leggendo il giornale.
- Seguiva la partita alla tv.		- Stava seguendo la partita alla tv.

Nota: Rispetto alla semplice forma dell'indicativo, la forma perifrastica sottolinea maggiormente l'azione.

Lessico nuovo: rispetto a - sottolineare - maggiormente.

VIII

1. Trasformate le frasi secondo il modello:

> Paolo *legge* il giornale di oggi.
> Paolo *sta leggendo* il giornale di oggi.

1. Paolo *scrive* una lettera ai suoi genitori.

   ....

2. I bambini *escono* da scuola proprio adesso.

   ....

3. Il tempo *cambia* di nuovo.

   ....

4. Hai visto per caso i miei occhiali? Li *cerco* da tanto e non li trovo.

   ....

5. Che fai qui con questo freddo? *Aspetto* l'autobus.

   ....

2. Rispondete secondo il modello:

> È già arrivato il treno?
> No, *sta per arrivare.*

1. È già finito lo spettacolo?

   ....

2. Avete già pranzato?

   ....

3. Luisa è già partita per le vacanze?

   ....

4. È già cominciata la lezione?

   ....

5. È già uscito il direttore?

   ....

Lessico nuovo: -

3. Completate le frasi con la forma perifrastica conveniente:

1. Hai già finito tutto? No, ma (finire) ....
2. Quando lui è arrivato ero occupata: (lavare) .... i piatti.
3. Hai fatto bene a venire: (chiamarti) ....
4. (Andare) .... dal medico, quando ho incontrato Giulia.
5. È meglio prendere l'ombrello; il tempo è brutto: (piovere) ....

IX

1. Completate il testo con le parole mancanti:

Carlo invita il suo amico Mario a leggere un .... nel giornale. Mario rimane molto .... nel vedere che anche il suo partito è coinvolto in uno .... Per Carlo tutti i partiti sono uguali. Lui non è .... a nessun partito, per questo può .... apertamente la politica della ...., della destra e del .... Mario, anche se è ...., si sente libero di esprimere il suo .... Però, quando Carlo gli chiede di dimostrar..............., lui risponde che vuole aspettare di vederci .... in quella faccenda.

2. Rispondete alle seguenti domande:

1. Quali sono gli articoli che legge con più interesse: quelli di politica, di cronaca, di economia, di sport, di cultura?
2. In Italia ci sono molti partiti politici. È così anche nel Suo paese?
3. I giovani del Suo paese si interessano alla vita politica?
4. Nei giornali del Suo paese si dà spazio alle vicende politiche italiane?
5. Che tipo di giornali legge abitualmente: quotidiani, settimanali, mensili?
6. Legge mai articoli riguardanti la politica? Come li trova?

Lessico nuovo: interesse - cronaca - economia - cultura - politico - spazio - vicenda - abitualmente - quotidiano (s.) - settimanale (s.) - mensile (s.) - riguardante (riguardare).

X *Test*

A. Riscrivete le frasi con il contrario della parola sottolineata:

1. Per *scendere* puoi prendere l'ascensore.
2. Il film di ieri sera è stato molto *divertente.*
3. Secondo me, è una persona molto *antipatica.*
4. Luigi si lava sempre con l'acqua *fredda.*
5. Il caffè lo preferisco *dolce.*

B. Completate le frasi con il conveniente pronome combinato:

1. So queste cose perché .... ha dett.......... Franca.
2. Non preoccuparti: appena avrò quei soldi .... rendo.
3. Professore, se vuole l'indirizzo di Marco, ... do io.
4. Mario dice che non ha ricevuto la mia lettera, eppure .... ho spedit.......... due settimane fa.
5. Volevamo pagare noi, ma Franco non .... ha permesso.

C. Completate le frasi con il verbo all'imperativo:

1. Carla, se hai finito .... pure! (uscire)
2. Giulio, ti prego, ... una mano a finire! (darmi)
3. Parla sempre senza pensare: ragazzi ....! (non ascoltarlo)
4. Mi raccomando, Gianna, appena arrivi ....! (telefonarmi)
5. Se volete dare gli esami, ... a studiare! (mettersi)

D. Completate le frasi con le preposizioni convenienti:

1. Mio zio vive .... molti anni .... Stati Uniti, ... Filadelfia.
2. Domani vado a Roma. Parto .... treno .... tre e arriverò verso le sei.
3. Tu non stai bene, Giulio: devi andare subito .... medico.
4. Come andiamo .... centro: .... autobus o .... piedi?
5. Valeria è partita .... Firenze due ore fa .... macchina.

Lessico nuovo: riscrivere.

A questo punto Lei conosce
1217 parole italiane

XI *Esercizi di ricapitolazione.*

1. Completate le frasi con il verbo al passato (perfetto o imperfetto):

1. Mentre loro (mangiare) ...., (arrivare) .... i loro amici.
2. Quando noi (lavorare) .... in quell'ufficio, (uscire) .... tutte le sere insieme.
3. Mentre (guardare) .... la televisione, mi (telefonare) .... Luisa.
4. Stamattina alle undici il signor Bianchi (entrare) .... in banca per prendere lo stipendio e all'una (essere) .... ancora là.
5. Non ha comprato quella gonna perché non le (stare) .... bene.

2. Rispondete alle domande usando i pronomi convenienti:

1. Hai telefonato a Carlo e Lucio? No, non .... ho ancora telefonat.............
2. Avete risposto a Mario? Sì, ...
3. Piacerà a Sua moglie questa borsa? Oh, sì, ... sicuramente!
4. Serve a tuo fratello la macchina? No, oggi ....
5. Signora Rossi, voleva parlarmi? Sì, dottore, vorrei ....

3. Completate le seguenti frasi con il conveniente pronome combinato:

1. Signora, se non ha soldi per l'autobus, ... do io!
2. Non ha le sigarette, professore? Posso offrir............................... una delle mie.
3. Mia madre desidera avere un disco di Bach: .... regalerò per la sua festa.
4. Che bella camicetta, Luisa: chi .... ha regalat...........?
5. Chi vi ha detto queste cose? .... ha dett.......... Marco.

4. Completate le frasi con il verbo all'imperativo:

1. Se sei stanco, (riposarsi) .... un po'!
2. Io non posso partecipare alla cerimonia: Carlo, (andarci) .... tu al posto mio!
3. Carla, (leggere) .... questo articolo e (dirmi) .... che ne pensi.
4. Vi prego, (non dirgli) .... niente: ha già molti problemi.
5. Se anche tu non hai nessun impegno, (vedersi) .... alle sette al bar!

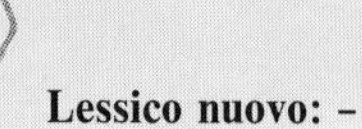

Lessico nuovo: -

XII *Ordinamento dello Stato italiano*

Dal 1946 l'Italia è una repubblica democratica. La sovranità spetta infatti al popolo, che la esercita attraverso il Parlamento.
Il Parlamento italiano è composto dalla Camera dei deputati (630 membri) e dal Senato della Repubblica (315 membri).
L'età minima per i deputati è di 25 anni, per i senatori di 40 e per il Presidente della Repubblica di 50.
Le elezioni politiche avvengono ogni cinque anni. Bisogna aver compiuto 18 anni per eleggere i deputati e 25 per eleggere i senatori. Con voto segreto i cittadini possono scegliere, in una delle liste presentate dai vari partiti politici, due o più rappresentanti per la Camera dei deputati ed uno per il Senato. Camera e Senato esercitano insieme il potere legislativo: ogni legge, infatti, deve essere approvata da tutte e due le assemblee.
La Camera dei deputati ha sede nel Palazzo di Montecitorio e il Senato della Repubblica a Palazzo Madama; per questo le due assemblee legislative sono spesso indicate semplicemente con "Montecitorio" e "Palazzo Madama".
Oltre a fare le leggi, il Parlamento dà o toglie la fiducia al governo e ne controlla l'operato. Ogni 7 anni, insieme a rappresentanti delle regioni, elegge il Presidente della Repubblica.
Il Presidente della Repubblica è capo dello stato ma non capo del governo. Il governo, infatti, è costituito dal Consiglio dei Ministri con a capo un Presidente.

A. *Test*

	Vero	Falso
1. Il Parlamento italiano è formato da due assemblee	☐	☐
2. Per eleggere i senatori bisogna avere 18 anni	☐	☐
3. La Camera dei deputati ha sede a Palazzo Madama	☐	☐
4. Il Presidente della Repubblica è eletto dal popolo	☐	☐
5. Il Presidente della Repubblica è capo dello stato	☐	☐

Lessico nuovo: ordinamento - repubblica - democratico - sovranità - spettare - popolo - esercitare - attraverso - parlamento - deputato - membro - senato - minimo - senatore - presidente - eleggere - segreto (agg.) - lista - rappresentante - potere (s.) - legislativo - approvare - assemblea - sede - palazzo - semplicemente - oltre a - togliere - fiducia - governo - controllare - operato - regione - capo - costituire - ministro.

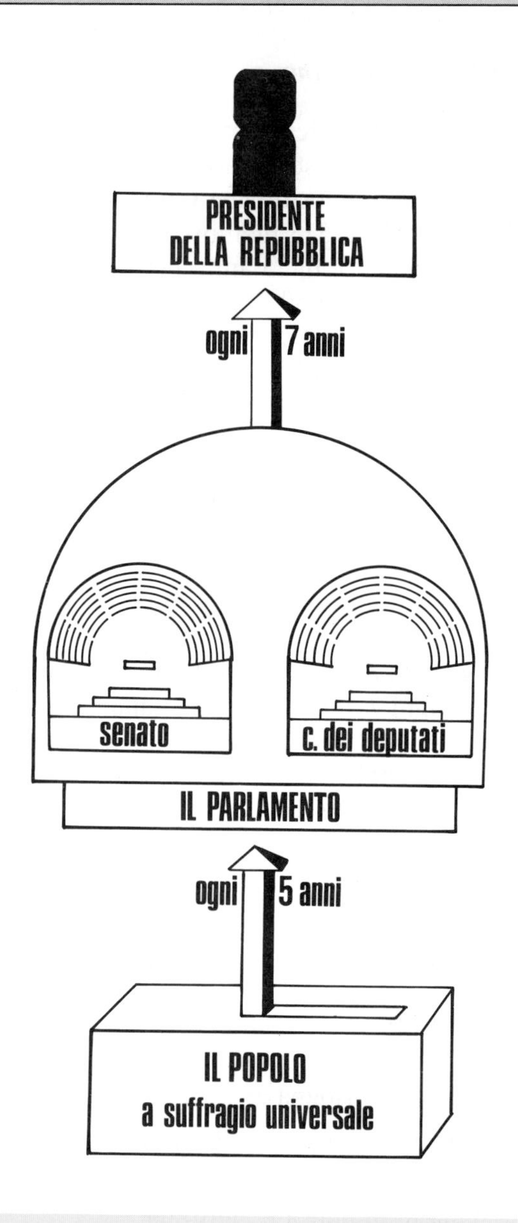

Lessico nuovo: suffragio - universale.

A questo punto Lei conosce
1255 parole italiane

dodicesima unità
(unità numero dodici)

il condizionale semplice
il verbo "andare" con i pronomi indiretti
le particelle "ci" (vi) e "ne"

I *A cena fuori*

Oggi Lucio compie ventisette anni e ha invitato a cena i suoi amici più cari, Franca e Mario.

Lucio : La specialità di questa trattoria è il pesce. Che ne *direste* di cominciare con un antipasto di frutti di mare?

Franca : Magari! Io li *mangerei* sempre!

Mario : Anch'io li *prenderei* volentieri.

Lucio : Mentre aspettiamo il cameriere, *potremmo* scegliere il vino.

Franca : Con il pesce è indicato il vino bianco.

Mario : Sì, *direi* che *potrebbe* andar bene un Orvieto classico.

Lucio : Io non m'intendo di vini: decidete voi!

Franca : Insieme all'antipasto *potremmo* ordinare anche il primo e il secondo, così non dovremo aspettare troppo tra un piatto e l'altro.

Lucio : È un'ottima idea. Tu che prendi?

Franca : Per primo mi *andrebbero* spaghetti alle vongole.

Mario : Quasi quasi li *prenderei* anch'io, anche se *dovrei* saltare il primo .....

Lucio : Io, invece, *preferirei* una zuppa di pesce.
E per secondo che prendiamo?

Franca : Che ne *direste* di prendere tutti e tre pesce arrosto con contorno d'insalata mista?

Mario : Per me va bene.

Lucio : Sono d'accordo anch'io. Cameriere, c'è molto da aspettare? *Avremmo* un certo appetito...

Cameriere: No, signore, arrivo subito!

Lessico nuovo: dodicesimo - specialità - trattoria - antipasto - frutto - magari! - indicato (agg.) - intendersi di - ordinare - vongola - saltare - zuppa - arrosto - contorno - insalata - misto.
Termini tecnici: condizionale.

II *Test*

	Vero	Falso
1. La specialità della trattoria è il pesce	☐	☐
2. A Franca non piace il pesce	☐	☐
3. Franca dice che con il pesce va bene il vino bianco	☐	☐
4. Lucio s'intende di vini	☐	☐
5. Mario non dovrebbe prendere il primo piatto	☐	☐
6. Per secondo soltanto Franca prende pesce arrosto	☐	☐
7. Il cameriere dice che c'è molto da aspettare	☐	☐

III *Ora ripetiamo insieme:*

- Che ne direste di cominciare con un antipasto di frutti di mare?
- Magari! Io li mangerei sempre!
- Anch'io li prenderei volentieri.
- Con il pesce è indicato il vino bianco.
- Direi che potrebbe andar bene un Orvieto classico.
- Per primo mi andrebbero spaghetti alle vongole.
- Quasi quasi li prenderei anch'io.
- Io, invece, preferirei una zuppa di pesce.
- Che ne direste di prendere tutti e tre pesce arrosto?
- Avremmo un certo appetito...

IV *Rispondete alle seguenti domande:*

1. Perché Lucio ha invitato a cena i suoi amici più cari?
2. Secondo Franca, che vino è indicato con il pesce?
3. Perché Lucio lascia scegliere il vino agli amici?
4. Perché Franca propone di ordinare anche il primo e il secondo insieme all'antipasto?
5. Perché Mario è in dubbio se prendere o no gli spaghetti alle vongole?

Lessico nuovo: proporre.

V

A. Forme del condizionale semplice.

	I. mangi*are*		II. prend*ere*		III. prefer*ire*	
io	mangerei		prenderei		preferirei	
tu	mangeresti		prenderesti		preferiresti	una
lui	mangerebbe	sempre	prenderebbe	spaghetti	preferirebbe	zuppa
noi	mangeremmo	il	prenderemmo	alle	preferiremmo	di
voi	mangereste	pesce	prendereste	vongole	preferireste	pesce
loro	mangerebbero		prenderebbero		preferirebbero	

B. Osservate!

Forme del futuro e del condizionale.

- Ho deciso: mang*erò* il pesce.
- Prend*erò* frutti di mare.
- Fin*irò* con il dolce.

- Oggi mang*erei* anch'io il pesce.
- Anch'io prend*erei* frutti di mare.
- Anch'io fin*irei* con il dolce.

C. Attenzione!

Quando è irregolare il futuro, è irregolare anche il condizionale:

INFINITO	*FUTURO*	*CONDIZIONALE*
essere	sarò	sarei
andare	andrò	andrei
avere	avrò	avrei
dovere	dovrò	dovrei
potere	potrò	potrei
sapere	saprò	saprei
vedere	vedrò	vedrei
vivere	vivrò	vivrei
dare	darò	darei
fare	farò	farei
stare	starò	starei
rimanere	rimarrò	rimarrei
tenere	terrò	terrei
venire	verrò	verrei

Lessico nuovo: dolce (s.) - tenere.

VI

1. Completate le seguenti frasi secondo il modello:

Marco prenderebbe un caffè. Anche Maria e Franco prenderebbero un caffè.

1. Marco partirebbe in treno.
   Anche noi ....
2. Marta guarderebbe un film alla tv.
   Anche Lucio e Remo ....
3. Oggi io mangerei fuori.
   Anche noi ....
4. Loro preferirebbero uscire subito.
   Anche voi ....?
5. Laura scriverebbe a macchina.
   Anch'io ....

2. Completate le frasi con i verbi fra parentesi:

C'è molto da aspettare? *Avrei* una certa fretta.	(io-avere)

1. Scusa, Carlo, ... così gentile da chiudere la porta? (essere)
2. Signora, ... dirmi che ore sono? (potere)
3. Ragazzi, ... parlare più piano! (dovere)
4. Marta e Lidia .... trovare la strada da sole? (sapere)
5. Io .... volentieri in una città piccola. (vivere)

3. Come sopra:

1. Se non ti dispiace, io .... una telefonata a casa. (fare)
2. Se tutto va bene, Marco .... l'esame alla fine del mese. (dare)
3. Se è possibile, noi .... ancora un po'. (rimanere)
4. Se c'è ancora tempo, io .... finire questo lavoro. (volere)
5. Se siete d'accordo, ... anche noi con voi. (venire)

Lessico nuovo: -

4. Completate i dialoghi secondo il modello:

L'anno prossimo cambierò la macchina. Quasi quasi la cambierei anch'io.

1. L'anno prossimo farò un bel viaggio.

....

2. L'anno prossimo comprerò un televisore a colori.

....

3. L'anno prossimo seguirò un corso d'inglese.

....

4. L'anno prossimo chiederò una borsa di studio.

....

5. L'anno prossimo cercherò un nuovo lavoro.

....

5. Fate le domande secondo il modello:

Domandate a Marco se ha intenzione di uscire con noi stasera. "Marco, usciresti con noi stasera?"

1. Domandate a Laura se ha intenzione di restare ancora un po'.

....

2. Domandate a Lucio se ha intenzione di venire domani.

....

3. Domandate a Marta se ha intenzione di fare quattro passi.

....

4. Domandate a Giulio se ha intenzione di vendere la macchina.

....

5. Domandate a Franca se ha intenzione di preparare la cena.

....

Lessico nuovo: intenzione.

6. Completate i dialoghi secondo il modello:

Non so se aspettare o no. Al posto tuo, io aspetterei.

1. Non so se partire o no.

....

2. Non so se restare o no.

....

3. Non so se provare o no.

....

4. Non so se rispondere o no.

....

5. Non so se telefonare o no.

....

VII

A. Il verbo *andare* con i pronomi indiretti.

mi gli le ci gli	andrebbe un caffè	ti Le vi	andrebbe un caffè?	Con piacere! No, grazie, ora non mi va. Magari!

Per pranzo	ti Le vi	andrebbero gli spaghetti?

Mi va di fare quattro passi.
Non mi va di stare sempre in casa.

Anche *a noi va* di camminare un po'.

Perché non finisci	la carne?	Perché *non mi va più.*
	gli spaghetti?	Perché *non mi vanno più.*

Lessico nuovo: carne.

Mi va un caffè.	*Mi va di* bere un caffè.
Mi vanno gli spaghetti.	Gli spaghetti *non mi vanno più.*

B. Le particelle *"ci" (vi)* e *"ne"*.

1. Nella unità 6 abbiamo visto la particella "ci" con valore avverbiale, usata cioè con verbi di stato o di moto come: *andare, venire, essere, stare, rimanere:*

- Vai spesso *a Roma*?	No, *ci* vado di rado.
- Vieni *in Inghilterra* l'estate prossima?	Sì, *ci* vengo.
- È *a casa* la signora?	No, non *c'*è.
- Quando siete stati *a teatro?*	*Ci* siamo stati l'altro sabato.
- Quanto tempo rimane *in Italia,* signorina?	*Ci* rimango tre mesi.

Vediamo ora altri valori della particella "ci" (ci = a ciò, su ciò, in ciò):

- Chi di noi pensa *ai biglietti* per il concerto?	*Ci* penso io.
- Credi davvero *a ciò che ha detto Mario?*	Sì, *ci* credo.
- Hai provato *a telefonare* a Giulio?	No, *ci* proverò più tardi.
- Riesci *a fare* da solo?	No, non *ci* riesco.
- Carla tiene molto *al vestire.*	Io, invece, non *ci* tengo affatto.

- Hai letto quell'articolo?	Sì, ma non *ci* ho capito niente.
- Abbiamo detto per scherzo a Paolo che avevamo vinto al totocalcio.	È lui *ci* è caduto?
- Sei sicuro che vincerà l'Inter?	Sì, *ci* scommetto la testa.
- Mi aiuterete davvero a sistemare quella faccenda?	Senz'altro! *Ci* puoi contare.

Lessico nuovo: rado - scherzo - totocalcio - scommettere - contare.

Osservate!

	a	una cosa
ci =	in +	
	su	un'azione

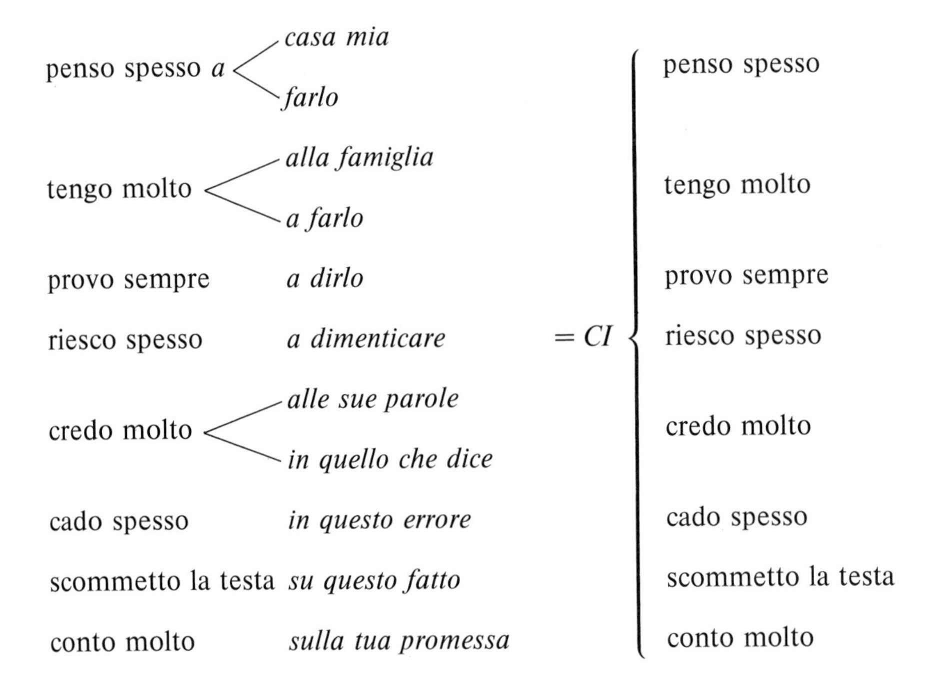

Lessico nuovo: promessa.

La particella "ci" è usata, inoltre, con verbi come:

vederci: Perché cambi posto? Perché da qui *non ci vedo* bene.
sentirci: Carlo ascolta la radio a tutto volume perché *non ci sente* molto.

Osservate!

I verbi *vedere* e *sentire* cambiano di significato quando sono accompagnati dalla particella "ci":

vedere ______	veder*ci*
sentire ______	sentir*ci*

Con *vedere* e *sentire* è necessario indicare l'oggetto:

- Dalla mia finestra vedo *la campagna.*
- Vedo *che siete stanchi.*
- Sento *il rumore* del traffico.
- Sento *che la situazione cambierà.*

Con *vederci* e *sentirci* si dà ai verbi "vedere" e "sentire" il significato di "essere in grado di vedere o sentire in assoluto o in una determinata situazione":

- Senza occhiali non *ci vedo* per niente.
- *Ci vedi* bene da qui?
- Perché gridi tanto? *Ci sento* bene!
- *Ci senti* bene da lì?

Volerci : Quante ore *ci vogliono* in treno da Roma a Milano?
Metterci: Quante ore *ci metti* in macchina da Roma a Milano?

Nota: Per motivi fonetici o stilistici al posto della particella "ci" si può usare, con lo stesso valore, "vi":

- Non *c'*è certamente nessuno a quest'ora.	______	Non *v'*è certamente nessuno a quest'ora.
- *Ci* sono molti tipi di arte.	______	*Vi* sono molti tipi di arte.

Lessico nuovo: vederci - sentirci - radio (la r.) - volume - rumore - assoluto - gridare - metterci - fonetico - stilistico.

2. Nell'unità 7 abbiamo visto la particella "ne" con valore di partitivo:

- Bevi tutto quel vino? No, *ne* bevo solo *un bicchiere.*
- Conosci tutte quelle persone? No, non *ne* conosco *nessuna.*

Vediamo ora altri valori della particella "ne":

- Prima di decidere,
  vorrei sentire che *ne* dice Carlo.
  (che dice Carlo *di questa cosa*)
- Secondo me, è meglio viaggiare in macchina.
  Tu che *ne* pensi?
  (che pensi *di questa cosa?*)
- A Gianni piace il calcio e *ne* parla di continuo.
  (parla di continuo *di calcio*)
- Anna è partita solo da una settimana e *ne* sento già la mancanza.
  (sento già la mancanza *di Anna*)
- Franca arriverà in ritardo anche oggi: *ne* siamo sicuri.
  (siamo sicuri *di questo fatto*)
- Sai come è finita quella storia?
- No, non *ne* so nulla.
  (non so nulla *di come è finita quella storia*)
- Dovreste leggere questo libro: vi assicuro che *ne* vale la pena.
  (vale la pena *di leggerlo*)
- Non posso parlare di politica perché non me *ne* intendo.
  (non m'intendo *di politica*)
- Ti dispiace se Carlo non viene?
  No, non me *ne* importa niente.
  (non m'importa niente *di questo fatto)*
- Dovevamo telefonare a Gianni,
  ma ce *ne* siamo dimenticati.
  (ci siamo dimenticati *di telefonargli*)
- Ieri era il compleanno di Marta: ve *ne* siete ricordati?
  (vi siete ricordati *del suo compleanno?*)
- Vai già via? Sì, me *ne* vado perché mi annoio.
  (vado via *da qui*)

Lessico nuovo: nulla - assicurare - valere - pena.
Termini tecnici: partitivo.

Osservate:

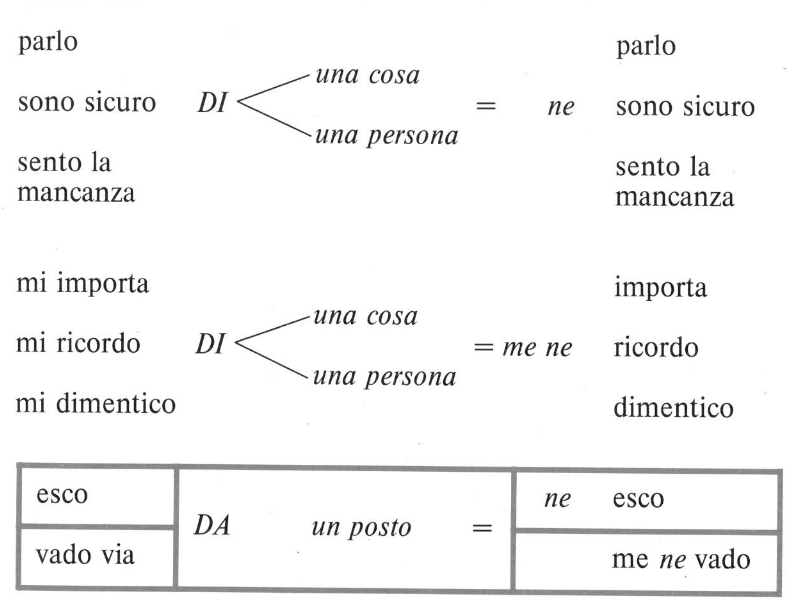

3. Ed ora completate le frasi con "ci" o "ne", secondo il senso:

Quando è lontano dai suoi bambini, Giulio *ne* sente molto la mancanza.
Quella storia è ormai passata: perché *ci* pensi ancora?

1. Per andare a Firenze .... abbiamo messo solo due ore.
2. Sai niente dell'incidente che è capitato a Lucio? No, non .... so nulla.
3. Paolo vuole cambiare macchina. Tu che .... pensi?
4. È un problema difficile: non .... capisco niente.
5. Mio padre ha detto che mi regalerà una macchina, ma io non .... credo.

Lessico nuovo: senso.

6. Volevamo prendere il treno delle cinque, ma non .... siamo riusciti.
7. Paola e Carlo .... sono andati presto perché non si divertivano.
8. Per finire questo lavoro .... vogliono almeno due settimane.
9. È già passato l'autobus per il centro, signora? Credo di no, ma non .... sono sicura.
10. Secondo m[illegible]ella ragazza è molto carina. Tu che .... dici?

4. Come sopra:

1. Conosci il problema di Franca? Sì, ... ha parlato anche a me.
2. La mia famiglia è lontana e .... sento molta nostalgia.
3. Quel lavoro è troppo difficile per me, comunque .... provo.
4. Sei proprio sicura che Carlo non darà l'esame neppure questa volta? Sì, ... scommetto qualsiasi somma.
5. Perché non finisce di leggere quel libro? Perché non .... capisco niente.
6. Da quanto tempo sta a Bologna? .... vivo da sempre.
7. Non andate a vedere quel film? No, secondo noi non .... vale la pena.
8. Quanti anni hai, Piero? .... ho quasi venti.
9. Carlo ha promesso di aiutarmi, ma non .... conto molto.
10. Luisa segue molto la moda, invece Marta non .... tiene affatto.

Lessico nuovo: -

VIII ***Completate i dialoghi usando il verbo "andare":***

1. Carlo, che ne dici di prendere un caffè?	Sì, il caffè .... sempre.
2. Cosa prende, signora?	.... qualcosa di fresco.
3. Preferisci la carne?	No, ... il pesce.
4. Perché prendi l'autobus?	Perché .... a piedi.
5. Perché non finisci il vino?	Perché ....
6. Prende il primo, signorina?	No, gli spaghetti non ...., perciò lo salto.
7. Marco non finisce i frutti di mare?	No, dice che ....
8. Marisa resta a casa?	Sì, dice che non .... uscire.
9. Anche Giulio e Marta prendono il tè?	No, dicono che .... un caffè.
10. Perché non vieni con noi a ballare?	Perché non .... fare tardi stasera.

IX

1. Il condizionale semplice si usa:

A. Per dire o chiedere una cosa in modo cortese:

- *Direi* che *potrebbe* andar bene un Orvieto classico.
- *Avremmo* una certa fretta...
- Che ne *direste* di tornare indietro?
- Ti *dispiacerebbe* darmi un po' di vino?
- *Saresti* così gentile da offrirmi una sigaretta?
- *Potrebbe* dirmi che ore sono?
- *Dovresti* smettere di fumare, Carlo!

B. Per esprimere desiderio o intenzione:

- Per primo mi *andrebbero* spaghetti alle vongole.
- A quest'ora *berrei* volentieri un tè.
- Quasi quasi *prenderei* un cognac.
- Domani sera *andrei* al cinema.

Lessico nuovo: indietro - smettere - desiderio.

C. Per esprimere un'azione che è condizionata da un'altra:

- Marco ha già finito il lavoro, altrimenti *non sarebbe* qui con noi.
- Ho troppo da fare, se no *uscirei* anch'io con loro.

2. Raccontate il contenuto della conversazione fra Lucio, Franca e Mario, completando il seguente testo:

Lucio propone ai due amici di cominciare la cena ....
Franca dice che .... e Mario aggiunge che ....

Lucio dice poi che mentre aspettano il cameriere ....
Franca risponde che .... Anche Mario è d'accordo e aggiunge che ....

Franca propone di ordinare anche il primo e il secondo, così ....
Lucio domanda a Franca che cosa .... per primo e lei risponde che .... Mario dice che quasi quasi .... anche se ....

Lucio, invece, dice che .... Franca chiede agli amici se .... d'accordo a prendere tutti e tre pesce arrosto per secondo.
Mario e Lucio rispondono che per loro ....

Infine Lucio chiede al cameriere se .... e lui risponde che .... subito.

3. Rispondete alle seguenti domande:

1. Lei va spesso a cena fuori?
2. Le piace il pesce o preferisce la carne?
3. Lei s'intende di vini?
4. Nel Suo paese si beve normalmente il vino a tavola?
5. Nei ristoranti italiani si usa dare la mancia al cameriere. È così anche nel Suo paese?

4. Certamente Lei ha ricevuto un invito a cena da qualche amico. Dica per quale occasione l'ha ricevuto e come è andata la cena.

Lessico nuovo: condizionare - aggiungere - infine - normalmente - tavola - mancia - certamente.

X *Test*

A. Completate le seguenti frasi con il verbo conveniente:

1. Domani Laura .... diciotto anni (sarà / compie / diventa)
2. Lucio non .... di vini. (s'intende / capisce / conosce)
3. A quest'ora mi .... un caffè. (piacerebbe / vorrei / andrebbe)
4. Il pesce è buono, ma non .... più. (mi va / mi piace / ho voglia)
5. Per secondo che cosa ...., signor Neri? (riceve / prende / salta)

B. Completate le frasi con i verbi fra parentesi:

1. Scusi, signore, ... dirmi dov'è un telefono pubblico? (sapere)
2. Secondo me, Lei .... meglio a parlare con il direttore. (fare)
3. Mario, prima di partire .... lasciarmi l'indirizzo dell'albergo. (dovere)
4. Se siete d'accordo, io .... ancora due giorni con voi. (rimanere)
5. Pensate che i signori Rossi .... volentieri in una città più grande? (vivere)

C. Cambiate le frasi in una forma più cortese:

1. Mi passi l'acqua, per favore? ....
2. Mi dice che ore sono, per favore? ....
3. Ragazzi, prendiamo tutti la birra? ....
4. Io dico che è meglio aspettare. ....
5. Non devi bere tanto; ti fa male! ....

D. Completate le frasi con le particelle *ci* o *ne*:

1. Con il traffico intenso .... vuole più di un'ora per arrivare in centro.
2. Avevamo un appuntamento alle tre, ma .... siamo dimenticati.
3. Quanto .... avete messo per venire a piedi?
4. Carla .... è caduta quando le ho detto che Pino era di nuovo qui.
5. Scusi, potrebbe parlare più forte? Non .... sento bene.

E. Fate l'VIII test.

Lessico nuovo: –

A questo punto Lei conosce 1307 parole italiane

XI

«Come si dice»

Il corpo umano.

1. la testa (il capo)
2. i capelli
3. il viso (la faccia)
4. l'orecchio (gli orecchi)
5. l'occhio (gli occhi)
6. il collo
7. il naso
8. la bocca
9. la spalla (le spalle)
10. il petto
11. il braccio (le braccia)
12. il gomito
13. la mano (le mani)
14. la gamba (le gambe)
15. il dito (le dita)
16. il piede (i piedi)

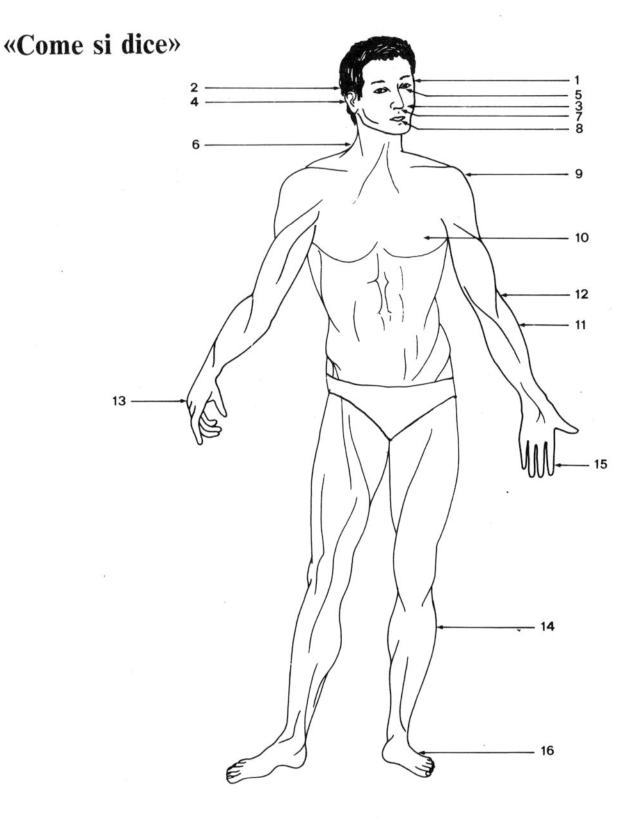

la testa : Non sto bene: *mi gira la testa.*
Gianni non ascolta il consiglio di nessuno; *vuol fare* sempre di *testa propria.*
Marco *ha la testa fra le nuvole!*

la faccia : Preferisco le persone che *dicono le cose in faccia,* invece che *alle spalle.*
Tira un vento che *taglia la faccia!*

i capelli : Sono stanco di questa storia, *ne ho fin sopra i capelli!*

l'orecchio: Carlo, mi ascolti? Sì, *sono tutt'orecchi!*
È inutile parlare con lui. Quello che gli dici *gli entra da un orecchio e gli esce dall'altro.*
Quel ragazzo *ha orecchio per la musica.*

l'occhio : La notte passata *non ho chiuso occhio* per il rumore delle macchine.
Ho parlato con lei a quattr'occhi e le ho spiegato tutto.
"*Occhio per occhio,* dente per dente".

Lessico nuovo: corpo - umano - viso - orecchio - collo - naso - bocca - spalla - petto - braccio - dito - nuvola - tagliare.

il collo : Quel fatto mi è capitato *fra capo e collo.*
il naso : Oggi *non ho messo il naso fuori di casa.*
Gianna è molto curiosa: *mette* sempre *il naso negli affari degli altri.*
Quando ha saputo quella notizia *è rimasto con un palmo di naso.*
Luigi *ha buon naso* negli affari.
la bocca : Ti prego di non raccontare a nessuno ciò che ti ho detto: *acqua in bocca!*
Ha una cattiva memoria: *non ricorda dalla bocca al naso.*
Lucia *non ha aperto* (non ha chiuso) *bocca* per tutta la sera.
Quando hanno saputo quella notizia *sono rimasti a bocca aperta* dalla sorpresa.
Dai l'esame domani? Allora *"in bocca al lupo"!* "Crepi il lupo"!
la spalla : Deve lavorare molto, perché *ha una famiglia numerosa sulle spalle.*
Carlo non ha un lavoro: *campa alle spalle dei genitori.*
il braccio: Quando vieni? Tutti ti *aspettano a braccia aperte!*
Quella signora con un bambino *in braccio* è la moglie di Paolo.
Gli operai hanno incrociato *le braccia.*
il gomito: Ieri sera Franco *ha alzato* troppo *il gomito.*
la mano : Non sono capace di fare da solo: mi *dai una mano?*
È una persona semplice, *alla mano.*
Carla non fa mai niente: sta sempre *con le mani in mano.*
Mario spende tutti i soldi che guadagna: *ha le mani bucate.*
il dito : Paolo era così felice che *toccava il cielo con un dito.*
Berrei *due dita* di vino.
I miei amici si contano *sulle dita* di una mano.
Se gli dai *un dito,* si prende *tutto il braccio.*
la gamba: È un ragazzo *in gamba.*
Bisogna *fare il passo secondo la gamba.*
il piede : Sono stanco, perché ho fatto tutta la strada *a piedi.*
Il tuo discorso non sta *in piedi.*
Questo lavoro è fatto *con i piedi.*
Luigi ha deciso *su due piedi* di lasciare il lavoro.

Lessico nuovo: curioso - palmo - cattivo - sorpresa - lupo - crepare - numeroso - campare - incrociare - capace - bucato (agg.) - toccare - cielo - discorso.

A questo punto Lei conosce
1334 parole italiane

T.Dino 84

I *Un invito mancato*

Lucio : Ieri ti ho cercato tanto; dov'eri finito?

Sergio: Sono stato tutto il giorno da Pino per aiutarlo a sistemare il nuovo appartamento e sono tornato a casa soltanto dopo cena. Ma perché mi hai cercato?

Lucio : Volevo invitarti a cena fuori insieme a Franca e Mario.

Sergio: Peccato! Ci *sarei venuto* volentieri. *Avresti dovuto* dirmelo per tempo, così *non avrei preso* un altro impegno.

Lucio : Immaginavo che *ti saresti ricordato* che ieri era il mio compleanno e che *avresti* almeno *telefonato.*

Sergio: Scusami! Sono veramente distratto. Spero che non ti sarai offeso!

Lucio : No, affatto; ma mi dispiace per te. *Avresti mangiato* dell'ottimo pesce e *avresti rivisto* due vecchi amici.

Sergio: Per farmi perdonare, vi invito domani sera a casa mia. Cucinerò io stesso.

Lucio : Sono sicuro che Franca e Mario *avrebbero accettato* con piacere il tuo invito, ma non potranno, poiché entro domani devono essere a Milano per lavoro.

Sergio: Peccato davvero! *Sarebbe stata* una buona occasione per rivederci.

Lessico nuovo: tredicesimo - mancato - distratto - offendersi perdonare - poiché - entro.

II *Test*

	Vero	Falso
1. Ieri Lucio ha cercato Sergio, ma non l'ha trovato	☐	☐
2. Lucio voleva invitare Sergio a cena a casa sua	☐	☐
3. Lucio ha invitato gli amici perché era il suo compleanno	☐	☐
4. Sergio si è ricordato del compleanno di Lucio ma non ha avuto tempo di telefonargli	☐	☐
5. Per farsi perdonare, Sergio vuole invitare a cena Lucio, Franca e Mario	☐	☐

III *Ora ripetiamo insieme:*

- Ci sarei venuto volentieri!
- Avresti dovuto dirmelo per tempo.
- Immaginavo che ti saresti ricordato che ieri era il mio compleanno.
- Avresti mangiato dell'ottimo pesce e avresti rivisto due vecchi amici.
- Sono sicuro che avrebbero accettato con piacere.
- Sarebbe stata una buona occasione per rivederci.

IV *Rispondete alle seguenti domande:*

1. Perché Sergio è stato tutto il giorno da Pino?
2. Quando è tornato a casa?
3. Perché Lucio l'ha cercato tanto?
4. Perché Sergio ha preso un altro impegno?
5. Cosa immaginava Lucio?
6. Perché Sergio non si è ricordato del compleanno di Lucio?
7. Lucio si è offeso per questo fatto?
8. Perché Lucio dice a Sergio che gli dispiace per lui?
9. Cosa fa Sergio per farsi perdonare?
10. Franca e Mario possono accettare l'invito?

Lessico nuovo: –

V

A. Forme del condizionale composto.

	I. mangi*are*		II. rived*ere*		III. ven*ire*	
io	avrei		avrei		sarei	
tu	avresti		avresti		saresti	venuto/a
lui lei Lei	avrebbe	mangiato	avrebbe	rivisto	sarebbe	
noi	avremmo		avremmo		saremmo	
voi	avreste		avreste		sareste	venuti/e
loro	avrebbero		avrebbero		sarebbero	

B. Uso del condizionale semplice e del condizionale composto.

1. Come potete vedere dagli esempi che seguono, il condizionale semplice si usa per esprimere un desiderio o un'intenzione *realizzabili nel presente o nel futuro,* mentre il condizionale composto serve per esprimere un'azione voluta, ma *non realizzata nel passato:*

- Oggi *mangerei* volentieri il pesce, se c'è.
- *Rivedrei* con piacere quel film stasera.
- Marta *verrebbe* volentieri con voi domenica prossima.
- Ti *presterei* io i soldi che ti servono.
- Con questo brutto tempo *preferiremmo* restare a casa.

- Ieri *avrei mangiato* volentieri il pesce, ma non c'era.
- *Avrei rivisto* con piacere quel film ieri sera.
- Marta *sarebbe venuta* volentieri con voi domenica scorsa.
- Ti *avrei prestato* io i soldi che ti servivano.
- Con quel brutto tempo *avremmo preferito* restare a casa.

Lessico nuovo: uso - realizzabile - realizzare.

2. A differenza del condizionale semplice, il condizionale composto si usa per esprimere un'azione *non realizzata nel passato e non realizzabile* sia nel presente che nel futuro:

- Ieri *avrei mangiato* volentieri il pesce, ma non c'era.
- Ieri sera *avrei rivisto* con piacere quel film alla tv.
- Marta *sarebbe venuta* volentieri con voi domenica scorsa.
- Ti *avrei prestato* io i soldi che ti servivano.
- Con quel brutto tempo *avremmo preferito* restare a casa, invece siamo dovuti uscire per forza.

- A pranzo oggi *avrei mangiato* volentieri il pesce, ma non c'è.
- Stasera *avrei rivisto* con piacere quel film alla tv, invece devo uscire.
- Marta *sarebbe venuta* volentieri con voi domenica prossima, ma ha già un impegno.
- Ti *avrei prestato* io i soldi che ti servono, ma oggi le banche sono chiuse.
- Con questo brutto tempo *avremmo preferito* restare a casa, invece dobbiamo uscire per forza.

e ancora:

- Domani *saremmo partiti* per Milano, ma c'è lo sciopero dei treni.
- Ho già un impegno, altrimenti *avrei accettato* con piacere il vostro invito.
- Franca e Mario non potranno venire? Peccato! Li *avrei rivisti* con piacere.

2.1. Completate ora le seguenti frasi secondo il modello:

Ieri	*avrei telefonato* a Laura, ma sapevo che era ancora in vacanza.	
Oggi	*avrei telefonato* a Laura, ma so che è ancora in vacanza.	(telefonare)
Domani	*avrei telefonato* a Laura, ma so già che non sarà a casa.	

Lessico nuovo: sia (cong.).

a. Il discorso è riferito al passato:

1. Ieri Giorgio .... con il direttore, ma non è riuscito a vederlo. (parlare)
2. Il mese passato Franco .... le ferie, ma non gliele hanno date. (prendere)
3. Giovedì scorso Paola .... al concerto, ma all'ultimo momento si è sentita male. (andare)
4. Due giorni fa Luigi .... a cena Luisa, ma lei era fuori città. (invitare)
5. L'estate scorsa i miei amici .... le vacanze al mare, ma non hanno trovato posto in albergo. (passare)

b. Il discorso è riferito al presente o al futuro:

1. Perché non venite al cinema anche voi stasera?
   .... con piacere, ma proprio stasera abbiamo gente a cena. (venirci)
2. Mi dispiace, signora: .... con piacere il Suo invito, ma ho già un altro impegno. (accettare)
3. Se chiedi la macchina a tuo padre, te la darà certamente.
   ...., ma l'ha già presa lui per andare a Firenze. (chiedergliela)
4. Quando parti potresti lasciare le chiavi di casa a Luisa.
   ...., ma in quel periodo sarà fuori anche lei. (lasciargliele)
5. Credi che Laura accetterà quel lavoro che le hanno offerto?
   Lei ...., ma non glielo danno perché non sa l'inglese. (accettarlo)

Lessico nuovo: riferire.

Attenzione!

Nelle frasi precedenti abbiamo visto che il condizionale composto si usa per un'azione presente o futura che non è realizzabile per motivi *oggettivi.*
Il condizionale composto si usa, però, anche per un'azione presente o futura che per motivi *soggettivi* vogliamo presentare come non realizzabile:

- Se vai a Roma, potresti dare un passaggio a Carla?

- Gliel'*avrei dato* con piacere, ma ho rimandato il viaggio perché la macchina è dal meccanico.

Motivi oggettivi

- Gliel'*avrei dato* con piacere, ma siamo già in cinque.

Motivi soggettivi
(forse chi parla non vuole dare un passaggio a Carla e trova una scusa per non dirlo apertamente)

3. Il condizionale composto si usa in frasi dipendenti per esprimere un'azione posteriore ad un'altra passata (futuro nel passato). In questo caso il condizionale composto *dipende sempre* da un verbo principale *al passato non legato al presente:*

PRESENTE ——→ FUTURO (o passato legato al presente)	PASSATO non legato al presente ——→ FUTURO NEL PASSATO
So che Marco *arriverà* alle sei.	*Ho saputo* con molto anticipo che Marco *sarebbe arrivato* ieri alle sei.
Ho saputo poco fa che Marco *arriverà* alle sei.	
Penso che il tempo *cambierà* presto.	*Pensavo* che il tempo *sarebbe cambiato* presto.

Lessico nuovo: oggettivo - soggettivo - passaggio - meccanico (s.) - dipendente - dipendere - posteriore - legato.

3.1. Trasformate ora le seguenti frasi secondo il modello:

Immagino che Marco *tornerà* tardi. *Immaginavo* che Marco *sarebbe tornato* tardi.

1. Siamo sicuri che Luigi troverà lavoro.
   ....
2. Penso che Sergio prenderà la facoltà di Lettere.
   ....
3. Lui dice sempre che prima o poi farà carriera.
   ....
4. Carla sa che suo marito non tornerà a pranzo.
   ....
5. Loro sperano che il treno arriverà in orario.
   ....
6. Marco ripete spesso che andrà a vivere da solo.
   ....
7. Tutti sanno che i prezzi delle case saliranno ancora.
   ....
8. Siamo certi che Giorgio ci aspetterà alla stazione.
   ....
9. Sappiamo già che Marta si sposerà in aprile.
   ....
10. Elena immagina che Franco sarà contento del regalo.
   ....

2. Completate le frasi con i verbi fra parentesi:

Quel giorno Marco ha detto che *sarebbe partito* per un viaggio di lavoro.	(partire)

1. Quel giorno Luisa ha detto che prima di decidere .... con i suoi. (parlare)
2. La settimana scorsa abbiamo saputo da Franco che presto suo padre .... dagli Stati Uniti. (tornare)

Lessico nuovo: –

3. Quando ho visto quanto beveva, ho pensato che il giorno dopo Sergio .... male. (stare)
4. Quella sera Marta ha ripetuto più volte che .... a studiare il tedesco. (cominciare)
5. In quel momento ho capito che la situazione .... in meglio. (cambiare)

4. Il condizionale composto si usa per esprimere *un'azione passata, condizionata da un'altra azione passata:*

- Ieri Franca non è venuta da Laura. Come mai?
- È dovuta andare dal medico, se no ci *sarebbe venuta.*

- Giorgio non ha ancora finito quel lavoro. Come mai?
- Ha avuto cose più urgenti da fare, altrimenti l'*avrebbe* già *finito.*

- Come mai Luisa non ha accettato l'invito di Marta?
- Aveva già un impegno, altrimenti non l'*avrebbe rifiutato.*

4.1. Completate le frasi secondo il modello:

- Franco non è venuto: non capisco perché.
- Stava poco bene, altrimenti *sarebbe venuto.*

1. Mario non ha mangiato quasi niente: non capisco perché. Non aveva appetito, altrimenti ....
2. Laura non è rimasta con noi: non capisco perché. Era stanca, altrimenti ....
3. Giulio e Maria non hanno telefonato: non capisco perché. Non sono tornati da Milano, altrimenti ....
4. Pino non ha aspettato: non capisco perché. Aveva fretta, altrimenti ....
5. Carla non è uscita con gli amici: non capisco perché. Aveva un altro impegno, altrimenti ....

Lessico nuovo: rifiutare.

VI

1. Completate le frasi secondo il senso:

- Veramente non puoi restare? Peccato! *Avremmo passato* una bella serata insieme.	(passare)
- Sono così stanco che *andrei* subito a letto.	(andare)

1. Quando partirà per New York, signorina?
   .... domani, ma c'è lo sciopero degli aerei. (partire)
2. Non so se aspettare o andarmene.
   Al posto Suo, io .... ancora. (aspettare)
3. Sai che il tuo regalo mi è piaciuto moltissimo?
   Ero sicura che ti .... (piacere)
4. Laura non ha ancora scritto. È strano!
   Davvero. Prima di partire ha ripetuto che
   .... subito. (scrivere)
5. Marta è uscita a fare spese.
   Non ci ha detto niente, altrimenti .... (uscire)
   anche noi con lei.
6. Luigi sta male, ma non vuole chiamare il dottore.
   Invece .... bene a chiamarlo subito. (fare)
7. Hai poi comprato la gonna che ti piaceva?
   Non avevano la mia taglia, se no .... (comprarla)
8. Quando il signor Rossi è andato in pensione,
   il figlio ha preso il suo posto.
   Per fortuna, se no forse il ragazzo non .... (trovare)
   ancora lavoro.
9. Il vino è finito? Peccato!
   Anch'io ne .... un altro bicchiere. (bere)
10. Perché non siete venuti al concerto ieri sera?
   ...., ma non siamo riusciti a trovare (venirci)
   i biglietti.

Lessico nuovo: -

2. Come sopra:

1. Ti va una pasta, Maria?
   Sì, grazie, ... volentieri. (mangiarla)
2. Non ho accettato quel lavoro di cui ti ho parlato.
   Hai fatto un errore; al posto tuo io non .... (rifiutarlo)
3. Perché hai cambiato tanto in fretta la macchina?
   Perché sapevo che con l'anno nuovo i prezzi .... (salire)
4. Se sapevi che quel liquore era tanto forte, perché l'hai bevuto?
   Non lo sapevo, se no non .... (berlo)
5. A quest'ora Luigi è già arrivato, non credi?
   In questo caso .... per avvertire. (telefonare)
6. Scusa, Carlo, potresti prestarmi la macchina per qualche ora?
   .... con piacere, ma proprio oggi serve a me. (prestartela)
7. Perché non prende il vino, signora? Non Le piace?
   .... volentieri, ma devo guidare e preferisco non bere. (prenderlo)
8. Lucio e Mario domani sera vanno a teatro.
   Quasi quasi .... anch'io. (andarci)
9. Potresti aiutarmi a tradurre questo testo in inglese?
   .... con piacere, ma non conosco bene l'inglese. (farlo)
10. Il signor Bianchi ha avuto un grave incidente con la macchina.
    Immaginavo che prima o poi ...., perché corre troppo. (accadergli)

Lessico nuovo: –

VII

1. Riassumendo, si può affermare che il condizionale semplice esprime un'azione che può essere ancora realizzata, mentre il condizionale composto esprime un'azione non realizzabile, in quanto:
a) è già passata;
b) anche se è futura, mancano le condizioni per la sua realizzazione.

Dunque:

condizionale semplice	= azione POSSIBILE
condizionale composto	= azione NON POSSIBILE

Vediamo ora le differenze e le similitudini nell'uso del condizionale semplice e del condizionale composto:

A. *DIFFERENZE*

Si usa il condizionale semplice	*Si usa il condizionale composto*
1. per esprimere che un desiderio o un'intenzione sono *realizzabili* nel presente o nel futuro:	per esprimere che un desiderio o un'intenzione *non sono realizzabili* nel presente o nel futuro:

- Berresti un caffè con noi?

– Lo *berrei* volentieri, grazie!	– L'*avrei bevuto* volentieri, ma non posso, perché ho mal di stomaco.
Azione futura *realizzabile*	Azione futura *non realizzabile*

Nota: L'azione futura non realizzabile si può esprimere anche con il condizionale semplice. In questo caso, però, il senso risulta chiaro solo quando si completa la frase (ma...). Al contrario, con il condizionale composto il senso risulta *subito* chiaro, per cui si potrebbe anche non completare la frase.

Lessico nuovo: riassumere - affermare - condizione - realizzazione - similitudine - stomaco - risultare.

2. per esprimere un'azione futura che dipende da un verbo principale al passato legato al presente (passato prossimo):

Mario *sta dicendo* *(ha detto* poco fa) che sabato *andrà* a Venezia.

AZIONE FUTURA DIPENDENTE DA UN VERBO *AL PRESENTE* (o passato legato al presente)

per esprimere un'azione che dipende da un verbo principale ad un tempo passato non legato al presente (futuro nel passato):

Il giorno che l'ho visto, Mario mi *ha detto* che il sabato seguente *sarebbe andato* a Venezia.

AZIONE FUTURA DIPENDENTE DA UN VERBO AD UN TEMPO *PASSATO NON LEGATO AL PRESENTE*

Nota: Per il "futuro nel passato" si usa *soltanto* il condizionale composto. Non importa se l'azione posteriore è stata realizzata o no:

Quel giorno mi *ha detto* che *sarebbe andato* a Venezia, e ci è andato.
e non ci è andato.
ma non so se poi ci è andato.

Lessico nuovo: -

2. Vediamo ora uno schema riassuntivo degli usi del condizionale semplice e del condizionale composto per esprimere un'azione futura:

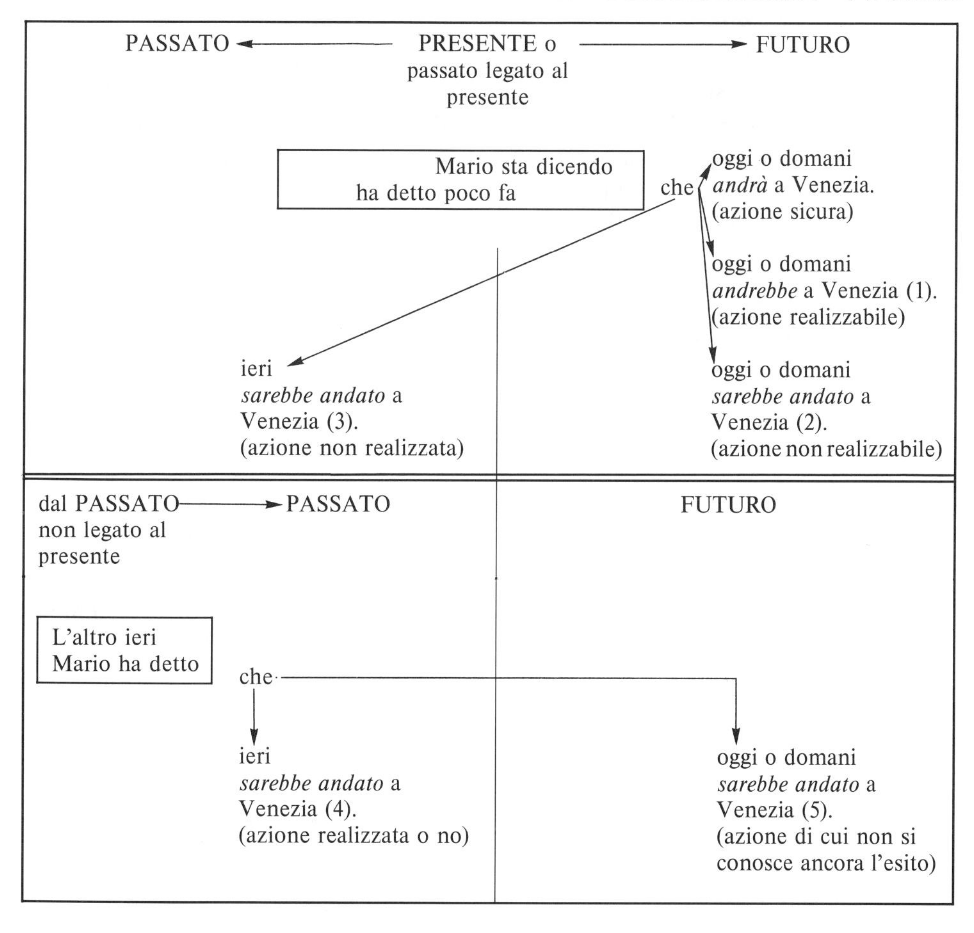

Lessico nuovo: riassuntivo - area - esito.

Osservate!

1. Il condizionale semplice si può usare *soltanto* nell'area del presente-futuro.
2. Il condizionale composto si usa anche per un'*azione futura* quando il parlante sa già che questa *non sarà realizzabile.*
3. Il condizionale composto si usa per un'azione voluta ma *non realizzata nel passato.*
4. Il condizionale composto si usa per un'azione accaduta *dopo un'altra passata,* espressa da un verbo ad un tempo *passato non legato al presente.* Non importa se l'azione è stata realizzata o no.
5. Il condizionale composto si usa per esprimere un'*azione futura* che dipende da un verbo al *passato non legato al presente* e della quale non si conosce ancora l'esito.

3. Riassumendo:

AREA DEL PASSATO AREA DEL PRESENTE - FUTURO

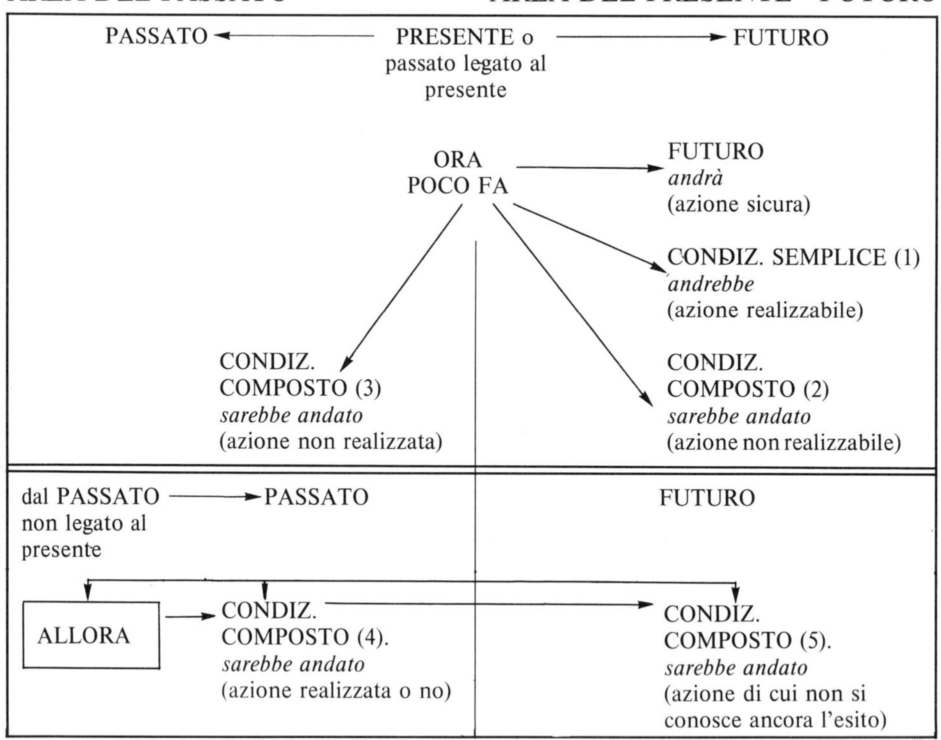

Lessico nuovo: parlante (s.).

B. *SIMILITUDINI*

Entrambe le forme possono esprimere:

1. **un'azione condizionata da un'altra:**

Condizionale semplice	*Condizionale composto*
1. Franca deve aspettare una telefonata, altrimenti *uscirebbe* con loro.	1a. Franca doveva aspettare una telefonata, altrimenti *sarebbe uscita* con loro.
2. Carlo non sa che Luigi sta male, altrimenti *andrebbe* a trovarlo.	2a. Carlo non sapeva che Luigi stava male, altrimenti *sarebbe andato* a trovarlo.
3. Non conosco il nuovo indirizzo di Anna, se no te lo *darei.*	3a. Non conoscevo il nuovo indirizzo di Anna, se no te l'*avrei dato.*

Nota: Le frasi precedenti si possono costruire anche formando un periodo ipotetico:

1a. Franca doveva aspettare una telefonata, altrimenti *sarebbe uscita* con loro.	1b. Se non doveva aspettare una telefonata, Franca *sarebbe uscita* con loro.
2a. Carlo non sapeva che Luigi stava male, altrimenti *sarebbe andato* a trovarlo.	2b. Se Carlo sapeva che Luigi stava male, *sarebbe andato* a trovarlo.
3a. Non conoscevo il nuovo indirizzo di Anna, se no te *l'avrei dato.*	3b. Se conoscevo il nuovo indirizzo di Anna, te *l'avrei dato.*

Attenzione!

Nel periodo ipotetico il condizionale, contrariamente a quanto potrebbe far pensare tale termine, non esprime *mai* la condizione, ma soltanto la conseguenza di questa:

Se il tempo cambia, *potremmo* fare una gita.

Se non dovevi uscire, *sarei venuto* da te.

condizione *conseguenza*

Lessico nuovo: entrambi - contrariamente - conseguenza.
Termini tecnici: periodo ipotetico.

2. Una notizia non confermata:

- Secondo alcune voci, nei prossimi giorni il prezzo della benzina *subirebbe* un aumento.
- Secondo fonti non ufficiali, i due capi di stato *si sarebbero incontrati* in una località segreta.

VIII

1. Completate le frasi con le forme convenienti del condizionale (semplice o composto):

Mi serve una penna: *potrebbe* prestarmi la Sua?	(potere)

Prende il caffè anche Lei, signora? *L'avrei preso* volentieri, ma il medico me l'ha proibito.	(prenderlo)

1. Ho molte cose da fare oggi: .... darmi una mano? (voi-potere)
2. Dopo pranzo .... riposarmi un po'. (volere)
3. Quest'anno .... cambiare la macchina, ma ho finito tutti i miei risparmi. (volere)
4. Signor Franchi, ... così gentile da accompagnarmi alla stazione? (essere)
5. Ho finito le sigarette: .... una delle tue, Carlo? (offrirmene)
6. È tanto tempo che non vedo il professor Roversi: .... con piacere. (rivederlo)
7. Perché non prendi una casa in campagna? Così .... tutti i rumori della città. (non sentire)
8. Quest'anno Giorgio .... volentieri le vacanze al mare, ma sua moglie ha deciso di andare in montagna. (passare)
9. Signor Rossi, ... dirmi se c'è un telefono qui vicino? (sapere)
10. Lei, signorina, ... lavorare un po' di meno. (dovere)

Lessico nuovo: confermare - benzina - subire - fonte - ufficiale (agg.) - proibire.

2. Come sopra:

1.	Signora, ... dirmi dov'è la posta?	(sapere)
2.	Con quel brutto tempo .... meglio rimandare il viaggio.	(essere)
3.	Domenica prossima .... questa gita con voi, ma purtroppo non potrò venirci, perché ho già preso un appuntamento.	(fare)
4.	Gianni, hai tempo di ascoltarmi? .... una cosa da dirti.	(avere)
5.	Giulio è senza macchina, se no .... a prenderti a casa.	(venire)
6.	Lei lavora troppo: .... bisogno di un po' di riposo.	(avere)
7.	Sono stanco: .... un momento.	(sedersi)
8.	Domani mattina .... rimanere a casa e invece dovrò uscire presto.	(preferire)
9.	Signora, ... il Suo giornale, per favore?	(darmi)
10.	Paola, ... un piacere? .... a comprarmi un pacchetto di sigarette?	(farmi/andare)

3. Come sopra:

1.	Signorina, ... chiudere la finestra?	(dispiacerLe)
2.	Se permette, signora, ... ancora un po' di cognac.	(io-bere)
3.	Gianna, che cosa .... fare per aiutarti?	(io-potere)
4.	Sono già venuti i tuoi amici? No, ... arrivare oggi, ma hanno rimandato la partenza.	(dovere)
5.	Purtroppo Paolo era fuori Roma, se no .... volentieri la serata con lui.	(io-passare)
6.	Sai dov'è andato Luigi? No, ... dirtelo.	(non sapere)
7.	Le piace Siena, signorina? Sì, ... ancora un po', ma purtroppo devo partire.	(rimanerci)

Lessico nuovo: –

8. .... invitare a cena Luisa: credi che ....? (io-volere) (accettare)
9. Secondo me, ... meglio fare in un altro modo. (essere)
10. Non danno più quel film? Peccato! .... volentieri. (vederlo)

4. Come sopra:

1. È arrivata una macchina: .... essere Carlo. (potere)
2. Signora, ... diecimila lire da cambiare? (avere)
3. Non ci sono più biglietti per il concerto di domani?
   Peccato! .... tanto andarci! (piacermi)
4. Domenica prossima .... fare una gita in montagna. (piacermi)
5. Stasera vieni a ballare anche tu, Luisa?
   .... con piacere, ma ho un invito a cena. (venirci)

5. Mettete al posto dell'infinito il futuro o il condizionale composto secondo il senso:

So che Luigi *arriverà* stasera.	(arrivare)
Non pensavo che loro *sarebbero arrivati* prima delle undici.	(arrivare)

1. Paolo diceva che .... e poi non è venuto. (accompagnarmi)
2. Paolo dice che .... alla stazione. (accompagnarmi)
3. Penso che loro .... prima delle undici. (arrivare)
4. Sapevo che Luigi .... ieri sera. (arrivare)
5. Eravamo sicuri che ieri sera Carla ...., invece si è annoiata. (divertirsi)
6. Non sappiamo ancora quando .... gli esami. (noi-dare)
7. Sono certo che .... in tempo a vedere l'ultimo spettacolo. (noi-fare)

Lessico nuovo: –

8. Il mese scorso Carla mi ha detto che .... casa, ma non so se l'ha fatto. (cambiare)
9. Che cosa fa Michele? So che .... a lavorare la prossima settimana. (cominciare)
10. La televisione ha detto che domani .... bel tempo. (fare)

IX

1. Raccontate il contenuto della conversazione fra Lucio e Sergio, completando il seguente testo:

Ieri Lucio ha cercato tanto Sergio, ma non .... a trovarlo. Infatti Sergio .... tutto il giorno .... Pino per aiutarlo a .... il nuovo appartamento. Lucio .... invitare Sergio a cena fuori insieme a Franca e Mario. Sergio gli dice che .... volentieri e che se lo sapeva, non .... un altro impegno. Poiché Sergio è molto distratto, non si è ricordato che ieri .... il compleanno dell'amico, il quale immaginava che lui gli .... almeno .... Lucio non è affatto .... per questo e gli dice che gli dispiace per lui, perché .... dell'ottimo pesce e .... due vecchi amici. Per farsi .... Sergio pensa di invitare a cena a casa sua i tre amici. Franca e Mario .... di sicuro, ma non potranno perché hanno impegni di lavoro. A Sergio dispiace molto, perché .... una buona occasione per rivedersi tutti e quattro.

2. Rispondete alle seguenti domande:

1. Un amico Le telefona per comunicarLe che non potrà accettare il Suo invito a cena perché ha un impegno. Che cosa gli dice per fargli capire che Le dispiace?

   ....

2. Lei avrebbe intenzione di fare un viaggio, ma, fatti bene i conti, sa già che non potrà. Come si esprime per dire che purtroppo deve rinunciare al viaggio?

   ....

3. In un cinema della Sua città danno un film che Le piacerebbe vedere. Parlando con un amico gli vuole dire che purtroppo non Le sarà possibile vederlo. Che cosa dice?

   ....

4. Lei vuole dire ad un conoscente che non può prestargli i soldi che gli servono, perché anche Lei è al verde. Come si esprime?

   ....

Lessico nuovo: rinunciare - conoscente.

3. Forse Le è capitato una volta un fatto simile a quello accaduto a Lucio. Racconti come sono andate le cose.

X *Test*

A. Completate le frasi con la forma conveniente del condizionale (semplice o composto):

1. Purtroppo il negozio era già chiuso, altrimenti .... subito il vestito che mi piaceva. (comprare)
2. .... al nostro amico di accompagnarci a casa, ma oggi anche lui è senza macchina. (chiedere)
3. Se c'è ancora un po' di vino, Mario e Luigi .... un altro bicchiere. (berne)
4. L'anno scorso Franca ha detto a tutti che entro dicembre .... a lavorare a Roma. (cominciare)
5. Sabato prossimo Marco dovrà essere presente ad una riunione, se no .... il fine-settimana al mare. (passare)

B. Trovate eventuali errori nelle seguenti frasi:

1. Sapevo che questo governo non durerebbe a lungo.
2. Non credevamo nemmeno noi che Luigi si sarebbe laureato in soli quattro anni.
3. Quel film non c'è più? Peccato! Lo vedrei volentieri!
4. Quando Luisa è partita mi ha detto che scriverebbe spesso, invece aspetto ancora la sua prima lettera.
5. Come avete saputo che loro sarebbero tornati con me?

Lessico nuovo: –

C. Mettete le seguenti frasi al passato:

1. Paola dice sempre che prima o poi lascerà quel ragazzo.

   ....

2. Ogni volta che lo vedo, Franco mi ripete che seguirà i miei consigli.

   ....

3. Il signor Martini continua a dire che andrà a vivere in campagna, ma nessuno ci crede.

   ....

4. Siamo sicuri che un giorno o l'altro ci sarà uno sciopero generale.

   ....

5. Credete forse che le cose cambieranno in meglio?

   ....

D. Completate le seguenti frasi con le preposizioni convenienti:

1. Avreste dovuto dircelo .... tempo, così saremmo venuti anche noi.
2. .... quel brutto tempo saremmo rimasti volentieri a casa.
3. Avrei cambiato la macchina, ma quest'anno sono .... spese e non posso proprio.
4. Luigi sarebbe voluto andare .... mare, ma sua moglie quest'anno ha preferito passare le vacanze .... montagna.
5. Domani Franco avrebbe dovuto essere a Milano .... lavoro, ma sta male e non può partire.

Lessico nuovo: –

A questo punto Lei conosce
1377 parole italiane

CHIUVETTE

È PIOVUTO
SÌ, HA PIOVUTO

LA ZONA È STATA INTERESSATA DA UNA SERIE DI PERTURBAZIONI ATMOSFERICHE ACCOMPAGNATE DA PRECIPITAZIONI A CARATTERE PIOVOSO......

I *L'italiano e i dialetti*

Fred : Ormai capisco quasi tutto quello *che* leggo, ma ho ancora qualche difficoltà a parlare e soprattutto a capire ciò *che* dicono le persone *con cui* parlo per la prima volta.

Mario: Come vedi, non basta studiare. *Chi* vuole imparare presto una lingua, deve praticarla stando con la gente.

Fred : Hai proprio ragione! È il caso di Marilyn, la ragazza *di cui* ti ho parlato qualche giorno fa. Studia l'italiano da pochi mesi e già lo parla fluentemente, anche se con qualche piccolo errore. Passa tutto il tempo libero con i figli della signora *da cui* abita e con i loro amici, nessuno *dei quali* sa l'inglese.

Mario: Certo! Se sta con persone *che* non conoscono la sua lingua, è costretta a parlare solo italiano. Comunque, vedo che anche tu te la cavi abbastanza bene.

Fred : Grazie del complimento! Il mio problema è che quando una persona ha un accento diverso da quello *a cui* sono abituato in classe, non capisco un'acca.

Mario: Non preoccuparti! Spesso succede agli stessi italiani di non capire bene una persona *la cui* pronuncia è diversa dalla loro, poiché parla l'italiano della sua regione. Figuriamoci poi se quella persona si esprime in dialetto!

Fred : Dunque è vero che gli italiani *che* vivono in regioni diverse non sempre si capiscono fra di loro?

Mario: È vero se si esprimono ciascuno nel proprio dialetto; se usano le rispettive varietà regionali, hanno qualche difficoltà; se, invece, parlano l'italiano standard, non hanno problemi a capirsi. In molte famiglie si parla solo il dialetto, *per cui* quando i bambini vanno a scuola imparano l'italiano come una lingua straniera. Oltre alla scuola, contribuiscono a diffondere l'italiano standard anche la radio e la televisione.

Fred : Mi hai dato una buona idea! Da oggi comincio anch'io a guardare la televisione e ad ascoltare di più la radio.

Lessico nuovo: quattordicesimo - dialetto - fluentemente - costringere - cavarsela - accento - acca - figurarsi - ciascuno - rispettivo - varietà - regionale - contribuire - diffondere.
Termini tecnici: relativo.

II ***Test***

	Vero	Falso
1. Fred capisce quasi tutto ciò che dicono le persone con cui parla per la prima volta	☐	☐
2. Marilyn parla fluentemente l'italiano senza fare errori	☐	☐
3. Se un italiano si esprime in dialetto, le persone di altre regioni non sempre lo capiscono	☐	☐
4. In molti casi i bambini imparano l'italiano standard a scuola, come una lingua straniera	☐	☐
5. Oltre all'italiano standard esistono molte varietà regionali	☐	☐

III ***Ora ripetiamo insieme:***

- Hai proprio ragione!
- Studia l'italiano da pochi mesi e già lo parla fluentemente.
- Vedo che anche tu te la cavi abbastanza bene.
- Grazie del complimento!
- Non preoccuparti!
- Dunque è vero che gli italiani di regioni diverse non sempre si capiscono quando parlano fra di loro?
- Mi hai dato una buona idea!

IV ***Rispondete alle seguenti domande:***

1. Che cosa bisogna fare, secondo Mario, per imparare presto una lingua straniera?
2. Come mai Marilyn parla già fluentemente l'italiano?
3. Gli italiani di regioni diverse si capiscono sempre quando parlano fra di loro?
4. Perché alcuni bambini italiani imparano l'italiano come una lingua straniera?
5. Quale tipo di lingua contribuiscono a diffondere la radio e la televisione?

Lessico nuovo: –

V

A. Il pronome relativo CHE.

1. Marilyn è una ragazza americana; (lei) studia nella nostra scuola.
   Marilyn è una ragazza americana che studia nella nostra scuola.

2. Marilyn è una ragazza americana; l' ho conosciuta a scuola.
   Marilyn è una ragazza americana che ho conosciuto a scuola.

Il ragazzo	che	abita al piano di sopra	è americano.
La ragazza			è una studentessa.
I ragazzi		ho conosciuto oggi	sono americani.
Le ragazze			sono studentesse.

CHE	=	soggetto
		oggetto

Attenzione!

a) Il pronome relativo CHE non è mai preceduto dall'articolo quando è riferito ad un nome o pronome. Quando è accompagnato dall'articolo cambia il senso:

Tutte le ore di sonno *che* perdi ti fanno male.

Tu perdi troppe ore di sonno, *il che* (e ciò) ti fa male.

b) Il pronome relativo CHE non può seguire direttamente il pronome indefinito *tutto*. Fra i due pronomi va inserito *ciò* o *quello*:

Tutto *ciò (quello)* che sapevo te l'ho già detto.

Lessico nuovo: inserire.
Termini tecnici: indefinito.

3. Trasformate ora le seguenti frasi secondo il modello:

> Conosco una persona importante: può aiutarvi a trovare lavoro.
> Conosco una persona importante *che* può aiutarvi a trovare lavoro.
>
> È un appartamento nuovo; l'ho pagato un sacco di soldi.
> È un appartamento nuovo *che* ho pagato un sacco di soldi.

1. Manuel è ı zo spagnolo; suona molto bene la chitarra.

   ....

2. Vivo in una vecchia casa; d'inverno è molto fredda.

   ....

3. Passiamo il tempo libero con Giorgio e Lisa; sono i nostri amici più cari.

   ....

4. Fumo soltanto questo tipo di sigarette; sono le più leggere.

   ....

5. Laura è la ragazza dai capelli lunghi; sta parlando con Leo.

   ....

6. Finalmente posso leggere il giornale; l'ho comprato stamattina.

   ....

7. Per uscire Paola mette la gonna blu; l'ha messa anche ieri.

   ....

8. Purtroppo dobbiamo rimandare l'appuntamento con Luigi; l'abbiamo preso ieri.

   ....

9. Per fortuna ho trovato le chiavi; le cercavo da tanti giorni.

   ....

10. Per comprare una macchina nuova devo spendere quasi tutti i risparmi; li ho messi da parte in dieci anni di lavoro.

    ....

Lessico nuovo: –

B. Il pronome relativo *CUI*.

Quella è Marilyn; ti ho già parlato *di lei.*

Quella è Marilyn, *di cui* ti ho già parlato.

	(a) *		telefono spesso.
	di		ti ho parlato ieri.
Quella è la persona	da		ho imparato molte cose.
	in	cui	ho più fiducia.
Quelle sono le persone	con		passo volentieri il tempo libero.
	su		posso sempre contare.
	per		lavoro in questo momento.

* *Davanti al pronome* ***cui*** *la preposizione "a" è facoltativa:*

È una persona *a cui* presto volentieri la macchina.
È una persona *cui* presto volentieri la macchina.

preposizione + CUI = complemento indiretto

CHE = soggetto / oggetto

1. Trasformate ora i seguenti dialoghi secondo il modello:

Di solito con il treno si arriva in ritardo.
Non sempre: il treno con *cui* ho viaggiato io è arrivato in perfetto orario.

1. Devi pensare solo alla spesa?
   No, le cose .... devo pensare sono anche altre.
2. Vuoi proprio conservare tutta quella roba?
   Sì, perché sono fotografie .... tengo molto.
3. Andate spesso dai Rossi?
   No, gli amici .... andiamo più volentieri sono i Carli.
4. Abita in una grande città, signora?
   No, la città .... abito è piuttosto piccola.
5. Gianni dice cose interessanti, ma si esprime in modo poco chiaro.
   Neppure a me piace il modo .... si esprime.

Lessico nuovo: facoltativo - perfetto.
Termini tecnici: complemento.

6. Su questo letto ho dormito comodamente.
   Per me, invece è un tipo di letto .... non potrei dormire bene.
7. Vi preoccupate per così poco?
   No, le ragioni .... ci preoccupiamo sono più gravi.
8. La Sua carriera dipende solo dal direttore?
   No, le persone .... dipende sono anche altre.
9. Fra le persone che conosci qui ci sono anche stranieri?
   Sì, ci sono diversi stranieri, ... uno svizzero molto simpatico.
10. Per andare a casa a piedi passate per questa strada?
    No, la strada .... andiamo a piedi è molto più breve.

C. Il pronome relativo *il quale* **può sostituire** *che* (soggetto) e *cui*:

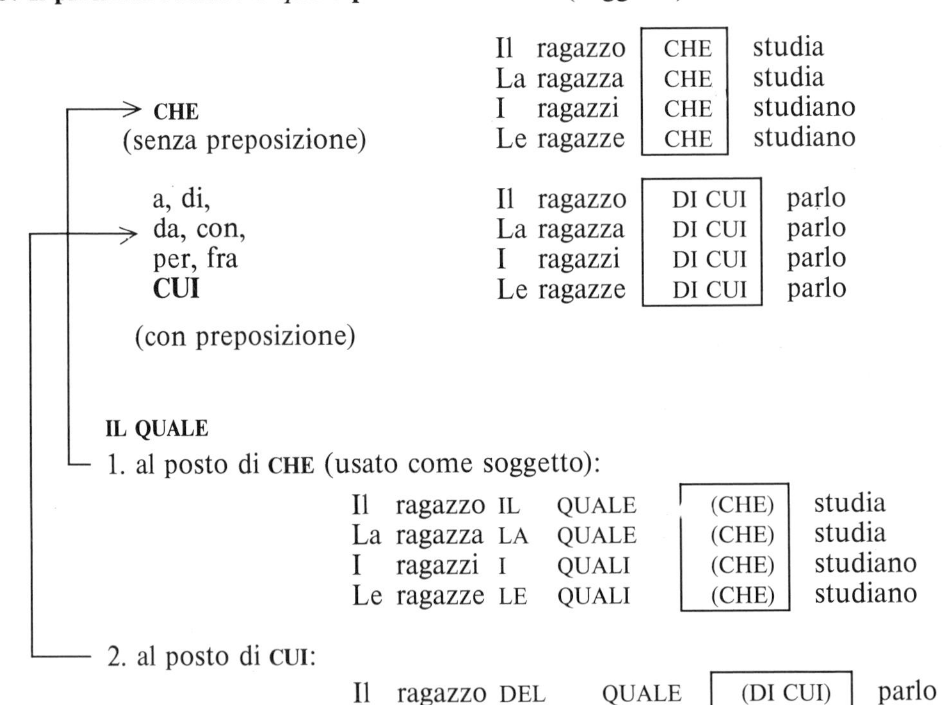

CHE
(senza preposizione)
Il ragazzo CHE studia
La ragazza CHE studia
I ragazzi CHE studiano
Le ragazze CHE studiano
a, di,
da, con,
per, fra
CUI
(con preposizione)
Il ragazzo DI CUI parlo
La ragazza DI CUI parlo
I ragazzi DI CUI parlo
Le ragazze DI CUI parlo
IL QUALE
1. al posto di CHE (usato come soggetto):
Il ragazzo IL QUALE (CHE) studia
La ragazza LA QUALE (CHE) studia
I ragazzi I QUALI (CHE) studiano
Le ragazze LE QUALI (CHE) studiano
2. al posto di CUI:
Il ragazzo DEL QUALE (DI CUI) parlo
La ragazza DELLA QUALE (DI CUI) parlo
I ragazzi DEI QUALI (DI CUI) parlo
Le ragazze DELLE QUALI (DI CUI) parlo

Lessico nuovo: –

1. Osservate ancora:

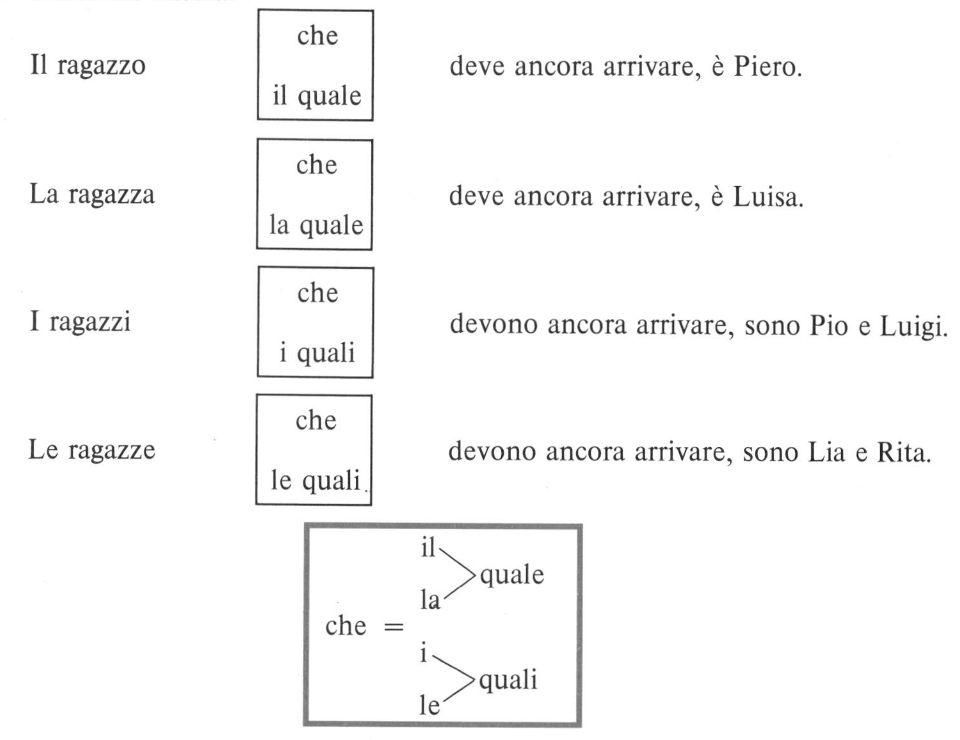

Il ragazzo
che
il quale
deve ancora arrivare, è Piero.
La ragazza
che
la quale
deve ancora arrivare, è Luisa.
I ragazzi
che
i quali
devono ancora arrivare, sono Pio e Luigi.
Le ragazze
che
le quali
devono ancora arrivare, sono Lia e Rita.
che =
il
la
quale
i
le
quali

1.a. Trasformate ora le seguenti frasi secondo il modello:

Conosco una persona importante *che* può aiutarvi a trovare lavoro.
Conosco una persona importante, *la quale* può aiutarvi a trovare lavoro.

1. Manuel è un ragazzo spagnolo che suona molto bene la chitarra.

   ....

2. Vivo in una vecchia casa che d'inverno è molto fredda.

   ....

3. Passiamo il tempo libero con Giorgio e Lisa che sono i nostri amici più cari.

   ....

4. Fumo soltanto questo tipo di sigarette che sono le più leggere.

   ....

5. Laura è la ragazza dai capelli lunghi che sta parlando con Leo.

   ....

Lessico nuovo: –

2.

Il ragazzo	a cui al quale	ho dato un passaggio, andava fino a Roma.
La ragazza	di cui della quale	ti ho parlato, è molto carina.
L'appartamento	in cui nel quale	viviamo, è grande.
La città	da cui dalla quale	vengo, è famosa.
I libri	su cui sui quali	studio l'italiano, sono buoni.

3.

Sing. + Plur.		*Sing.*		*Plur.*	
a	CUI =	al alla	quale	ai alle	quali
di		del della	quale	dei delle	quali
da		dal dalla	quale	dai dalle	quali
in		nel nella	quale	nei nelle	quali
su		sul sulla	quale	sui sulle	quali
con		con il con la	quale	con i con le	quali
per		per il per la	quale	per i per le	quali
tra (fra)				tra (fra) i tra (fra) le	quali

Lessico nuovo: –

4. Trasformate ora le seguenti frasi secondo il modello:

> Il treno con cui ho viaggiato io è arrivato in perfetto orario.
> Il treno con il quale ho viaggiato io è arrivato in perfetto orario.

1. Le cose a cui devo pensare sono anche altre.

   ....

2. Sono fotografie a cui tengo molto.

   ....

3. Gli amici da cui andiamo più volentieri sono i Carli.

   ....

4. La città in cui abito è piuttosto piccola.

   ....

5. Neppure a me piace il modo in cui si esprime Gianni.

   ....

6. È un tipo di letto su cui non potrei dormire bene.

   ....

7. Le ragioni per cui ci preoccupiamo sono più gravi.

   ....

8. Le persone da cui dipende la mia carriera sono più di una.

   ....

9. Ci sono diversi stranieri, fra cui uno svizzero molto simpatico.

   ....

10. La strada per cui andiamo a piedi è molto più breve di questa.

   ....

Lessico nuovo: –

5. Trasformate le frasi, sostituendo al pronome relativo la forma corrispondente:

1. Carlo non ha voluto spiegarmi i motivi *per i quali* non frequenta più il corso d'inglese.

   ....

2. Tu sei una delle poche persone *a cui* Luisa presta volentieri la macchina.

   ....

3. La famiglia *dalla quale* sto a pensione è veramente gentile con me.

   ....

4. Non riesco a ricordare il nome della via *in cui* abita Sergio.

   ....

5. È un film di grande valore, *del quale* tutti parlano bene.

   ....

6. C'è solo un punto *su cui* non mi trovo d'accordo con loro.

   ....

7. Conoscete un bravo meccanico *dal quale* potrei far riparare la macchina?

   ....

8. Lina è una ragazza cordiale, *con cui* è piacevole passare il tempo.

   ....

9. Mangiare fuori presenta alcuni aspetti negativi, *fra i quali* quello di non sapere come è cucinato il piatto che scegliamo.

   ....

10. Il continuo aumento del costo della vita rende difficile anche l'acquisto di alcuni generi *di cui* abbiamo assoluto bisogno.

    ....

Lessico nuovo: corrispondente.

6. Il pronome relativo CUI con valore di possessivo.

Quasi mai riesco a capire *un italiano,*

il cui dialett**o** il dialetto *del quale*	è diverso dal mio.

Spesso non capisco bene *una persona,*

la cui pronunci**a** la pronuncia *della quale*	è diversa dalla mia.

Ci sono diverse *famiglie,*

i cui bambin**i** i bambini *delle quali*	imparano l'italiano a scuola.

Ci sono molti *bambini,*

le cui famigli**e** le famiglie *dei quali*	parlano solo il dialetto.

Nota: Quando ha valore di possessivo, il pronome relativo *cui* è preceduto dall'articolo determinativo o da una preposizione articolata:

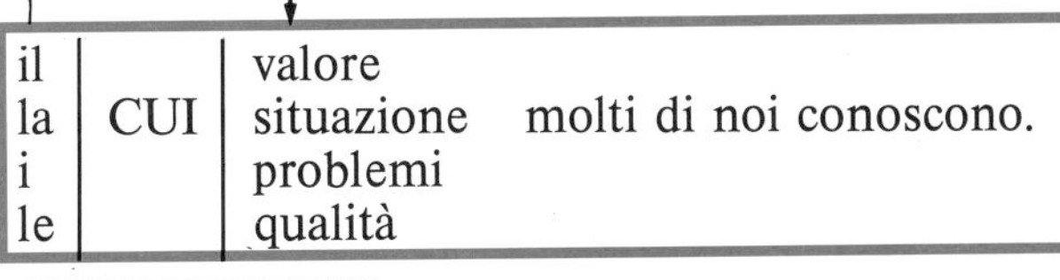

È una persona,	il la i le	CUI	valore situazione problemi qualità	molti di noi conoscono.

È una persona	del per la ai sulle	CUI	valore situazione problemi qualità	siamo certi. mi preoccupo molto. s'interessano tutti. non ci sono dubbi.

Lessico nuovo: –

7. Osservazioni su CUI e IL QUALE con valore di possessivo:

Il cui	*Il quale*
a) precede il nome dell'oggetto: Le persone, la *cui* pronuncia ...	a) segue il nome dell'oggetto: *Le* persone, la pronuncia *delle quali* ...
b) l'articolo si accorda nel genere e nel numero con l'oggetto: Le persone, *la* cui pronunci*a* ...	b) l'articolo si accorda nel genere e nel numero con il soggetto: *Le* person*e*, la pronuncia dell*e* qual*i* ...

VI

1. Trasformate ora le seguenti frasi secondo il modello:

Andiamo al mare con i Rossi. Il loro bambino va a scuola con il nostro.
Andiamo al mare con i Rossi, *il cui* bambino va a scuola con il nostro.

1. Do un passaggio a Luigi. La sua macchina è dal meccanico.

   ....

2. Nel nostro giardino c'è un albero molto bello. I suoi frutti sono dolci.

   ....

3. Non sto volentieri con persone come queste. I loro interessi non vanno al di là dei soldi.

   ....

4. È un sarto famoso. I suoi modelli vanno a ruba.

   ....

5. Di solito pranziamo in una trattoria. I suoi prezzi sono ancora relativamente bassi.

   ....

Lessico nuovo: osservazione - accordarsi.

6. Sono esami piuttosto difficili. Il loro buon esito non è sempre sicuro.

....

7. Vengo da una famiglia numerosa. Le sue condizioni economiche sono state sempre cattive.

....

8. Carlo e Marta sono una coppia felice. Il loro matrimonio costituisce un esempio per molti.

....

9. Fanno parte di una categoria di lavoratori. Il loro stipendio non è alto.

....

10. Non potrei vivere in un appartamento come quello. Il suo spazio è veramente ridotto.

....

2. Completate le frasi con il conveniente pronome relativo, facendo attenzione all'articolo o alla preposizione articolata che lo precede:

È un caso grave, *il cui* esito interessa a molti. È un impiegato *del cui* lavoro sono tutti contenti.

1. È un'opinione personale .... valore puoi anche mettere in dubbio.
2. I genitori sono forse le sole persone .... affetto possiamo essere sicuri in assoluto.
3. Franco, ... dipende la tua carriera, è un mio vecchio compagno di scuola.
4. Frequento una scuola di lingue, ... sede principale è a Milano.
5. È stato uno sciopero generale, ... effetti si sono fatti sentire sull'economia del paese.
6. Siamo lieti di sapere che esistono persone come lui, ... scelte non dipendono da ragioni politiche.
7. Lina, ... stato fisico ci siamo tanto preoccupati, ora sta di nuovo bene.
8. Giorgio, ... problemi c'è anche quello del lavoro, è molto giù in questo momento.
9. Carla è una vera amica, ... consigli posso sempre contare.
10. In albergo ho una camera piuttosto ampia, ... finestra si vede la parte antica della città.

Lessico nuovo: –

VII *CHI*

È solo maschile singolare e, a differenza di *che, il quale, cui,* non segue mai un nome o un altro pronome:

Chi		mangia troppo, ingrassa.
Colui	*che*	mangia troppo, ingrassa.
Coloro Le persone	*che*	mangiano troppo, ingrassano.

e ancora:

Chi vuole fare troppe cose, non conclude nulla.
Chi fa una vita sana, vive a lungo.
Chi soffre di cuore non dovrebbe viaggiare in aereo.
Non sopporto *chi* parla male degli altri.
La borsa di studio andrà *a chi* supererà l'esame con il miglior voto.
Non parlo mai dei miei affari *con chi* non conosco.
Questo clima non è adatto *per chi* ama il caldo.

Come potete osservare, *chi* può essere preceduto da una preposizione, ma non dall'articolo.
Spesso si trova nei proverbi o in espressioni idiomatiche, come:

Chi vivrà, vedrà.
Chi si contenta, gode.
Chi va piano, va sano e va lontano.
Chi troppo vuole, niente ha.
Chi dorme, non piglia pesci.
Chi non lavora, non mangia.
Chi trova un amico, trova un tesoro.
Chi tardi arriva, male alloggia.
Chi fa da sé, fa per tre.
Ride bene chi ride l'ultimo.

Lessico nuovo: ingrassare - colui - coloro - concludere - sano - soffrire - cuore - sopportare - migliore - clima - adatto - proverbio - idiomatico - contentarsi - godere - pigliare - tesoro - alloggiare - ridere.

VIII

1. Trasformate ora le frasi secondo il modello:

Coloro (le persone) che affermano questo, non dicono il vero.
Chi afferma questo, non dice il vero.

1. Coloro che fanno l'orario unico escono d'ufficio alle due.

   ....

2. Le persone che trovano subito lavoro sono fortunate.

   ....

3. Coloro che giocano al totocalcio sperano di vincere un sacco di soldi.

   ....

4. Le persone che corrono troppo con la macchina, prima o poi hanno un incidente.

   ....

5. Coloro che non hanno esperienza fanno spesso degli errori.

   ....

6. Le persone che devono vivere con il solo stipendio non hanno una vita facile.

   ....

7. Coloro che praticano uno sport restano giovani a lungo.

   ....

8. Le persone che si mantengono da sole non hanno impegni con nessuno.

   ....

9. Coloro che fanno sciopero sono stufi delle condizioni di lavoro.

   ....

10. Le persone che si dedicano alla cura dei bambini devono avere molta pazienza.

    ....

Lessico nuovo: –

IX

1. Riassumete il contenuto della conversazione fra Mario e Fred, completando il seguente testo:

Fred ha ancora .... difficoltà a capire .... dicono le persone con .... parla per la prima volta. Il suo problema è che quando una persona ha un accento diverso da quello .... è abituato, non capisce .... Mario gli dice di non preoccuparsi, perché spesso succede agli stessi italiani di non capire bene una persona .... pronuncia è diversa dalla loro, poiché parla la .... d'italiano della sua regione. Mario aggiunge che se gli italiani .... vivono in regioni diverse si esprimono .... nel proprio dialetto, non sempre si capiscono fra di loro. Fred è sorpreso di sentire che in molte famiglie si parla solo il dialetto, ... a scuola i bambini imparano l'italiano come una lingua straniera.

2. Rispondete alle seguenti domande:

1. Secondo Mario, per imparare una lingua non basta studiare. Lei che ne pensa?
2. Perché, secondo Lei, Marilyn parla fluentemente l'italiano dopo pochi mesi che lo studia?
3. Per quale motivo Lei frequenta un corso d'italiano? Per parlare con la gente o semplicemente per leggere testi in originale?
4. Nel Suo paese esistono problemi simili a quelli dell'Italia per quanto riguarda la lingua? Se sì, dica in che senso.
5. Secondo Lei, il dialetto costituisce una ricchezza da conservare o piuttosto uno svantaggio per chi lo parla? Spieghi perché.

Lessico nuovo: ricchezza.

X Test

A. Unite le due frasi, usando il conveniente pronome relativo:

1. Per errore ho buttato lo scontrino. Senza lo scontrino non posso avere indietro la valigia.

   ....

2. È un amico molto caro. Da lui ho ricevuto tanti favori.

   ....

3. Mi fa pena quel ragazzo. I suoi genitori non vanno più d'accordo.

   ....

4. Succedono cose strane. Di esse non riusciamo a capire il senso.

   ....

5. Vi presento il dottor Carli. Con lui ho viaggiato in aereo da Roma a Milano.

   ....

B. Completate le seguenti frasi secondo il senso:

1. Dimmi con .... vai e ti dirò .... sei.
2. Non abbiamo notizie di Marta da molti giorni, ... ci preoccupa.
3. Non devi credere a .... dice lui.
4. .... guadagna poco è costretto a fare un doppio lavoro.
5. Il giornale .... leggo di solito, oggi non è uscito.

C. Trovate eventuali errori nelle seguenti frasi:

1. Non mi piacciono le persone che parlano troppo.
2. Luisa vorrebbe comprare tutto che vede nei negozi.
3. Non conosco la ragazza di cui state parlando.
4. La signora Massi, il marito di quale è morto un mese fa, ora vive con la figlia.
5. Luigi è costretto a fare una professione che non gli piace, il che non gli dà soddisfazione.

Lessico nuovo: –

D. Raccontate il contenuto del dialogo introduttivo "L'italiano e i dialetti", ricordando i seguenti punti:

Fred / qualche difficoltà / parlare / capire / persone / per la prima volta / comunque / cavarsela / problema / accento diverso / succedere / stessi italiani / non capirsi / esprimersi / rispettive varietà regionali / dialetto / molte famiglie / solo dialetto / bambini / scuola / italiano / lingua straniera / italiano standard / radio / televisione.

E. Traducete nella vostra lingua il dialogo introduttivo "L'italiano e i dialetti" e ritraducete in italiano, confrontando, poi, con il testo originale.

F. Fate il IX test.

Lessico nuovo: -

XI «Come si dice»

Marilyn parla già fluentemente l'italiano.
È vero, comunque anche tu *te la cavi* abbastanza bene.

Ha problemi con il nuovo lavoro, signorina?
I primi giorni ho avuto difficoltà, ma ora *me la cavo* abbastanza bene.

Hai bisogno di aiuto, Luigi?
No, *me la cavo* da solo.

Avete speso molto in quel ristorante?
No, *ce la siamo cavata* con ventimila lire a testa.

L'incidente che è capitato a Mario poteva essere più grave.
Sì, ma per fortuna *se l'è cavata* solo con qualche ferita.

CAVARSELA

me		cavo
te		cavi?
se	**la**	cava
ce		caviamo
ve		cavate?
se		cavano

me	**la**	sono	
te	**la**	sei	
se	**l'**	è	cavat**a**
ce	**la**	siamo	
ve	**la**	siete	
se	**la**	sono	

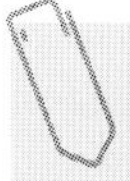

Lessico nuovo: ferita.

A questo punto Lei conosce
1417 parole italiane

XII *Lettura.*

Breve storia della lingua italiana.

Nel momento in cui l'Italia diventava una nazione (1861) e Roma la sua capitale (1870) soltanto il 2,5% circa degli italiani parlava l'italiano. All'unità politica non corrispondeva, dunque, un'unità linguistica. Infatti non esisteva una lingua parlata e la maggioranza degli italiani usava i vari dialetti.
Chi voleva esprimersi in italiano poteva prendere a modello soltanto il "fiorentino delle persone colte".
Dopo l'unità d'Italia, con il verificarsi di nuove condizioni socio-economiche, l'italiano si diffonde sempre di più, tuttavia la gran massa degli italiani continua a parlare dialetto.
Ora, accanto al modello fiorentino, c'è anche quello di Roma, capitale d'Italia.
Il periodo successivo alla seconda guerra mondiale segna una svolta decisiva per la storia della lingua italiana.
Secondo le statistiche, nel 1950 solo il 18% degli italiani era in grado di usare la lingua nazionale. Nel 1968 sono il 50% gli italiani che usano l'italiano come lingua di comunicazione.
Oggi il 75% degli italiani parla italiano. Tuttavia la lingua parlata dalla maggior parte degli italiani è un italiano regionale, che risente dei vari dialetti, ed è dunque diverso per vari aspetti da regione a regione.
Tra i fattori che hanno contribuito a diffondere l'uso dell'italiano comune nel nostro secolo, possiamo citare i seguenti:

a) l'afflusso delle masse contadine dalle campagne alle città, e soprattutto dal Sud alle zone industriali del Nord;
b) la diffusione dell'istruzione obbligatoria;
c) la diffusione dei giornali e quindi dell'abitudine alla lettura;
d) lo sviluppo dei mezzi di comunicazione di massa (cinema, radio, e soprattutto la televisione).

Se è vero che esistono tante varietà d'italiano, viene spontanea la domanda: "Quale italiano imparare?"
È una domanda che si pongono gli stessi italiani ed alla quale non è facile dare una risposta.

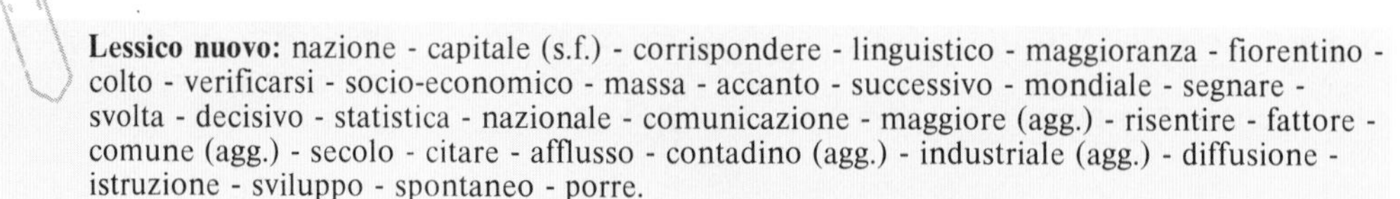
Lessico nuovo: nazione - capitale (s.f.) - corrispondere - linguistico - maggioranza - fiorentino - colto - verificarsi - socio-economico - massa - accanto - successivo - mondiale - segnare - svolta - decisivo - statistica - nazionale - comunicazione - maggiore (agg.) - risentire - fattore - comune (agg.) - secolo - citare - afflusso - contadino (agg.) - industriale (agg.) - diffusione - istruzione - sviluppo - spontaneo - porre.

A questo punto Lei conosce
1450 parole italiane

SECONDA PARTE

Dino'85

I *Paese che vai, problemi che trovi*

Sig. Miller: In questo paese non si può più vivere!

Sig. Rossi : Non esageriamo! La situazione non è certo tranquilla, ma non è peggiore di quella di altri paesi.

Sig. Miller: Come fa a dirlo? Basta aprire il giornale: attentati, scippi, rapine, omicidi, sequestri, atti di terrorismo ...

Sig. Rossi : Intende dire che qui il sistema democratico non funziona?

Sig. Miller: Appunto! In un paese dove ci sono più poveri che ricchi, non esiste una vera democrazia.

Sig. Rossi : Ma qui abbiamo l'arma dello sciopero per protestare contro le ingiustizie sociali.

Sig. Miller: Infatti quasi ogni giorno c'è uno sciopero, ma in effetti nulla cambia.

Sig. Rossi : Le conquiste in campo economico e sociale sono lente: è più facile conservare che cambiare una situazione.

Sig. Miller: Secondo me, nel mio paese i sindacati sono più forti di quelli vostri.

Sig. Rossi : Forse perché sono d'accordo sulle rivendicazioni da avanzare al governo.

Sig. Miller: Quali sono i motivi per cui si sciopera di più?

Sig. Rossi : I contratti di lavoro delle varie categorie, le pensioni, l'aumento del salario e la riduzione dell'orario di lavoro.

Sig. Miller: Se non sbaglio, c'è un numero altissimo di disoccupati, soprattutto tra i giovani.

Sig. Rossi : In effetti il problema più grosso è la difesa del posto di lavoro. Con le nuove tecnologie e con la crisi di certi settori, c'è sempre minore bisogno di manodopera.

Sig. Miller: In questo senso la situazione del mio paese non è migliore di quella dell'Italia.

Lessico nuovo: quindicesimo - esagerare - tranquillo - peggiore - attentato - scippo - rapina - omicidio - sequestro - terrorismo - intendere - sistema - funzionare - appunto! - povero - ricco - democrazia - arma - protestare - contro - ingiustizia - sociale - conquista - campo - lento - sindacato - rivendicazione - avanzare - scioperare - contratto - riduzione - grosso - difesa - tecnologia - crisi - settore - minore - manodopera.
Termini tecnici: comparazione.

II ***Ora ripetiamo insieme:***

- In questo paese non si può più vivere!
- Non esageriamo!
- Come fa a dirlo?
- In un paese dove ci sono più poveri che ricchi, non esiste una vera democrazia.
- È più facile conservare che cambiare una situazione.
- Quali sono i motivi per cui si sciopera di più?
- Se non sbaglio, c'è un numero altissimo di disoccupati, soprattutto tra i giovani.

III ***Rispondete alle seguenti domande:***

1. Perché, secondo il signor Miller, in Italia non si può più vivere?
2. Cosa risponde il signor Rossi?
3. Perché, secondo il signor Rossi, l'arma dello sciopero non sempre serve a cambiare le cose?
4. Quali sono i motivi per cui si sciopera di più?
5. Qual è il problema più grosso oggi?
6. Da cosa dipende il sempre minore bisogno di manodopera?

IV ***Gradi di comparazione.***

A. Comparazione fra due nomi o pronomi.

La famiglia del signor Rossi è composta di cinque persone: lui, la moglie e tre figli.
Il più grande si chiama Livio ed ha sei anni, il secondo si chiama Carlo e ne ha quattro, il più piccolo si chiama Marco e ne ha solo due.

Lessico nuovo: -

Marco è piccolo: è *il più piccolo dei* tre fratelli.

Marco Carlo Livio

Carlo è *più grande di* lui, ma *meno grande di* Livio.

Livio è *il più grande dei* tre fratelli.

Carlo pesa *più di* Marco e *meno di* Livio.

Livio pesa *più di* Carlo e *di* Marco.

Marco pesa *meno di* Carlo e *di* Livio.

Il papà e la mamma sono giovani.
Lui è *più grasso di* lei.
Lei è *più magra di* lui e dei figli: è *la più magra di* tutti.

Il papà è alto un metro e settanta.
Anche la mamma è alta un metro e settanta.
Lui è alto *quanto* lei, ma lei pesa *meno di* lui.

1. Ora trasformate le frasi secondo il modello:

Il signor Rossi ha 38 anni; sua moglie ne ha 35. Sua moglie *è più giovane di* lui.

(giovane)

1. Franco si arrabbia spesso; Anna si arrabbia di rado.
   .... (calma)
2. Voi lavorate solo quattro ore; io lavoro anche il pomeriggio.
   .... (liberi)
3. Il signor Galli vive solo del suo stipendio; suo fratello ha anche due appartamenti e un grosso conto in banca.
   .... (ricco)
4. Quel libro è del 1972; questo è del 1979.
   .... (recente)
5. Laura pesa appena 48 chili; Maria ne pesa 60.
   .... (grassa)

Lessico nuovo: pesare - grasso - magro.

2. Come sopra:

Franco prende un milione e mezzo al mese; lo stipendio di Anna, invece, è di due milioni. Anna guadagna più di Franco.	(guadagnare)

1. Di solito io vado a letto tardi; lui, invece, ci va alle undici.
   .... (dormire)
2. Marco accende una sigaretta dopo l'altra; a Sergio, invece, un pacchetto dura due giorni.
   .... (fumare)
3. L'orologio costa duecentomila lire; il bracciale, invece, costa trecentomila lire.
   .... (valere)
4. Il marito di Paola ha le mani bucate; lei, invece, compra solo ciò che serve veramente.
   .... (spendere)
5. Lui ha sempre appetito; lei, invece, salta molte volte la cena.
   .... (mangiare)

3. Trasformate le frasi dell'esercizio precedente, sostituendo "meno" a "più":

1. ....
2. ....
3. ....
4. ....
5. ....

Lessico nuovo: milione.

4. Trasformate le frasi secondo il modello:

Giulio è alto un metro e settanta. Anche Franco è alto un metro e settanta.
Giulio è alto *quanto* Franco.

Giulio pesa settantadue chili. Anche Franco pesa settantadue chili.
Giulio pesa *quanto* Franco.

1. Marta è brava. Anche Luisa è brava.

....

2. Remo spende molto. Anche Lucio spende molto.

....

3. Quel bambino è tranquillo. Anche sua sorella è tranquilla.

....

4. Il film dura due ore. Anche il concerto dura due ore.

....

5. Il tuo lavoro è difficile. Anche il mio è difficile.

....

B. Comparazione fra due aggettivi o verbi.

- Quella macchina sarà anche bella, ma non è comoda.
- Sì, come tutte le auto sportive, è *più* bella *che* comoda.

- Secondo me, viaggiare con quella macchina è *più* scomodo *che* andare con una utilitaria.

- Dopo l'incidente Sergio era *più* morto *che* vivo dalla paura.

- Per me è *più* interessante imparare la lingua viva *che* studiare a fondo la grammatica.

Lessico nuovo: comodo - auto - scomodo - utilitaria (s.) - morto - vivo - grammatica.

1. Completate le frasi secondo il modello:

Quel ragazzo è veramente spontaneo? Secondo me, è più falso che spontaneo.	(falso)

1. Quel lavoro è veramente interessante?
   .... (conveniente)
2. Quel dentifricio è veramente buono?
   .... (famoso)
3. Quel regalo è veramente utile?
   .... (divertente)
4. Quella signora è veramente antipatica?
   .... (simpatica)
5. Quel viaggio è veramente necessario?
   .... (piacevole)

2. Come sopra:

Per me è più facile parlare che scrivere.	(parlare-scrivere)

1. Per me è più semplice .... (riscrivere-correggere)
2. Per me è più noioso .... (lavare-cucinare)
3. Per me è più bello .... (dare-ricevere)
4. Per me è più normale .... (parlare piano-gridare)
5. Per me è più difficile .... (smettere-cominciare)

C. Comparativo di quantità.

- In quel paese ci sono più poveri *che* ricchi.
  In quel paese i poveri sono più *dei* ricchi.
- Di solito beviamo più tè *che* caffè.
- Ho più cassette *che* dischi.
- Questa situazione presenta più vantaggi *che* svantaggi.

Lessico nuovo: quantità - vantaggio.
Termini tecnici: comparativo.

1. Formate delle frasi secondo il modello:

In Italia la gente mangia più carne che pesce.	(carne - pesce)

1. Nel mese di giugno abbiamo avuto .... (pioggia - sole)
2. Ormai ci sono .... (operai - contadini)
3. In alcuni paesi del Sud ci sono .... (vecchi - giovani)
4. D'estate beviamo .... (bibite - liquori)
5. Esistono .... (mestieri - professioni)

D. Superlativo relativo.

- Ci sono tanti problemi da risolvere.
- Sì, e *il più grosso* è la difesa del posto di lavoro.

- In dicembre le giornate sono molto corte.
- Infatti il 13 è *il* giorno *più corto* dell'anno.

- Nella Sua città il clima è umido o secco?
- Purtroppo è *il più umido* di tutta l'Italia.

- Ormai sono rare le spiagge pulite.
- È vero, ma questa è *la più sporca* di tutte.

1. Rispondete alle domande secondo il modello:

È vero che Giulio è tanto occupato? Sì, è *il più occupato* di tutti.

1. È vero che Sergio è tanto stanco?
   ....
2. È vero che Rita è tanto calma?
   ....
3. È vero che quel televisore è tanto perfetto?
   ....
4. È vero che quell'impiegata è tanto gentile?
   ....
5. È vero che quell'albergo è tanto caro?
   ....

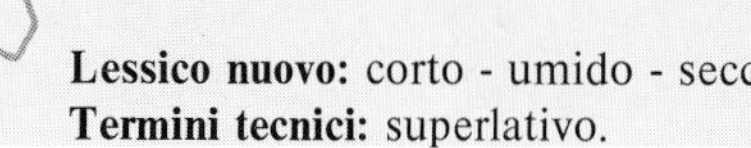

Lessico nuovo: corto - umido - secco - raro - pulito - sporco.
Termini tecnici: superlativo.

E. Superlativo assoluto di aggettivi e avverbi.

1.

- Il numero dei disoccupati è *alto* da voi?
- Sì, è *molto alto.*
- Anche da noi è *altissimo.*

- La macchina di Roberto è *comoda.*
- La macchina di Stefano è più comoda della sua: è *molto comoda.*
- La macchina di Stefano è *comodissima.*

- Mario è *intelligente*, non è mica stupido!
- Carlo, però, è più intelligente di Mario: è *molto intelligente.*
- Carlo è *intelligentissimo.*

- Luisa è *magra:* pesa soltanto 54 chili.
- Franca, però, è più magra di Luisa; è *molto magra:* pesa soltanto 48 chili.
- Franca è *magrissima.*

- Ti mancano *poche* pagine per finire il libro?
- Sì, me ne mancano *pochissime.*

alto	comodo	intelligente	magro	poco
altissimo	comodissimo	intelligentissimo	magrissimo	pochissimo

2. Rispondete alle domande secondo il modello:

La moglie di Rossi è davvero tanto bella?
Sì, è bellissima.

1. Oggi, l'aria è davvero tanto calda?
   Sì, ...
2. Quel film è davvero tanto lungo?
   Sì, ...
3. L'esame di francese è davvero tanto facile?
   Sì, ...
4. Quell'albergo è davvero tanto caro?
   Sì, ...
5. Questi francobolli sono davvero tanto rari?
   Sì, ...

Lessico nuovo: intelligente - stupido - aria - pagina.
Termini tecnici: avverbio.

3.

- Il padre di Paolo sta davvero tanto male?
- Sì, sta *malissimo.*
- Questo vestito mi sta davvero bene?
- Sì, ti sta *benissimo.*
- Vi alzate presto la mattina?
- Sì, ci alziamo *prestissimo.*
- Ti piace davvero molto la birra?
- Sì, mi piace *moltissimo.*

4. Ora rispondete alle domande secondo il modello:

> Ti manca davvero poco per finire?
> Sì, mi manca pochissimo.

1. Quell'orologio costa davvero tanto?
   Sì, ...
2. Vai davvero piano in macchina?
   Sì, ...
3. Avete fatto davvero tardi ieri notte?
   Sì, ...
4. Esci davvero spesso la sera?
   Sì, ...
5. Pioveva davvero forte poco fa?
   Sì, ...

F. Forme particolari di comparazione.

- La situazione del mio paese non è *più buona* di quella dell'Italia.
- La situazione dell'Italia non è *più cattiva* di quella di altri paesi.
- Livio è il fratello *più grande.*
- Marco è il fratello *più piccolo.*
- Il numero dei disoccupati è *più alto* di quello degli altri paesi europei.
- L'aumento del costo della vita è *più basso* della media.

- La situazione del mio paese non è *migliore* di quella dell'Italia.
- La situazione dell'Italia non è *peggiore* di quella di altri paesi.
- Livio è il fratello *maggiore.*
- Marco è il fratello *minore.*
- Il numero dei disoccupati è *superiore* a quello degli altri paesi europei.
- L'aumento del costo della vita è *inferiore* alla media.

Lessico nuovo: europeo - superiore - inferiore - media.

1. Ed ora completate le frasi secondo il senso:

1. Nel caso ...., dovrai ripetere l'esame.
2. Siamo contenti perché l'esito del nostro lavoro è stato .... alle attese.
3. Nella bassa stagione gli alberghi praticano prezzi ....
4. Questo mese il tempo è stato .... del mese scorso: è piovuto quasi ogni giorno.
5. Voi state male, ma la nostra condizione non è certo ....

G. Forme particolari di superlativo.

- Giorgio sembra allegro oggi.
- Sì, è di *ottimo* umore.

- Questa stoffa non è molto buona.
- Infatti è di *pessima* qualità.

- Sai chi è Dante Alighieri?
- Certo! È il *massimo* poeta italiano.

- Ho un sonno molto leggero: al *minimo* rumore mi sveglio.

Osservate!

buono	migliore	ottimo
cattivo	peggiore	pessimo
grande	maggiore	massimo
piccolo	minore	minimo

1. Ed ora completate le frasi secondo il senso:

1. Molte persone hanno la .... abitudine di non presentarsi quando chiamano al telefono.
2. Il prezzo .... che possiamo farLe è seicentomila lire.
3. Con questo traffico bisogna guidare con la .... attenzione.
4. Sai dove potrei trovare Carlo? No, non ne ho la .... idea.
5. L'occasione è ....; non dovete perderla.
6. Parlando in quel modo di Franca, le hai reso un .... servizio.
7. Continua a raccontare! Ti ascolto con il .... interesse.
8. Non abbiamo la .... intenzione di rinunciare alle vacanze.
9. La figlia dei nostri amici ha fatto un .... matrimonio ed ora fa la signora.
10. Sono in molti ad avere una .... opinione di lui, ma per me è una brava persona.

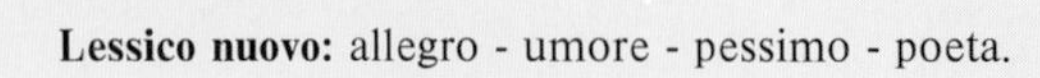

Lessico nuovo: allegro - umore - pessimo - poeta.

V

1. Completate le frasi con le forme convenienti del comparativo o del superlativo:

1. Hai sentito il concerto ieri sera? Sì, è stato .... (bello)
2. Giulio è simpatico, però Carlo è ancora .... lui. (simpatico)
3. Per andare in centro, questa strada è .... quella. (breve)
4. Ti piace davvero questo vino? Sì, è .... (buono)
5. Napoli è .... Roma e .... Milano. (calda)
6. Franco è .... nostri figli. (giovane)
7. Lui è ...., invece lei non va molto bene a scuola. (bravo)
8. Per me la difficoltà .... è la pronuncia. (grande)
9. I miei genitori abitano al piano .... (alto)
10. Maria deve star male: ha un .... aspetto. (cattivo)

2. Completate le frasi con le forme convenienti del comparativo:

1. Per me quella ragazza è .... (interessante - bella)
2. In alcuni paesi del Sud ci sono .... (vecchi-giovani)
3. Tra i professori ci sono .... (donne - uomini)
4. Abbiamo .... veri e propri. (conoscenti - amici)
5. Mi piace più .... con le mani in mano. (lavorare - stare)
6. È più conveniente .... presto .... le ore piccole. (alzarsi - fare)
7. Oggi l'aria è .... (umida - fredda)
8. Quel tipo di lavoro è .... (noioso - difficile)
9. Nostro figlio ci dà .... (problemi - soddisfazioni)
10. È uno sport .... (faticoso - divertente)

3. Completate le frasi con "di" o "che" secondo il senso:

1. La mia macchina è più vecchia .... quella di Sergio.
2. Fra i miei amici ci sono più ragazzi .... ragazze.
3. Questo lavoro è più interessante .... conveniente.
4. In questo periodo bevo più birra .... vino.
5. Capire una lingua straniera è più facile .... parlarla.
6. Le vostre ferie sono più lunghe .... nostre.
7. Mia madre è molto più bassa .... mio padre.
8. Le mie sigarette sono meno forti .... quelle tue.
9. Quella ragazza è più bella .... elegante.
10. Luisa ha più pantaloni .... gonne.

Lessico nuovo: –

VI *Gli interrogativi.*

a.

- *Che* hai detto, scusa? Ero distratto e non ho sentito.
- Ti ho chiesto *che cosa* vuoi fare dopo pranzo.
- *Che* ne dici di fare quattro passi?
- Ma non vedi che sta per piovere?
- *Cosa* ci vuoi fare? Se aspettiamo il tempo bello non usciamo mai.

CHE?
CHE COSA?
COSA?

b.

- *Che* clima preferisce, signorina?
- Il clima caldo.
- In *che* paese vorrebbe vivere, dunque?
- Non saprei. Amo troppo il mio paese per pensare di lasciarlo.

CHE?

c.

- *Quale* di questi vestiti mi sta meglio?
- Quello grigio.
- E tu che vestito ti metti per uscire stasera?
- Non ho vestiti eleganti, perciò mi metterò una gonna con una camicia di seta.

QUALE?

d.

- Mi sa dire *qual* è il prefisso di Bologna?
- Mi pare 051, ma non ne sono sicura.

e.

- Domani sera ci sarà la "Messa da Requiem" di Verdi.
- *Chi* sono gli interpreti?
- L'Orchestra Filarmonica e Coro di Milano.
- *Chi* dirige l'orchestra?
- Il Maestro Piccini.
- Allora sarà un'interpretazione di altissimo livello.

CHI?

- Per *chi* sono questi splendidi fiori?
- Sono per Carla: oggi è il suo compleanno.

Lessico nuovo: grigio - prefisso - parere (v.) - interprete - orchestra - filarmonico - coro - maestro - dirigere - interpretazione - livello - splendido.

1. Completate le frasi con la forma conveniente dell'interrogativo:

1. .... penna vuoi: quella rossa o quella blu?
2. Per .... prepari questo dolce?
3. .... programma avete per il fine-settimana?
4. Su .... puoi contare in caso di bisogno?
5. Di .... state parlando? Ancora di sport?
6. .... è la strada più breve per il centro?
7. Da .... dipende l'esito di quella faccenda?
8. Con .... vai in macchina a Firenze?
9. .... voleva da te quella signora che ha telefonato?
10. A .... serve lavorare tanto?

f.

- Vedo che hai un paio di scarpe nuove. *Dove* le hai comprate?	*DOVE?*
- In via Frattina.	
- Scusa la domanda indiscreta: *quanto* le hai pagate?	*QUANTO?*
- Un occhio della testa.	
- Di' un po': *quando* smetterai di fare spese pazze?	*QUANDO?*
- *Perché* dovrei rinunciare a cose che mi piacciono?	*PERCHÉ?*
- In fondo hai ragione: si vive una volta sola.	

1. Completate le frasi con la forma conveniente dell'interrogativo:

1. .... pagate di affitto per questo appartamento?
2. .... non ti metti mai l'abito marrone?
3. .... potrei trovare un tabaccaio aperto?
4. Staresti meglio senza barba. .... non te la tagli?
5. Per .... deve essere pronto questo lavoro?
6. Da .... viene, signora?
7. .... hai imbucato la lettera che ti ho dato? Alla posta centrale.
8. .... disoccupati ci sono fra i laureati?
9. .... cucchiaini di zucchero metti nel cappuccino?
10. Da .... mesi studi l'italiano?

Lessico nuovo: indiscreto.

VII

1. Completate le frasi secondo il senso:

1. Su .... giornale avete letto quell'annuncio?
2. .... sigarette fumi al giorno?
3. Per .... hai fissato l'appuntamento, Giorgio?
4. In .... direzione dobbiamo andare?
5. Con .... dividi le spese di viaggio?
6. .... dura il corso d'italiano?
7. .... ti ha fatto questa foto?
8. .... quotidiano leggi abitualmente?
9. .... film preferisci? I film gialli.
10. Da .... parte abita Mario?

2. Come sopra:

1. .... potrei trovare un impiego fisso?
2. .... di voi parla bene l'inglese?
3. Di .... legno è questo tavolo?
4. .... mangi di solito per colazione?
5. .... ore ci metti da Firenze a Milano?
6. A .... età hai preso la patente?
7. .... valigia è più pesante? Quella bianca.
8. .... ore sono? Sono le tre precise.
9. A .... avete chiesto un prestito?
10. C'è vino rosso e vino bianco: .... preferisci?

VIII

A. **Osservate!**

1. La comparazione.

a. *una qualità* o *un'azione* sono riferite a *due nomi* (o pronomi):

La *mamma* è più magra del *papà*.
Lei pesa meno di *lui*.

Lessico nuovo: –

b. *due qualità* sono riferite ad *un nome:*

Quella macchina è più *bella* che *comoda.*

c. *due azioni* o *due quantità* messe a confronto:

Per me *leggere* è più piacevole che *vedere* un film.
Ho più *cassette* che *dischi.*

d.

Il papà è alto quanto la mamma.	Il papà è	(tanto) alto (così)	quanto come	la mamma.
La mamma è alta quanto magra.	La mamma è	(tanto) alta (così)	quanto come	magra.
Leggere è piacevole quanto vedere un film.	Leggere è	(tanto) piacevole (così)	quanto come	vedere un film.

2. Il superlativo (relativo e assoluto).

Il 13 dicembre è *il* giorno *più corto* dell'anno.
Giorgio è *il più piccolo (il minore)* dei nostri figli.
Dovete finire quel lavoro *il più presto* possibile.

D'inverno le giornate sono cort*issime.*
Giorgio è piccol*issimo:* ha soltanto 10 mesi.
Ci alziamo prest*issimo* ogni giorno, ad eccezione della domenica.

3. Forme particolari di comparazione e di superlativo.

buono	migliore	il migliore	ottimo
cattivo	peggiore	il peggiore	pessimo
grande	maggiore	il maggiore	massimo
piccolo	minore	il minore	minimo

4. Altre forme particolari di superlativo.

Ho lavorato tutto il giorno ed ora non ne posso più: sono *stanco morto!*

sono stanco morto

Che impressione ti ha fatto la moglie di Paolo?
È una brava ragazza, ma è *brutta come la fame!*

è brutta come la fame

Lessico nuovo: –

Franco ha continuato a bere tutta la sera e alla fine era *ubriaco fradicio.*
Ieri Luisa è uscita senza ombrello ed è tornata a casa *bagnata fradicia.*

era ubriaco fradicio
è tornata bagnata fradicia

Marco cambia idea ogni cinque minuti: è proprio *pazzo da legare!*

è pazzo da legare

Perché Luigi esce sempre con Maria?
Perché è *innamorato cotto* di lei.

è innamorato cotto di lei

Quella ragazza ha avuto fortuna: ha sposato un uomo *ricco sfondato* ed ora fa la signora.

un uomo ricco sfondato — fa la signora

Carla ha un armadio *pieno zeppo* di vestiti, ma dice sempre che non ha niente da mettersi.

un armadio pieno zeppo

5. Gli interrogativi.

che? pronome e aggettivo
quale? pronome e aggettivo
chi? solo pronome

Che vuoi fare da grande, Giorgio? — *che?*
Che lavoro vuoi fare da grande, Giorgio?

Qual è il punto debole di questa teoria? — *quale?*
Quali svantaggi presenta la Sua professione?

Chi mi offre una sigaretta? — *chi?*
A *chi* interessa la partita alla tv?

Dove porta questa strada? — *dove?*
Quanto zucchero nel caffè? — *quanto?*
Quando ci daranno un aumento di stipendio? — *quando?*
Perché non dici qualcosa anche tu? — *perché?*

Lessico nuovo: ubriaco - fradicio - bagnato - legare - innamorato - sfondato - zeppo - debole - teoria.

B. Raccontate il contenuto del dialogo introduttivo, completando il seguente testo:

Secondo il signor Miller, l'Italia sarebbe un paese in cui non si può più vivere. Il signor Rossi gli risponde che la situazione italiana non è certo ...., ma comunque non è .... di quella di altri paesi. Il signor Miller continua a dire che in un paese dove ci sono .... poveri .... ricchi non .... una vera democrazia e che, anche se quasi ogni giorno c'è uno ...., nulla cambia. Quando il signor Rossi afferma che è .... facile conservare .... cambiare una situazione, lui risponde che nel suo paese i sindacati sono .... fo .... italiani. Chiede poi al signor Rossi se è vero che c'è un nume .... di ...., soprattutto tra i giovani, e lui gli dice che in effetti quello è il problema .... Il signor Miller aggiunge che in questo senso la situazione del suo paese non è .... quella dell'Italia.

C. Parole con significato contrario.

aver ragione ⟷ aver torto

- Lei *ha ragione*! L'italiano è più facile del tedesco.
- Lei *ha torto!* L'italiano non è più difficile del tedesco.

caro ⟷ a buon mercato

Qui il vino	è	car*o*.	Da noi è	a buon mercato
Qui la benzina	è	car*a*.	Da noi è	
Qui i libri	sono	car*i*.	Da noi sono	
Qui le case	sono	car*e*.	Da noi sono	

pieno ⟷ vuoto

- Quale delle due bottiglie è *vuota?*
- Questa; quella, invece, è *piena di* vino.

largo ⟷ stretto

- La strada è sempre così *stretta*?
- No, fra pochi chilometri diventa più *larga.*

Lessico nuovo: torto - vuoto - largo - stretto - chilometro.

davanti ⟷ dietro

- Chi di voi vuole sedere *davanti*?
- Io, perché Gianni preferisce stare *dietro*.

avanti ⟷ indietro

Che ore fai?
Sono le quattro precise.
Allora il mio orologio va *avanti:*
fa le quattro e cinque.

Che ore fai?
Sono le quattro e dieci.
Allora il mio orologio va *indietro:*
fa le quattro e cinque.

dentro ⟷ fuori

- Restate *fuori* o venite *dentro*?
- Preferiamo restare fuori, perché dentro fa troppo caldo.

IX ***Rispondete alle seguenti domande:***

1. Nel Suo paese sono numerosi gli attentati, le rapine e gli omicidi?
2. Se la Sua risposta è no, dica come mai, secondo Lei, la situazione del Suo paese è migliore di quella di altri paesi.
3. Cosa si dovrebbe fare, secondo Lei, contro le ingiustizie sociali?
4. Se nel Suo paese esiste il diritto di sciopero, dica quali sono i motivi per cui si sciopera di più.
5. Il problema della difesa del posto di lavoro è grave anche nel Suo paese?

Lessico nuovo: dietro - diritto (s.).

X Test

A. Completate le frasi secondo il senso:

1. A Luigi piace più prendere l'autobus .... andare a piedi.
2. Quell'armadio è più bello .... utile.
3. È una zona elegante, per cui l'affitto delle case è ....
4. Vado a letto ...., sempre dopo mezzanotte.
5. I genitori di Marco sono più vecchi .... miei.
6. Vivere in centro è più comodo .... abitare in periferia.
7. L'Europa è .... America.
8. Il vino nero è ....: mi piace più .... quello bianco.
9. Molti hanno la .... abitudine di parlare a voce troppo alta.
10. Sergio è ....: ha vinto due volte al totocalcio.

B. Completate le frasi con le forme convenienti dell'interrogativo:

1. A .... ora e da .... binario parte il treno per Pisa?
2. C'è pasta lunga e pasta corta: .... preferisce?
3. Da .... comincerai a lavorare nel nuovo ufficio?
4. Il vino è finito: .... va a comprarne dell'altro?
5. Luisa è molto arrabbiata: .... le hai detto?
6. .... genere di musica Le piace di più?
7. .... chilometri fa con un litro di benzina questa macchina?
8. .... sono i problemi del vostro paese?
9. Da .... anni vivete in questo appartamento?
10. Con .... sei andato al cinema ieri sera?

C. Scrivete accanto ad ogni parola il suo contrario:

lungo /	comodo /	dentro / ....
largo /	forte /	dietro / ....
pulito /	alto /	avanti / ....
pieno /	vantaggio /	ragione / ....

Lessico nuovo: –

A questo punto Lei conosce
1548 parole italiane

Dino 85

I ***Un popolo del tempo che fu***

Brigitte: È vero che gli Etruschi *vennero* dal Nord attraverso le Alpi e la pianura padana?
Sergio : Questa è soltanto una delle tre principali teorie sulla origine di questa popolazione dell'Italia antica.
Brigitte: E le altre due quali sarebbero?
Sergio : Secondo alcuni studiosi, gli Etruschi *arrivarono* per mare dall'Asia Minore nella prima metà del XII secolo avanti Cristo. Secondo altri, *furono* i più antichi abitanti della regione fra l'Arno e il Tevere che da essi *prese* il nome, cioè l'Etruria.
Brigitte: Se non sbaglio, però, *non si fermarono* lì.
Sergio : Infatti *rivolsero* presto l'attenzione a Roma, dove *si stabilì* una dinastia di re etruschi. Da Roma, l'influenza etrusca *si estese* a tutto il Lazio e poi alla Campania, dove dominavano i Greci. Nello stesso tempo *si spostarono* verso la pianura padana.
Brigitte: Accidenti! Erano un popolo davvero potente!
Sergio : Sì, ma a causa dell'organizzazione politica non perfetta, presto *subirono* sconfitte dai Greci, dai Romani e poi dai Galli, che li *cacciarono* dalla pianura padana.
Brigitte: Dunque *dovettero* rientrare nei confini dell'Etruria?
Sergio : Non solo, ma intorno alla fine del III secolo avanti Cristo *caddero* sotto il dominio dei Romani.
Brigitte: Però *non fecero* solo le guerre!
Sergio : È evidente! *Si dedicarono* anche all'attività letteraria, di cui purtroppo ci sono giunte notizie soltanto da autori greci e latini.
Brigitte: Come mai?
Sergio : La lingua etrusca è rimasta finora un mistero, perché è giunto fino a noi un solo testo di una certa ampiezza. Inoltre, l'interpretazione dell'etrusco risulta notevolmente difficile, in quanto non somiglia a nessuna delle lingue a noi note.
Brigitte: Era importante per loro la religione?
Sergio : Sì, era fondamentale, come dimostra anche la cura che *ebbero* per le tombe.

Lessico nuovo: sedicesimo - etrusco - pianura - padano - origine - popolazione - studioso (s.) - metà - abitante - rivolgere - stabilirsi - dinastia - re - influenza - estendersi - dominare - spostarsi - accidenti! - potente - organizzazione - sconfitta - cacciare - confine - intorno a - dominio - evidente - attività - letterario - autore - greco - finora - mistero - ampiezza - notevolmente - somigliare - noto - religione - fondamentale - tomba.

II ***Ora ripetiamo insieme:***

- È vero che gli Etruschi vennero dal Nord attraverso le Alpi e la pianura padana?
- Se non sbaglio, però, non si fermarono lì.
- Accidenti! Erano un popolo davvero potente!
- Dunque dovettero rientrare nei confini dell'Etruria?
- Però non fecero solo le guerre!
- Era importante per loro la religione?

III ***Rispondete alle seguenti domande:***

1. L'origine degli Etruschi è sicura?
2. Secondo la teoria che conosce Brigitte, da dove vennero gli Etruschi?
3. Dove si trovava l'Etruria?
4. Quale popolo dominava la Campania quando vi giunsero gli Etruschi?
5. Da quali popoli subirono sconfitte gli Etruschi?
6. Cosa successe agli Etruschi verso la fine del III secolo avanti Cristo?
7. Perché le notizie sulla loro attività letteraria ci sono giunte soltanto attraverso autori greci e latini?
8. Perché l'interpretazione della lingua etrusca risulta molto difficile?

IV ***Il passato remoto.***

A. Come il passato prossimo, il passato remoto è un tempo perfetto. Prima di esaminare le differenze d'uso fra le due forme del perfetto, vediamo la coniugazione regolare e irregolare del passato remoto:

1.

-are	*-ere*	*-ire*
arriv ai	cred ei (-etti)	fin ii
asti	esti	isti
ò	é (-ette)	í
ammo	emmo	immo
aste	este	iste
arono	erono (-ettero)	irono

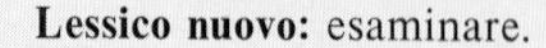

Lessico nuovo: esaminare.

2. Altri verbi seguono modelli diversi:

a.

avere	*essere*
ebbi	fui
avesti	fosti
ebbe	fu
avemmo	fummo
aveste	foste
ebbero	furono

b. Verbi in *-dere*

		si
chiedere	chie	desti
chiudere	chiu	*se*
decidere	deci	demmo
dividere	divi	deste
		sero

-ndere

prendere	pre	*si*
pretendere	prete	ndesti
rendere	re	*se*
rispondere	rispo	ndemmo
scendere	sce	ndeste
spendere	spe	*sero*

c. Verbi in *-cere*

convincere	convin	*si*
		cesti
		se
		cemmo
		ceste
		sero

-gere

		si
costringere	costrin	gesti
giungere	giun	*se*
		gemmo
		geste
		sero

d.

correre	cor	*si*	corr	esti
rimanere	rima	*se*	riman	emmo
		sero		este

Come potete vedere di seguito, i verbi che hanno modelli di coniugazione diversa sono irregolari soltanto in tre persone:

verbo regolare	*verbo irregolare*
credERE	chied*ere*
credei (-etti)	chie*si*
credesti	chiedesti
credé (-ette)	chie*se*
credemmo	chiedemmo
credeste	chiedeste
crederono (-ettero)	chie*sero*

Lessico nuovo: seguito (di s.).

3. Pochi altri verbi hanno, invece, una coniugazione particolare:

a.

bere	bevvi	bevve	bevvero
cadere	caddi	cadde	caddero
conoscere	conobbi	conobbe	conobbero
sapere	seppi	seppe	seppero
tenere	tenni	tenne	tennero
venire	venni	venne	vennero
volere	volli	volle	vollero

b.

fare	*dare*	*stare*
feci	diedi (detti)	stetti
facesti	desti	stesti
fece	diede (dette)	stette
facemmo	demmo	stemmo
faceste	deste	steste
fecero	diedero (dettero)	stettero

c.

mettere	*vedere*	*dire*
misi	vidi	dissi
mettesti	vedesti	dicesti
mise	vide	disse
mettemmo	vedemmo	dicemmo
metteste	vedeste	diceste
misero	videro	dissero

Lessico nuovo: -

4. Trasformate ora le seguenti frasi dal plurale al singolare:

1. Nel 1983 chiedemmo una borsa di studio, ma non l'ottenemmo.

   ....

2. All'esame traducemmo un testo in italiano e facemmo diversi errori gravi.

   ....

3. Decidemmo di passare il fine-settimana in una famosa località della Svizzera e spendemmo un occhio della testa.

   ....

4. Giungemmo a Napoli di notte e avemmo non pochi problemi per trovare un albergo.

   ....

5. Leggemmo un annuncio sul giornale e concludemmo l'affare su due piedi.

   ....

6. Stemmo ad ascoltarlo per qualche minuto e poi gli dicemmo che non eravamo d'accordo con lui.

   ....

7. Quella sera bevemmo troppo e la mattina dopo non fummo in grado di andare al lavoro.

   ....

8. Sapemmo da Rita che Giulio aveva bisogno di aiuto e corremmo subito da lui.

   ....

9. Demmo sei esami e poi smettemmo di frequentare l'università per motivi economici.

   ....

10. Cademmo sciando e rimanemmo a letto per un mese.

    ....

B. Uso del perfetto (passato prossimo e passato remoto).

Contrariamente a quanto lasciano pensare i termini "prossimo" e "remoto", la scelta dell'una o dell'altra forma del perfetto non dipende dal fattore *tempo.*
Il passato prossimo, infatti, si usa per:

1) azioni vicine nel tempo, legate al presente;
2) azioni lontane nel tempo, ma che esprimono fatti per i quali il parlante prova interesse.

Ho scritto proprio ieri a Giulio.
Dante Alighieri *ha scritto* numerose opere.

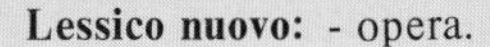

Lessico nuovo: - opera.

Il passato remoto, viceversa, si usa per:

1) azioni lontane nel tempo, in nessun modo legate al presente;
2) azioni anche vicine nel tempo, che però esprimono fatti per i quali il parlante non prova alcun interesse.

Nella prima guerra mondiale *trovarono* la morte moltissimi soldati.
Qualche tempo fa *conobbi* anch'io la persona di cui state parlando.

Per concludere, possiamo dire che, a parte alcuni casi di italiano regionale nel quale ricorre esclusivamente o il passato remoto o il passato prossimo, le due forme del perfetto vengono usate nel modo indicato sopra.
Poiché in entrambi i casi n. 2 la scelta dell'una o dell'altra forma del perfetto dipende soltanto dall'interesse che il parlante prova per i fatti che racconta, i pensieri possono essere espressi tanto con il passato prossimo, quanto con il passato remoto:

- Dante Alighieri | *ha scritto* / *scrisse* | numerose opere.

- Qualche tempo fa | *conobbi* / *ho conosciuto* | anch'io la persona di cui state parlando.

1. Ed ora completate le frasi con la forma conveniente del perfetto:

Mesi fa Lucio mi *confessò* che il suo matrimonio era in crisi. (confessare)
Giorni fa Lucio mi *ha confessato* che il suo matrimonio è finito.

1. Gli Etruschi non .... nell'Etruria, ma .... fino alla Campania. (fermarsi/arrivare)
2. Quest'anno noi .... alle vacanze. (rinunciare)
3. Da due anni a questa parte il numero dei disoccupati .... (salire)
4. Dieci anni fa in questa città .... un fatto di cui .... tutti i giornali. (succedere) (parlare)
5. L'ultima volta che lui e Franca .... un viaggio insieme .... nel 1976. (fare) (essere)
6. Le foto che Carlo mi .... domenica scorsa non .... bene. (fare) (venire)

Lessico nuovo: viceversa - morte - soldato - ricorrere - esclusivamente - pensiero.

7. Nostro figlio ormai .... grande e .... (diventare/decidere) di andare a vivere da solo.
8. Il signor Rossi .... la fortuna di mettersi (avere) negli affari al momento giusto ed ora è ricchissimo.
9. Quel giorno Luigi .... e .... senza (offendersi) salutare nessuno. (andarsene)
10. Negli ultimi tempi il costo della vita .... e (salire) gli stipendi .... gli stessi. (rimanere)

V

1. Completate i dialoghi secondo il modello:

Quando vedesti Giorgio per l'ultima volta? Lo *vidi* due anni fa, quando andai a trovarlo a Milano.

1. Convincesti tu Luisa a finire gli studi?
   Sì, la .... io, ma non fu facile.
2. Per andare in Sicilia prendesti il treno o l'aereo?
   .... l'aereo, perché con il treno ci volevano troppe ore.
3. Quanto tempo tenesti la prima macchina?
   La .... soltanto un anno e poi ne comprai una più potente.
4. Da chi sapesti che Luisa stava male?
   Lo .... da Marta, che incontrai per caso in banca.
5. A Genova mettesti la macchina in un garage pubblico?
   No, la .... nel garage dei miei amici.
6. A chi desti le chiavi di casa quando partisti per le vacanze?
   Le .... ad una persona di fiducia, la stessa degli anni precedenti.
7. Facesti tardi quando andasti a cena da Luigi?
   Sì, ... tardi, anche perché tornando a casa accompagnai Laura e Carla.
8. Quella volta giungesti in tempo alla cerimonia?
   No, purtroppo .... con una mezz'ora di ritardo e non sentii la prima parte del discorso ufficiale.
9. A chi chiedesti un prestito per comprare l'appartamento?
   Lo .... alla banca, perché nessuno dei miei amici poteva aiutarmi.
10. In che mese prendesti le ferie l'anno scorso?
    Le .... in giugno, per portare al mare i bambini.

Lessico nuovo: –

2. Completate le frasi con il passato remoto o con il passato prossimo, secondo il senso:

Quell'anno *cambiai* casa due volte.	(cambiare)
Quest'anno *ho passato* le vacanze in montagna.	(passare)

1. Franco .... di casa pochi minuti fa. (uscire)
2. I nostri genitori .... una casa al mare tanti anni fa, per pochi soldi. (comprare)
3. .... per quattro ore ed ora vorrei riposarmi. (lavorare)
4. Cosa ....di bello il fine-settimana scorso, ragazzi? (fare)
5. Napoleone .... nel 1821. (morire)
6. Ieri sera tu .... troppo! (bere)
7. Stamattina .... molto. (piovere)
8. Con quel brutto tempo noi .... di restare a casa. (decidere)
9. Quell'anno .... molti incidenti aerei. (accadere)
10. Poco fa .... che mio figlio ha superato l'ultimo esame. (sapere)

VI *Gli indefiniti.*

Gli indefiniti possono essere:

a) solo aggettivi
b) solo pronomi
c) sia aggettivi che pronomi

Lessico nuovo: –

a) Indefiniti solo aggettivi.

Non si possono usare da soli. Normalmente precedono il sostantivo; solo "qualsiasi" e "qualunque" possono anche seguirlo.

SINGOLARE		PLURALE	
maschile	*femminile*	*maschile*	*femminile*
ogni qualche qualsiasi qualunque		– – – –	
certo	certa	certi	certe

1. *Ogni:* Significa una totalità di persone o cose considerate singolarmente. Non si accorda nel genere con il sostantivo che precede. Per il plurale si usa "tutti", "tutte".

Ogni italian*o* o quasi, parla un dialetto.
Ogni person*a* ha i suoi problemi.
In questo libro puoi trovare esempi di *ogni* varietà regionale.
In *ogni* città ci sono tesori d'arte.

2. *Qualche:* esprime una quantità indeterminata e non grande. Non si accorda nel genere con il sostantivo che precede. Per il plurale si usa "alcuni", "alcune".

Qualche volta andiamo a cena fuori. (più di una volta, ma comunque non molte)
Ho ancora *qualche* dubbio su quella faccenda.

Lessico nuovo: qualunque - totalità - considerare - singolarmente - indeterminato.
Termini tecnici: sostantivo.

3. *Qualsiasi / qualunque:* Significano una unità indeterminata, e perciò possono essere preceduti dall'articolo indeterminativo. Possono precedere o seguire il sostantivo. In alcune strutture la loro presenza determina l'uso del congiuntivo (v. Unità 18 e 20).

   Qualsiasi ragazza ci tiene a seguire la moda.
   Non mi va di ascoltare un disco *qualsiasi*: vorrei sceglierne uno da me.
   Farei *qualunque* cosa (ogni cosa) per lei.
   Qualunque persona (una persona *qualunque)* potrebbe aiutarti in questo caso.
   Potete venire un giorno *qualunque* (un *qualunque* giorno) della prossima settimana.

4. *Certo:* Al singolare è di solito preceduto dall'articolo indeterminativo (un, una). Si accorda con il sostantivo nel genere e nel numero.

   Ti ha cercato *un certo* signor Bianchi.
   Ti ha telefonato *una certa* signora Rossi.
   In *certe* occasioni uno non sa come comportarsi.
   Certi modi di fare mi danno ai nervi.

   Nota: Se precede il sostantivo, *certo* ha valore di indefinito; se, viceversa, lo segue, assume il valore di aggettivo qualificativo:

   È un lavoro che dà un *certo* guadagno. (= un po' di guadagno)
   È un lavoro che dà un guadagno *certo*. (= un guadagno sicuro)

b) Indefiniti solo pronomi.

Si usano sempre da soli e soltanto al singolare.

MASCHILE	FEMMINILE
uno ognuno qualcuno	una ognuna qualcuna
chiunque	

◁ si riferiscono a persone

si riferiscono a cose ▷

qualcosa
nulla
niente

si riferisce a persone o a cose ▷

MASCHILE	FEMMINILE
qualcuno	qualcuna

Lessico nuovo: presenza - determinare - nervo - assumere - ognuno - chiunque.
Termini tecnici: struttura - congiuntivo - qualificativo.

1. *Uno:* Si riferisce a persone lasciate indeterminate.

Se *uno* studia le lingue da bambino, le impara con minore fatica.
Quando *uno* parla in dialetto, non tutti lo capiscono.
Quando *una* è madre di famiglia, ha poco tempo libero.
Parliamo di *uno* che non conosci.

Nota: Se *uno* è usato in coppia con "altro", deve essere preceduto dall'articolo e può avere anche il plurale.

Marco e Sergio si aiutano *l'un l'altro.*
Sia *gli uni* che *gli altri* parlano l'inglese.

2. *Ognuno:* Come l'aggettivo "ogni", indica una totalità di persone considerate singolarmente.

Ognuno deve fare il proprio dovere.
Ognuna delle persone con cui ho parlato sapeva bene l'italiano.

3. *Qualcuno:* Indica una quantità indeterminata e non grande.

Qualcuno potrebbe pensare male di te.
A *qualcuno* potrebbe sembrare strano.
Siete in tante: *qualcuna* di voi saprà suonare il pianoforte, spero.

4. *Chiunque:* Significa "qualsiasi persona".

Chiunque sarebbe caduto in quello scherzo.
Una macchina così bella non può averla *chiunque.*

5. *Qualcosa:* Significa "qualche cosa". Nelle forme composte il verbo si accorda con esso al maschile.

C'è *qualcosa* che non va?
Vorrei *qualcosa* di diverso.
È successo *qualcosa* di grave?

6. *Niente / nulla:* Significano "nessuna cosa". Nei tempi composti il verbo si accorda con essi al maschile.

Ha parlato per mezz'ora senza dire *nulla.*
Non c'è niente di nuovo.
Grazie mille! Di *nulla* (di niente).
Per fortuna *non è* successo *nulla* (niente) di grave.
Niente è perduto.

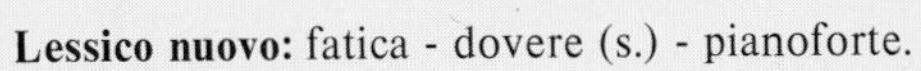

Lessico nuovo: fatica - dovere (s.) - pianoforte.
Termini tecnici: negazione.

Nota: Se "niente", "nulla" e "nessuno" seguono il verbo, la negazione si ripete:

Non è venuto *nessuno.*
Non è successo *niente.*
Non ho capito *nulla.*

Se, viceversa, essi precedono il verbo, la negazione *non* si ripete:

Niente è perduto.
Nulla gli fa paura.
Nessuno può farmi cambiare idea.

c) Indefiniti aggettivi e pronomi.

SINGOLARE		PLURALE	
maschile	*femminile*	*maschile*	*femminile*
ciascuno	ciascuna	—	—
nessuno	nessuna	—	—
alcuno	alcuna	alcuni	alcune
altro	altra	altri	altre
molto	molta	molti	molte
tanto	tanta	tanti	tante
parecchio	parecchia	parecchi	parecchie
poco	poca	pochi	poche
troppo	troppa	troppi	troppe
quanto	quanta	quanti	quante
tale	tale	tali	tali
tutto	tutta	tutti	tutte

1. *Ciascuno:*Come "ogni" e "ognuno", esprime una totalità di persone o cose considerate singolarmente. Come aggettivo prende le terminazioni dell'articolo indeterminativo (un, uno, una).

Qui *ciascuno* fa a modo suo.
Qui *ciascuna* persona fa a modo suo.
Ciascun libro deve essere messo al suo posto.
Ciascuno di questi libri deve essere messo al suo posto.

Lessico nuovo: parecchio.
Termini tecnici: terminazione.

2. *Nessuno:* Rappresenta il contrario di "ognuno" e "ciascuno". Come aggettivo prende le terminazioni dell'articolo indeterminativo. Se segue il verbo, questo deve essere alla forma negativa (v. nota al punto b.6).

   Nessuno ti capisce meglio di me.
   Nessuno di voi capisce il dialetto di questa regione?
   Non abbiamo *nessun* disco di musica leggera.
   In *nessuna* occasione ho potuto parlare dei miei problemi.

3. *Alcuno:* Si usa al singolare e al plurale. Al singolare si usa solo in frasi negative o dopo la preposizione "senza", con lo stesso valore di "nessuno". Al plurale indica una quantità limitata. Come "ciascuno" e "nessuno", prende le terminazioni dell'articolo indeterminativo.

Non ho *alcuna* idea su cosa regalare a Marta.	(= nessuna idea)
Non ho *alcun* interesse a fare come dice lei.	(= nessun interesse)
Alcune volte mi succede di capire male.	(= qualche volta)
Alcuni nostri compagni d'università sono andati in gita a Pompei.	(= qualche compagno)

4. *Altro:* Se usato con l'articolo, indica persone; senza articolo di solito indica cose.

   Mi sembrava Marco, invece era un *altro.*
   Sia *gli uni* che *gli altri* parlano l'inglese.
   Carla non fa *altro* che lavorare.
   Per conto mio non ho *altro* da dire.
   Desidera *altro*?

Lessico nuovo: rappresentare - limitato.

5. *Molto, tanto, parecchio, poco, troppo, quanto:* esprimono una quantità indefinita. Come pronomi, al singolare si riferiscono a cose, mentre al plurale possono indicare sia persone che cose.

Studia *molto,* ma impara poco.
Molti non vanno mai in vacanza.
Passa *tante* ore a studiare, eppure fa pochi progressi.
Ho ancora *parecchie* pagine per finire il libro.
Luigi ha *poco* tempo per la famiglia.
Siamo usciti quasi subito, perché c'era *troppa* confusione.
Se si trova bene qui, resti pure *quanto* vuole!

6. *Tale:* Si usa soprattutto come pronome, preceduto dall'articolo indeterminativo.

Un tale ha lasciato questa lettera per te.
C'è *una tale* che chiede di te.
Ho incontrato *dei tali* che ti conoscono.

7. *Tutto:* Indica totalità o interezza. Rappresenta il contrario di "nessuno" e "niente".

So *tutto* di lui.
Siamo rimasti a casa *tutto* il giorno.
Tutta la gente sembra contenta del nuovo presidente.
Tutte le persone hanno qualche problema.
Tutti i giorni succede qualcosa.
Tutti desiderano fare carriera.

Lessico nuovo: confusione - interezza.

Osservate!

a. Ordine delle parole con "tutto":

1. Tutta la gente → "tutto" + articolo + sostantivo
   Tutta questa gente → "tutto" + dimostrativo + sostantivo
2. Tutti e due → "tutto" + "e" + numero
   Tutte e cinque le ragazze → "tutto" + "e" + numero + articolo + sostantivo

b. "Tutto" non è mai seguito direttamente dal pronome relativo "che":

Ti ho raccontato *tutto* [*ciò* / *quello*] *che* sapevo.

Tutti [*coloro* / *quelli*] *che* lavorano devono pagare le tasse.

VII

1. Trasformate le seguenti frasi secondo il modello:

> *Qualche* ann*o* fa vinsi un milione al totocalcio.
> *Alcuni* ann*i* fa vinsi un milione al totocalcio.

1. Qualche volta mi addormento davanti alla televisione.
   ....
2. Ormai siete in grado di leggere anche qualche quotidiano.
   ....
3. Qualche fotografia non è riuscita bene.
   ....
4. Fa ancora freddo, ma qualche albero è già in fiore.
   ....
5. Per qualche quadro non ho ancora trovato la cornice adatta.
   ....

Lessico nuovo: tassa.
Termini tecnici: dimostrativo.

2. Completate le frasi secondo il senso:

1. Ormai capisco quasi .... ciò che leggo.
2. In quell'albergo .... le camere hanno il bagno.
3. .... anno facciamo due settimane di cure termali.
4. Sai .... di quella faccenda? No, non ne so ....
5. In un .... senso ha ragione Marco.
6. Avete fatto la gita da soli o con .... amico?
7. Vorrei .... di fresco da bere.
8. Queste cose possono succedere a ....
9. Non abbiamo comprato .... perché era tutto troppo caro.
10. .... dovrebbe pensare ai fatti suoi.

VIII

A. Raccontate il contenuto del dialogo introduttivo, completando il seguente testo:

Secondo una delle tre principali teorie in questo campo, gli Etruschi .... i più antichi .... della regione fra l'Arno e il Tevere che da essi .... il nome, ... l'Etruria.
Presto .... l'attenzione a Roma, dove .... una .... di re etruschi.
L'influenza etrusca .... a tutto il Lazio e anche alla Campania.
Nello stesso tempo .... verso la pianura padana.
.... diverse sconfitte da parte dei Greci, dei Romani e dei Galli e intorno alla fine del III secolo avanti Cristo .... sotto il dominio dei Romani. Gli Etruschi .... anche all'attività letteraria, ma la loro lingua è di difficile .... in quanto non .... a nessuna delle lingue a noi ....

Lessico nuovo: -

B. «Come si dice»

Sinonimi

1.

diverso - vario

Hanno lo stesso significato solo se precedono un sostantivo al plurale (o che ha valore di plurale, come "gente"). In questo caso indicano entrambi una quantità indeterminata, ma comunque *grande:*

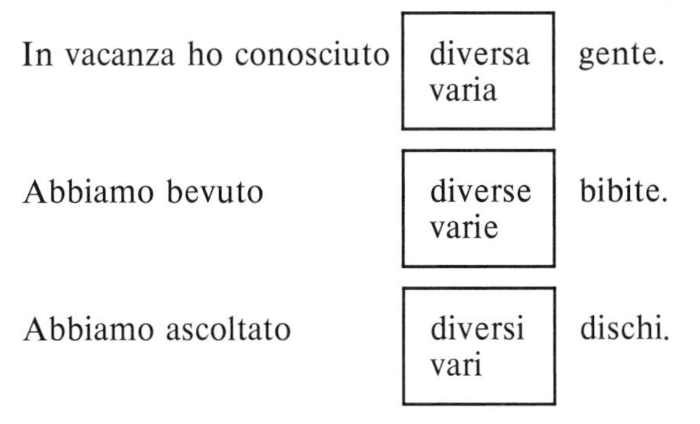

In vacanza ho conosciuto | diversa / varia | gente.

Abbiamo bevuto | diverse / varie | bibite.

Abbiamo ascoltato | diversi / vari | dischi.

Quando seguono il sostantivo, prendono significati differenti:

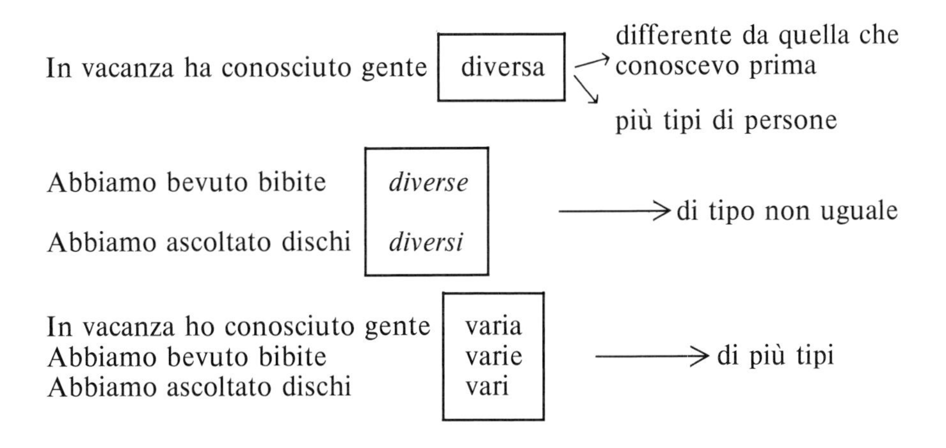

In vacanza ha conosciuto gente | diversa | → differente da quella che conoscevo prima; → più tipi di persone

Abbiamo bevuto bibite | *diverse*
Abbiamo ascoltato dischi | *diversi*
→ di tipo non uguale

In vacanza ho conosciuto gente | varia
Abbiamo bevuto bibite | varie
Abbiamo ascoltato dischi | vari
→ di più tipi

Lessico nuovo: sinonimo - differente.

Osservate!

diversi / *vari* dischi	=	*numerosi* dischi
dischi *diversi*	=	dischi di tipo *non uguale*
dischi *vari*	=	dischi *di più tipi*

2. ognuno - ciascuno

Ognuno / Ciascuno di voi può fare ciò che vuole.

Qui ognuno / ciascuno fa ciò che vuole.

ma:

Qui ciascuna / ogni persona fa ciò che vuole.

3. qualche - alcuni/e

Mi manca solo *qualche* pagin*a* per finire il libro.	= Mi mancano solo *alcune* pagin*e* per finire il libro.
C'è ancora *qualche* giorn*o* di tempo.	= Ci sono ancora *alcuni* giorn*i* di tempo.

Lessico nuovo: –

4. molto - tanto

Ci vuole *molta* pazienza per fare bene questo lavoro.	= Ci vuole *tanta* pazienza per fare bene questo lavoro.
I cacciatori hanno ucciso *molti* uccelli in volo.	= I cacciatori hanno ucciso *tanti* uccelli in volo.
In questi ultimi giorni ho lavorato *molto*.	= In questi ultimi giorni ho lavorato *tanto*.
I formaggi francesi sono *molto* buoni.	= I formaggi francesi sono *tanto* buoni.

5. ogni - tutti/e

Ogni volt*a* che parcheggio la macchina in centro, prendo la multa.	= Tutt*e* *le* volt*e* che parcheggio la macchina in centro, prendo la multa.
È un bambino terribile: ogni giorn*o* rompe qualcosa.	= È un bambino terribile: tutt*i* *i* giorn*i* rompe qualcosa.

ogni volt*a* = tutt*e* *le* volt*e*
ogni giorn*o* = tutt*i* *i* giorn*i*

Lessico nuovo: cacciatore - uccidere - uccello - volo - formaggio - multa - terribile - rompere.

IX ***Rispondete alle seguenti domande:***

1. Chi furono i più antichi abitanti del Suo paese?
2. Da dove arrivarono?
3. Esistono diverse teorie sulla loro origine?
4. Ci sono ancora oggi dei segni della loro presenza nel paese?
5. L'interpretazione della loro lingua risulta difficile? Perché?

X ***Test***

A. Mettete al passato remoto le seguenti frasi:

1. Ho chiesto in prestito la macchina da scrivere a Luigi, ma non me l'ha data perché quel giorno serviva a lui.
   ....
2. Marco ha saputo che c'era lo sciopero dei treni soltanto quando è giunto alla stazione.
   ....
3. Per tutto il tempo che sono stati in Italia hanno bevuto soltanto vino.
   ....
4. Non ho visto quel film alla tv, perché sono giunto in ritardo a casa.
   ....
5. Laura ha voluto provare a sciare ed è caduta subito.
   ....

B. Mettete al singolare le seguenti frasi:

1. Tenemmo la macchina fino al 1980 e poi la vendemmo, perché la usavamo pochissimo.
   ....
2. Facemmo un giro per i negozi, ma non vedemmo niente di interessante.
   ....
3. In quell'albergo stemmo bene e spendemmo relativamente poco.
   ....
4. Mettemmo delle condizioni precise e convincemmo Sergio ad accettarle.
   ....
5. Traducemmo senza errori un testo difficile e prendemmo un bel voto.
   ....

Lessico nuovo: –

C. Completate le frasi con la forma conveniente dell'indefinito:

1. Ci sono .... teorie sull'origine degli Etruschi.
2. .... volta che decido di fare una passeggiata si mette a piovere!
3. I libri che vi servono potete trovarli in .... libreria.
4. Devo uscire, ma se hai .... d'importante da dirmi, mi fermo.
5. .... discorsi non si fanno in pubblico.
6. Quando .... parla, deve sapere ciò che dice.
7. Marco presta la macchina a ....
8. Devo confessare che non capisco quasi .... quando una persona parla in fretta.
9. .... paga per sé, perché .... di noi ha abbastanza soldi per offrire da bere agli altri.
10. .... preferiscono il mare, altri la montagna.

D. Fate il X test.

Lessico nuovo: -

A questo punto Lei conosce
1626 parole italiane

Dino 85

diciassettesima unità
(unità numero diciassette)

il piuccheperfetto
la concordanza dei tempi dell'indicativo

I ***Il prezzo del progresso***

Maria: *So* che a Pasqua *sei stata* in vacanza in un piccolo paese di mare. Ma *non avevi detto* che *saresti andata* all'estero?

Carla : È vero, ma all'ultimo momento mi *è saltata* in mente l'idea *di tornare* dove *ero stata* tante volte da bambina.

Maria: Insomma hai voluto fare un tuffo nel passato?

Carla : Sì, *volevo* vedere se quel posto *era rimasto* come *me* lo *ricordavo.*

Maria: E che cosa hai scoperto?

Carla : *Ho visto* subito che tutto *era cambiato,* dal paesaggio al modo di vita della gente. Molti pescatori *avevano abbandonato* il mare per un lavoro forse più faticoso, ma comunque più conveniente. E non ti dico come *sono rimasta* delusa nel vedere che perfino le piccole case lungo la spiaggia *avevano lasciato* il posto ad enormi edifici dall'aspetto grigio e triste.

Maria: Posso capirti. Una delusione altrettanto profonda la provai anch'io quando tornai nei luoghi della mia infanzia. La piccola città di provincia dove sono nata e dalla quale mancavo da oltre quindici anni mi apparve subito estranea.

Carla : Forse perché nel frattempo *si era ingrandita* e *aveva cambiato* aspetto.

Maria: Sì, la vecchia periferia *era diventata* ormai centro ed i nuovi quartieri *avevano cancellato* i prati su cui *andavo* a giocare da bambina.

Carla : A me *ha fatto* impressione vedere come le industrie sorte nella zona in questi anni *avevano inquinato* l'aria e il mare. Insomma, quello che un tempo mi *era sembrato* un angolo di paradiso *è* ora *diventato* peggio di una città industriale.

Maria: Che ci vuoi fare! Noi siamo state fortunate a vivere almeno il periodo dell'infanzia a contatto con la natura. Allora che dovrebbero dire i bambini di oggi?

Lessico nuovo: diciassettesimo - Pasqua - mente - tuffo - scoprire - paesaggio - pescatore - abbandonare - deluso - perfino - enorme - edificio - triste - delusione - altrettanto - profondo - infanzia - provincia - apparire - estraneo (agg.) - frattempo (nel f.) - ingrandirsi - quartiere - cancellare - prato - industria - sorgere - inquinare - angolo - paradiso - peggio - contatto (a c.) - natura.
Termini tecnici: piuccheperfetto - concordanza.

II ***Ora ripetiamo insieme:***

- Ho saputo che sei stata in vacanza in un piccolo paese di mare.
- Ma non avevi detto che saresti andata all'estero?
- Mi è saltata in mente l'idea di tornare dove ero stata da bambina.
- E che cosa hai scoperto?
- Ho visto subito che tutto era cambiato. E non ti dico come sono rimasta delusa!
- Posso capirti. Una delusione altrettanto profonda la provai anch'io quando tornai nei luoghi della mia infanzia.

III ***Rispondete alle seguenti domande:***

1. Perché Maria è sorpresa di sentire che Carla è stata in vacanza in un piccolo paese di mare?
2. Perché all'ultimo momento Carla ha cambiato idea?
3. Perché Carla desiderava tornare in quel piccolo paese?
4. In che senso è rimasta delusa?
5. Che cosa le ha fatto impressione?
6. Che cosa provò Maria quando tornò nei luoghi della sua infanzia?
7. In che senso era cambiata la piccola città in cui è nata?
8. Perché, secondo Maria, lei e la sua amica sono state fortunate rispetto ai bambini di oggi?

Lessico nuovo: -

IV *Il piuccheperfetto (trapassato prossimo e trapassato remoto).*

Osserviamo le seguenti frasi:

Ho visto subito che tutto *era cambiato.*

Ho notato che le piccole case *avevano lasciato* il posto ad enormi edifici.

La città mi *apparve* estranea perché *aveva cambiato* aspetto.

Volevo vedere se quel posto *era rimasto* come me lo ricordavo.

Quello che mi *era sembrato* un angolo di paradiso, *è diventato* peggio di una città industriale.

Come vedete, il piuccheperfetto (trapassato) serve per esprimere un'azione *passata,* avvenuta *prima* di un'altra anch'essa *passata.*

1. Ora vediamo le forme del trapassato prossimo:

cambi*are*			riman*ere*		sent*ire*		
	avevo		ero	rimasto/a deluso/a		avevo	
Con	avevi		eri			avevi	
gli	aveva	cambiato	era		Le	aveva	sentito
anni	avevamo	aspetto	eravamo	rimasti/e delusi/e	notizie	avevamo	erano vere
	avevate		eravate		che	avevate	
	avevano		erano			avevano	

avere			*essere*		
avevo			ero	stato/a	
avevi			eri		tante volte
aveva	avuto	una brutta	era		in quel
avevamo		impressione	eravamo	stati/e	piccolo paese
avevate			eravate		
avevano			erano		

TRAPASSATO PROSSIMO = *imperfetto* di "essere" o "avere" + *participio passato* del verbo che si vuole usare.

Lessico nuovo: –
Termini tecnici: trapassato.

2. Differenza fra i tempi passati ed il trapassato.

Dal presente al passato	Dal passato al trapassato
Voglio vedere se quel posto *è rimasto* come me lo ricordo.	*Volevo* vedere se quel posto *era rimasto* come me lo ricordavo.
La città mi *appare* estranea perché *ha cambiato* aspetto.	La città mi *apparve* estranea perché *aveva cambiato* aspetto.
Vedo che tutto *è cambiato*	*Ho visto* che tutto *era cambiato.*
un'azione accaduta prima del presente = *passato*	un'azione accaduta prima del passato = *trapassato*
Oggi *rispondo* alle lettere che *ho ricevuto* ieri.	Ieri *ho risposto* alle lettere che *avevo ricevuto* l'altro ieri.
	L'altro ieri *risposi* alle lettere che *avevo ricevuto* nei giorni precedenti.

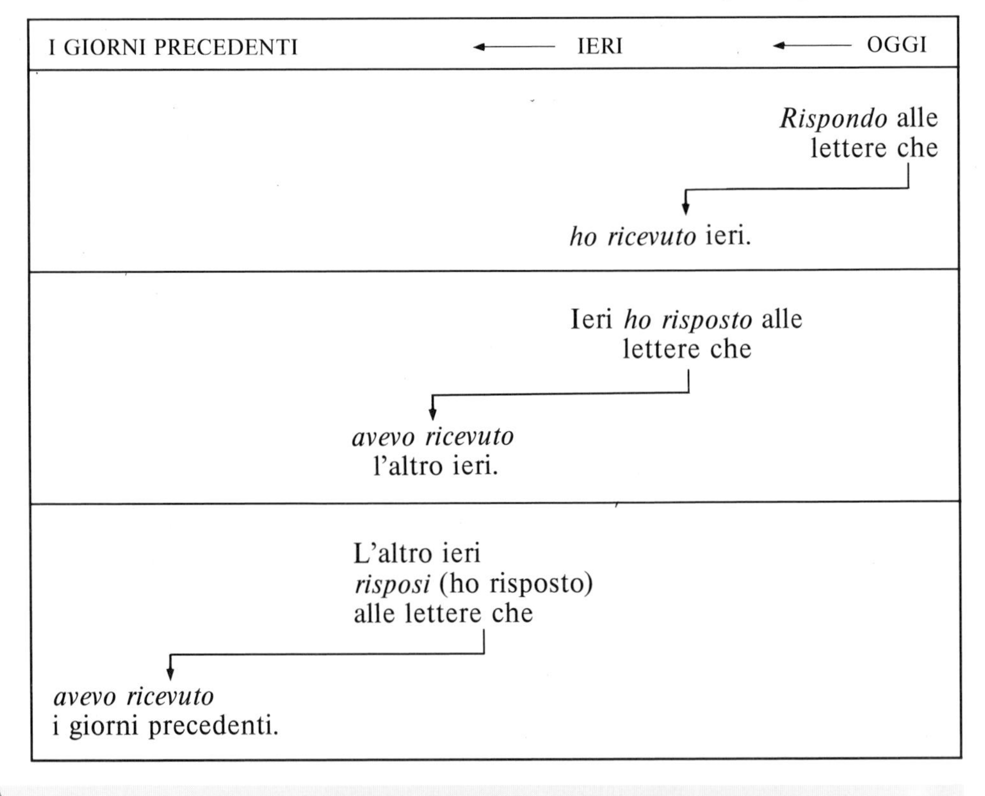

I GIORNI PRECEDENTI
IERI
OGGI
Rispondo alle lettere che
ho ricevuto ieri.
Ieri *ho risposto* alle lettere che
avevo ricevuto l'altro ieri.
L'altro ieri *risposi* (ho risposto) alle lettere che
avevo ricevuto i giorni precedenti.

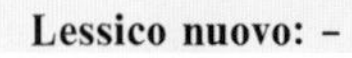

Lessico nuovo: –

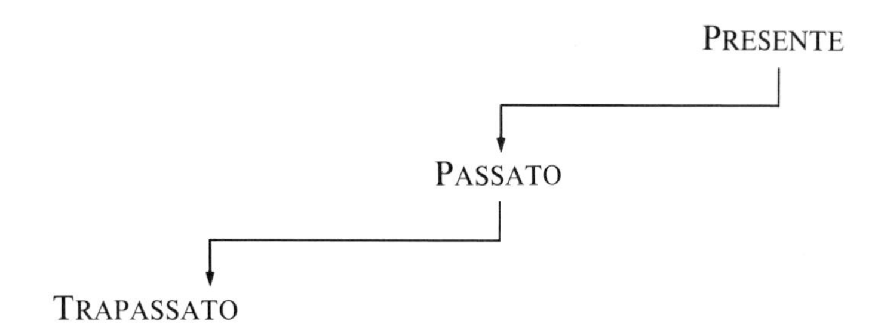

Nota: Non sempre per un'azione accaduta prima di un'altra passata è necessario usare il trapassato.

Lo stesso pensiero si può esprimere in diversi modi, secondo le intenzioni del parlante:

a) Ha risposto a tutte le lettere e poi è andato a letto.
b) È andato a letto dopo che *aveva risposto* a tutte le lettere.
c) È andato a letto dopo *aver risposto* a tutte le lettere.

Nel caso a) il parlante *non vuole* mettere in evidenza il rapporto di tempo fra le due azioni, per cui l'enunciato è formato da due frasi indipendenti. Nei casi b) e c), viceversa, il parlante *vuole* sottolineare il fatto che un'azione è avvenuta prima dell'altra.

3. Uso indipendente del trapassato prossimo.

Fin qui abbiamo visto che il trapassato si usa per esprimere un'azione passata, avvenuta prima di un'altra anch'essa passata:

Ho risposto alle lettere che *avevo ricevuto.*
Sono uscito dopo che *avevo risposto* alle lettere.

Il trapassato, però, si può usare anche da solo, cioè quando l'azione passata a cui esso si riferisce non è espressa, ma è soltanto nella mente del parlante:

- Prendiamo la macchina o andiamo a piedi?
- Dobbiamo andare per forza a piedi: oggi non abbiamo la macchina.
- Ah, già, è dal meccanico: non ci *avevo pensato!*

Lessico nuovo: evidenza - rapporto - indipendente.
Termini tecnici: enunciato.

Osservate ora la differenza fra le seguenti frasi:

1.a. *Non ho mai provato* la gioia di vivere a contatto con la natura. 1.b. Carla *non è mai andata* all'estero.	=	Azione *non realizzata* fino al momento in cui parlo.
2.a. *Non avevo mai provato* la gioia di vivere a contatto con la natura. 2.b. Carla *non era mai andata* all'estero.	=	Azione *realizzata:* - nel momento in cui parlo; - prima del momento passato di cui sto parlando.

Nota: Come nel caso delle altre forme composte, anche con il trapassato parole come "sempre", "mai", "ancora", "già", "appena", "anche", "più" si trovano abitualmente fra l'ausiliare ed il participio passato:

- Avevo *sempre* desiderato vivere a contatto con la natura e finalmente ora posso farlo.
- Non avevo *mai* visto un paesaggio bello come questo.
- A quel tempo non avevo *ancora* compiuto diciott'anni.
- Nel 1970 ero *già* andata a vivere da sola.

4. Uso del trapassato remoto.

Parlando di *piuccheperfetto,* ci siamo riferiti fin qui al *trapassato prossimo.*
Esiste, però, anche un'altra forma di piuccheperfetto, cioè il *trapassato remoto:* Appena *ebbe visto* che gli amici *erano andati* via, *tornò* a casa.
Come vedete, l'azione espressa dal trapassato prossimo *(erano andati via)* è anteriore anche a quella espressa dal trapassato remoto *(ebbe visto).*
L'uso di questo tempo è piuttosto raro, poiché si tende a sostituirlo con altre forme.
Si costruisce con il passato remoto dei verbi ausiliari "avere" o "essere" più il participio passato del verbo che si vuole usare:

Lessico nuovo: gioia - tendere.

Appena Non appena Dopo che Quando	*ebbi lasciato* l'impiego, *fui rimasto* senza lavoro,	*mi accorsi* di aver fatto un grosso errore.

Come si vede, il trapassato remoto *si può* usare soltanto se:

1) il verbo principale è al passato remoto;
2) il verbo dipendente è preceduto da "appena", "non appena", "dopo che", "quando".

Spesso al posto del trapassato remoto si usano forme diverse:

Appena *ebbi lasciato* *Lasciato* Dopo *aver lasciato* *Avendo lasciato*	l'impiego,	mi accorsi di aver fatto un grosso errore.

V **Completate le frasi con le forme convenienti del passato o del trapassato:**

> Siamo stanchi perché *abbiamo viaggiato* tutto il giorno.
> Eravamo stanchi perché *avevamo viaggiato* tutto il giorno. (viaggiare)
> Giungemmo a casa stanchi perché *avevamo viaggiato* tutto il giorno.

1. Sono in ritardo perché non .... la sveglia. (sentire)
2. Ti ringrazio del favore che mi .... (fare)
3. Ieri Giulio mi ha reso i soldi che gli .... un mese fa. (prestare)
4. Marta non ha salutato subito Gianni perché non l'............ . (riconoscere)
5. Non .... per tempo, perciò non abbiamo trovato posto in albergo. (prenotare)
6. Sono passati a prendere Franca, ma lei .... già. (uscire)
7. Ieri sera Carlo aveva molto appetito perché a pranzo .... solo un panino. (mangiare)
8. I nostri amici erano preoccupati perché a mezzanotte il figlio non .... ancora. (tornare)
9. Sergio è triste perché ieri .... la penna a cui teneva tanto. (perdere)
10. Mi accorsi presto che quel giorno Mario non mi .... il vero. (dire)

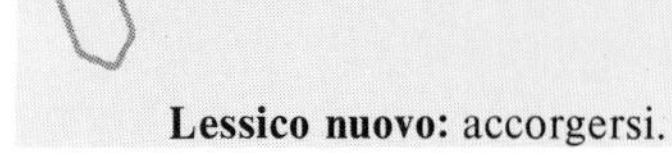

Lessico nuovo: accorgersi.

VI *La concordanza dei tempi dell'indicativo.*

1. Rapporti di tempo fra il verbo principale e il verbo dipendente.

Se l'azione espressa dal verbo dipendente si svolge *nello stesso tempo* di quella espressa dal verbo principale, si ha un rapporto di *contemporaneità*.
Se l'azione espressa dal verbo dipendente avviene *dopo* quella espressa dal verbo principale, si ha un rapporto di *posteriorità*.
Se l'azione espressa dal verbo dipendente si realizza *prima* di quella del verbo principale, si ha un rapporto di *anteriorità*.

2. Concordanza dei tempi dell'indicativo secondo il tempo del verbo principale.

a. Il verbo principale può essere al *presente* o al *passato legato al presente:*

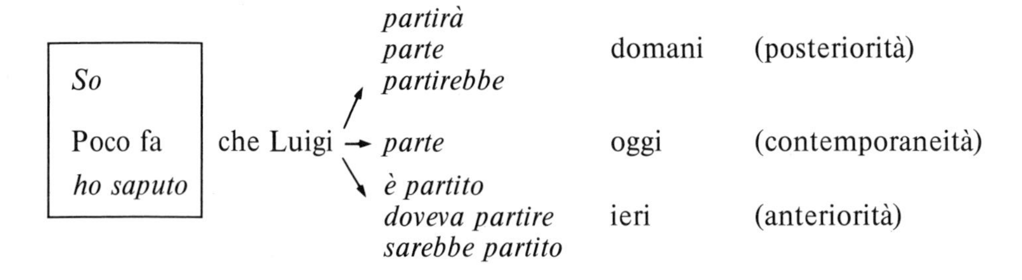

b. Il verbo principale può essere *al passato non legato al presente:*

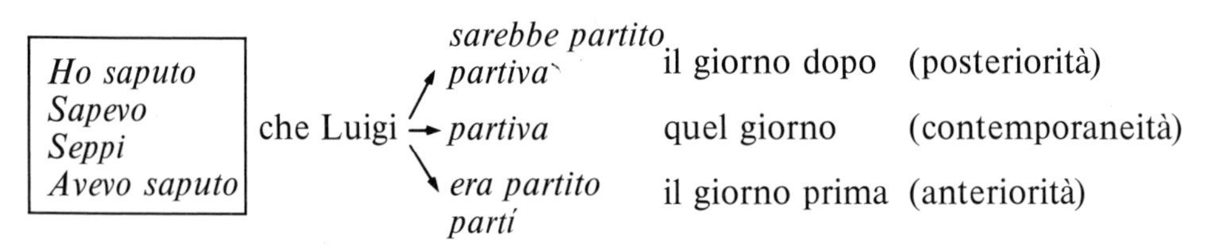

Lessico nuovo: svolgersi.
Termini tecnici: contemporaneità - posteriorità - anteriorità.

c. Il verbo principale può essere *al futuro:*

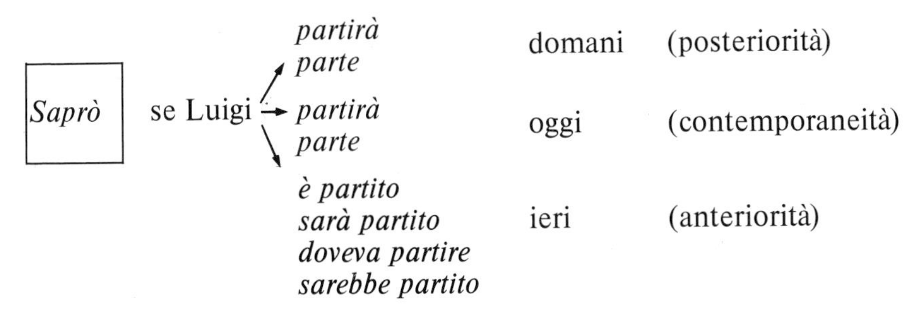

Vediamo ora uno schema riassuntivo dell'uso dei tempi dell'indicativo (e del condizionale):

Presente o passato legato al presente → futuro, presente, condiz. pres. / presente / pass. pross., imperfetto, condiz. pass.	*So* / *Ho saputo* che → *partirà*, *parte*, *partirebbe* / *parte* / *è partito*, *doveva partire*, *sarebbe partito*
Passato (pass. pross. imperfetto, pass. rem. trap. pross.) → condiz. comp., imperfetto / imperfetto / trap. pross., pass. rem.	*Ho saputo* / *Sapevo* / *Seppi* / *Avevo saputo* che → *sarebbe partito*, *partiva* / *partiva* / *era partito*, *partí*
Futuro → futuro, presente / futuro, presente / pass. pross., fut. comp., imperfetto, cond. comp.	*Saprò* se → *partirà*, *parte* / *partirà*, *parte* / *è partito*, *sarà partito*, *doveva partire*, *sarebbe partito*

Lessico nuovo: –

VII

1. Completate le seguenti frasi con la forma conveniente del verbo fra parentesi:

1. Io dico sempre ciò che .... (pensare)
2. Poco fa ho saputo che ieri Anna .... a Roma. (tornare)
3. Vediamo che Mario .... in questi ultimi tempi. (cambiare)
4. Sapete se domani i treni .... sciopero? (fare)
5. Siamo sicuri che ieri Luisa .... volentieri. (venire)
6. Stamattina Franco mi ha detto che ieri .... dal medico. (andare)
7. Sento che domani .... (piovere)
8. Laura dice che, se sei d'accordo, ... con te. (uscire)
9. È vero che ieri sera .... le ore piccole, Gianni? (fare)
10. So che ieri a quest'ora loro .... in viaggio. (essere)

2. Come sopra:

1. Ieri Gianni ha detto che non .... bene. (sentirsi)
2. Abbiamo invitato Carlo, ma ci ha risposto che .... già un impegno. (avere)
3. Eravamo sicuri che .... l'Inter. (vincere)
4. A casa di Lucia ho rivisto una ragazza che .... qualche mese fa in discoteca. (conoscere)
5. Franco disse che .... di tutto per essere presente alla cerimonia. (fare)
6. Sapevo che a quell'ora Mario .... ancora. (dormire)
7. Luisa ripeteva sempre che non .... mai, invece ora è una moglie felice. (sposarsi)
8. Marco ha preferito rimanere a casa, perché .... stanco. (essere)
9. Abbiamo saputo all'ultimo momento che Maria .... una festa. (dare)
10. Stanotte non ho chiuso occhio, perché .... troppo a cena. (mangiare)

Lessico nuovo: –

3. Come sopra:

1. Soltanto domani saprò se Anna .... partire con noi. (potere)
2. Vedremo poi se loro ci .... il vero. (dire)
3. Carla dirà certamente che ieri .... volentieri con noi. (venire)
4. Fra poco sentirò se Gianni .... pronto a darci una mano. (essere)
5. Sarà proprio vero che Giulio .... di fumare da una settimana? (smettere)
6. Diremo ai nostri amici che .... restare a casa fino a quando tornerà Carlo. (dovere)
7. Sergio sarà sicuro che noi .... strada. (sbagliare)
8. Quando vedranno che il figlio .... a dormire fuori, si arrabbieranno certamente. (rimanere)
9. A voce ti dirò come .... le cose con Franco. (andare)
10. Da Giorgio sapremo se quel giorno .... meglio parlare con il direttore. (essere)

4. Come sopra:

1. Invitammo anche Gianni, ma ci rispose che .... restare a casa. (preferire)
2. Partirà appena .... l'esame. (dare)
3. Mi hai portato la rivista che mi .... ? (promettere)
4. .... dalla radio che c'era lo sciopero dei treni, perciò rimandai la partenza. (sapere)
5. Si capisce subito che quella ragazza .... intelligente. (essere)
6. Sandro disse che mi .... , ma non fu di parola. (aiutare)
7. Carlo aveva detto che .... di tornare in tempo per la cena, invece è arrivato alle undici. (cercare)
8. Eravamo sicuri che quel regalo gli .... (piacere)
9. Quando siamo entrati, il film .... da dieci minuti. (cominciare)
10. Poco fa Luisa mi ha detto che domani .... dal medico. (andare)

Lessico nuovo: –

VIII

A. Raccontate il contenuto del dialogo introduttivo, completando il seguente testo:

Carla .... che .... all'estero, ma all'ultimo momento le .... in mente l'idea di tornare dove .... tante volte .... bambina.
Infatti voleva vedere se quel posto .... come se lo ricordava.
Purtroppo ha visto subito che tutto .... È rimasta delusa nel vedere che le piccole case dei pescatori .... il posto ad enormi edifici .... grigio e triste.
Le ha fatto impressione vedere come le industrie sorte nella zona in quegli anni .... l'aria e il mare.
Una delusione altrettanto profonda la provò anche Maria quando, tornando nella piccola città di provincia dalla quale .... da oltre quindici anni, vide che i nuovi quartieri .... i prati su cui .... a giocare da bambina.
Le due amiche sono state comunque .... rispetto ai bambini di oggi, perché hanno potuto vivere almeno il periodo dell'infanzia .... con la natura.

B.

a. L'aria è ferma, non si muove una foglia.
Per questo ho la testa pesante e non mi va di fare niente.
Eppure la radio aveva detto che la temperatura non sarebbe aumentata.
Qualche volta può sbagliare anche la radio.

b. Questa carne è davvero dura.
Sì, in effetti non è tenera.
Dovresti cambiare macellaio.
Devi ammettere, però, che prima d'oggi non mi aveva mai servito male.
Sapevo che prima o poi sarebbe successo.

c. Devi ancora pulire il pavimento?
Veramente l'avevo già pulito, ma i bambini l'hanno di nuovo sporcato.

Lessico nuovo: fermo - muoversi - temperatura - aumentare - duro - tenero - macellaio - ammettere - pulire - pavimento - sporcare.

IX *Rispondete alle seguenti domande:*

1. Se Lei non abita nella stessa città dove ha passato gli anni dell'infanzia, dica se l'ha rivista e come l'ha trovata.
2. Anche la città in cui vive ora ha certamente cambiato aspetto negli ultimi anni. Dica in che senso.
3. Ha mai vissuto per un lungo periodo a contatto con la natura? Se sì, dica quali erano, secondo Lei, i vantaggi e gli svantaggi di tale situazione.
4. Nel Suo paese esiste una legge che proibisce alle industrie di inquinare l'aria, i fiumi e il mare?
5. Negli ultimi anni è cambiato il modo di vita della gente nel Suo paese? Dica come e perché.

X *Test*

A. Completate le seguenti frasi con la forma conveniente del piuccheperfetto:

1. Chi di voi ha preso il giornale che .... sul tavolo? (lasciare)
2. Quando Carla è nata, suo nonno .... già. (morire)
3. Dopo che .... la porta, Laura si accorse di non aver preso la chiave. (chiudere)
4. Non abbiamo trovato posto in albergo, perché non .... per tempo. (prenotare)
5. Quella storia andò a finire proprio come .... io. (immaginare)
6. Quando mi accorsi che Gianni non .... la lettera, mi arrabbiai molto. (imbucare)
7. Ieri ho avuto mal di gola, perché la notte .... freddo a letto. (sentire)
8. A pranzo Giorgio aveva molto appetito, perché .... la colazione. (saltare)
9. Maria .... da qualche minuto, quando è suonato il telefono. (addormentarsi)
10. Ieri sera Gianni e Paolo erano molto stanchi, perché .... a tennis per molte ore. (giocare)

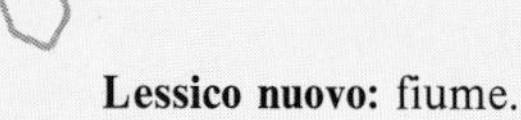

Lessico nuovo: fiume.

B. Mettete i verbi fra parentesi al conveniente tempo passato (perfetto, imperfetto, piuccheperfetto, condizionale composto):

1. Marta ha detto che ieri .... a casa tutto il giorno. (rimanere)
2. Se Luisa non ci vedrà alle sei, penserà che .... dell'appuntamento. (dimenticarsi)
3. Quel giorno Carlo disse che .... qualche giorno di riposo, ma poi non l'ha fatto. (prendere)
4. Non abbiamo preso in affitto quell'appartamento in centro, perché .... troppo caro. (essere)
5. Fra poco sapremo chi .... il nuovo presidente. (essere)
6. I nostri amici erano stanchi morti, perché .... tutto il giorno. (viaggiare)
7. Appena .... tutti, la signora Rossi si mise al lavoro. (andarsene)
8. Sapevo che un giorno o l'altro il prezzo della benzina .... di nuovo. (aumentare)
9. Conoscevamo la strada, perché .... altre volte in quel posto. (andare)
10. L'ultima volta che incontrai Giulio mi accorsi che .... idea in fatto di politica. (cambiare)

C. Completate le frasi con le preposizioni convenienti:

1. .... posto delle vecchie case ci sono ora enormi edifici .... aspetto grigio e triste.
2. Maria è nata .... una piccola città di provincia, ... quale manca .... oltre vent'anni.
3. Siamo rimasti delusi .... vedere che i nuovi quartieri avevano cancellato i prati .... cui andavamo a giocare .... bambini.
4. .... 1970 quel posto era ancora un angolo .... paradiso.
5. Dobbiamo andare .... forza .... piedi, perché la macchina è .... meccanico.

A questo punto Lei conosce
1678 parole italiane

Lessico nuovo: –

AGENZIA Viaggi
VISITA la GRECIA
SCONTI
APERTO
SPECIALE
LA JUGOSLAVIA
E'
BELLA
Dino 85

I *Progetti di viaggio*

Giulio: Fare un programma di viaggio da soli è piuttosto complicato. *Non credi che* sia meglio rivolgersi ad un'agenzia?

Marco: *Penso* proprio che tu abbia ragione. *Per quanto* uno sappia esattamente cosa vuole vedere, non è facile orientarsi in un paese sconosciuto.

Giulio: *Sono contento che* tu sia d'accordo con me. Allora non ci resta che scegliere un'agenzia seria che ci possa suggerire un programma interessante e alla portata delle nostre tasche.

Marco: *Immagino* che un paese in cui la vita è a buon mercato sia la Grecia.

Giulio: Chissà! Forse è più conveniente la Jugoslavia, *benché* negli ultimi anni il livello di vita sia cresciuto anche lì.

Marco: *Non ti sembra che* le bellezze naturali ed artistiche della Grecia siano superiori a quelle della Jugoslavia?

Giulio: *Non sono convinto che* la Jugoslavia abbia qualcosa da invidiare alla Grecia. Secondo me è altrettanto bella.

Marco: Potremmo sentire l'opinione di Gianni. *Mi pare che* sia stato più di una volta in Jugoslavia e sono sicuro che conosce bene la Grecia.

Giulio: Intanto *bisogna che* uno di noi si informi sui prezzi e sulle eventuali facilitazioni per studenti.

Marco: Prima di andare all'agenzia *direi che* sia meglio decidere quale paese vogliamo visitare.

Giulio: Al limite, a me andrebbe bene anche la Spagna, anzi, la preferirei perché so un po' di spagnolo.

Marco: *Ho l'impressione che* tu non abbia le idee chiare a proposito del viaggio da fare.

Giulio: Infatti. Allora sai che ti dico? *Qualunque* posto tu scelga mi sta bene.

Marco: Insomma *pretendi che* sia io a decidere! È una grossa responsabilità, ma l'accetto, *a patto che* poi tu non mi dia la colpa di aver preso una decisione sbagliata.

Lessico nuovo: diciottesimo - progetto - complicato - agenzia - esattamente - sconosciuto (agg.) - serio - suggerire - portata (alla p.) - tasca - chissà - benché - crescere - bellezza - naturale - artistico - convinto - invidiare - intanto - facilitazione - limite (al l.) - anzi - proposito (a p.) - responsabilità - patto (a p. che) - colpa - decisione - sbagliato.

II *Ora ripetiamo insieme:*

- Penso proprio che tu abbia ragione.
- Sono contento che tu sia d'accordo con me.
- Immagino che un paese in cui la vita è a buon mercato sia la Grecia.
- Non sono convinto che la Jugoslavia abbia qualcosa da invidiare alla Grecia.
- Direi che sia meglio decidere quale paese vogliamo visitare.
- Bisogna che qualcuno di noi si informi sui prezzi.
- Insomma pretendi che sia io a decidere!
- Qualunque posto tu scelga mi va bene.

III *Rispondete alle seguenti domande:*

1. Perché Giulio crede che sia meglio rivolgersi ad un'agenzia di viaggi?
2. Perché Marco è d'accordo con lui?
3. Come dovrebbe essere, secondo Giulio, l'agenzia a cui rivolgersi?
4. Di che cosa non è convinto Giulio?
5. Cosa suggerisce di fare Marco?
6. Cosa pensa che sia meglio fare prima di informarsi sui prezzi e sulle facilitazioni per studenti?
7. Cosa sta bene a Giulio?
8. A quale condizione Marco accetta di decidere da solo?

Lessico nuovo: -

IV *Forme del congiuntivo presente e passato.*

A.

	accettARE		prendERE		sentIRE	
Bisogna che						
io	accetti		prenda		senta	
tu	accetti	questa	prenda	una	senta	la sua
lui	accetti	responsabilità	prenda	decisione	senta	opinione
noi	accettiamo		prendiamo		sentiamo	
voi	accettiate		prendiate		sentiate	
loro	accettino		prendano		sentano	

	essere		*avere*	
Marco pensa che				
io	sia		abbia	
tu	sia		abbia	
lui	sia	d'accordo	abbia	ragione
noi	siamo	con lui	abbiamo	
voi	siate		abbiate	
loro	siano		abbiano	

Nota: Poiché le forme delle prime tre persone sono uguali, è opportuno usare il pronome personale (io - tu - lui/lei) quando dal contesto non risulta chiaro chi fa l'azione.

Osservate!

Per i verbi irregolari le forme del presente congiuntivo sono simili a quelle del presente indicativo:

andare	vad*o*	Bisogna che io vad*a* a casa.
dire	dic*o*	È meglio che io gli dic*a* la verità.
dovere	dev*o*/debb*o*	Immagina che io debb*a* uscire subito.
fare	facci*o*	Bisogna che io facci*a* presto.
salire	salg*o*	Non pensate che io salg*a* a piedi!
scegliere	scelg*o*	Marco pretende che io scelg*a* per lui.
uscire	esc*o*	Marta desidera che io esc*a* con lei.
venire	veng*o*	È probabile che io veng*a* in treno.
volere	vogli*o*	Luigi pensa che io vogli*a* fare tutto da me.

Oltre ad "essere" e "avere", fanno eccezione a questa regola pochi altri verbi:

dare	*do*	Vuole che io gli *dia* lezioni d'inglese.
sapere	*so*	Pensa che io *sappia* tutto.
stare	*sto*	Non crede che io *stia* male.

Lessico nuovo: opportuno - contesto - verità - probabile - regola.

Marco è contento che

io abbia tu abbia		accettato l'invito
lui abbia noi abbiamo		preso questa decisione
voi abbiate loro abbiano		sentito la sua opinione

sia sia	arrivat*o*/*a* *i*/*e* in tempo
sia siamo	sces*o*/*a*/*i*/*e* a salutarlo
siate siano	venut*o*/*a*/*i*/*e* in tempo

V

1. Completate le frasi con la forma conveniente del congiuntivo presente o passato:

> Credo che oggi la segretaria *torni* in ufficio. (tornare)
> Credo che ieri la segretaria *sia tornata* in ufficio.

1. Spero che oggi .... la lettera che aspetto da tanti giorni. (arrivare)
2. Immaginiamo che Luisa .... ancora. (dormire)
3. Maria vuole che i figli .... in ordine le loro camere. (tenere)
4. È un peccato che noi non .... il concerto ieri sera. (sentire)
5. Non so se Luigi .... giocare a tennis. (sapere)
6. Abbiamo l'impressione che loro non .... un'acca di ciò che tu hai detto. (capire)
7. Carla ha il dubbio che il prossimo autunno il suo ragazzo non .... a laurearsi. (riuscire)
8. Sono ormai le nove: mi sembra strano che Giorgio non .... ancora. (telefonare)
9. Mi dispiace che lei la prossima estate .... rinunciare alle vacanze. (dovere)
10. Ci pare che Sergio non .... dire tutto ciò che sa. (volere)

Lessico nuovo: segretaria.

2. Come sopra:

1. Mi sembra che in quella occasione Franca .... (comportarsi) in modo perfetto.
2. Non siamo convinti che loro .... per quell'esame. (prepararsi)
3. Occorre che tutti .... al lavoro. (mettersi)
4. Giorgio preferisce che voi .... un po' prima di continuare il lavoro. (riposarsi)
5. Penso che loro .... quando ti hanno dato quella informazione. (sbagliarsi)
6. È probabile che in futuro .... un'occasione migliore. (presentarsi)
7. Sono felice che Laura e Marco .... presto. (sposarsi)
8. Il signor Rossi aspetta che suo figlio .... e e poi andrà in pensione. (sistemarsi)
9. Ci dispiace che ieri Anna .... per noi. (preoccuparsi)
10. Non è vero che il signor Tofi .... più al lavoro che alla famiglia. (dedicarsi)

VI-1 ***Uso del congiuntivo.***

Come avete visto, il congiuntivo si trova nella frase dipendente. Non in tutte le frasi dipendenti, però, è necessario usare il congiuntivo:

È certo che Giulio (frase principale)	*Non è certo* che Giulio (frase principale)
ha sentito la sveglia. (frase dipendente)	*abbia sentito* la sveglia. (frase dipendente)

L'uso del modo (indicativo o congiuntivo) nella frase dipendente è determinato da:

a) *il verbo della frase principale:*
- se esprime certezza si avrà l'indicativo
- se esprime incertezza si avrà il congiuntivo

} nella frase dipendente

b) *il significato della frase dipendente:*
- se esprime oggettività si avrà l'indicativo
- se esprime soggettività si avrà il congiuntivo

} nella frase dipendente

Lessico nuovo: certezza - incertezza - oggettività - soggettività.

c) *parole o espressioni che precedono* il verbo della frase dipendente;
d) *la struttura dell'enunciato* (la frase dipendente segue o precede la frase principale).

> Nelle frasi indipendenti si usa di solito l'indicativo o il condizionale.
> In soli quattro casi si usa il congiuntivo.

Vediamo ora i diversi casi in cui si usano i due modi nella frase dipendente:

A. L'uso del modo è determinato dal verbo della frase principale:

INDICATIVO, se il verbo principale esprime:	CONGIUNTIVO, se il verbo principale esprime:
1. CERTEZZA OGGETTIVITÀ Sono certo È sicuro che lui *ha* ragione. È chiaro	1. INCERTEZZA OPINIONE SOGGETTIVA Non sono certo Non sono sicuro Non sono convinto Dubito Credo — che lui *abbia* ragione. Penso Mi pare Direi Immagino Suppongo
2. CERTEZZA OGGETTIVITÀ È sicuro Mi hanno detto — che Giulio *è* d'accordo con me.	2. PROBABILITÀ/IMPROBABILITÀ POSSIBILITÀ/IMPOSSIBILITÀ È probabile improbabile È possibile impossibile — che Giulio *sia* d'accordo con me.
3. CERTEZZA OGGETTIVITÀ So Ho saputo — che Carla *ha preso* una decisione giusta.	3. PREOCCUPAZIONE PAURA Temo Ho paura — che Carla *abbia preso* una decisione sbagliata.

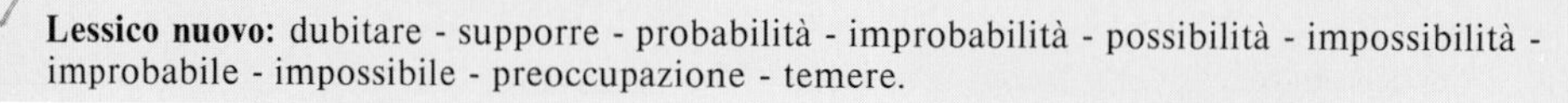

Lessico nuovo: dubitare - supporre - probabilità - improbabilità - possibilità - impossibilità - improbabile - impossibile - preoccupazione - temere.

4. CERTEZZA OGGETTIVITÀ Ho sentito / Mi hanno detto — che Carlo *si è laureato* a pieni voti.	4. STATO D'ANIMO SOGGETTIVO Sono felice / Sono contento — che Carlo *si sia laureato* a pieni voti.
5. CERTEZZA OGGETTIVITÀ Vedo / È evidente — che Marta *è* di buon umore.	5. SPERANZA ATTESA Spero / Aspetto — che Marta *sia* di buon umore.
6. CERTEZZA OGGETTIVITÀ Vedo / Sono sicuro — che Franco *si occupa* di quella faccenda.	6. VOLONTÀ DESIDERIO Voglio / Non voglio / Pretendo / Preferisco / Desidero — che Franco *si occupi* di quella faccenda.
7. CERTEZZA OGGETTIVITÀ Sono certo / È sicuro — che lui *chiede* il permesso.	7. NECESSITÀ OPPORTUNITÀ Bisogna / È necessario / Occorre / È opportuno — che lui *chieda* il permesso.
8. CERTEZZA OGGETTIVITÀ Ho saputo / Mi hanno detto — che la festa *è riuscita*.	8. MANCANZA DI CERTEZZA Si dice / Pare / Sembra / Dicono — che la festa *sia riuscita*.
9. DOMANDA DIRETTA Mi chiedo: "Come *può* parlare male di lui?"	9. DOMANDA INDIRETTA Mi chiedo come lei *possa* parlare male di lui.

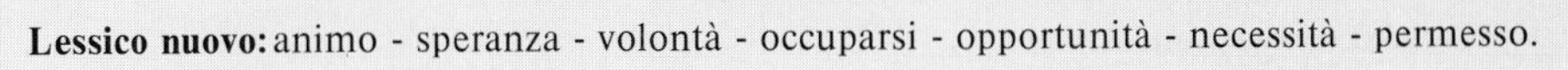

Lessico nuovo: animo - speranza - volontà - occuparsi - opportunità - necessità - permesso.

10. **Completate le frasi con le forme convenienti del congiuntivo presente o passato:**

1.	Dubito che Marta .... bene ciò che le hai detto.	(capire)
2.	È difficile che Carlo .... di cambiare programma.	(accettare)
3.	Speriamo che anche domani .... bel tempo.	(fare)
4.	Mi sembra che Luisa .... la laurea nel 1980.	(prendere)
5.	Giulio è contento che suo padre .... di prendersi una vacanza.	(decidere)
6.	Preferisco che voi mi .... sotto casa.	(aspettare)
7.	Bisogna che io .... mia moglie che non torno a pranzo.	(avvertire)
8.	Si dice che nei giorni scorsi i due capi di stato .... in una località segreta.	(incontrarsi)
9.	I suoi genitori pretendono che Laura non .... da sola di sera.	(uscire)
10.	Tutti si chiedono come quell'uomo .... tanti soldi in così poco tempo.	(guadagnare)

B. L'uso del modo è determinato dal significato della frase dipendente:

Frase dipendente INDICATIVO/ INFINITO	*Frase principale*	*Frase dipendente* CONGIUNTIVO
1. causa, motivo dell'azione ↙ perché sa fare da solo.	Non aiuto Mario	scopo, fine dell'azione ↘ perché (affinché) impari a fare da solo.
2. fine, scopo ↙ per farle compagnia.	Uscirò con Marta	frase concessiva ↘ sebbene preferisca restare a casa.

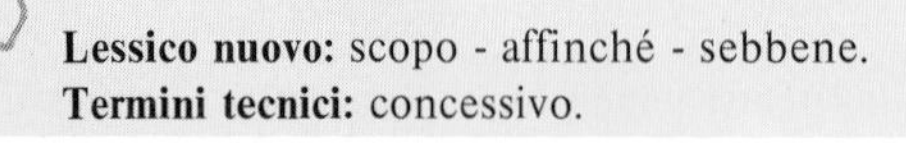

Lessico nuovo: scopo - affinché - sebbene.
Termini tecnici: concessivo.

3. causa, motivo		condizione
	Vengo in macchina con voi	
perché di solito non correte troppo. ↙		↘ a patto che (purché) non corriate troppo.

4. causa, motivo		eccezione
	Faremo tutto in segreto	
perché loro non devono accorgersene. ↙		↘ senza che loro se ne accorgano.

5. frase relativa realtà		frase relativa esigenza
	Devo comprare una macchina	
che consuma meno. (so che esiste) ↙		↘ che consumi meno. (non so se esista)

6. **Completate le frasi con le forme convenienti del verbo (indicativo o congiuntivo):**

1. Perché lui .... qual è il vostro problema, dovete raccontargli tutto. (capire)
2. Laura continua a mangiare molto, sebbene .... già troppo grassa. (essere)
3. Benché .... tutto ciò che vuole, Gianna non è mai contenta. (avere)
4. Cerchiamo una ragazza che .... scrivere a macchina. (sapere)
5. Devo comprare un appartamento, perché non .... a trovarne uno in affitto. (riuscire)
6. Andrò in macchina con Luigi, purché lui .... di dividere le spese. (accettare)
7. I Rossi viaggiano molto, anche se la loro situazione economica non .... buona. (essere)
8. Mi va bene qualsiasi cosa da bere, basta che .... la sete. (togliere)
9. Dovresti scegliere un lavoro che ti .... abbastanza tempo per la famiglia. (lasciare)
10. Prenderemo un taxi, senza che Carlo .... venire ad aspettarci alla stazione. (dovere)

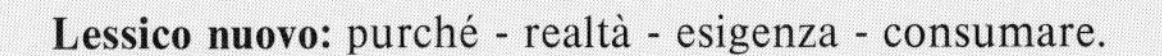

Lessico nuovo: purché - realtà - esigenza - consumare.

C. L'uso del modo è determinato da parole o espressioni che precedono il verbo della frase dipendente:

Frase dipendente INDICATIVO	*Frase principale*	*Frase dipendente* CONGIUNTIVO
1. *dopo che* sarete usciti. ↙	Parlerò con Lucio	↘ *prima che* voi usciate.
2. *anche se* non è più di moda. ↙	Continua a portare quel vestito	↘ *benché* / *sebbene* / *nonostante* / *che* non sia più di moda.
3. *le persone che* hanno bisogno. ↙	È pronto ad aiutare	↘ *qualunque* / *qualsiasi* persona / *chiunque* abbia bisogno.
anche se non so dove andate. ↙	Verrò con voi	↘ *dovunque* andiate.
anche quando ha dei problemi. ↙	È sempre allegro	↘ *comunque vadano* le cose.
4. *poiché* me li rende entro una settimana. ↙	Gli presto i soldi	↘ *a patto che* / *a condizione che* / *purché* / *basta che* me li renda entro una settimana.
5. Mario *è* un ragazzo *intelligente.* ↙	Ti dico che	↘ Mario è *il* ragazzo *più intelligente* che io *conosca.* Mario è *più intelligente* di quanto tu *creda.*

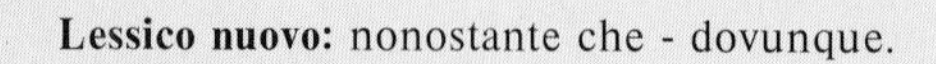

Lessico nuovo: nonostante che - dovunque.

6. **Completate le frasi con la forma conveniente del verbo:**

1. Benché .... quasi l'una, proverò lo stesso a cercare Giulio in ufficio. (essere)
2. Scriverò a Carla, prima che .... la notizia da altri. (sapere)
3. Farete in tempo all'ultimo spettacolo, purché .... (sbrigarsi)
4. Qualunque cosa io gli ...., Sergio mi risponde male. (dire)
5. Vi racconterò tutto, dopo che .... questo brutto momento. (passare)
6. Sebbene .... tanto, Luigi è pronto a rinunciare al viaggio se sarà necessario. (tenerci)
7. Dovunque ...., Luisa si trova sempre bene. (andare)
8. Preferiamo arrivare a casa prima che .... buio. (farsi)
9. Puoi prendere il mio ombrello, basta che non lo .... (perdere)
10. Chiunque lo ...., dice che Mario è un tipo strano. (conoscere)

D. L'uso del modo nella frase dipendente è determinato dalla struttura dell'enunciato.

Come potete vedere, nelle frasi che seguono il congiuntivo non dipende né dal verbo della frase principale, né dal senso della frase dipendente o da espressioni che la precedono:

È fin troppo chiaro (1) che lei non racconta la verità. (2)

Che lei non racconti la verità, (2) *è fin troppo chiaro.* (1)

Siamo sicuri (1) che mancano ancora pochi chilometri. (2)

Che manchino ancora pochi chilometri, (2) *siamo sicuri.* (1)

Lessico nuovo: –

Tutti sanno che il fumo fa male alla salute.
1 2

Che il fumo faccia male alla salute, *lo sanno tutti.*
2 1

Nota: Con verbi come "sapere" e "dire" si ripete il pronome quando la frase principale segue quella dipendente:
- Molti sanno che il loro rapporto *è* in crisi.
- Che il loro rapporto *sia* in crisi, *lo* sanno molti.

- Anche Mario dice che tu *hai sbagliato.*
- Che tu *abbia sbagliato, lo* dice anche Mario.

1. Trasformate le frasi secondo i modelli visti sopra:

1. È noto a tutti che questo non è un luogo tranquillo.

....

2. Solo Carlo dice che Anna parla bene l'inglese.

....

3. È evidente che quell'uomo ha alzato troppo il gomito.

....

4. È chiaro che Marta pensa solo alla carriera.

....

5. Non tutti sanno che il governo deve ottenere la fiducia delle due Camere.

....

Lessico nuovo: fumo - salute.

VI-2

A. Il congiuntivo non si usa quando il soggetto del verbo principale e del verbo dipendente è lo stesso:

SOGGETTI DIVERSI	SOGGETTI UGUALI
Dubito che Marco *finisca* entro oggi.	Dubito *di finire* entro oggi.
Penso che loro *tornino* per l'ora di cena.	Penso *di tornare* per l'ora di cena.
Anna è convinta che Giulio *abbia* sempre ragione.	Anna è convinta *di avere* sempre ragione.

1. Completate le frasi secondo il senso:

1. Franco fa una vita sana.
   Ad Anna, invece, pare .... troppo. (fumare)
2. Laura arriva oggi?
   No, credo .... domani. (arrivare)
3. Vi piace questo posto?
   Molto, e siamo contenti .... ancora qualche giorno. (restarci)
4. Perché non vai in macchina?
   Perché ho paura .... troppo traffico. (trovare)
5. Perché Lei non vuole che loro partano in macchina?
   Perché temo .... troppo traffico. (trovare)
6. I prezzi sono saliti di nuovo.
   Io credo .... ancora. (salire)
7. Secondo voi Marco fa bene a cambiare lavoro?
   No, crediamo .... (sbagliare)
8. Farete in tempo al treno delle sei?
   No, temiamo .... (perderlo)
9. Ho invitato Luisa a pranzo per domani.
   Siamo contenti .... dopo tanto tempo. (rivederla)
10. Gianni è innamorato di una ragazza che ha conosciuto al mare.
    Speriamo .... sul serio. (fare)

Lessico nuovo: –

B. Il fatto che l'indicativo sia il modo della certezza e il congiuntivo il modo dell'incertezza è vero solo in parte. Come avete potuto vedere, lo stesso concetto d'incertezza si può esprimere in diversi modi:

È probabile che	Giulio	voglia	uscire
Probabilmente Forse	Giulio	vuole vorrà vorrebbe	

Il congiuntivo si usa soltanto nel primo caso, perché lo richiede il verbo della frase principale. Le altre frasi sono indipendenti, per cui lo stesso concetto d'incertezza si esprime attraverso gli avverbi "probabilmente" e "forse" seguiti dall'indicativo o dal condizionale.

C. In diversi casi l'uso del congiuntivo rappresenta soltanto una scelta stilistica. Soprattutto nello stile informale si tende a sostituire il congiuntivo con l'indicativo, senza che con ciò cambi il senso dell'enunciato:

1. Pensiamo che Franco *ha* molte buone qualità.
2. Pensiamo che Franco *abbia* molte buone qualità.

1. Non sono sicura che Marco *accetterà* quel posto.
2. Non sono sicura che Marco *accetti* quel posto.

VII Completate le frasi con le forme convenienti del congiuntivo presente o passato:

1. Siamo contenti che finalmente Carlo .... un lavoro. (trovare)
2. Benché .... sempre attento a non dimenticare nulla, Luigi ha lasciato l'ombrello in treno. (stare)
3. Dovrò tornare in ufficio, sebbene non ne .... nessuna voglia. (avere)
4. Cerchiamo una ragazza che .... ai bambini due ore al giorno. (badare)
5. Correggerò quello che hai scritto, purché tu lo .... a macchina. (battere)
6. Prima che i prezzi ...., dobbiamo deciderci a cambiare casa. (aumentare)

Lessico nuovo: concetto - probabilmente - richiedere - stile - informale.

7. Dovunque tu lo ...., quel quadro sta sempre bene. (mettere)
8. Chiunque .... quel libro afferma che è il migliore. (leggere)
9. Bere un po' di vino fa bene, basta che uno non .... (esagerare)
10. Dobbiamo fare tutto in segreto, senza che nessuno lo .... (sapere)

VIII

A. La concordanza dei tempi del congiuntivo presente e passato.

Per realizzare in modo corretto la concordanza dei tempi nell'ambito del congiuntivo, è sufficiente riferirsi all'uso dei tempi del modo indicativo (v. Unità 17, VI. 2):

È certo	che Carla	domani oggi ieri	*starà* *sta* *è stata*	a casa tutto il giorno.
Non è certo	che Carla	domani oggi ieri	*stia* (starà) *stia* *sia stata*	a casa tutto il giorno.

Nota: Come potete vedere, se il verbo principale che richiede il congiuntivo è al presente, il verbo dipendente può stare soltanto al presente o al passato. Il presente congiuntivo, infatti, esprime anche l'azione futura rispetto a quella principale al presente.

B. Uso del congiuntivo (presente e passato) nelle frasi indipendenti.

Come abbiamo detto al punto VI, il congiuntivo si usa anche in alcune frasi indipendenti. Vediamo qui i due casi in cui vengono usate le forme del presente e del passato, mentre nell'Unità 20 vedremo gli altri due casi di congiuntivo indipendente.

1) Per esprimere il desiderio o l'augurio che qualcosa accada, o per dare un ordine indiretto si usa *il congiuntivo presente*, per lo più alle terze persone:

- Il gioco sta per cominciare.
- Che *vinca* il migliore!

Lessico nuovo: ambito - augurio - gioco.

- È venuto all'improvviso Gianni.
- Che *aspetti*! Così impara a telefonare prima di venire.

- Dovresti accompagnare a casa gli ospiti.
- Non mi va di uscire: che *prendano* un taxi!

2) Per esprimere un dubbio o un'ipotesi si usa il *congiuntivo presente o passato:*

- Sono diversi giorni che non vedo Grazia: che *stia* male?
- No, l'ho vista l'altro ieri e stava benissimo.

- Carla dice che non ha ricevuto la lettera che le ho spedito dieci giorni fa.
- Che *sia andata* smarrita?

- Mi *preghino* anche in ginocchio, non rinuncerò alla moto.
- Pure Luisa vorrebbe parlarti a questo proposito.
- *Si tolga* dalla testa che io l'ascolti!

C. Raccontate il contenuto del dialogo introduttivo, completando il seguente testo:

Giulio e Marco pensano che per fare un programma di viaggio .... meglio .... ad un'agenzia. Giulio propone di scegliere un'agenzia seria che .... suggerirgli un programma interessante e .... delle loro ....
A Marco sembra che le bellezze naturali ed artistiche della Grecia .... superiori .... quelle della Jugoslavia, paese dove Giulio propone di andare. Lui crede, infatti, che questo paese non .... niente da .... alla Grecia.
Quando Giulio dice che bisogna che uno di loro .... sui prezzi e sulle .... per studenti, Marco risponde che prima di andare all'agenzia è necessario che loro .... quale paese vogliono visitare.
Giulio non ha le idee .... e dice a Marco che gli va bene qualunque posto lui ....
Marco accetta questa responsabilità, a patto che poi Giulio non gli .... la colpa .... una decisione sbagliata.

Lessico nuovo: improvviso (all'i.) - ospite - ipotesi - smarrito - ginocchio.

D. Conversazioni.

1. - Permetti che io faccia una breve telefonata in teleselezione?
   - Certo! Conosci il prefisso?
   - Sì. Spero solo di avere fortuna.
   - Perché?
   - Stamattina ho provato più volte, ma non ho avuto la comunicazione.
   - Che sia stata guasta la linea?
   - Se anche ora non ci riesco, farò la chiamata attraverso il centralino.

2. - Prima di uscire aspetto che passi il postino.
   - Credi che ci sia posta per te?
   - Dovrebbe esserci la ricevuta di ritorno di una raccomandata che ho spedito otto giorni fa.
   - Dubiti che la tua lettera sia andata smarrita?
   - No, comunque finché non torna indietro la ricevuta non ho la certezza che la lettera sia arrivata al destinatario.

3. - Il cielo si è fatto scuro e la temperatura è scesa. Temo che fra poco scoppi un temporale.
   - Prima che cominci a piovere devo correre a casa per chiudere le finestre.
   - Vuoi che ti accompagni in macchina?
   - No, grazie, vado a piedi, senza che tu ti disturbi ad uscire.

IX ***Rispondete alle seguenti domande:***

1. Quando fa un programma di viaggio, Lei si rivolge di solito ad un'agenzia?
2. Quando decide di fare un viaggio all'estero, con quali criteri sceglie il paese da visitare?
3. Secondo Lei, qual è il paese in cui la vita è più a buon mercato per passare le vacanze?
4. Si dice che l'Italia sia il paese ideale in questo senso. Lei è d'accordo? Perché?
5. Qual è il viaggio che ricorda con più piacere? Lo descriva.

Lessico nuovo: teleselezione - guasto (agg.) - linea - chiamata - centralino - postino - ricevuta - raccomandata - finché - scuro - scoppiare - temporale - criterio - ideale (agg.).

X *Test*

A. Completate le frasi con il verbo al modo conveniente:

1. Bisogna che voi .... per tempo se volete trovare posto in albergo. (prenotare)
2. Marco pretende .... più di tutti. (capire)
3. Mi dispiace davvero che Lei non .... venire con noi stasera. (potere)
4. Non è possibile che Sergio .... del tuo compleanno. (dimenticarsi)
5. Suppongo che loro .... del tuo arrivo da Lucia. (sapere)
6. Speriamo .... un lavoro che ci piace. (trovare)
7. Direi che questo vino .... migliore di quello che abbiamo bevuto prima. (essere)
8. Perché non aspettate che .... di piovere, invece di uscire subito? (smettere)
9. Mi chiedo come Anna .... a superare l'esame di latino. (riuscire)
10. Che loro non .... intenzione di spendere una somma così alta, lo si può capire. (avere)

B. Completate le frasi secondo il senso:

1. So che quel negozio .... molto buono.
2. Secondo me quel negozio .... molto buono.
3. Credo che quel negozio .... molto buono.
4. Dicono che quel negozio .... molto buono.
5. Non sono convinto che quel negozio .... molto buono.
6. Sebbene .... molto buono, quel negozio non ha molti clienti.
7. Anche se .... molto buono, quel negozio non ha molti clienti.
8. Chiunque .... la spesa in quel negozio, dice che è molto buono.
9. Che quel negozio .... buono, lo dicono tutti.
10. Quel negozio .... buono davvero, se lo dicono tutti.

Lessico nuovo: –

C. Mettete le parole fra parentesi nel posto che di solito occùpano nella frase:

1. Credo che Sandro non sia stato all'estero. (mai)
2. Dicono che quel ragazzo sia stato il migliore della classe. (sempre)
3. Credo che non sia tornato nel paese in cui è nato. (più)
4. Mi dispiace che non abbiate trovato un appartamento adatto a voi. (ancora)
5. Si dice che abbiano scoperto un'altra tomba etrusca. (appena)

D. Fate l'XI test.

Lessico nuovo: -

A questo punto Lei conosce
1771 parole italiane

BUS
ARRIVI

I *Muoversi in città*

Turista : *Scusi,* mi sa dire come si arriva in Piazza Garibaldi?

Passante: Mi *dia* la pianta, così Le mostro quale strada deve fare.

Turista : *Tenga*! Ma non vorrei farLe perdere troppo tempo.

Passante: *Non si preoccupi!* Ho appena perduto l'autobus e in ogni caso devo aspettare il prossimo.

Turista : Allora mi *faccia* la cortesia d'indicarmi dove siamo ora.

Passante: *Guardi!* Ci troviamo qui. Piazza Garibaldi è al di là del fiume ... eccola!

Turista : Arrivarci non è uno scherzo!

Passante: In macchina è abbastanza complicato, perché ci sono diversi sensi unici. Se va con i mezzi pubblici, deve prenderne due.

Turista : Mi *dia* un consiglio!

Passante: Se non è pratico della città, *eviti* di usare la macchina. A quest'ora il traffico è intenso e in certi punti si formano degli ingorghi terribili.

Turista : In effetti potrei lasciare la macchina in un parcheggio e prendere un taxi.

Passante: Se non ha fretta, *prenda* l'autobus 86 e *scenda* al capolinea. Lì accanto c'è la fermata del 42 che La porta a due passi da Piazza Garibaldi.

Turista : *Senta,* un'ultima domanda! C'è un parcheggio qua vicino?

Passante: Sì, ce n'è uno a pagamento proprio di fronte alla fermata dell'86. Per arrivarci, *segua* la freccia che indica il centro; al primo semaforo *giri* a destra e poi *vada* sempre diritto.

Turista : Grazie infinite!

Passante: Di nulla! 

Lessico nuovo: diciannovesimo - passante - pianta - mostrare - pratico - evitare - ingorgo - capolinea - fermata - pagamento - freccia - semaforo - diritto (avv.).

II *Ora ripetiamo insieme:*

- Scusi, mi sa dire come si arriva in Piazza Garibaldi?
- Mi dia la pianta, così Le mostro quale strada deve fare.
- Guardi! Ci troviamo qui.
- Mi dia un consiglio!
- Se non è pratico della città, eviti di usare la macchina!
- Senta, un'ultima domanda!

III ***Rispondete alle seguenti domande:***

1. Cosa chiede il turista ad un passante?
2. Il passante dove gli mostra la strada che deve fare?
3. Perché il passante non ha fretta?
4. Perché è abbastanza complicato arrivare in Piazza Garibaldi in macchina?
5. Per quale ragione il passante consiglia al turista di evitare di usare la macchina a quell'ora?
6. Cosa pensa di fare allora il turista?
7. Cosa chiede infine al passante?

IV

A. Forme dell'imperativo indiretto (Lei - Loro).

Nell'Unità 11 avete potuto vedere come le forme dell'imperativo diretto non siano altro che quelle dell'indicativo presente, a parte la seconda persona (TU) dei verbi in –ARE.
Le forme dell'imperativo indiretto sono invece, senza alcuna eccezione, le stesse del congiuntivo presente:

Lessico nuovo: –

Congiuntivo presente	*Imperativo indiretto*
prendere	
È meglio che Lei *prenda* l'autobus.	*Prenda* l'autobus, è meglio!
È meglio che Loro *prendano* l'autobus.	*Prendano* l'autobus, è meglio!
seguire	
Bisogna che Lei *segua* la freccia che indica il centro.	*Segua* la freccia che indica il centro!
Bisogna che Loro *seguano* la freccia che indica il centro.	*Seguano* la freccia che indica il centro!
capire	
Mi pare che Lei *capisca* la situazione.	*Capisca* la situazione!
Mi pare che Loro *capiscano* la situazione.	*Capiscano* la situazione!
girare	
È conveniente che Lei *giri* a destra.	*Giri* a destra!
È conveniente che Loro *girino* a destra.	*Girino* a destra!

Verbi in -ARE, -ERE, -IRE
Lei - Loro = congiuntivo presente

Osservate!

a. A differenza dell'imperativo diretto, le forme dell'imperativo indiretto dei verbi in -ARE sono *regolari.*

b. Il pronome *Loro* rappresenta la versione *formale* del plurale di *Lei.* Di solito, quando ci si rivolge a più persone usando la forma di cortesia, si usa la seconda persona plurale (voi).

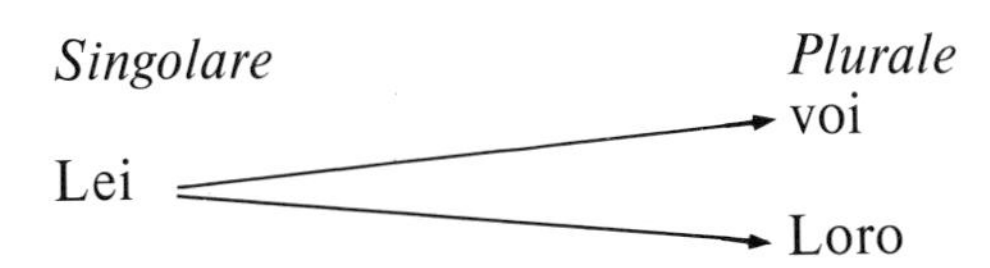

Lessico nuovo: versione.

1. Mettete le seguenti frasi all'imperativo indiretto:

1. È meglio che Lei resti a casa con questo tempo. ....!
2. È meglio che Loro partano in aereo. ....!
3. Preferiamo che Lei rimanga con noi. ....!
4. È utile che Lei dia un consiglio a Mario. ....!
5. È possibile che Loro finiscano entro domani. ....!
6. Spero che Lei accetti il nostro invito. ....!
7. È bene che Lei scelga ciò che preferisce. ....!
8. Spero che Loro abbiano ancora un po' di pazienza. ....!
9. È meglio che Lei salga con l'ascensore. ....!
10. Siamo contenti che Lei venga spesso a trovarci. ....!

2. Pregate un conoscente:

1. di scrivere a macchina. ....!
2. di esprimere la sua opinione. ....!
3. di aprire la finestra. ....!
4. di finire il discorso. ....!
5. di parlare lentamente. ....!
6. di fare attenzione a ciò che dite. ....!
7. di correggere i vostri errori. ....!
8. di dire tutta la verità. ....!
9. di perdonare il ritardo. ....!
10. di essere preciso. ....!

B. L'imperativo indiretto con i pronomi (semplici e combinati).

TU - VOI - NOI	LEI - LORO
Scusa*mi* del ritardo, Franca!	*Mi* scusi del ritardo, signora!
Se vedi Giulio, saluta*lo* da parte mia!	Se vede Giulio, *lo* saluti da parte mia!

Lessico nuovo: –

Sono nuove quelle foto? Fate*cele* vedere!	Sono nuove quelle foto? *Ce le* facciano vedere!
Quando parli con Luigi, chiedi*gli* a che ora viene!	Quando parla con Luigi, *gli* chieda a che ora viene!
Il museo è aperto: va*cci*!	Il museo è aperto: *ci* vada!
È tardi: sbriga*tevi!*	È tardi: *si* sbrighino!
Togli*ti* dalla testa di poter trovare subito un lavoro!	*Si* tolga dalla testa di poter trovare subito un lavoro!

1. Mettete le frasi all'imperativo indiretto:

1. Non ho capito ciò che hai detto: ripetimelo, per favore!

   ....

2. Se non vuoi ascoltare la radio, spegnila pure!

   ....

3. Carlo non conosce quella ragazza: presentagliela!

   ....

4. Quando arrivate, fatecelo sapere per tempo!

   ....

5. Se la valigia ti pesa, dalla a me!

   ....

6. A tavola siediti accanto a me!

   ....

7. Se ti piace stare qui, restaci pure!

   ....

8. Non ho niente da dirti: vattene pure!

   ....

9. Questa lettera è pesante: mettici un altro francobollo!

   ....

10. Ho finito le sigarette: offrimene una delle tue, per favore!

   ....

Lessico nuovo: –

C. Forma negativa dell'imperativo indiretto.

In tutti i casi si ottiene premettendo "non" alla forma positiva dell'imperativo indiretto:

Guardi / *Guardino*	da questa parte!	*Non guardi* / *Non guardino*	da quella parte!
Prenda / *Prendano*	l'autobus!	*Non prenda* / *Non prendano*	l'autobus!
Segua / *Seguano*	la freccia per il centro!	*Non segua* / *Non seguano*	altre indicazioni!
Abbia / *Abbiano*	la cortesia di ascoltarmi!	*Non abbia* / *Non abbiano*	fretta di rispondere!
Sia	gentile con i turisti!	*Non sia*	sgarbato con i turisti!
Siano	gentili con i turisti!	*Non siano*	sgarbati con i turisti!

1. Mettete le frasi alla forma negativa:

1. Quel film è interessante: vada a vederlo!

   ....

2. Dica a Sandro che sto bene!

   ....

3. Vada via se ha fretta!

   ....

4. Diano una bella mancia al cameriere se è gentile con Loro!

   ....

5. Chiedano uno sconto: lo riceveranno!

   ....

Lessico nuovo: premettere - indicazione - sgarbato.

D. Imperativo negativo con i pronomi.

A differenza dell'imperativo diretto, la forma negativa dell'imperativo indiretto può soltanto seguire il pronome e non si lega mai ad esso:

IMPERATIVO DIRETTO		IMPERATIVO INDIRETTO
	È un libro noioso:	
non leggerlo! / non *lo* leggere!		non *lo* legga!
	Fa piuttosto caldo:	
non coprir*ti* troppo! / non *ti* coprire troppo!		non *si* copra troppo!
	È una zona pericolosa di notte:	
non andate*ci*! / non *ci* andate!		non *ci* vadano!
	Ho già tante cose da fare:	
non date*mene* altre! / non *me ne* date altre!		non *me ne* diano altre!

Imperativo negativo

diretto

verbo + pronome
pronome + verbo

indiretto

pronome + verbo

1. Completate le frasi con la forma negativa dell'imperativo e con il pronome conveniente:

1. L'autobus che Lei doveva prendere è già partito! ....! (aspettare)
2. Il biglietto serve Loro anche per il ritorno: ....! (buttare)
3. Quelle scarpe non sono adatte per camminare a lungo: ...., signora! (mettere)
4. Prenda pure questo libro per leggerlo, ma ...., perché ci tengo molto! (perdere)
5. Se Suo marito dorme, ...; passerò più tardi. (svegliare)

Lessico nuovo: pericoloso.

6. Sono persone che parlano male di Loro: .... ! (frequentare)
7. Quando vede la signorina Rossi, ... che stasera andiamo a cena fuori, altrimenti vorrà venire con noi. (dire)
8. Il signor Franchi ha detto Loro quelle parole per scherzo: .... sul serio! (prendere)
9. La Sua macchina va ancora bene: .... ! (vendere)
10. Se Suo figlio Le chiede la moto, ...; è troppo pericolosa! (comprare)

V

1. Completate i dialoghi secondo il senso, usando la conveniente forma dell'imperativo indiretto:

1. È tardi, devo proprio andare.
   Se ha ancora qualche minuto, ..., così usciamo insieme.
2. ...., potrebbe cambiarmi diecimila lire?
   Io non le ho; .... a chiedere nel negozio accanto.
3. Da un po' di tempo ho sempre la tosse.
   .... di fumare, vedrà che starà subito meglio.
4. Che vino preferisce?
   .... Lei, io non m'intendo di vini.
5. Saprebbe dirci come si arriva in piazza della Repubblica?
   .... sempre diritto fino al secondo semaforo e poi .... a destra.
6. Ci dispiace di averLa disturbata, signora.
   ...., è stato un piacere per me!
7. Quando vedo Luigi devo dirgli qualcosa da parte Sua?
   Sì, gli .... che aspetto ancora una risposta da lui.
8. Il nostro albergo è scomodo, perché è fuori mano.
   La prossima volta che vengono, mi .... in tempo, così posso prenotare Loro un albergo più centrale.
9. Ho paura di non superare l'esame.
   .... tranquilla; vedrà che è meno difficile di quanto Lei pensi.
10. Mi mette pensiero di fare un viaggio così lungo in macchina.
    .... l'aereo, così non si stanca a guidare.

Lessico nuovo: –

2. Mettete le frasi alla forma negativa:

1. Sale tutte quelle scale a piedi? ...., c'è l'ascensore!
2. Rimane a casa anche stasera? ...., esca con noi!
3. Va in quel luogo affollato? ...., c'è troppa confusione!
4. Fa il biglietto di sola andata? ...., non è conveniente!
5. Ascolta ciò che dice Carla? ...., è arrabbiata!
6. Dà la colpa a Mario? ...., lui non c'entra!
7. Tiene tutti i risparmi in banca? ...., ci compri qualcosa!
8. Esce con la giacca? ...., fa molto caldo!
9. Racconta tutto a Luigi? ...., è una persona indiscreta!
10. Scrive con la matita? ...., altrimenti non si legge bene!

3. Completate le frasi con la forma conveniente dell'imperativo indiretto e con il relativo pronome:

1. Se ha deciso di cambiare macchina, ... subito, prima che i prezzi aumentino. (farlo)
2. Quando ha finito di guardare il giornale, ... per favore! (passarmelo)
3. Quel ragazzo è già ubriaco: non .... più da bere! (dargli)
4. Oggi l'aria è umida: .... bene! (coprirsi)
5. Se non Le interessa ascoltare la radio, ... pure! (spegnerla)
6. Maria è curiosa di sapere quanto tempo Lei resta qui: non ....! (dirglielo)
7. L'antipasto è ottimo: .... anche Lei! (prenderlo)
8. Ho voglia di bere un po' di aranciata: .... un bicchiere! (offrirmene)
9. Le statistiche non dicono sempre la verità: ....! (crederci)
10. Posso fare tutto da solo: non .... per me! (preoccuparsi)

Lessico nuovo: –

4. Trasformate il discorso diretto in discorso indiretto:

> Gli dissi: "*Vada* a vedere quel film!"
> Gli dissi *di andare* a vedere quel film.

1. Gli dissi: "Ritorni più tardi!"

   ....

2. Gli consigliò: "Eviti di usare la macchina!"

   ....

3. Gli disse: "Segua la freccia che indica il centro!"

   ....

4. La pregò: "Capisca la situazione!"

   ....

5. Le suggerì: "Scriva a macchina!"

   ....

6. Gli dissero: "Abbia pazienza!"

   ....

7. La pregai: "Parli più lentamente!"

   ....

8. Gli rispose: "Non si preoccupi di nulla!"

   ....

9. Lo pregammo: "Ci dia un passaggio fino al centro!"

   ....

10. Gli dissi: "Vada sempre diritto fino al semaforo!"

   ....

VI Imperativo irregolare.

Nell'Unità 11 abbiamo visto che alcuni verbi hanno forme irregolari alla seconda persona singolare dell'imperativo diretto (TU).
Vediamo ora che quegli stessi verbi sono regolari all'imperativo indiretto, cioè prendono le forme del congiuntivo presente, come tutti gli altri verbi:

Lessico nuovo: –

TU	LEI
andare	
Va' a vedere quel film: è molto bello!	*Vada* a vedere quel film: è molto bello!
Se vuoi andare al cinema, *vacci* pure!	Se vuole andare al cinema, *ci vada* pure!
Se ti annoi a stare qui, *vattene!*	Se si annoia a stare qui, *se ne vada!*
dare	
Da' qualcosa da mangiare al cane!	*Dia* qualcosa da mangiare al cane!
Ho molto da fare: *dammi* una mano!	Ho molto da fare: *mi dia* una mano!
Se hai finito di leggere il giornale, *dammelo!*	Se ha finito di leggere il giornale, *me lo dia!*
fare	
Fa' presto, ti prego!	*Faccia* presto, La prego!
Fammi il favore di chiudere la porta!	*Mi faccia* il favore di chiudere la porta!
Non ho tempo di fare la spesa: *fammela* tu, per favore!	Non ho tempo di fare la spesa: *me la faccia* Lei, per favore!
stare	
Sta' attento a dove metti i piedi!	*Stia* attento a dove mette i piedi!
Se qui ti trovi bene, *stacci* quanto vuoi!	Se qui si trova bene, *ci stia* quanto vuole!
dire	
Di' a Marta di telefonarmi!	*Dica* a Marta di telefonarmi!
Dimmi quando sei stanca!	*Mi dica* quando è stanca!
Se c'è qualcosa che non va, *dimmelo!*	Se c'è qualcosa che non va, *me lo dica!*
avere	
Abbi pazienza! Finisco subito!	*Abbia* pazienza! Finisco subito!
essere	
Sii più calma e prendi la vita come viene!	*Sia* più calma e prenda la vita come viene!

Lessico nuovo: –

VII ***Completate le frasi secondo il senso, usando la conveniente forma dell'imperativo indiretto:***

1. Prenda pure un altro bicchiere di vino; .... complimenti!
2. .... tanto cortese da imbucarmi questa lettera!
3. .... fermo così: Le faccio una foto!
4. .... un passaggio a chi non conosce!
5. .... fiducia in lui: è una persona su cui può contare.

VIII

A. Raccontate il contenuto del dialogo introduttivo, completando il seguente testo:

Il turista chiede ad un passante di .... come si fa ad arrivare in Piazza Garibaldi. Il passante dice al turista .... la pianta della città sulla .... potrà mostrargli la strada che deve fare. Il turista non vorrebbe fargli perdere tempo, ma il passante gli risponde ...., perché in ogni caso deve aspettare .... autobus.
Quando il turista vede dov'è Piazza Garibaldi rispetto al punto .... si trova, dice che non è .... arrivarci. Infatti è abbastanza complicato raggiungerla sia .... macchina che .... i mezzi pubblici. Il passante gli suggerisce .... usare la macchina perché a .... il traffico è .... e gli consiglia .... l'autobus 86 e .... al capolinea. Quando il turista gli chiede se c'è un parcheggio .... risponde di sì e aggiunge che per arrivarci .... la freccia che .... il centro e al primo semaforo .... a destra.

B. Conversazioni.

- Potrei provare questa gonna?
- Prego! Si accomodi in cabina!
- Dov'è?
- Dietro quella tenda rossa.

- Ascolti questa canzone! La conosce?
- Aspetti un momento! Ci sono: è "Sapore di sale".
- Mi ricorda l'estate di molti anni fa.
- Non me ne parli! Provo una sottile nostalgia per quei tempi felici.

- Il prezzo di questi orecchini mi sembra un po' alto.
- Tenga presente che sono d'oro e tutti fatti a mano.
- Me li faccia vedere da vicino.
- Guardi!
- Non c'è che dire: sono proprio belli.

Lessico nuovo: cabina - tenda - canzone - sapore - sale - sottile - oro.

IX ***Rispondete alle seguenti domande:***

1. Per cercare una via di una città che non conosce, Lei preferisce andare a piedi, in macchina o con i mezzi pubblici?
2. Nella Sua città normalmente la gente si muove in macchina o usa i mezzi pubblici? Dica perché.
3. Quali sono le ore in cui il traffico è più intenso?
4. È facile orientarsi nella Sua città? Perché?
5. Descriva ad un compagno di classe come si arriva dalla scuola a casa Sua nel modo più rapido.

X ***Test***

A. Completate le frasi con la forma conveniente dell'imperativo indiretto:

1. Se vuole sentire il concerto, ...: comincia fra poco! (sbrigarsi)
2. La Sua chitarra è magnifica: .... vedere da vicino! (farmela)
3. .... a sentire, per favore! Devo dirLe una cosa importante. (starmi)
4. Questo pesce è ottimo: .... anche Lei! (prenderlo)
5. Se non riesce a trovare quel testo in libreria, ... in biblioteca! (cercarlo)
6. La Sua macchina non funziona bene: .... controllare da un meccanico! (farla)
7. Cameriere, ... il conto, per favore! (portarci)
8. Sono tutti in maniche di camicia: .... la giacca anche Lei! (togliersi)
9. Se questi discorsi per Lei sono noiosi, ... pure! (dirmelo)
10. Mario non è riuscito a trovare un biglietto per il teatro: .... Lei, per favore! (procurarglielo)

Lessico nuovo: rapido.

B. Mettete le frasi alla forma di cortesia (Lei):

1. Non dimenticarti della promessa che mi hai fatto!

   ....

2. Non credere che la ricchezza sia tutto nella vita!

   ....

3. Se Laura ti chiede questo favore, non rifiutarglielo!

   ....

4. Non andartene: alle sei abbiamo una riunione!

   ....

5. Quella lampada serve a me: non spegnerla, per favore!

   ....

6. Le scarpe con il tacco sono scomode: non mettertele!

   ....

7. In terrazza fa freddo: non andarci!

   ....

8. Anche se credi che Carla abbia torto, non dirglielo apertamente!

   ....

9. Le indicazioni che ti hanno dato sono sbagliate: non seguirle!

   ....

10. Non è un luogo adatto per i bambini: non portarceli!

   ....

C. Scrivete accanto ad ogni parola (o espressione) il sinonimo che conoscete:

1) aumentare ....
2) evitare ....
3) mostrare ....
4) perdonare ....
5) gentile ....
6) intenso ....
7) sconto ....
8) di fronte a ....
9) in effetti ....
10) in ogni caso ....

Lessico nuovo: –

A questo punto Lei conosce
1797 parole italiane

I *Luoghi comuni sull'Italia*

Ann è appena tornata a Londra da un soggiorno di studio in Italia. Quando si presenta in classe, i compagni sono curiosi di conoscere le sue impressioni sul paese di cui stanno studiando la lingua.

John: Allora, dicci, Ann: l'Italia è proprio come l'immaginavi?

Ann : Ad essere sincera, non esattamente. Tanto per cominciare, *mi aspettavo* che splendesse sempre il sole, insomma che il cielo fosse sempre sereno e azzurro, invece ho scoperto che talvolta c'è una nebbia del tutto simile a quella di Londra e che spesso piove per giorni e giorni, come da noi.

John: Visto che con il tempo non hai avuto molta fortuna, hai almeno trovato una buona sistemazione?

Ann : Sì, almeno nel senso che intendo io. *Sebbene* la scuola avesse già prenotato per me una camera alla casa dello studente, *ho pensato* che fosse meglio vivere in un ambiente esclusivamente italiano. Così mi sono messa alla ricerca di una famiglia con figli della mia età e dopo molti tentativi sono riuscita a trovarla.

John: Dunque hai potuto avere una conoscenza diretta della gente italiana. E che impressione hai ricevuto?

Ann : Un'impressione completamente diversa da quella che avevo prima.

John: E cioè?

Ann : Prima *credevo* che tutti gli italiani fossero bassi, avessero occhi e capelli neri, suonassero la chitarra e cantassero con belle voci, si esprimessero più con i gesti che con le parole, che *facessero* la corte a tutte le ragazze e che mangiassero spaghetti a pranzo e a cena. Ben presto, però, mi sono accorta che erano tutti luoghi comuni, come quello per esempio, su noi inglesi, che saremmo tutti di ghiaccio.

Liza : *Prima che* tu dicessi tutto questo, *ero* già *convinta* che non si possa conoscere un paese e la sua gente senza avere un'esperienza diretta. Ma ora *vorrei* che tu finissi di dirci in che senso le tue idee sono cambiate.

Lessico nuovo: ventesimo - sincero - aspettarsi - splendere - sereno - azzurro - talvolta - nebbia - sistemazione - ambiente - ricerca - tentativo - conoscenza - completamente - cantare - gesto - corte - ghiaccio.

Ann : Quando da noi si parla degli italiani, si pensa di solito a quelli di mezza età e soprattutto del Sud. Si dimentica che esistono tanti giovani che invece non si distinguono da quelli di altri paesi. Anch'io *credevo* che i ragazzi italiani avessero idee e gusti diversi dai nostri, ma quando ho conosciuto da vicino i figli della padrona di casa e i loro amici ho cambiato opinione.

Frank: Del resto una persona intelligente dovrebbe rifiutare i luoghi comuni.

Ann : È vero, ma a forza di leggere e sentire le stesse cose su un paese, uno si convince che siano vere.

II ***Ora ripetiamo insieme:***

- Mi aspettavo che in Italia splendesse sempre il sole.
- Ho pensato che fosse meglio vivere in un ambiente esclusivamente italiano.
- Prima credevo che tutti gli italiani fossero bassi e avessero occhi e capelli neri.
- Ora vorrei che tu finissi di dirci in che senso le tue idee sono cambiate.
- Anch'io credevo che i ragazzi italiani avessero idee e gusti diversi dai nostri.

III ***Rispondete alle seguenti domande:***

1. Che cosa sono curiosi di conoscere i compagni di Ann?
2. Cosa si aspettava Ann, andando in Italia?
3. Cosa ha scoperto, invece?
4. Che idea aveva degli italiani prima del viaggio in Italia?
5. Di che cosa era convinta Liza prima ancora di sentire il racconto di Ann?
6. Che cosa credeva Ann prima di conoscere da vicino i figli della padrona di casa e i loro amici?
7. Che cosa succede, secondo Ann, a forza di sentire le stesse cose su un paese?

IV ***Forme del congiuntivo imperfetto e trapassato.***

Come l'imperfetto indicativo, l'imperfetto congiuntivo è un tempo per lo più regolare:

suonare	avere	finire
suonAVO	avEVO	finIVO
suonASSI	avESSI	finISSI

Lessico nuovo: distinguersi - gusto - padrona - resto (del r.) - racconto.

A.

	suonARE		avERE		finIRE	
Loro credevano che						
io	suonassi		avessi		finissi	
tu	suonassi		avessi		finissi	
lui/lei	suonasse	la chitarra	avesse	una bella	finisse	per cantare
noi	suonassimo		avessimo	voce	finissimo	
voi	suonaste		aveste		finiste	
loro	suonassero		avessero		finissero	

	essere		
	io	fossi	
	tu	fossi	
Lei immaginava che	lui/lei	fosse	d'accordo con lei
	noi	fossimo	
	voi	foste	
	loro	fossero	

Nota: Poiché le forme delle prime due persone sono uguali, è opportuno usare il pronome (io - tu), quando dal contesto non risulta chiaro chi fa l'azione.

Osservate!

Per i verbi irregolari le forme dell'imperfetto congiuntivo sono simili a quelle dell'imperfetto indicativo:

bere	be*v*evo	be*v*essi
dire	di*c*evo	di*c*essi
fare	fa*c*evo	fa*c*essi

Oltre al verbo "essere" (che abbiamo visto prima), fanno eccezione a questa regola soltanto pochi verbi:

dare	d*a*vo	d*e*ssi
stare	st*a*vo	st*e*ssi

Per quanto riguarda le varie forme di irregolarità dei verbi al congiuntivo, si veda la tabella dei verbi compresi nell'intero corso.

Lessico nuovo: irregolarità - tabella.

B.

Loro credevano che

io	avessi	cambiato idea
tu	avessi	
lui	avesse	conosciuto da vicino
noi	avessimo	qualche italiano
voi	aveste	
loro	avessero	finito di parlare

fossi	riuscit*o*/*a*/*i*/*e* a trovare
fossi	una buona sistemazione
fosse	
fossimo	rimast*o*/*a*/*i*/*e* in albergo
foste	
fossero	andat*o*/*a*/*i*/*e* in vacanza

V

1. Completate le frasi con la forma conveniente del congiuntivo imperfetto o trapassato:

Credevo che ieri Marco *tornasse* in ufficio.
Credevo che l'altro ieri Marco *fosse tornato* in ufficio. (tornare)

1. Speravo che ieri .... la lettera che aspettavo da tanti giorni. (arrivare)
2. Immaginavamo che a quell'ora Luisa .... ancora. (dormire)
3. Maria voleva che da piccoli i figli .... in ordine le loro camere. (tenere)
4. Avevamo l'impressione che loro non .... un'acca di ciò che tu avevi detto. (capire)
5. Carla temeva che il suo ragazzo non .... a laurearsi a pieni voti. (riuscire)
6. Ci sembrava strano che a quell'ora Giorgio non .... ancora. (telefonare)
7. Abbiamo avuto l'impressione che Sergio non .... dire tutto ciò che sapeva. (volere)
8. Quando vidi che Carlo non era ancora arrivato, pensai che .... un incidente. (avere)
9. Avevamo immaginato che in autunno i prezzi .... (salire)
10. Vorrei che tutti .... a sentire ciò che dico. (stare)

Lessico nuovo: –

2. Come sopra:

1. Ci sembrava che in quella occasione Franca .... in modo perfetto. (comportarsi)
2. Non eravamo convinti che loro .... per quell'esame. (prepararsi)
3. Per poter finire in giornata, occorreva che tutti .... al lavoro. (mettersi)
4. Giorgio preferiva che voi .... un po' prima di continuare il lavoro. (riposarsi)
5. Pensai che loro .... quando ti avevano dato quell'informazione. (sbagliarsi)
6. Era probabile che in seguito .... un'occasione migliore. (presentarsi)
7. Ero felice che Laura e Marco .... presto. (sposarsi)
8. Prima di andare in pensione, il signor Rossi ha aspettato che suo figlio .... (sistemarsi)
9. Ci dispiacque che quel giorno Anna .... per noi. (preoccuparsi)
10. Non era vero che il signor Tofi .... più al lavoro che alla famiglia. (dedicarsi)

VI-1 ***Uso del congiuntivo imperfetto e trapassato e la concordanza dei tempi.***

Per realizzare in modo corretto la concordanza dei tempi nell'ambito del congiuntivo è sufficiente riferirsi all'uso dei tempi dell'indicativo (v. Unità 17, VI.2).
Come avete visto nell'Unità 18, se il verbo principale che richiede il congiuntivo è al presente, il verbo dipendente può stare al presente o al passato.
Esaminiamo ora il caso del verbo principale al passato:

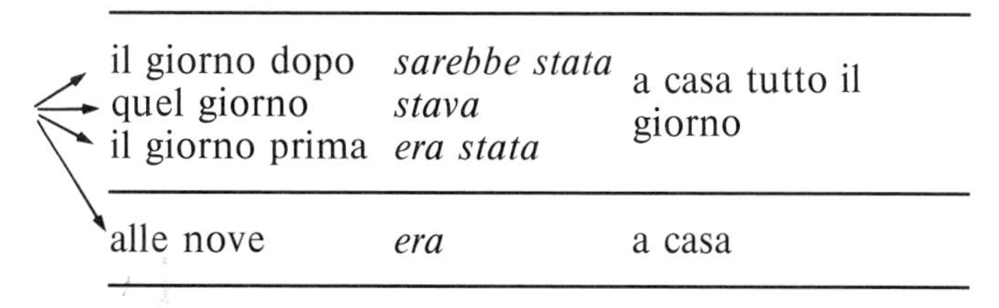

Ero certo che Carla
il giorno dopo *sarebbe stata*
quel giorno *stava*
il giorno prima *era stata*
a casa tutto il giorno
alle nove *era* a casa

Lessico nuovo: –

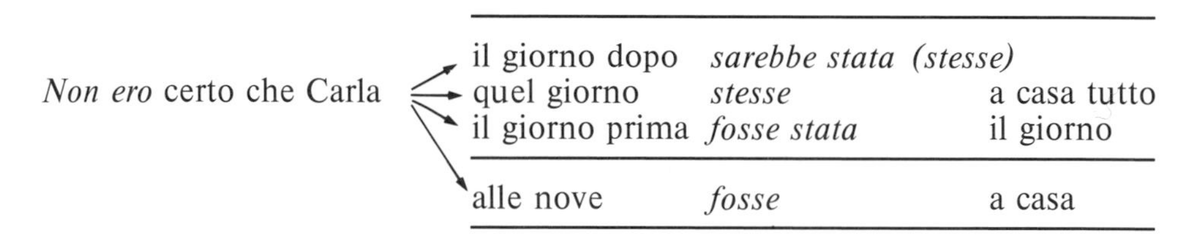

Non ero certo che Carla
il giorno dopo *sarebbe stata (stesse)*
quel giorno *stesse* a casa tutto
il giorno prima *fosse stata* il giorno
alle nove *fosse* a casa

Attenzione!

Oltre che con il verbo principale al passato (o trapassato), il congiuntivo imperfetto e trapassato si accorda anche con il verbo principale al condizionale (semplice e composto), se questo esprime *volontà o desiderio:*

Desideravo Volevo Preferivo Desidererei Vorrei Preferirei	che Carla	venisse con noi

Avrei desiderato Avrei voluto Avrei preferito	che Carla	venisse	con noi
		fosse venuta	

Con il condizionale semplice dei verbi che *non esprimono* volontà o desiderio l'accordo è con il congiuntivo presente o passato:

Direi	che Carla	*faccia* bene	a venire con noi
Penserei		*abbia fatto* bene	

Osservate!

Direi che Carla *sia* d'accordo a venire con noi.
Vorrei che Carla *fosse* d'accordo a venire con noi.

2. Come potete vedere nello schema che segue, l'uso del congiuntivo imperfetto e trapassato è del tutto simile a quello del congiuntivo presente e passato:

Lessico nuovo: –

A. L'uso del modo è determinato dal verbo della frase principale:

INDICATIVO, se il verbo principale esprime:		CONGIUNTIVO, se il verbo principale esprime:	
1. CERTEZZA OGGETTIVITÀ		1. INCERTEZZA OPINIONE SOGGETTIVA	
Sono certo È sicuro È chiaro	che lui *ha* ragione.	Non sono certo Non sono sicuro Non sono convinto Dubito Credo Penso Mi pare Direi Immagino Suppongo	che lui *abbia* ragione.
Ero certo Era sicuro Era chiaro	che lui *aveva* ragione.	Non ero certo Non ero sicuro Non ero convinto Dubitavo Credevo Pensavo Mi pareva Avrei detto Immaginavo Supponevo	che lui *avesse* ragione.
2. CERTEZZA OGGETTIVITÀ		2. PROBABILITÀ/IMPROBABILITÀ POSSIBILITÀ/IMPOSSIBILITÀ	
È sicuro Mi hanno detto	che Giulio *è* d'accordo con me.	È probabile improbabile possibile impossibile	che Giulio *sia* d'accordo con me.
Era sicuro Mi avevano detto	che Giulio *era* d'accordo con me.	Era probabile improbabile possibile impossibile	che Giulio *fosse* d'accordo con me.

Lessico nuovo: –

3. CERTEZZA OGGETTIVITÀ So Ho saputo poco fa — che Carla *ha preso* una decisione giusta.	3. PREOCCUPAZIONE PAURA Temo Ho paura — che Carla *abbia preso* una decisione sbagliata.
Sapevo Ho saputo Seppi Avevo saputo — che Carla *aveva preso* una decisione giusta.	Temevo Avevo paura — che Carla *avesse preso* una decisione sbagliata.
4. CERTEZZA OGGETTIVITÀ Ho sentito Mi hanno detto — che Carlo *si è laureato* a pieni voti.	4. STATO D'ANIMO SOGGETTIVO Sono felice Sono contento — che Carlo *si sia laureato* a pieni voti.
Avevo sentito Mi avevano detto — che Carlo *si era laureato* a pieni voti.	Ero felice Ero contento — che Carlo *si fosse laureato* a pieni voti.
5. CERTEZZA OGGETTIVITÀ Vedo È evidente — che Marta *è* di buon umore.	5. SPERANZA ATTESA Spero Aspetto — che Marta *sia* di buon umore.
Vedevo Era evidente — che Marta *era* di buon umore.	Speravo Aspettavo — che Marta *fosse* di buon umore.

Lessico nuovo: –

6. CERTEZZA OGGETTIVITÀ	6. VOLONTÀ DESIDERIO
Vedo Sono sicuro — che Franco *si occupa* di quella faccenda.	Voglio Non voglio Pretendo Preferisco Desidero — che Franco *si occupi* di quella faccenda.
Vedevo Ero sicuro — che Franco *si occupava* di quella faccenda.	Volevo Non volevo Pretendevo Preferivo Desideravo — che Franco *si occupasse* di quella faccenda.
7. CERTEZZA OGGETTIVITÀ	7. NECESSITÀ OPPORTUNITÀ
Sono certo È sicuro — che lui *chiede* il permesso.	Bisogna È necessario Occorre È opportuno — che lui *chieda* il permesso.
Ero certo Era sicuro — che lui *chiedeva* il permesso.	Bisognava Era necessario Occorreva Era opportuno — che lui *chiedesse* il permesso.
8. CERTEZZA OGGETTIVITÀ	8. MANCANZA DI CERTEZZA
Ho saputo Mi hanno detto — che la festa *è riuscita.*	Si dice Pare Sembra Dicono — che la festa *sia riuscita.*
Avevo saputo Mi avevano detto — che la festa *era riuscita.*	Si diceva Pareva Sembrava Dicevano — che la festa *fosse riuscita.*
9. DOMANDA DIRETTA	9. DOMANDA INDIRETTA
Mi chiedo: "Come *può* parlare male di lui?"	Mi chiedo come lei *possa* parlare male di lui.
Mi chiedevo: "Come *può* parlare male di lui?"	Mi chiedevo come lei *potesse* parlare male di lui.

Lessico nuovo: –

10. Completate le frasi con le forme convenienti del congiuntivo imperfetto o trapassato:

1. Dubitavo che Marta .... bene ciò che le avevi detto. (capire)
2. Era difficile che Carlo .... di cambiare programma. (accettare)
3. Speravamo che anche il giorno dopo .... bel tempo. (fare)
4. Mi sembrava che Luisa .... la laurea prima del 1968. (prendere)
5. Giulio era contento che suo padre .... di prendersi una vacanza. (decidere)
6. Preferirei che voi mi .... sotto casa. (aspettare)
7. Bisognava che io .... in tempo mia moglie che non tornavo a pranzo. (avvertire)
8. Si diceva che i due capi di stato .... il mese prima in una località segreta. (incontrarsi)
9. Fin quando non ha compiuto vent'anni, i suoi genitori hanno preteso che Laura non .... da sola di sera. (uscire)
10. Tutti si chiedevano come quell'uomo .... tanti soldi in così poco tempo. (guadagnare)

B. L'uso del modo è determinato dal significato della frase dipendente:

Frase dipendente INDICATIVO	*Frase principale*	*Frase dipendente* CONGIUNTIVO
1. perché sa fare da solo. ↙	*Non aiuto* Mario	↘ perché (affinché) *impari* a fare da solo.
perché sapeva fare da solo. ↙	*Non ho aiutato* Mario	↘ perché (affinché) *imparasse* a fare da solo.

Lessico nuovo: –

Frase dipendente INDICATIVO	*Frase principale*	*Frase dipendente* CONGIUNTIVO
2.		
per farle compagnia. ↙	*Uscirò* con Marta	↘ sebbene *preferisca* restare a casa.
per farle compagnia. ↙	*Sono uscito* con Marta	↘ sebbene *preferissi* restare a casa.
3.		
perché di solito non correte troppo. ↙	*Vengo* in macchina con voi	↘ a patto che (purché) *non corriate* troppo.
perché di solito non correte troppo. ↙	*Sono venuto* in macchina con voi	↘ a patto che (purché) *non correste* troppo.
4.		
perché loro non devono accorgersene. ↙	*Faremo* tutto in segreto	↘ senza che loro *se ne accorgano.*
perché loro non dovevano accorgersene. ↙	*Facemmo* tutto in segreto	↘ senza che loro *se ne accorgessero.*
5.		
che consuma meno. ↙	*Devo* comprare una macchina	↘ che *consumi* meno.
che consumava meno. ↙	*Ho dovuto* comprare una macchina	↘ che *consumasse* meno.

Lessico nuovo: –

6. Completate le frasi secondo il senso:

1. Perché lui .... qual era il vostro problema, dovevate raccontargli tutto. (capire)
2. Laura continuava a mangiare molto, sebbene .... già troppo grassa. (essere)
3. Benché .... tutto ciò che voleva, Gianna non era mai contenta. (avere)
4. Cercammo una ragazza che .... scrivere a macchina. (sapere)
5. Dovetti comprare un appartamento, perché non .... a trovarne uno in affitto. (riuscire)
6. Sarei andato in macchina con Luigi, purché lui .... di dividere le spese. (accettare)
7. Fino all'anno scorso i Rossi hanno viaggiato molto, anche se la loro situazione economica non .... buona. (essere)
8. Con quel caldo mi andava bene qualsiasi cosa da bere, bastava che .... la sete. (togliere)
9. Avresti dovuto scegliere un lavoro che ti .... abbastanza tempo per la famiglia. (lasciare)
10. Abbiamo preso un taxi, senza che Carlo .... venire ad aspettarci alla stazione. (dovere)

C. L'uso del modo è determinato da parole o espressioni che precedono il verbo della frase dipendente:

Frase dipendente INDICATIVO	*Frase principale*	*Frase dipendente* CONGIUNTIVO
1. dopo che sarete usciti. ↙	*Parlerò* con Lucio	↘ prima che voi *usciate*.
dopo che eravate usciti. ↙	*Ho parlato* con Lucio	↘ prima che voi *usciste*.

Lessico nuovo: –

Frase dipendente INDICATIVO	*Frase principale*	*Frase dipendente* CONGIUNTIVO
2. anche se non è più di moda.	*Continua* a portare quel vestito	benché / sebbene / nonostante che non *sia* più di moda.
anche se non era più di moda.	*Continuava* a portare quel vestito	benché / sebbene / nonostante che non *fosse* più di moda.
3. le persone che hanno bisogno.	*È* pronto ad aiutare	qualunque / qualsiasi persona / chiunque *abbia* bisogno
le persone che avevano bisogno.	*Era* pronto ad aiutare	qualunque / qualsiasi persona / chiunque *avesse* bisogno
anche se non so dove andate.	*Verrò* con voi	dovunque *andiate.*
anche se non sapevo dove andavate.	*Sarei venuto* con voi	dovunque *andaste.*
anche quando ha dei problemi.	*È* sempre allegro	comunque *vadano* le cose.
anche quando aveva dei problemi.	*Era* sempre allegro	comunque *andassero* le cose.

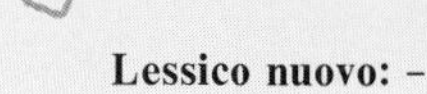

Lessico nuovo: –

Frase dipendente INDICATIVO	*Frase principale*	*Frase dipendente* CONGIUNTIVO	
4.			
	Gli *presto* i soldi		
poiché me li rende entro una settimana.		a patto che a condizione che purché basta che	me li *renda* entro una settimana.
	Gli *prestavo* i soldi		
poiché me li rendeva entro una settimana.		a patto che a condizione che purché bastava che	me li *rendesse* entro una settimana.

5. Completate le frasi con la forma conveniente del verbo:

1. Benché .... quasi l'una, ho provato lo stesso a cercare Giulio in ufficio. (essere)
2. Scrissi a Carla, prima che .... la notizia da altri. (sapere)
3. Avreste fatto in tempo all'ultimo spettacolo, purché .... (sbrigarsi)
4. Qualunque cosa io gli ...., Sergio mi rispondeva male. (dire)
5. Ho preferito raccontarvi tutto, dopo che .... quel brutto momento. (passare)
6. Sebbene .... tanto, Luigi ha dovuto rinunciare a quel viaggio. (tenerci)
7. Quando era bambina, Luisa si trovava bene dovunque .... (andare)
8. Abbiamo preferito arrivare a casa prima che .... buio. (farsi)
9. Ti avevo prestato il mio ombrello, a patto che non lo .... (perdere)
10. Chiunque .... a fare questo lavoro, lo troverebbe interessante. (provare)

Lessico nuovo: –

D. L'uso del modo nella frase dipendente è determinato dalla struttura dell'enunciato:

1. È / Era fin troppo chiaro	1. Che lei non racconti / non raccontasse la verità,
⇩	⇩
2. che lei non racconta / non raccontava la verità.	2. è / era fin troppo chiaro.

1. Siamo / Eravamo sicuri	1. Che manchino / mancassero ancora pochi chilometri,
⇩	⇩
2. che mancano / mancavano ancora pochi chilometri.	2. siamo / eravamo sicuri.

Nota: Con verbi come "sapere" e "dire" si ripete il pronome quando la frase principale segue quella dipendente:

- Molti sapevano che il loro rapporto *era* in crisi.
- Che il loro rapporto *fosse* in crisi, *lo* sapevano molti.
- Anche Mario disse che tu *avevi* ragione.
- Che tu *avessi* ragione, *lo* disse anche Mario.

Lessico nuovo: -

1. Trasformate le frasi secondo i modelli visti sopra:

1. Era noto a tutti che quello non era un luogo tranquillo.

   ....

2. Solo Carlo diceva che Anna parlava bene l'inglese.

   ....

3. Era evidente che quell'uomo aveva alzato il gomito.

   ....

4. Era chiaro che Marta pensava solo alla carriera.

   ....

5. Non tutti sapevano che il governo doveva ottenere la fiducia delle due Camere.

   ....

VI-2

A. Il congiuntivo non si usa quando il soggetto del verbo principale e del verbo dipendente è lo stesso:

Soggetti diversi	*Soggetti uguali*
Dubitavo che Marco *finisse* prima di sera.	Dubitavo *di finire* prima di sera.
Pensavo che loro *tornassero* per l'ora di cena.	Pensavo *di tornare* per l'ora di cena.
Anna era convinta che Giulio *avesse* ragione.	Anna era convinta *di avere* ragione.

1. Completate le frasi secondo il senso:

1. In passato Franco faceva una vita più sana.
   Ad Anna, invece, anche allora pareva .... troppo. (fumare)
2. Laura arriva oggi.
   Io, invece, credevo .... domani. (arrivare)
3. Vi è piaciuto quel posto?
   Molto, e siamo stati contenti .... per alcuni giorni. (restarci)

Lessico nuovo: –

4. Perché non sei andata in macchina, Rita?
   Perché avevo paura .... troppo traffico. (trovare)

5. Perché Lei non ha voluto che loro partissero in macchina?
   Perché temevo .... troppo traffico. (trovare)

6. I prezzi sono saliti di nuovo.
   L'ho visto; ma non immaginavo .... così tanto. (salire)

7. Secondo voi, Marco ha fatto bene a cambiare lavoro?
   All'inizio credevamo ...., ma poi ci siamo convinti che aveva ragione. (sbagliare)

8. Avete fatto in tempo al treno delle sei?
   Sì, ma fino all'ultimo abbiamo temuto .... (perderlo)

9. Luisa non ha accettato l'invito a pranzo per domani.
   Peccato! Saremmo stati contenti .... dopo tanto tempo. (rivederla)

10. Gianni ha lasciato la ragazza che aveva conosciuto al mare.
    Ci dispiace, perché speravamo che questa volta .... sul serio. (fare)

VII **Completate le frasi con la forma conveniente del congiuntivo imperfetto e trapassato:**

1. Eravamo contenti che finalmente Carlo .... un lavoro. (trovare)

2. Benché .... attenzione a non dimenticare nulla, Luigi lasciò l'ombrello in treno. (fare)

3. Dovetti tornare in ufficio, sebbene non ne .... nessuna voglia. (avere)

4. Avevamo cercato una ragazza che .... ai bambini due ore al giorno. (badare)

5. Avrei corretto quello che avevi scritto, purché tu lo .... a macchina. (battere)

Lessico nuovo: –

6. Prima che i prezzi ...., dovemmo deciderci a cambiare casa. (aumentare)
7. Dovunque tu lo ...., quel quadro starebbe sempre bene. (mettere)
8. Chiunque .... quel libro affermava che era il migliore di quei tempi. (leggere)
9. Qualunque regalo .... di fare a Luisa, avreste dovuto chiedermi se volevo partecipare alla spesa. (decidere)
10. Giulio venne ad aiutarci, senza che nessuno di noi glielo .... (chiedere)

VIII

A. Uso del congiuntivo (imperfetto e trapassato) nelle frasi indipendenti.

Nell'Unità 18 abbiamo esaminato gli usi del congiuntivo presente e passato nelle frasi indipendenti. Vediamo ora che le forme del congiuntivo imperfetto e trapassato si usano:

1) Per esprimere un desiderio che potrebbe realizzarsi o che non si può / non si è potuto realizzare:

- La partita sta per cominciare.
- Almeno *vincesse* il Milan!
- Me lo auguro anch'io!

- Magari *avessi* la tua età!
- Purtroppo gli anni non si possono togliere.

- Paolo ha avuto un incidente d'auto.
- Mi *avesse ascoltato* e *fosse partito* in treno!
- Si vede che era destino che gli succedesse.

2) Per esprimere un dubbio o un'ipotesi:

- Ho notato anch'io che Laura era un po' fredda con te.
- Che *fosse* offesa perché non le ho più telefonato?
- È probabile.

- Giorgio ieri sera ha fatto dei discorsi strani.
- Anche a me è sembrato che il suo comportamento non fosse normale.
- Che *avesse bevuto* un po' troppo?
- Non saprei che dire.

Lessico nuovo: augurarsi - destino - notare - offeso - comportamento.

B. Raccontate il contenuto del dialogo introduttivo, completando il seguente testo:

Ad Ann l'Italia è sembrata un po' diversa .... come la .... prima del suo .... di studio. .... per cominciare, si aspettava che .... sempre il sole, e che il cielo .... sempre .... e azzurro, invece ha scoperto che .... c'è una nebbia del tutto .... quella di Londra e che spesso piove per ....
Stando con una famiglia italiana, ha potuto avere una conoscenza .... della gente, così ha ricevuto un'impressione completamente .... quella che aveva prima.
Ha capito che non era vero che tutti gli italiani .... bassi e .... occhi e capelli neri, ... la chitarra e .... con belle voci, e che .... spaghetti a pranzo e a cena.
Prima credeva anche che i ragazzi italiani .... idee e .... diversi .... quelli dei ragazzi inglesi, ma quando ha conosciuto .... i figli della .... di casa e .... amici ha cambiato idea.
Quando Frank le ricorda che una persona intelligente .... i luoghi comuni, Ann risponde che però, ... di leggere e sentire le stesse cose .... un paese, uno .... che .... vere.

C. Conversazioni.

1.

- Sento odore di fumo: chi ha acceso una sigaretta?
- Io. Scusi, non sapevo che qui fosse vietato fumare.
- Non ha visto il cartello?
- No, ho visto dei portacenere e ho pensato che si potesse fumare.
- In passato, ma ora non più.

2.

- Fossi partita in macchina invece che in treno!
- Perché, hai fatto un viaggio disastroso?
- Non ti dico! Mi è capitato un guaio dopo l'altro. A Firenze ho perduto la coincidenza con il rapido per Venezia. Come se non bastasse, non ho trovato gettoni per avvertire Giulio che sarei arrivata con tre ore di ritardo.
- Quindi immaginavi che lui stesse in pensiero?
- Avessi visto la sua faccia al mio arrivo! Sembrava che non avesse dormito per notti e notti.
- Non credevo che Giulio fosse tanto ansioso.

Lessico nuovo: odore - vietato - cartello - portacenere - disastroso - guaio - coincidenza - gettone - ansioso.

3.

- Vuoi ridere?
- Dimmi!
- A Marco hanno rubato il portafogli con i soldi e i documenti.
- C'è poco da ridere. Capitasse a me, piangerei dal dispiacere.
- La cosa buffa è che lui spera di ritrovarlo con tutto il contenuto.
- È davvero ottimista!

IX *Rispondete alle seguenti domande:*

1. Oltre quelli che cita Ann, quali sono i luoghi comuni sugli italiani più diffusi nel Suo paese?
2. C'è, secondo Lei, qualcosa di vero in questi luoghi comuni?
3. Quali sono i luoghi comuni sul Suo paese?
4. Se Lei ha avuto una conoscenza diretta della gente italiana, dica in che cosa è diversa dalla gente del Suo paese.
5. Se non ha avuto questa esperienza, dica qual è il popolo che somiglia di più alla gente del Suo paese e ne spieghi le ragioni.

X *Test*

A. Completate le frasi secondo il senso:

1. Bisognava che voi .... per tempo se volevate trovare posto in albergo. (prenotare)
2. Marco pretendeva .... più di noi di quella storia. (saperne)
3. Mi è dispiaciuto davvero che ieri sera Lei non .... con noi, signor Carli. (venire)
4. Non era possibile che Sergio .... del tuo compleanno. (dimenticarsi)
5. Supposi che loro .... del tuo arrivo da Lucia. (sapere)
6. Speravamo .... un lavoro adatto a noi. (trovare)
7. Avrei detto che questo vino .... migliore di quello di Orvieto, invece non è così. (essere)
8. Perché non avete aspettato che .... di piovere, invece di uscire subito? (smettere)
9. Mi chiesi come Anna .... a superare l'esame di latino. (riuscire)
10. Che loro non .... intenzione di spendere una somma così alta, lo capii subito. (avere)

Lessico nuovo: rubare - portafogli - documento - piangere - dispiacere (s.) - buffo - ritrovare - ottimista - diffuso.

B. Completate le frasi con il verbo al modo conveniente:

1. Sapevo che quel negozio .... molto buono.
2. Secondo me quel negozio .... molto buono.
3. Credevo che quel negozio .... molto buono.
4. Dicevano che quel negozio .... molto buono.
5. Non ero convinto che quel negozio .... molto buono.
6. Sebbene .... molto buono, quel negozio non aveva molti clienti.
7. Anche se .... molto buono, quel negozio non aveva molti clienti.
8. Chiunque .... la spesa in quel negozio, diceva che era molto buono.
9. Che quel negozio .... buono, lo dicevano tutti.
10. Quel negozio .... buono davvero, se lo dicevano tutti.

C. Completate le frasi con i verbi fra parentesi:

1. Piove e non abbiamo l'ombrello.
   Almeno .... a prenderci Mario con la macchina! (venire)
2. Ti piacerebbe abitare in campagna?
   Magari .... una casa in mezzo al verde! (trovare)
3. Luisa non mi parlò del suo progetto di cercare un altro lavoro. .... idea? (cambiare)
4. Quel ragazzo non si è comportato bene con Laura.
   Non lo .... mai ....! (incontrare)
5. Il dottor Bianchi pensa solo al lavoro.
   .... bisogno di soldi, potrei capirlo, ma non è il suo caso. (avere)
6. Ieri sera Carlo ci è sembrato distratto.
   .... stanco? O forse non era interessato ai vostri discorsi. (essere)

Lessico nuovo: –

7. Franco ha ripetuto esattamente ciò che mi aveva detto Giulio. .... d'accordo? (mettersi)
8. Giorgio ha venduto la sua macchina ad un prezzo piuttosto basso.
   Magari me lo ....! L'avrei comprata subito. (dire)
9. Abbiamo dimenticato di prendere il giornale.
   Almeno .... Marta! (pensarci)
10. I ragazzi di oggi sono fortunati.
    .... noi ai nostri tempi tutto quello che hanno loro! (avere)

D. Fate il XII test.

Lessico nuovo: -

A questo punto Lei conosce
1845 parole italiane

I *Venerdì 17*

Sergio : Dubito che Vincenzo venga con te a Bologna.

Franco: Ti ha detto lui che non verrà?

Sergio : No, ma immagino che troverà qualche scusa per rimandare il viaggio.

Franco: Pensi davvero che abbia cambiato idea? Quando ci siamo visti, ha detto che sarebbe venuto.

Sergio : Quando te l'ha detto forse non aveva pensato che la data della partenza era proprio venerdì 17.

Franco: Vuoi dire che è superstizioso?

Sergio : Proprio così. Sarà difficile che lo ammetta, ma io so che è vero.

Franco: Non avrei mai pensato che un ragazzo intelligente come lui potesse essere superstizioso.

Sergio : Eppure i tipi così non sono rari. Ne conosco diversi anch'io. Per esempio, una mia zia tiene in casa un ferro di cavallo, porta addosso sempre qualcosa di rosso, e se per caso un gatto nero le attraversa la strada, è pronta a tornare indietro o a fare un'altra via.

Franco: Ma tua zia appartiene ad un'altra generazione e in fondo non mi stupisce che sia così.

Sergio : Tempo fa Vincenzo mi disse che era diventato superstizioso dopo che aveva avuto un incidente proprio di venerdì 17.

Franco: Non sapevo che avesse avuto un incidente.

Sergio : Gli è successo diversi anni fa, quando aveva diciassette anni.

Franco: Ma allora comincio anch'io a credere che il numero 17 porti sfortuna.

Sergio : Non mi dirai che anche tu non vuoi partire di venerdì 17, per paura che ti succeda qualcosa?

Franco: No, non credo alla superstizione, comunque ... tocchiamo ferro!

Lessico nuovo: ventunesimo - data - superstizioso - ferro - cavallo - addosso - attraversare - appartenere - generazione - stupire - sfortuna - superstizione.

II ***Ora ripetiamo insieme:***

- Dubito che Vincenzo venga con te a Bologna.
- Immagino che troverà qualche scusa per rimandare il viaggio.
- Quando ci siamo visti, ha detto che sarebbe venuto.
- Forse non aveva pensato che era proprio venerdì 17.
- Non avrei mai pensato che lui potesse essere superstizioso.
- Mi disse che era diventato superstizioso dopo un incidente.
- Non sapevo che avesse avuto un incidente.
- Gli è successo quando aveva diciassette anni.

III ***Rispondete alle seguenti domande:***

1. Perché Sergio dubita che Vincenzo vada con Franco a Bologna?
2. Cosa non ammetterà Vincenzo, secondo Sergio?
3. Perché Franco è sorpreso nel sentire cosa gli dice Sergio?
4. Quando è diventato superstizioso Vincenzo?
5. Quando gli è successo l'incidente che l'ha fatto diventare superstizioso?
6. Cosa comincia a credere Sergio dopo aver sentito il caso di Vincenzo?

IV

Rispettare la concordanza dei modi significa porre il verbo della frase dipendente al modo e al tempo richiesti dal verbo della frase principale.
Per quanto riguarda la concordanza dei tempi, e, in parte la concordanza dei modi, rimandiamo alle Unità 18 e 20.
Vediamo ora tutti i casi di concordanza dei modi e dei tempi, ricordando che prima di formulare la frase dipendente è necessario chiarire:

a) il modo (indicativo, congiuntivo, condizionale, infinito) che il verbo principale richiede;

b) il tempo (di cui ciascun modo dispone), secondo che l'azione espressa dal verbo dipendente sia contemporanea, anteriore o posteriore rispetto a quella del verbo principale.

Lessico nuovo: rispettare - formulare - chiarire - disporre - contemporaneo.

1. Il verbo principale richiede l'*indicativo* o il *condizionale* nella frase dipendente.

A. Verbo principale al presente:

Carlo *dice* che Anna	partirà parte partirebbe	per le vacanze	↗	dopo
	parte sta partendo		→	ora
	è partita partiva partì sarebbe partita		↘	prima

B. Verbo principale al passato:

Carlo *ha detto* *diceva* *disse* *aveva detto* che Anna	sarebbe partita partiva	per le vacanze	↗	dopo
	partiva stava partendo		→	allora
	era partita partì		↘	prima

Lessico nuovo: –

2. Il verbo principale richiede il *congiuntivo* o il *condizionale* nella frase dipendente.

A. Verbo principale al presente:

Carlo *pensa* che Anna	(partirà) parta partirebbe	per le vacanze	↗ dopo
	parta stia partendo		→ ora
	sia partita partisse sarebbe partita		↘ prima

B. Verbo principale al passato:

Carlo *ha pensato* *pensava* *pensò* *aveva pensato* che Anna	sarebbe partita partisse	per le vacanze	↗ dopo
	partisse stesse partendo		→ allora
	fosse partita		↘ prima

Lessico nuovo: –

V

1. Completetate le frasi, facendo attenzione al modo richiesto dal verbo principale:

ora ↓ ora	Azioni contemporanee	allora ↓ allora

1. Siamo sicuri che il biglietto di andata e ritorno .... più conveniente. (essere)
2. Alcuni hanno creduto che tu .... quelle cose sul serio. (dire)
3. Mi pare che Carlo .... nel bere e nel fumare. (esagerare)
4. Sono felice che ora Lei .... di buona salute. (godere)
5. Dicono che i vostri vicini .... una casa magnifica. (avere)

2. Come sopra:

ora ⟶ dopo	Azione posteriore	allora ⟶ dopo

1. Spero che a Paolo .... il maglione che gli ho fatto. (piacere)
2. Aspettiamo che lui .... scusa, prima di perdonarlo. (chiederci)
3. Non immaginavo che gli ospiti .... fino a quell'ora. (fermarsi)
4. Te l'avevo detto che .... qualche difficoltà ad abituarti al nuovo modo di vita. (avere)
5. Franco mi ripeté che .... da solo. (cavarsela)

3. Come sopra:

prima ⟵ ora	Azione anteriore	prima ⟵ allora

1. Mi dispiace che non .... ancora a trovare lavoro, signorina. (riuscire)
2. È sicuro che a quest'ora .... già tutti. (arrivare)
3. In quel momento pensammo che lei .... dei nostri scherzi. (offendersi)
4. Credevo che Giulio ti .... tutto. (raccontare)
5. Lo sanno tutti che i Rossi .... ricchi da poco. (diventare)

Lessico nuovo: –

4. Completate le frasi, facendo attenzione a qual è
a) il modo richiesto dal verbo principale;
b) il rapporto di tempo fra il verbo principale e quello dipendente
(anteriorità, contemporaneità, posteriorità):

1. Sono felice che Lei .... la scelta che ho fatto. (approvare)
2. Ho capito subito che quella ragazza .... bisogno di aiuto. (avere)
3. Eravamo sicuri che prima o poi Luigi .... un lavoro adatto a lui. (trovare)
4. Vedo con piacere che voi .... a fare una vita più sana. (cominciare)
5. Domenica scorsa Paola aveva detto che ieri ...., invece non si è fatta vedere. (venire)
6. Mi pare che il tuo vestito .... un po' troppo corto. (essere)
7. Seppi da Maria ciò che .... prima del mio ritorno. (succedere)
8. Non sapevamo che Luisa .... Giorgio. (lasciare)
9. Immaginavamo che voi .... dormire fino a tardi, perciò non vi abbiamo svegliato. (volere)
10. Spero che domani il tempo .... al bello. (mettersi)

5. Come sopra:

1. Mi dispiace che Lei non .... bene in questa città. (trovarsi)
2. C'è Paola al telefono; dice che stasera .... di sicuro. (venire)
3. Per un momento mi è sembrato che tu .... piangendo. (stare)
4. Accidenti! Non pensavo che questo lavoro .... tanto faticoso. (essere)
5. Vorrei che tutti .... la natura. (amare)
6. Laura aveva immaginato che noi .... senza salutarla. (andarsene)
7. Carlo ripeteva sempre che .... scapolo, invece si è sposato anche lui. (rimanere)
8. Direi che in quest'ambiente l'aria .... troppo secca. (essere)
9. Ieri Giulio era di pessimo umore perché la notte precedente non .... abbastanza. (dormire)
10. Paola si è sentita male durante il viaggio perché .... dietro. (sedere)

Lessico nuovo: –

VI

A. Riassumendo, possiamo dire che nel formulare una frase dipendente bisogna scegliere:

in primo luogo *il modo* (indicativo, congiuntivo, condizionale, infinito) tenendo conto dei seguenti fattori:

a. *il verbo della frase principale:*
- se esprime certezza si avranno l'indicativo, il condizionale o l'infinito nella frase dipendente;
- se esprime incertezza, si avranno il congiuntivo, il condizionale o l'infinito nella frase dipendente.

b. *il significato della frase dipendente:*
- se esprime oggettività si avrà l'indicativo;
- se esprime soggettività si avrà il congiuntivo.

c. *parole o espressioni che precedono il verbo della frase dipendente:*
- secondo i casi, si avranno l'indicativo o il congiuntivo.

d. *la struttura dell'enunciato:*
- secondo i casi (la frase dipendente segue o precede la frase principale), si avranno l'indicativo o il congiuntivo.

in secondo luogo *il tempo,* in base a:

a. *il tempo del verbo principale* (presente, futuro, passato)

b. *il rapporto di tempo fra le due azioni:*

azione del verbo principale	azione del verbo dipendente
|——|	→ *posteriore* → *contemporanea* → *anteriore*

B.

1. Le forme dell'infinito si usano quando la persona che compie l'azione del verbo principale e quella del verbo dipendente è la stessa.

2. Le forme semplici dell'infinito esprimono *contemporaneità* dell'azione del verbo dipendente rispetto a quella del verbo principale *al presente, al futuro* e *al passato.* Le forme composte esprimono, invece, *anteriorità* dell'azione del verbo dipendente rispetto a quella del verbo principale *al presente, al futuro* e *al passato.*

Lessico nuovo: base.

VII ***Completate i seguenti dialoghi con la forma conveniente del verbo fra parentesi:***

1. Perché Anna non vuole fàrsi aiutare da nessuno?
   Perché pensa .... da sola. (cavarsela)
2. Non capisco perché Gianni ti è antipatico.
   Perché crede .... il più intelligente di tutti. (essere)
3. Mi spieghi per quale ragione non hai accettato quel lavoro?
   Perché dubitavo .... le qualità necessarie per farlo bene. (avere)
4. Non avete ancora visitato il museo?
   No; contavamo .... ieri, ma poi abbiamo cambiato programma. (andarci)
5. Perché sono rimasti delusi i Suoi amici?
   Perché speravano .... il loro scopo senza troppa fatica. (raggiungere)
6. Lei si esprime già bene in italiano!
   Grazie del complimento, ma so .... ancora diversi errori. (fare)
7. Perché non siete passati da me ieri sera?
   Perché non eravamo sicuri .... a casa. (trovarti)
8. Vedo che Carlo se n'è andato senza sistemare il tavolo di lavoro.
   Eppure aveva promesso .... in ordine. (lasciarlo)
9. Sai dove sono Sergio e Lucio?
   Li ho visti .... verso il centro. (andare)
10. Sei sorpresa di trovarmi qui?
    Sì, perché non ti ho sentito .... (arrivare)

Lessico nuovo: –

VIII

A. Raccontate il contenuto del dialogo introduttivo, completando il seguente testo:

Sergio dubita che Vincenzo .... con Franco a Bologna. Immagina che .... qualche scusa per .... il viaggio. Pensa che quando ha detto a Franco .... con lui, forse non .... che la data della partenza .... proprio venerdì 17.
Franco dice che non .... che un ragazzo intelligente come lui .... essere superstizioso. Sergio gli risponde che i tipi così non .... rari e che .... diversi anche lui.
Una volta Vincenzo gli disse che .... superstizioso dopo che .... un incidente .... di venerdì 17, quando .... diciassette anni.
A questo punto Franco dice che comincia anche lui a credere che il numero 17 .... sfortuna.
Sergio gli chiede se allora pensa .... di venerdì 17, per paura che gli .... qualcosa. Franco risponde che non .... alla superstizione, ma che comunque è meglio .... ferro!

B. Conversazioni.

1.

- Non avevi detto che Marco sarebbe venuto con noi a mangiare la pizza?
- Infatti voleva venire, ma siccome odia i locali affollati, all'improvviso ha cambiato idea.
- Vuol dire che la prossima volta faremo scegliere a lui il posto dove andare.

2.

- Sai che Luigi ha firmato il contratto di acquisto di un appartamento?
- Davvero? Non capisco come mai me l'abbia nascosto. Eppure ci siamo visti pochi giorni fa.
- Forse perché non siete entrati in argomento.
- In effetti abbiamo parlato di tutt'altre cose.

Lessico nuovo: pizza - siccome - odiare - firmare - nascondere - argomento.

3.

- Avete notato che Sandro non è mai puntuale?
- Sappiamo bene che è pigro e gli dà fastidio alzarsi presto la mattina.
- Scusate se vi interrompo: finché non protesterete, Sandro continuerà a fare il proprio comodo.

4.

- C'era la coda allo sportello della cassa?
- Non c'era molta gente, ma il signore davanti a me aveva sbagliato a riempire il modulo di versamento, per cui ci ha fatto perdere tempo.

5.

– Pensi che Omar ce la faccia a superare l'esame?
– Credo di sì. Commette ancora molti errori, ma è furbo e troverà il modo di cavarsela.

IX ***Rispondete alle seguenti domande:***

1. Secondo la Sua opinione, è giusto essere superstiziosi?
2. Nel Suo paese sono molte le persone superstiziose?
3. Come sono considerate le persone superstiziose da quelle che non lo sono?
4. Che cosa è oggetto di superstizione?
5. Secondo Lei, esiste un rapporto fra superstizione e grado di cultura o età delle persone?

X ***Test***

A. Completate i dialoghi con i verbi al modo e al tempo convenienti:

1. Marco è andato via perché si annoiava?
   Credo che .... proprio questo il motivo. (essere)
2. Si è stancata a guidare per tanti chilometri?
   Devo ammettere che il viaggio .... piuttosto faticoso. (essere)
3. Non riusciamo a trovare un appartamento in affitto in tutta la città.
   È meglio che .... ad un'agenzia: è l'unico modo sicuro per trovarne uno. (rivolgersi)

Lessico nuovo: puntuale - pigro - fastidio - interrompere - coda - sportello - cassa - riempire - versamento - commettere - furbo.

4. Secondo me, Luigi non ha capito bene ciò che hai detto.
   Noi siamo convinti che non .... un'acca. (capire)
5. Sa che il prezzo della benzina è di nuovo aumentato?
   Dice sul serio? Eppure i giornali dicevano che non
   .... (aumentare)
6. Giorgio ha cominciato a fumare un'altra volta.
   Io non sapevo neppure che .... (smettere)
7. Quella sera i vostri genitori si preoccuparono non vedendovi arrivare?
   Sì, naturalmente pensarono che ci .... qualche incidente. (accadere)
8. Mi sembri delusa, Carla. Cosa ti aspettavi da questo viaggio?
   Speravo .... gente interessante, ma non è stato così. (incontrare)
9. È vero che Suo figlio è distratto e perde tutto?
   Sì, quasi ogni giorno perde qualcosa. Ieri, per esempio, ha perduto i guanti che .... appena. (comprare)
10. Franco è di nuovo in ritardo.
    L'aveva detto che .... dopo le nove. (arrivare)

B. Trovate eventuali errori nelle seguenti frasi:

1. Non Le ho presentato la signorina Pini, perché credevo che la conosca.
2. Credo che ormai Gianni non telefoni più.
3. Vedendolo in quello stato, tutti hanno pensato che ha alzato troppo il gomito.
4. Quando arrivò, ci disse che aveva evitato di telefonare per farci una sorpresa.
5. Nessuno si aspettava che il prezzo della benzina aumenterebbe di cento lire.

C. Completate i dialoghi secondo il senso:

1. Perché non hai chiesto a tuo marito di accompagnarti in macchina?
   Perché sapevo che .... molto da fare.

Lessico nuovo: –

2. Dubito che Franco si ricordi di prendere i biglietti anche per noi.
   Speriamo di sì. Mi ha assicurato che .... il giorno stesso che gliel'ho detto.
3. Avete speso molto per sistemare la casa di campagna?
   Purtroppo sì; era in pessime condizioni, perché .... chiusa per molto tempo.
4. Il signor Martini lavora ancora nel Suo ufficio?
   No, ha dovuto lasciare il lavoro nel 1982, perché .... i limiti di età.
5. Mario vive a Parigi da tre mesi, ma già pensa di tornare.
   Lo sapevo che .... la nostalgia del suo paese e delle persone care.

XI

«Come si dice»

Finalmente è arrivato il mio turno! Era mezz'ora che facevo la fila.

Finalmente a casa! Che piacevole sensazione dopo una giornata piena di impegni!

Ho fatto la fila per mezz'ora e *alla fine* ho scoperto che non era lo sportello giusto.

Alla fine di una giornata piena di impegni, è piacevole tornare a casa.

Scusi, *come* ha detto?

Vorrei sapere l'inglese *come* te: così non avrei bisogno di un interprete.

Siccome non ho capito ciò che ha detto, La prego di ripetere.

Siccome non so l'inglese come te, dovrai farmi da interprete.

Lessico nuovo: turno - fila - sensazione.

avanti ←→ davanti

Se l'articolo ti interessa,
continuo a leggere.
Sì, va *avanti!*

È permesso?
Avanti, prego!

In macchina preferisco sedere *davanti*
perché soffro di mal d'auto.

Dove dorme il cane?
Davanti alla porta di casa.

Quei ragazzi *giocano* a calcio
tutto il pomeriggio.

Sapete *giocare* a carte?

Nostro figlio *suona* abbastanza
bene il pianoforte.

Suona il telefono: vai tu a rispondere?

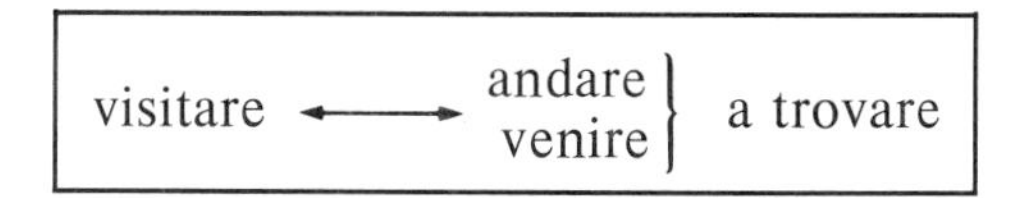

Il medico che mi *ha visitato* è
molto bravo e cortese.

Ieri *abbiamo visitato* il duomo
e il museo.

Ho promesso a Carla di *andare*
a trovarla domenica prossima.

Ieri sera *sono venuti a trovarci*
Laura e Pino.

aspettare ←→ aspettarsi

Aspettiamo Anna e Carlo.
È vero? Non credevo che sarebbero
venuti.

Aspetto che Franco finisca di
parlare e poi dirò qualcosa anch'io.

Non *mi aspettavo* che venissero
anche Anna e Carlo.

Da Franco non puoi *aspettarti*
un discorso breve: gli piace troppo
parlare.

Lessico nuovo: duomo.

A questo punto Lei conosce
1884 parole italiane

ventiduesima unità
(unità numero ventidue)

il periodo ipotetico
forme alterate di sostantivi, aggettivi e avverbi

Franca: So che Carla e Marco hanno comprato una casetta in campagna. Tu l'hai vista?

Giulio: Sì, ci sono stato diverse volte. *Se* venerdì *farà* bel tempo, ci *andrò* di nuovo. È il luogo ideale per passare qualche ora nel silenzio più assoluto e la salute ci guadagna.

Franca: D'estate io preferisco fare una corsa al mare, perché mi piace molto nuotare e prendere il sole.

Giulio: Non t'interessa fare una volta un'esperienza diversa?

Franca: Perché no? *Se* Carla e Marco m'*invitassero, accetterei* volentieri di passare una giornata all'aperto.

Giulio: Del resto potresti nuotare e prendere il sole anche lì. Non lontano dalla casa c'è un laghetto artificiale, dove si può fare il bagno e anche pescare in pace.

Franca: Dove si trova questa casa da sogno?

Giulio: Su una collina a pochi chilometri da qui. Per arrivare lassù bisogna attraversare un bosco, percorrendo una stradina su cui passa appena una macchina.

Franca: Sarà anche bello, non discuto, ma non è pericoloso vivere in un posto così isolato? Io non avrei coraggio a starci da sola; vivrei sempre con la paura dei ladri.

Giulio: Raramente Carla e Marco sono soli: hanno sempre qualche ospite. E poi ci sono due cani da guardia.

Franca: Come passano il tempo? Lavorano forse la terra?

Giulio: Sì, e con ottimi risultati. Il loro passatempo preferito è coltivare un pezzo di terra vicino a casa, per avere sempre verdura fresca.

Franca: A parte i due cani, hanno altri animali?

Giulio: Sì, hanno un bellissimo cavallo.

Franca: I cavalli sono stati sempre la mia passione. Allora ho deciso: venerdì verrò con te da Carla e Marco apposta per fare una corsa a cavallo per i prati.

Giulio: *Se avessero saputo* che era questo il tuo divertimento maggiore, ti *avrebbero invitato* prima a casa loro.

Lessico nuovo: ventiduesimo - divertimento - silenzio - corsa - nuotare - lago - artificiale - pescare - pace - sogno - collina - lassù - bosco - percorrere - discutere - isolato - coraggio - ladro - raramente - guardia - terra - risultato - passatempo - coltivare - pezzo - verdura - animale - passione - apposta.
Termini tecnici: alterato.

II *Ora ripetiamo insieme:*

- Se venerdì farà bel tempo, ci andrò di nuovo.
- Se m'invitassero, accetterei volentieri di passare una giornata all'aperto.
- Non lontano dalla casa c'è un laghetto artificiale.
- Dove si trova questa casa da sogno?
- Sarà anche bello, non discuto, ma non è pericoloso vivere in un posto così isolato?
- Io non avrei coraggio a starci da sola.
- I cavalli sono stati sempre la mia passione.
- Se l'avessero saputo, ti avrebbero invitato prima a casa loro.

III *Rispondete alle seguenti domande:*

1. Giulio è mai stato nella casa di campagna di Carla e Marco?
2. Perché d'estate Franca preferisce fare una corsa al mare il fine-settimana?
3. A Franca piacerebbe andare una volta a trovare Carla e Marco in campagna?
4. La loro casa di campagna è lontano dalla città in cui vivono?
5. Perché Franca non avrebbe coraggio a starci da sola?
6. Qual è il passatempo preferito di Carla e Marco?
7. Che animali hanno?
8. Che cosa decide di fare Franca venerdì?

Lessico nuovo: –

IV

A. In alcune unità precedenti avete visto delle forme di periodo ipotetico al futuro e al passato. Esaminiamo ora in maniera sistematica i vari tipi di questa struttura, cercando di mettere in chiaro qual è il suo significato e come a volte essa non si possa sostituire con altre forme.

1. **Luisa:** Domani sera farò una cena per tutti gli amici. Venite anche tu e tuo marito, vero?
Carla: Ti ringrazio dell'invito. Mio marito è fuori, ma dovrebbe tornare proprio domani. *Se tornerà* in tempo, *verremo* senz'altro.

Se tornerà in tempo, *verremo* senz'altro.
periodo ipotetico

Se tornerà — ipotesi considerata realizzabile con un sufficiente grado di certezza.

verremo — conseguenza

2. **Luisa:** Domani sera farò una cena per tutti gli amici. Venite anche tu e tuo marito, vero?
Carla: Ti ringrazio dell'invito. Mio marito è fuori e dovrebbe tornare proprio domani, ma non so di preciso a che ora. Comunque, *se tornasse* in tempo, *verremmo* senz'altro.

Se tornasse — ipotesi considerata realizzabile con un minore grado di certezza.

verremmo — conseguenza

Lessico nuovo: maniera - sistematico.

3. Carla e suo marito non sono andati a cena da Luisa perché lui è tornato troppo tardi. Il giorno dopo Carla telefona a Luisa per scusarsi:

Carla: Spero che non ti sia offesa che ieri sera non siamo venuti.
Luisa: Vi abbiamo aspettato fino a tardi, ma poi abbiamo pensato che forse tuo marito non era tornato.
Carla: In effetti è tornato solo alle undici. *Se fosse tornato* un po' prima, *saremmo venuti* senz'altro.

Se fosse tornato	*saremmo venuti*
ipotesi al passato	conseguenza al passato

Osservate!

In italiano il condizionale non esprime *mai* la condizione, ma solo la conseguenza di questa.
Dopo la congiunzione *se,* si ha di solito l'indicativo o il congiuntivo, e *mai* il condizionale:

Se	tornerà tornasse fosse tornato	in tempo,	verremo verremmo saremmo venuti	senz'altro.

Il condizionale può seguire la congiunzione *se* soltanto nelle frasi interrogative indirette:

Non so Mi chiedo	se	*accetterebbe* *avrebbe accettato*	l'invito.

B. Vari tipi di periodo ipotetico.

al futuro

1. Noi andiamo in segreteria.
   Se mi *aspettate, vengo* con voi. (presente-presente)
2. Mi offriresti una sigaretta?
   a. *Se continuerai* a fumare, non ti *passerà* la tosse. (futuro-futuro)
   b. *Se continui* a fumare, non ti *passa* la tosse. (presente-presente)

Lessico nuovo: segreteria.
Termini tecnici: congiunzione.

3. Venite a cena anche voi da Luisa?
   a. Sì, *se* mio marito *torna* in tempo, *verremo* senz'altro. (presente-futuro)
   b. Sì, *se* mio marito *tornerà* in tempo, *veniamo* senz'altro. (futuro-presente)
4. Ti piacerebbe approfondire lo studio dell'italiano?
   Sì, *se ricevessi* una borsa, *frequenterei* volentieri anche il corso medio. (cong. imp.-cond. sempl.)

al passato

1. Siamo andati a fare quattro passi.
   Se mi *aveste aspettato, sarei venuto* anch'io con voi. (cong. trap. - cond. comp.)
2. Siamo andati a fare quattro passi.
   Se mi *aspettavate, venivo* anch'io con voi. (imperfetto-imperfetto)

ipotesi al passato — *conseguenza valida al presente*

1. Marco non ha ancora trovato lavoro.
   Peggio per lui! *Se avesse scelto* la professione del padre, ora *non sarebbe* disoccupato.

Nota: L'ordine degli elementi nel periodo ipotetico non è fisso. L'enunciato può cominciare con l'ipotesi o con la conseguenza:

Se continuerai a fumare, non ti passerà la tosse.
1 2

Non ti passerà la tosse, se continuerai a fumare.
2 1

Se mi aveste aspettato, sarei venuto anch'io con voi.
1 2

Sarei venuto anch'io con voi, se mi aveste aspettato.
2 1

Lessico nuovo: approfondire - medio - valido - elemento.

C. Quando si racconta ciò che ha detto qualcuno, la forma di periodo ipotetico da usare è sempre la stessa:

discorso diretto	*discorso indiretto*
1. Franca ha detto: "*Se* m'*inviteranno, accetterò* con piacere".	Franca ha detto che *se* l'*avessero invitata, avrebbe accettato* con piacere.
2. Franca ha detto: "*Se* m'*invitassero, accetterei* con piacere".	
3. Franca ha detto: "*Se* mi *avessero invitato, avrei accettato* con piacere".	

V

1. Completate le frasi secondo il modello:

> Mi faresti un favore, Giulio?
> *Se posso,* te lo *faccio* con piacere. (potere-farlo)

1. Ormai è troppo tardi per andare al cinema.
   No, se voi ...., ... in tempo per l'ultimo spettacolo. (sbrigarsi-fare)
2. Non piove da mesi e la campagna soffre.
   Se il tempo ...., ... un guaio. (non cambiare-essere)
3. Hai ancora molto da fare?
   Se tu .... una mano, ... prima. (darmi-finire)
4. Carlo non crede che la tua macchina consuma poco.
   Se ...., ... subito idea. (provarla-cambiare)
5. Come mai Laura non parla?
   Se .... zitta, ... che è d'accordo. (stare-significare)

Lessico nuovo: –

2. Come sopra:

I tuoi genitori ti aspettano a cena? Sì, e *se non tornerò, si preoccuperanno.*

(non tornare-preoccuparsi)

1. Per dare l'esame Lei deve presentare la domanda.
   Sì, e se .... entro il 15, ... darlo. (non presentarla-non potere)
2. È vero che viene con noi anche Luigi?
   Sì, e se ...., ... (non aspettarlo-arrabbiarsi)
3. È molto che cerchi Giulio?
   Sì, e se ...., ... telefonargli a casa. (non vederlo-dovere)
4. Ricordi che domani è il compleanno di Marta?
   Sì, e se .... gli auguri, ... (non farle-dispiacerle)

3. Come sopra:

I tuoi genitori ti aspettano a cena? Sì, e *se non torno, si preoccupano.*

(non tornare-preoccuparsi)

1. Per dare l'esame Lei deve presentare la domanda.
   Sì, e se .... entro il 15, ... darlo. (non presentarla-non potere)
2. È vero che viene con noi anche Luigi?
   Sì, e se ...., ... (non aspettarlo-arrabbiarsi)
3. È molto che cerchi Giulio?
   Sì, e se ...., ... telefonargli a casa. (non vederlo-dovere)
4. Ricordi che domani è il compleanno di Marta?
   Sì, e se .... gli auguri, ... (non farle-dispiacerle)

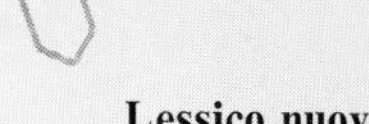

Lessico nuovo: –

4. Come sopra:

> Se questo lavoro non ti piace, perché non lo lasci?
> Perché *se* lo *lascio*, *non* ne *troverò* facilmente un altro.

(lasciarlo-trovarne)

1. Se sei stanca, perché non vai a letto?
   Perché se .... il pomeriggio, ... la notte in bianco. (dormire-passare)
2. Se questo vino Le piace, perché non ne prende un altro bicchiere?
   Perché se .... ancora, ... lavorare. (berne-non potere)
3. Se vi serve la macchina, perché non la chiedete a Mario?
   Perché se ...., ... (chiederla-non darcela)
4. Se non ti va di andare con Sergio, perché non glielo dici?
   Perché se ...., ... deluso. (dirglielo-restare)
5. Se Luisa ha problemi con i genitori, perché non va a vivere da sola?
   Perché se .... la casa, ... lavorare per mantenersi. (lasciare-dovere)

5. Come sopra:

> Sergio fuma troppo.
> Lo credo anch'io. *Se continuerà* di questo passo, *finisce* male.

(continuare-finire)

1. Lorenzo sbaglia a cambiare macchina.
   Lo credo anch'io. Se ...., ... prendere il nuovo modello. (aspettare-potere)
2. Marta non è adatta per questo lavoro.
   Lo credo anch'io. Se .... di farlo, ... meglio per lei. (smettere-essere)

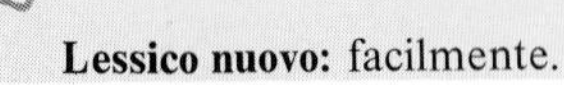

Lessico nuovo: facilmente.

3. L'orario di lavoro è troppo pesante.
   Lo credo anch'io. Se .... un altro impiego nella mia città .... subito questo posto. (trovare-lasciare)
4. Non vale la pena di fare una levataccia.
   Lo credo anch'io. Se tu .... il treno delle nove, ... a fare tutto lo stesso. (prendere-riuscire)
5. Il prezzo della benzina è troppo alto.
   Lo credo anch'io. Se .... ancora, ... un problema viaggiare in macchina. (aumentare-diventare)

6. Come sopra:

Dobbiamo proprio venire con te? Sì, *se veniste, mi fareste* un grosso favore.	(venire-farmi)

1. È proprio sicuro che quel ragazzo è in gamba?
   Sì, se Lei .... meglio, ... dubbi. (conoscerlo-non avere)
2. Se non Le interessa ciò che dice Franco, se ne può andare.
   No, resto lo stesso. Se ...., lui .... (andarsene-offendersi)
3. Vi piace questo posto?
   Sì, ma se .... meno gente, ci .... ancora di più. (esserci-piacere)
4. Peccato che Anna vesta in modo poco elegante!
   Sì, è un vero peccato. Se .... consigliare dalle amiche, ... (lasciarsi-guadagnarci)
5. Pensi che Luigi mi presterebbe la macchina?
   Sì, se ...., ... di no. (chiedergliela-non dirti)

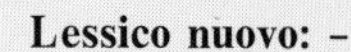

Lessico nuovo: -

7. Come sopra:

> Il viaggio ci è sembrato lunghissimo.
> *Se aveste preso* il rapido, *sareste arrivati* molto prima. (prendere-arrivare)

1. Laura è andata in segreteria, ma l'ha trovata chiusa.
   Se ...., ... che il pomeriggio non si ricevono gli studenti. (informarsi-sapere)
2. Carlo ha di nuovo sbagliato a fare i conti.
   Se tu .... esattamente come si fa, non .... un altro errore. (insegnargli-commettere)
3. Ieri ho passato tutto il pomeriggio in casa.
   Davvero? Se ...., ... a trovarti. (dircelo-venire)
4. Ho l'impressione che stamattina Maria abbia evitato di salutarmi.
   No, forse era distratta e non ti ha visto. Se ...., ... certamente. (vederti-salutarti)
5. Le piace il mestiere che fa?
   Sì, ma se da giovane ...., ... studiare. (potere-preferire)

8. Come sopra:

> Non sapevate che i negozi sono chiusi il lunedì mattina?
> *Se* lo *sapevamo, non uscivamo.* (sapere-non uscire)

1. Hanno fatto tutta la strada a piedi ed ora sono stanchi.
   Se .... l'autobus, ... (prendere - non stancarsi)
2. La lettera di Mario ci ha messo tre giorni per arrivare.
   Se .... per via aerea, ... prima. (mandarla-arrivare)

Lessico nuovo: –

3. Avresti potuto prendere l'aereo: non ti saresti stancata tanto.
   Se .... in aereo, ... il doppio. (viaggiare-spendere)
4. Siamo arrivati a casa bagnati fradici.
   Se ...., ... io. (telefonarmi-accompagnarvi)
5. Quando le ho raccontato ciò che avevo fatto, Luisa si è arrabbiata.
   Se .... zitto, questo .... (stare-non succedere)

9. Come sopra:

Lucia ha ancora mal di testa. *Se avesse preso* subito una compressa, ora *non* lo *avrebbe* più.	(prendere-non averlo)

1. Stamattina non ho fatto colazione, perciò ho una fame da lupo.
   Meglio così. Se tu ...., ora forse .... appetito. (farla-non avere)
2. Giorgio ha le mani bucate e non riesce a mettere da parte neppure una lira.
   Se i genitori .... ad una vita più modesta, ora .... anche lui dei risparmi. (abituarlo-avere)
3. Franco ha studiato l'inglese a scuola ma non è capace di dire due parole.
   Se, come me, ... ad impararlo in Inghilterra, ora .... fluentemente. (andare-parlarlo)
4. Il signor Martini ha problemi con i figli.
   Se .... di più alla famiglia, ora il suo rapporto con i figli .... migliore. (dedicarsi-essere)
5. È strano che alle dieci Sergio non si sia ancora svegliato.
   Infatti. Se .... la notte in discoteca, ... ancora. (non passare-non dormire)

Lessico nuovo: compressa.

VI

A. Il periodo ipotetico si può costruire anche in modo diverso da quelli visti fin qui:

al futuro

1. *Se puoi, prendi* i biglietti anche per noi!
   Se è stanca, vada a letto!
   Se esci, copriti bene!
   Se preferisci, guida tu!

al futuro o al passato

2. *Stando* attenta al mangiare, *perderai* qualche chilo in più.
   Conoscendo le lingue, *troverebbe* più facilmente un impiego, signorina.
   Essendo partita in macchina, a quest'ora *sarei* già a casa.
   Avendo prenotato per tempo, *avremmo potuto* trovare posto in albergo anche in agosto.

Attenzione!
Il gerundio si può usare soltanto se il soggetto dei due verbi è lo stesso.

B. Forme alterate dei sostantivi, degli aggettivi e degli avverbi.

Mary : Sentite, ragazzi, ho un problema di lingua e vi prego di aiutarmi a risolverlo.

Cesare: Speriamo di esserne capaci.

Marco : Dicci qual è il tuo problema.

Mary : Ecco, si tratta di questo: non riesco a capire come mai certe parole prendono una terminazione che le rende diverse da quelle che ho imparato. Per esempio: che differenza c'è fra "casa" e "cas*etta*"?

Marco : Dicendo "cas*etta*" esprimiamo due concetti allo stesso tempo: la casa di cui parliamo è piccola e in più ci è cara.

Lessico nuovo: trattarsi.

Mary : Allora ogni volta che si vuole dire "piccolo" e "caro" si deve aggiungere alla parola la terminazione *"etto"*?

Cesare: Sì, ma talvolta essa si usa solo per dire che qualcosa è semplicemente piccolo. Per esempio: "Ho un lavor*etto* da finire". "Andiamo a fare un gir*etto* in macchina?"; "In quel paese c'è una chies*etta* molto antica". "Ho ricevuto un pacch*etto* da Luigi"., eccetera.

Marco : Esistono, però, altre terminazioni per dire che una cosa è piccola, e cioè: *"ino", "ello", "uccio".*

Mary : Fammi qualche esempio, per favore!

Marco : Ecco i primi che mi vengono in mente: "Pier*ino* gioca con il tren*ino* elettrico"; "Quel gatt*ino* ha il pelo morbido e lucido"; "Ho bevuto un vin*ello* locale molto leggero"; "Nel giardino ci sono anche degli alber*elli* da frutta"; "Tirava un bel ventic*ello*"; "Si sta bene al cald*uccio*".

Mary : Queste forme valgono solo per i nomi, se ho ben capito.

Cesare: No, si possono usare anche con altre parole. Per esempio si può dire: "Oggi Luisa sta mal*uccio*"; "Parlano ben*ino* il francese"; "La mia valigia è pesant*ina*"; "È un ragazzo grandic*ello*"; "Il centro è lontan*uccio* da qui".

Mary : Abbiamo visto come si dà il significato di "piccolo" e "caro" alle parole. E per indicare che sono grandi e brutte come si dice?

Marco : Se vuoi dire che una cosa è grande, devi aggiungere alla parola la terminazione "*one*". Il fatto curioso è che in questo caso i nomi femminili diventano maschili: "I libri che non mi servono sono in uno scatol*one*"; "Ci siamo seduti sotto l'ombrell*one*"; "Ho mangiato un piatt*one* di spaghetti"; "Mi ha fatto un regal*one!*"; "Ho comprato un giacc*one* di pelle".
Se, invece, vuoi dire che qualcosa è brutto oppure cattivo, basta aggiungere la terminazione "*accio*". Per esempio: "Con questo temp*accio* è meglio restare a casa"; "Gianni fa una vit*accia*: lavora dalla mattina alla sera"; "Non mi piacciono le persone che dicono le parol*acce*"; "Non dovete frequentare quella gent*accia!*"; "È una stoff*accia* da quattro soldi, eppure fa figura".

Mary : Grazie, ragazzi, e scusate se vi ho rubato troppo tempo.

Marco : È stato un piacere per noi!

Lessico nuovo: pelo - morbido - lucido - locale (agg.) - pelle.

VII

1. Trasformate i dialoghi secondo il modello:

Se potessi farlo, abiteresti a Roma?
Sì, *potendo* farlo, ci abiterei.
No, *anche potendo* farlo, non ci abiterei.

1. Se ricevessi un aumento di stipendio, resteresti in questo ufficio?
   Sì, ...
   No, ...
2. Se avessi l'influenza, staresti a letto?
   Sì, ...
   No, ...
3. Se trovassi una buona occasione, andresti a lavorare all'estero?
   Sì, ...
   No, ...
4. Se volessi riposarti, potresti rimanere a casa domani?
   Sì, ...
   No, ...
5. Se fossi soddisfatta, torneresti nella stessa località?
   Sì, ...
   No, ...

2. Completate i dialoghi secondo il modello:

Peccato che Lei non abbia dormito tutta la notte!
Certo! Avendo dormito, ora mi sentirei meglio.

1. Peccato che Lei non abbia smesso di fumare!
   Certo! ...., ora avrei una salute di ferro.
2. Peccato che Lei non abbia sentito tutto!
   Certo! ...., ora saprei esattamente cosa rispondere.
3. Peccato che Lei non abbia cominciato prima a fare dello sport!
   Certo! .... prima, ora proverei minore fatica.

Lessico nuovo: –

4. Peccato che Lei non abbia continuato a suonare il pianoforte!
Certo! ...., ora saprei come passare qualche ora piacevole.
5. Peccato che Lei non abbia ordinato subito, senza aspettare gli altri!
Certo .... subito, ora sarei già al secondo.

3. Riscrivete le frasi, sostituendo alle parole sottolineate la corrispondente forma alterata del sostantivo, dell'aggettivo o dell'avverbio:

1. Avete fatto *un grosso affare* a comprare quella casa.
....
2. Il prezzo di questi stivali mi sembra *piuttosto alto.*
....
3. Gianni parla *abbastanza bene* il tedesco.
....
4. I Rossi ci hanno invitato *alla grande cena* di fine anno.
....
5. Ti prego di non fare più questi *brutti scherzi.*
....
6. Il vestito ti è rimasto *un po' troppo corto.*
....
7. Ieri Marco ha fatto *una brutta figura* con Luisa.
....
8. Da qui il centro è *piuttosto lontano.*
....
9. Per andare a Pisa ci vuole *più o meno un'ora.*
....
10. Carla è così magra, perché mangia *relativamente poco.*
....

VIII ***Raccontate il contenuto del dialogo introduttivo, completando il seguente testo:***

Carla e Marco hanno comprato .... in campagna. Giulio .... diverse volte e se venerdì .... bel tempo, ci .... di nuovo, perché secondo lui è il luogo .... per passare .... ora nel silenzio più .... e la salute .... Parlando con

Lessico nuovo: –

Franca, Giulio le chiede se .... interesserebbe andarci una volta. Franca risponde che se ...., ... volentieri di passare una giornata .... Quando Giulio dice che la casa di Marco .... su una collina e che per arrivarci bisogna .... una stradina che .... un bosco, Franca osserva che non avrebbe .... a starci da sola e che vivrebbe sempre con la paura ....
Giulio risponde che Carla e Marco hanno sempre .... e, inoltre, hanno due cani ....
Quando Franca scopre che i loro amici hanno anche un bellissimo ...., decide di .... con Giulio da Carla e Marco .... per fare una corsa .... cavallo .... prati.
Giulio conclude dicendo che se loro .... che quello era il suo .... maggiore, ... prima a casa loro.

IX ***Rispondete alle seguenti domande:***

1. Come preferisce passare il tempo libero?
2. Preferisce la campagna o il mare? Dica perché.
3. Se potesse, vivrebbe in un posto isolato? Spieghi perché.
4. Lei ama gli animali? Se sì, dica quali preferisce.
5. In Italia avere un cavallo è piuttosto raro. È lo stesso nel Suo paese?

X ***Test***

A. Trasformate le frasi indipendenti in periodi ipotetici:

1. Non ho tempo, altrimenti mi fermerei ancora un po'.

   ....

2. Siamo a corto di soldi, altrimenti pranzeremmo fuori.

   ....

3. Siete pigri, altrimenti potreste venire con noi a sciare.

   ....

4. I lavoratori hanno delle rivendicazioni da avanzare, altrimenti non sciopererebbero.

   ....

5. Queste scarpe mi stanno strette, altrimenti le metterei più spesso.

   ....

Lessico nuovo: -

B. Come sopra:

1. Anna ha perduto l'autobus, se no sarebbe arrivata puntuale come ogni giorno.
   ....
2. Luigi non ha trovato la donna ideale, se no non sarebbe rimasto scapolo.
   ....
3. Avevo un impegno precedente, se no avrei accettato di andare a cena da Carlo.
   ....
4. Non eravamo soddisfatti della sistemazione, se no non avremmo protestato.
   ....
5. Hanno acceso il riscaldamento, se no avremmo sentito freddo durante la notte.
   ....

C. Trasformate le frasi, sostituendo al modo congiuntivo una forma corrispondente:

1. Se facessero qualche sport, i ragazzi crescerebbero più sani.
   ....
2. Se avessi mangiato abbastanza, non ti sentiresti così debole.
   ....
3. Se avesse avuto più cura dei denti, ora Lei avrebbe una bocca sana.
   ....
4. Se esprimeste apertamente il vostro dissenso, diventereste antipatici a chi ha avuto quell'idea.
   ....
5. Se avessimo comprato un appartamento in condominio, dovremmo sopportare il rumore dei vicini.
   ....

Lessico nuovo: –

D. Scegliete la forma corretta fra le tre indicate:

	a		b		c
1. alberello	a	alberetto	b	alberuccio	c
2. costosuccio	a	costosello	b	costosetto	c
3. dolorone	a	dolorino	b	dolorello	c
4. lentino	a	lentone	b	lentetto	c
5. maluccio	a	maletto	b	malello	c
6. operina	a	operetta	b	operella	c

E. Fate il XIII test.

Lessico nuovo: -

A questo punto Lei conosce
1928 parole italiane

Dino '85

I *Una visita medica*

Pietro ha sempre goduto di una salute di ferro, pertanto è per lui una brutta sorpresa quando un giorno si sveglia con la febbre. Siccome si sente debole e non riesce ad alzarsi, decide di chiamare il medico.

Dr. Rossi: Che sintomi avverte?

Pietro : Mi fa male la testa, mi brucia la gola e di tanto in tanto mi esce il sangue dal naso.

Dr. Rossi: Ha la febbre?

Pietro : Quando l'ho misurata alle otto ne avevo qualche linea, ma sento che ora è cresciuta.

Dr. Rossi: Ha già preso qualche medicina?

Pietro : No, ho preferito aspettare Lei.

Dr. Rossi: Ha fatto bene. Se una medicina *è presa* senza che ce ne sia effettivo bisogno, può fare solo male. Nel Suo caso si tratta di una banale influenza che normalmente *viene curata* con il riposo a letto, con qualche aspirina ed, eventualmente, con degli antibiotici. Comunque vorrei misurarLe la pressione. Vediamo ...

Pietro : È normale?

Dr. Rossi: No, è un po' alta, per cui *va tenuta* sotto controllo. A parte l'influenza, malattia che *si prende* facilmente in questa stagione, Leï ha dei disturbi alla circolazione che *non vanno trascurati* se *si vogliono* evitare complicazioni.

Pietro : È una cosa grave? Sono malato di cuore?

Dr. Rossi: È presto per dirlo. Appena sarà guarito dall'influenza, Le consiglio di farsi ricoverare in ospedale dove *potrà essere sottoposto* a tutti gli esami del caso.

Pietro : Intanto cosa mi prescrive?

Lessico nuovo: ventitreesimo - visita - pertanto - febbre - sintomo - bruciare - sangue - misurare - medicina - effettivo - banale - aspirina - eventualmente - antibiotico - pressione - controllo - malattia - disturbo - circolazione - trascurare - complicazione - malato - guarire - ricoverare - ospedale - sottoporre - prescrivere.
Termini tecnici: passivo - passivante.

Dr. Rossi: Per il momento pensiamo a curare l'influenza. Ecco a Lei la ricetta. Queste compresse *vanno prese* due volte al giorno, prima dei pasti principali. L'antibiotico, invece, *va preso* solo nel caso in cui la febbre salga.

Pietro : Non *è stata scoperta* nessuna medicina che *possa essere presa* al posto dell'aspirina? Ho sentito che questa fa male allo stomaco.

Dr. Rossi: Purtroppo per ora non c'è altro in commercio. Comunque non si preoccupi: il problema esiste nel caso in cui la medicina *debba essere presa* per lunghi periodi.

Pietro : Grazie, dottore!

II *Ora ripetiamo insieme:*

- Alle otto avevo qualche linea di febbre, ma sento che ora è cresciuta.
- Normalmente l'influenza viene curata con il riposo a letto.
- La pressione è un po' alta, per cui va tenuta sotto controllo.
- L'influenza si prende facilmente in questa stagione.
- Questi disturbi non vanno trascurati se si vogliono evitare complicazioni.
- In ospedale potrà essere sottoposto a tutti gli esami del caso.
- L'antibiotico va preso solo nel caso in cui la febbre salga.
- Non è stata scoperta nessuna medicina che possa essere presa al posto dell'aspirina?

Lessico nuovo: ricetta - pasto - commercio.

III ***Rispondete alle seguenti domande:***

1. Pietro è stato spesso malato?
2. Cosa ha ora Pietro?
3. Cosa gli fa il medico?
4. Cosa gli dice a proposito dei disturbi alla circolazione?
5. Cosa gli consiglia di fare appena sarà guarito dall'influenza?
6. Che medicine gli prescrive?
7. Quando vanno prese?

IV ***La forma passiva.***

Nel testo introduttivo avete visto alcune forme passive, come *è presa, viene curata, va tenuta, si prende, è stata scoperta,* ecc..
Esaminiamo ora, caso per caso, i diversi tipi di costruzione passiva.

attivo passivo neutro
(da una grammatica inglese del XVIII sec.)

A. La forma passiva dei verbi transitivi *nei tempi semplici* si può costruire *in due modi:* o con il verbo **essere** o con il verbo **venire**.

Forma attiva	*Forma passiva*
Luisa invita Carla tutte le domeniche.	a. Carla *è invitata da Luisa* tutte le domeniche. b. Carla *viene invitata da Luisa* tutte le domeniche.
Pochi leggono i giornali.	a. I giornali *sono letti da pochi.* b. I giornali *vengono letti da* pochi.
Molti tifosi seguiranno la partita alla tv.	a. La partita *sarà seguita da molti tifosi* alla tv. b. La partita *verrà seguita da molti tifosi* alla tv.
Uccisero Kennedy nel 1963.	a. Kennedy *fu ucciso* nel 1963. b. Kennedy *venne ucciso* nel 1963.
Ai miei tempi *i figli rispettavano* i genitori.	a. Ai miei tempi i genitori *erano rispettati dai figli.* b. Ai miei tempi i genitori *venivano rispettati dai figli.*

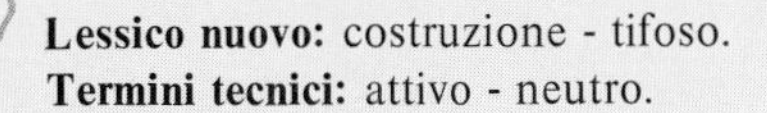

Lessico nuovo: costruzione - tifoso.
Termini tecnici: attivo - neutro.

Osservazioni.

a. Al tempo e al modo della forma attiva corrispondono il tempo e il modo del verbo *essere* e *venire* della forma passiva.
Il participio si accorda con il soggetto.

b. La frase alla forma passiva ha, in teoria, lo stesso senso della frase alla forma attiva. In realtà, dicendo "Luisa *invita* Carla ..." vogliamo riferire cosa fa Luisa, mentre con la frase "Carla *è invitata* da Luisa..." intendiamo dire cosa succede a Carla.

c. Non tutte le frasi alla forma attiva hanno un'esatta corrispondenza di uso nella forma passiva. In certi casi si usa soltanto la forma attiva:

SÌ	NO
Il bambino mangia troppi dolci.	Troppi dolci sono mangiati dal bambino.
Faccio ogni giorno una lunga nuotata.	Una lunga nuotata è fatta da me ogni giorno.

In altri casi si preferisce la forma passiva:

Meno comune	*Più comune*
Hanno eletto l'avvocato Mari deputato per la terza volta.	L'avvocato Mari è stato eletto deputato per la terza volta.
Hanno colto i ladri sul fatto.	I ladri sono stati colti sul fatto.
Avvertiranno per tempo gli interessati.	Gli interessati saranno avvertiti per tempo.

d. Nella forma passiva non sempre è necessario indicare chi fa l'azione:

Carla [è invitata / viene invitata] *da Luisa* tutte le domeniche. = Carla [è invitata / viene invitata] tutte le domeniche.

e. *I verbi modali* non hanno la forma passiva:

I cittadini *possono* criticare la politica del governo.
La politica del governo *può* essere criticata dai cittadini.

f. *La costruzione perifrastica* non può essere usata alla forma passiva:

Il meccanico *sta riparando* la macchina di Lucio. - - - - - - - - - -

Lessico nuovo: esatto - cogliere.

1. Trasformate le frasi secondo il modello:

Una segretaria *batte* a macchina le mie lettere.
Le mie lettere *sono battute* a macchina da una segretaria.

1. Molti invidiano la sua fortuna.

....

2. Pochi riconoscono i propri errori.

....

3. I bambini imparano presto le lingue.

....

4. Il direttore esamina le domande di lavoro.

....

5. Troppe fabbriche inquinano l'aria.

....

2. Come sopra:

Le mie lettere *sono battute* a macchina da una segretaria.
Le mie lettere *vengono battute* a macchina da una segretaria.

1. La sua fortuna è invidiata da molti.

....

2. I propri errori sono riconosciuti da pochi.

....

3. Le lingue sono imparate presto dai bambini.

....

4. Le domande di lavoro sono esaminate dal direttore.

....

5. L'aria è inquinata da troppe fabbriche.

....

Lessico nuovo: -

3. Come sopra:

Talvolta *teneva* le lezioni un altro insegnante.
Talvolta le lezioni *erano tenute* da un altro insegnante.

1. Di solito loro prendevano ogni decisione di comune accordo.

....

2. Stasera tutti vedranno la partita alla tv.

....

3. Quel giorno molti hanno capito male le tue parole.

....

4. Il direttore aveva rivolto l'invito a tutti gli impiegati.

....

5. Diverse persone subirono quell'ingiustizia.

....

B. La forma passiva dei verbi transitivi *nei tempi composti* si costruisce in *un solo modo:*

Forma attiva	*Forma passiva*
Luisa ha invitato a pranzo Carla.	Carla *è stata invitata* a pranzo *da Luisa.*
Molti tifosi avevano seguito la partita alla tv.	La partita *era stata seguita da molti tifosi* alla tv.
Certamente *i giornali avranno pubblicato* questa notizia.	Certamente questa notizia *sarà stata pubblicata dai giornali.*
I ladri hanno compiuto il furto di notte.	Il furto *è stato compiuto (dai ladri)* di notte.

Lessico nuovo: pubblicare - furto.

1. Trasformate le frasi secondo il modello:

> Gianni *ha rotto* la bottiglia di vino.
> La bottiglia di vino *è stata rotta* da Gianni.

1. Cristoforo Colombo ha scoperto l'America.

   ....

2. La radio ha diffuso questa notizia già ieri.

   ....

3. Molti studenti hanno seguito il corso d'italiano.

   ....

4. Il presidente ha tenuto il discorso ufficiale.

   ....

5. Il nuovo ministro ha risolto la questione delle tasse.

   ....

2. Come sopra:

> In cantina *hanno trovato* delle vecchie bottiglie di vino.
> In cantina *sono state trovate* delle vecchie bottiglie di vino.

1. Hanno citato i loro nomi diverse volte.

   ....

2. Dietro consiglio dei clienti, hanno tradotto le istruzioni in varie lingue.

   ....

3. Hanno servito i liquori dopo cena.

   ....

4. In un mese hanno commesso cinque rapine alle banche.

   ....

5. Hanno risolto i problemi più gravi in brevissimo tempo.

   ....

Lessico nuovo: -

C. La forma passiva con i verbi modali.

Come avete visto al punto e. delle *Osservazioni,* i verbi modali non hanno la forma passiva. Per tale ragione, se si vuole mettere alla forma passiva una frase attiva che contiene i verbi "potere" e "dovere", si deve usare la forma passiva dell'infinito che li segue.

Forma attiva	*Forma passiva*
Uno straniero non può leggere un libro così difficile.	Un libro così difficile *non può essere letto da uno straniero.*
Dovranno aumentare le tasse, perché lo Stato ha bisogno di soldi.	Le tasse *dovranno essere aumentate,* perché lo Stato ha bisogno di soldi.

1. Trasformate le frasi secondo il modello:

> Tutti *devono rispettare* la legge.
> La legge *deve essere rispettata* da tutti.

1. Tutti dovrebbero conoscere la verità su quel fatto.

....

2. Ogni studente può chiedere la tessera per la mensa.

....

3. La gente non dovrebbe abbandonare certe vecchie usanze.

....

4. Gli interessati potranno richiedere informazioni più precise per iscritto.

....

5. Entrambi i genitori dovrebbero seguire i figli.

....

Lessico nuovo: contenere.

D. La forma passiva si costruisce anche premettendo "si" alla terza persona singolare e plurale di un verbo transitivo. Tale struttura si usa normalmente quando non è indicato chi fa l'azione.

Le lettere urgenti	*sono spedite* *vengono spedite* *si spediscono*	per espresso.
L'influenza	*deve essere curata* *si deve curare*	come ogni altra malattia.
Le ferie	*possono essere prese* *si possono prendere*	in qualsiasi periodo dell'anno.
Sono stati fatti *Si sono fatti*	diversi progetti	per il nuovo parcheggio.

1. Trasformate le frasi secondo il modello:

> L'influenza *viene presa* facilmente in questa stagione.
> L'influenza *si prende* facilmente in questa stagione.
>
> Certe malattie *vengono prese* normalmente nell'infanzia.
> Certe malattie *si prendono* normalmente nell'infanzia.

1. Di tanto in tanto vengono scoperte nuove tecnologie.
   ....
2. Non sempre viene detta tutta la verità su certi fatti gravi.
   ....
3. Con il pesce viene servito di solito il vino bianco.
   ....
4. In certe zone il riscaldamento viene acceso prima che in altre, a causa del clima freddo.
   ....
5. Spesso vengono fatte molte chiacchiere e pochi fatti.
   ....

Lessico nuovo: –

2. Come sopra:

> Per fare questa ricerca *è stato usato* il computer.
> Per fare questa ricerca *si è usato* il computer.

1. Su quel fatto è stato scritto un fiume di parole.

   ....

2. Per la fretta è stata presa una decisione sbagliata.

   ....

3. Il concerto è stato tenuto al teatro Verdi.

   ....

4. La partita è stata giocata sotto la pioggia.

   ....

5. Quest'anno il riscaldamento è stato spento soltanto alla fine di maggio.

   ....

3. Come sopra:

> In questo secolo *sono stati fatti* molti progressi in tutti i campi.
> In questo secolo *si sono fatti* molti progressi in tutti i campi.

1. Negli ultimi anni sono stati costruiti molti alloggi.

   ....

2. Per importare carne dall'estero sono state spese somme enormi.

   ....

3. Durante la riunione sono state chiarite le questioni più importanti.

   ....

4. Sono stati fatti molti passi avanti nella ricerca delle cause della malattia del secolo.

   ....

5. Per via degli scioperi sono state perdute molte ore di lavoro.

   ....

Lessico nuovo: -

E. La forma passiva si costruisce, inoltre, con il verbo **andare** nei tempi semplici. Questa costruzione viene scelta quando si vuole dare all'azione un carattere di necessità o dovere.

L'influenza *è curata* / *viene curata* / *si cura* con l'aspirina.	(stesso senso)
L'influenza **va curata** come ogni altra malattia.	(*va* = *deve essere* curata/ *si deve* curare)
I patti *sono rispettati* / *vengono rispettati* / *si rispettano* ad ogni costo.	(stesso senso)
I patti **vanno rispettati** ad ogni costo.	(vanno rispettati = *devono essere* rispettati *si devono* rispettare)

1. Trasformate le frasi secondo il modello:

> Questa stoffa *deve essere lavata* a secco.
> Questa stoffa *va lavata* a secco.

1. La casa deve essere tenuta pulita.

   ....

2. I regali dovrebbero essere presentati con una bella confezione.

   ....

3. Il contorno deve essere servito insieme al secondo piatto.

   ....

4. Quella promessa doveva essere mantenuta.

   ....

5. A tutti dovrebbe essere assicurato un lavoro fisso.

   ....

Lessico nuovo: carattere.

F. I pronomi diretti della frase attiva spariscono quando questa si mette alla forma passiva.

È una regola fondamentale:	la	conoscono	tutti.
È una regola fondamentale:	-	è conosciuta	da tutti.

È un fatto certo:	me	l'	ha raccontato	Giulio.
È un fatto certo:	mi	-	è stato raccontato	da Giulio.

Bella questa foto!	Chi	Glie	l'	ha fatta?
Bella questa foto!	Da chi	Le	-	è stata fatta?

Osservate!

Poiché con i pronomi combinati il pronome diretto sparisce, il pronome indiretto torna alla sua forma normale.

1. Trasformate le frasi secondo il modello:

> Hai trovato i biglietti per il concerto? Chi te li ha procurati?
> Hai trovato i biglietti per il concerto? Da chi ti sono stati procurati?
> Lei ha ricevuto un'informazione sbagliata. Chi Gliel'ha data?
> Lei ha ricevuto un'informazione sbagliata. Da chi Le è stata data?

1. Lo sa già? Chi Gliel'ha detto?
   Lo sa gia? ....
2. Questa macchina non è tua. Chi te l'ha prestata?
   Questa macchina non è tua. ....
3. Belli questi dischi! Chi Glieli ha regalati?
   Belli questi dischi! ....
4. Non sono tue queste riviste? Chi te le ha date?
   Non sono tue queste riviste? ....
5. L'esercizio è senza errori. Chi te li ha corretti?
   L'esercizio è senza errori. ....

Lessico nuovo: sparire.

V

1. Trasformate le seguenti frasi dalla forma attiva alle diverse forme passive possibili:

1. In quel locale fanno delle ottime pizze. ....
2. In biblioteca danno in prestito i libri per una settimana. ....
3. Anna guiderà la macchina di Renzo. ....
4. Il Parlamento ha approvato la legge sulle pensioni. ....
5. Mi hanno raccontato questa storia qualche tempo fa. ....
6. Mandavano le lettere urgenti sempre per via aerea. ....
7. Gli perdonarono l'errore che aveva commesso. ....
8. Prima che arrivassero gli ospiti, legarono il cane ad un albero del giardino. ....
9. Maria si era così ingrassata che non la riconobbe nessuno. ....
10. Venderebbero subito quella macchina se costasse un po' meno. ....

2. Completate le frasi secondo il senso, usando i convenienti verbi modali (potere, dovere):

1. Una lettera confidenziale .... a mano. (scrivere)
2. Questi fogli non servono più: .... via. (buttare)
3. La stessa idea .... con parole più semplici. (esprimere)
4. Il corso .... per almeno tre mesi. (frequentare)
5. Questo lavoro .... bene solo da Lei. (fare)

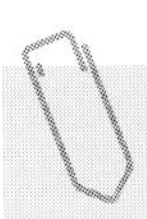

Lessico nuovo: –

3. Trasformate le frasi nelle altre forme passive possibili:

1. Queste compresse devono essere prese a stomaco pieno. ....
2. Quest'orologio non può essere riparato. ....
3. Quei libri non possono essere prestati. ....
4. Quando una persona sta parlando non deve essere interrotta. ....
5. Prima di entrare in piscina si deve fare la doccia. ....

4. Completate le frasi con la forma conveniente del verbo:

1. Viaggiando .... gente nuova. (conoscere)
2. Il libro che cerchi .... in ogni libreria. (trovare)
3. Questi pantaloni .... in varie occasioni. (mettere)
4. In quel negozio .... tutto a buon mercato. (comprare)
5. Sai come .... in inglese questa parola? (dire)
6. Può dirmi come .... gli spaghetti alle vongole? (preparare)
7. Le cose di lana .... meglio a mano. (lavare)
8. Il vino bianco .... freddo. (bere)
9. L'affitto .... in anticipo. (pagare)
10. La riunione .... il prossimo venerdì. (tenere)

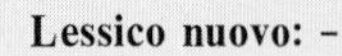

Lessico nuovo: -

5. Trasformate la frase B secondo il modello A:

A. L'ingegner Rossi realizza questo progetto.	B. Il professor Bianchi fa questa ricerca.
1. Questo progetto è realizzato dall'ingegner Rossi.	....
2. Questi progetti sono realizzati dall'ingegner Rossi.	....
3. Questo progetto viene realizzato dall'ingegner Rossi.	....
4. Questi progetti vengono realizzati dall'ingegner Rossi.	....
5. Questo progetto deve essere realizzato.	....
6. Questi progetti devono essere realizzati.	....
7. Questo progetto si deve realizzare.	....
8. Questi progetti si devono realizzare.	....
9. Questo progetto va realizzato.	....
10. Questi progetti vanno realizzati.	....
11. Questo progetto può essere realizzato.	....
12. Questi progetti possono essere realizzati.	....
13. Questo progetto si può realizzare.	....
14. Questi progetti si possono realizzare.	....
15. Questo progetto si realizza facilmente.	....
16. Questi progetti si realizzano facilmente.	....
17. Chi ha realizzato questo progetto?	....
18. Da chi è stato realizzato questo progetto?	....
19. Da chi sono stati realizzati questi progetti?	....
20. Chi ti ha realizzato questo progetto?	....
21. Chi te l'ha realizzato?	....
22. Da chi ti è stato realizzato?	....

Lessico nuovo: -

VI *La forma impersonale.*

A. Nella decima unità abbiamo visto che la forma impersonale si costruisce premettendo *uno* o la particella *"si"* alla terza persona singolare di un *verbo intransitivo* o *riflessivo:*

a. Quando *uno* viaggia per piacere, *si* trova bene in qualsiasi posto.
b. Quando *si* viaggia per piacere, *ci si* trova bene in qualsiasi posto.

La forma impersonale si costruisce, inoltre, premettendo la particella *"si"* anche ad un *verbo transitivo,* se questo non è seguito dall'oggetto.

Forma impersonale	*Forma passiva*
D'estate *si beve* di più.	D'estate si beve più acqua.
Si consiglia di evitare l'autostrada.	Si consiglia la vecchia strada.
Si attraversa solo quando il semaforo è verde.	Si attraversa la strada solo quando il semaforo è verde.
Con questo sistema di riscaldamento *si risparmia* molto.	Con questo sistema di riscaldamento si risparmia molto denaro.

Osservate!

Carlo mangia bene in questo ristorante.
Uno mangia bene in questo ristorante.
Si mangia bene in questo ristorante.

1. Trasformate ora le frasi secondo la seguente struttura:

Se Giorgio arriva in ritardo, non può entrare.
Se *uno* arriva in ritardo, non può entrare.

1. In treno Roberto viaggia più comodamente.

....

2. Di mattina Carla lavora meglio che di sera.

....

Lessico nuovo: risparmiare.

3. In questo ristorante Luigi mangia bene.

....

4. Di questi tempi Stefano guadagna di più, ma spende anche di più.

....

5. Quando sarà pronta la nuova strada, noi potremo risparmiare qualche chilometro.

....

2. Come sopra:

Se *si* arriva in ritardo, non si può entrare.

1. In questi ultimi tempi uno guadagna di più, ma spende anche di più.

....

2. Quando sarà pronta la nuova strada, uno potrà risparmiare qualche chilometro.

....

3. Prima in questo paese uno viveva meglio.

....

4. Con questa macchina uno può correre molto.

....

5. Come è noiosa questa città! Uno non sa cosa fare.

....

B. La forma impersonale dei verbi *essere, diventare, rimanere, stare,* seguiti da un aggettivo.

Uno è felice quando è libero.
Si *è* felic*i* quando *si è* liber*i*.

Uno diventa noioso se parla troppo.
Si *diventa* noios*i* se si parla troppo.

Si rimane delus*i* quando non si ottiene ciò che si vuole.

Nota: L’aggettivo che segue la forma impersonale dei verbi *essere, diventare, rimanere* e *stare* prende sempre la terminazione plurale. Il verbo è sempre alla terza persona singolare.

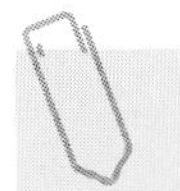

Lessico nuovo: –

1. Trasformate le frasi secondo i modelli visti sopra:

1. Con questa gente uno non è mai sicuro di sapere la verità.
   ....
2. Alla fine di un lavoro lungo e difficile uno è sempre contento.
   ....
3. Uno è triste quando rimane solo.
   ....
4. I guai cominciano quando uno diventa vecchio.
   ....
5. Se uno non ha la certezza di trovare lavoro, non sta tranquillo.
   ....

C. La forma impersonale di un verbo riflessivo.

1. *Uno si stanca* a viaggiare spesso.
   Ci si stanca a viaggiare spesso.

2. Dopo un lungo viaggio *uno si sente* stanco.
   Dopo un lungo viaggio *ci si sente* stanch*i*.

Nota: Come nel caso della forma impersonale dei verbi *essere, diventare, rimanere* e *stare*, anche l'aggettivo che segue la forma impersonale di un verbo riflessivo prende la terminazione plurale.

1. Trasformate le frasi secondo i modelli precedenti:

1. Se Carla mangia troppo ed in fretta, si ingrassa e sta male.
   ....
2. Quando uno sta bene, si sente in forma per lavorare.
   ....
3. Se uno non sta allo scherzo, si offende facilmente.
   ....
4. Quando uno è indipendente, si sente più libero.
   ....
5. Facendo dello sport, uno si mantiene giovane.
   ....

Lessico nuovo: -

D. Il "si passivante" nei tempi semplici.

Laggiù *si vede* una cas*a* vecchia. Lassù *si vedono* due cas*e* in costruzione.
Viaggiando *si spende* molto denar*o*. Viaggiando *si spendono* molti sold*i*.

1. Completate le frasi con la forma conveniente del verbo:

1. Una lingua .... meglio nel paese in cui è parlata. (imparare)
2. Questi libri non .... in nessuna libreria. (trovare)
3. Quel vestito di seta .... di sera. (mettere)
4. I francobolli .... negli uffici postali o dal tabaccaio. (comprare)
5. Normalmente le ferie .... in luglio oppure in agosto. (prendere)

E. La forma impersonale e il "si passivante" nei tempi composti.

a. *Forma impersonale* dei verbi coniugati con "avere"	Se *si alloggia* in quell'albergo, vuol dire che si è ricchi. Se *si è alloggiato* una volta in quell'albergo, si desidera tornarci.

1. Mettete al passato le seguenti frasi, secondo il modello precedente:

1. In questo ristorante di solito *si mangia* bene.
   In questo ristorante .... sempre bene.
2. Se *si smette* di fumare, la salute ci guadagna.
   Quando .... di fumare, si avvertono subito i vantaggi.
3. Se *si legge*, s'imparano molte cose.
   Quando .... molto, si ha una buona cultura.
4. Se *si lavora* anche il sabato, si ha poco tempo libero.
   Quando .... per molti anni, si desidera andare in pensione.
5. Se *si prenota* per tempo, si trova posto in albergo.
   Se .... per tempo, si ha la certezza di trovare posto in albergo.

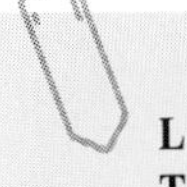

Lessico nuovo: laggiù.
Termini tecnici: coniugare.

b. *Forma impersonale* dei verbi coniugati con "essere"	Se *si arriva* in fondo, si è fortunati. Se *si è* arrivat*i* in fondo, ci si può considerare fortunati. Se *ci si alza* presto, si riesce a fare molto di più. Se *ci si è* alzat*i* presto, la sera ci si addormenta prima.

1. Mettete al passato le seguenti frasi, secondo i modelli precedenti:

1. Se si è gentili, si ottiene di più.
   Se ...., si lascia una buona impressione.
2. Quando si va bene ad un esame, si prova una grande gioia.
   Quando .... bene ad un esame, ci si prepara subito per il prossimo.
3. Quando si entra nel giro di persone importanti, si è soddisfatti.
   Quando .... nel giro di persone importanti, si hanno molti vantaggi.
4. Se ci si comporta male, si diventa antipatici.
   Se .... male, si deve chiedere scusa.
5. Se ci si sbaglia, bisogna correggere subito l'errore.
   Se ...., si deve avere il coraggio di ammetterlo.

c. *"si passivante"*	Se *si studia* una lingua straniera, sarà più facile trovare lavoro. Se *si è* studiat*a* una lingua straniera, è più facile trovare lavoro. Se *si studiano* diverse lingue straniere, sarà ancora più facile trovare lavoro. Se *si sono* studiat*e* diverse lingue straniere, è ancora più facile trovare lavoro.

Lessico nuovo: -

1. Mettete al passato le seguenti frasi, secondo i modelli precedenti:

1. *Se si ha* la fortuna di trovare una casa a buon mercato, si deve essere contenti.
   ...., si deve essere contenti.
2. Quando *si prende* una decisione, si deve pensare a lungo.
   ...., non si deve tornare indietro.
3. Quando *si fanno* le vacanze, si spende più del normale.
   ...., si resta con pochi soldi.
4. Quando *si riceve* una delusione da una persona cara, si resta male.
   ...., si perde la fiducia in lei.
5. Quando *si studia* la grammatica, s'incontrano diverse difficoltà.
   ...., non si può ancora dire di conoscere la lingua.

VII

1. Trasformate le frasi secondo il modello:

Su questo letto *uno* dorme bene.
Su questo letto *si* dorme bene.

1. In questa casa uno vive bene, perché è tranquilla.
   ....
2. In Italia uno pranza di solito all'una e mezzo.
   ....
3. Uno viaggia in aereo per arrivare prima.
   ....
4. Uno cerca sempre di guadagnare di più.
   ....
5. In questa città uno cammina volentieri, perché ci sono molte cose da vedere.
   ....

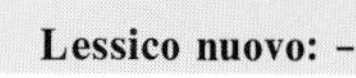

Lessico nuovo: –

2. Come sopra:

Uno è solo quando è vecchio.
Si è sol*i* quando si è vecch*i*.

1. Uno è curioso di sapere tutto quando è giovane.

   ....

2. Quando uno è malato ha bisogno di aiuto.

   ....

3. Uno è contento quando raggiunge ciò che vuole.

   ....

4. Quando uno è solito dormire molte ore, soffre quando non riposa abbastanza.

   ....

5. Quando uno non è adatto per un lavoro, desidera cambiarlo.

   ....

3. Come sopra:

Quando uno beve troppo, *si sente* male.
Quando *si* beve troppo, *ci si sente* male.

1. Se uno si cura bene, questa malattia passa presto.

   ....

2. Alle feste uno si diverte di più quando è fra amici.

   ....

3. Con questo tempo uno si deve vestire bene, soprattutto di sera.

   ....

4. Molte volte uno non si accorge dei propri errori.

   ....

5. Quando uno è giovane, si arrabbia anche per le ragioni più stupide.

   ....

Lessico nuovo: -

4. Come sopra:

In quella scuola si studi*a* una sola lingu*a* stranier*a*. In quella scuola si studi*ano* tre lingu*e* stranier*e*.

1. Alla banca .... il denaro. (cambiare)
   Alla banca .... i soldi.
2. .... una persona per quell'ufficio. (cercare)
   .... tre persone per quell'ufficio.
3. Questo vestito .... anche di sera. (portare)
   Questi pantaloni .... anche di sera.
4. Il tennis .... all'aperto. (giocare)
   Il tennis ed il calcio .... all'aperto.
5. Questo libro .... facilmente. (leggere)
   Questi libri .... facilmente.

5. Completate le frasi con il tempo composto dei verbi fra parentesi:

1. Quando .... di fare una cosa, si deve mantenere la parola. (promettere)
2. Quando .... una brutta abitudine, è difficile abbandonarla. (prendere)
3. Quando .... ad un certo tipo di vita, non è piacevole cambiarlo all'improvviso. (abituarsi)
4. Quando .... bene, ci si può permettere di vivere comodamente. (sistemarsi)
5. Quando .... delle buone letture, si è colti. (fare)

VIII

A. I diversi valori della particella "si".

1.

si riflessivo

Carlo *si* lava (lava *se stesso*).
Carlo *si* è lavat*o*.
Maria *si* è lavat*a*.

Lessico nuovo: –

2.

si riflessivo - reciproco

Carlo e Maria *si* salutano.
(Carlo saluta Maria, Maria saluta Carlo)

Carlo e Maria *si* sono salutat*i*.
Maria e Luisa *si* sono salutat*e*.

3.

si impersonale + verbo non riflessivo

In questo ristorante *si* mangia bene.
(uno mangia bene)

In quel ristorante *si* è mangiat*o* bene.

Al concerto *si* entra senza biglietto.
(uno entra senza biglietto)

Al concerto *si* è entrat*i* senza biglietto.

4.

si impersonale + verbo + aggettivo

Si è felic*i* quando *si è* innamorat*i*.

Si *è* stat*i* felic*i* almeno quando *ci si è* innamorat*i*.

5.

si impersonale + verbo riflessivo

Ci si sente felici quando *si* è innamorat*i*.
Ci si è sentit*i* felic*i* almeno quando *si è* stati innamorat*i*.

Lessico nuovo: –

6.

si passivante

In questo ristorante *si* mangi*a* pesc*e* fresc*o* tutti i venerdì.

Fino all'anno scorso *si è* mangiat*o* pesc*e* fresc*o* due volte alla settimana.

In questo ristorante *si* mangi*ano* frutt*i* di mare tutti i venerdì.

Fino all'anno scorso *si sono* mangiat*i* frutt*i* di mare due volte alla settimana.

B. Raccontate il contenuto del dialogo introduttivo, completando il seguente testo:

Pietro .... sempre .... una salute .... Un giorno, però, ha la brutta .... di svegliarsi con la febbre. .... si sente .... e non .... ad alzarsi, decide di chiamare il medico. .... fa male la testa, gli .... la gola, gli .... un po' di sangue dal naso ed ha qualche .... di febbre.
Secondo il medico si tratta .... influenza, che normalmente .... con il riposo a letto, con .... aspirina ed, ..., con degli antibiotici. Pietro ha anche la .... un po' alta, per cui .... sotto controllo. I disturbi alla circolazione non ...., se .... evitare complicazioni. Il medico gli consiglia di .... in ospedale dove potrà .... a tutti gli esami .... Intanto gli .... delle medicine per curare l'influenza. Si tratta di compresse .... prima dei .... principali e di un antibiotico che .... solo nel caso in cui la febbre .... Pietro chiede al medico se non .... qualche medicina che possa .... al posto dell'aspirina, perché ha sentito che questa fa male .... Lui gli risponde che per ora non c'è altro ...., ma che comunque non deve .... perché il problema esiste soltanto nel caso .... la medicina .... per lunghi periodi.

C.

1. In farmacia.

- La signora è stata servita?
- No, sto aspettando.
- Mi dica!
- Vorrei delle pastiglie per la tosse e delle compresse per il mal di testa che siano veramente efficaci.

Lessico nuovo: farmacia - efficace.

- Se la tosse è forte, Le consiglio questo sciroppo. Va preso da due a tre volte al giorno, lontano dai pasti. Per il mal di testa, invece, Le suggerisco queste compresse: sono uscite da poco e si vendono molto bene.
- D'accordo, le prendo. Avrei bisogno anche di pillole per dormire.
- Se non Le sono state prescritte dal medico, non posso darGliele.
- Già! Dimenticavo che occorre la ricetta.

2. Dal dentista.

- Il dente Le fa molto male?
- Sì, il dolore è così forte che non riesco a sopportarlo.
- Vedo che è stato già curato, ma c'è di nuovo la carie e non si può più salvare: va tolto al più presto.
- C'è il rischio che si ammalino anche quelli vicini?
- Appunto!
- Allora devo farmi coraggio ...
- Non abbia paura: vedrà che con l'iniezione non sentirà nulla.
- Tutti gli altri sono in ordine?
- Non tutti: due si devono curare subito, altrimenti faranno la stessa fine di questo.
- Se uno comincia a curarli da bambino, è sicuro che si conservano sani?
- Non è certo in assoluto, ma le probabilità di avere una bocca sana da adulti sono molto maggiori.

IX ***Rispondete alle seguenti domande:***

1. Come molti, anche Lei si sarà certamente ammalato almeno una volta. Dica quali sintomi avvertiva.
2. Che cure prescrivono per l'influenza i medici nel Suo paese?
3. Lei prende volentieri le medicine? Dica perché.
4. Nel Suo paese le medicine sono gratuite per tutti o in qualche caso si pagano?
5. Dica come funziona la cassa malattie.
6. Esistono sufficienti posti letto negli ospedali?
7. Se può fare un confronto tra gli ospedali del Suo paese e quelli di altri paesi, dica in che senso i primi sono migliori o peggiori dei secondi.
8. Quali sono le malattie da cui vengono maggiormente colpiti gli abitanti del Suo paese?

Lessico nuovo: sciroppo - pillola - dentista - carie - salvare - rischio - ammalarsi - iniezione - adulto - gratuito - colpire.

X Test

A. Mettete le frasi in tutte le possibili forme passive:

1. Affittano agli studenti solo le camere ammobiliate.
   ....
2. A colazione servono anche spremuta d'arancia e succo di pompelmo.
   ....
3. Metteranno in evidenza le pratiche urgenti.
   ....
4. Questo giornale non porta la cronaca locale.
   ....
5. Di solito parlano il dialetto solo in famiglia o fra amici.
   ....

B. Trasformate le frasi dalla forma attiva alla forma passiva:

1. Hanno dato la colpa dell'incidente ad un ubriaco.
   ....
2. Al bambino hanno regalato una scatola di baci Perugina.
   ....
3. In platea hanno sentito il concerto meglio che in galleria.
   ....
4. Negli ultimi tempi il terrorismo ha subito diverse sconfitte.
   ....
5. Il fiume Po attraversa la pianura padana.
   ....

C. Come sopra:

1. Devono chiudere la mensa per mancanza di personale.
   ....
2. Non possono più nascondere lo scandalo delle lottizzazioni irregolari.
   ....
3. I clienti devono conservare gli scontrini per un eventuale controllo.
   ....
4. Lo Stato deve assicurare la difesa dei cittadini.
   ....
5. Possono fare le vendite anche per corrispondenza.
   ....

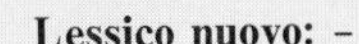

Lessico nuovo: –

D. Mettete le frasi nelle forme passive corrispondenti:

1. È un lavoro difficile, perciò deve essere fatto con attenzione.

   ....

2. I film gialli devono essere visti dall'inizio.

   ....

3. Queste sedie sono scomode, quindi devono essere sostituite con altre più comode.

   ....

4. Le promesse devono essere sempre mantenute.

   ....

5. La lista deve essere rispettata, quindi nessuno dovrebbe passare avanti agli altri.

   ....

E. Mettete le frasi alla forma passiva:

1. Chi vi ha riferito questa notizia? ....
2. Chi ti ha invitato, Luisa? ....
3. Chi Gliel'ha regalato? ....
4. Chi te li ha prestati? ....
5. Chi Le ha dato l'annuncio? ....

F. Trasformate le frasi secondo i modelli:

In questa città *uno* può vivere bene. In questa città *si* può vivere bene. A volte *si* può essere felic*i* anche se si è sol*i*.

1. In questa trattoria uno può mangiare con pochi soldi.

   ....

2. In questo fiume uno può fare il bagno, perché l'acqua è pulita.

   ....

Lessico nuovo: –

3. Dopo le dieci e mezzo uno non può più mangiare, perché i ristoranti sono chiusi.

   ....

4. Uno può essere soddisfatto anche quando non ha tutto ciò che desidera.

   ....

5. Uno può sembrare allegro anche quando dentro di sé è triste.

   ....

G. Mettete le frasi alla forma impersonale corrispondente:

1. Quando uno è grasso, fa più fatica a muoversi.

   ....

2. Quando uno è religioso, cerca sempre di fare del bene agli altri.

   ....

3. Uno è felice quando può realizzare un progetto a cui tiene molto.

   ....

4. Quando uno è distratto, perde facilmente le cose.

   ....

5. Quando uno è tenero di cuore, soffre più degli altri.

H. Come sopra:

1. In un paese così tranquillo, uno si riposa veramente.

   ....

2. Se uno si cura bene, certe malattie passano presto.

   ....

3. Ai primi freddi uno si ammala se non si copre bene.

   ....

4. Alle feste uno si diverte di più se c'è gente allegra.

   ....

5. In alcuni paesi uno si sposa molto presto.

   ....

Lessico nuovo: -

I. Completate le frasi secondo il senso:

1. La barba .... in modo più rapido con il rasoio elettrico. (fare)
2. Per avere un aspetto pulito, la barba .... ogni giorno. (fare)
3. A differenza di altri liquori, questo .... puro. (bere)
4. Le persone intelligenti .... subito. (riconoscere)
5. Gli antibiotici .... ad intervalli regolari. (prendere)

Lessico nuovo: -

A questo punto Lei conosce
1982 parole italiane

I *Automobile, che passione!*

Marco: Al prossimo distributore dobbiamo fermarci a fare benzina.
Sergio: Con l'occasione farò controllare anche l'olio e l'acqua.
Marco: Speriamo che non ci sia la fila. *Dovendo* aspettare sotto il sole, moriremo dal caldo!
Sergio: Stavo pensando proprio a questo. *Avendo viaggiato* per tante ore, sarebbe il caso di fare una sosta al bar, dove c'è sicuramente l'aria condizionata.
Marco: Se ci riposiamo un po', io approfitterei per avvertire Angela che stiamo per arrivare. Se ricordo bene, il prefisso è 02, vero?
Sergio: Sì, ma sarà difficile trovare gettoni o spiccioli.
Marco: Non c'è problema! *Dopo aver avuto* diverse esperienze negative, ho preso l'abitudine di portare sempre con me una scheda magnetica.
Sergio: Eccoci *arrivati!* Sento che anche il motore ha bisogno di riposarsi: l'ho spinto al massimo.
Marco: *Fatti* i conti, fra pieno e olio non te la caverai con meno di 60.000 lire. Non ti converrebbe comprare una macchina con motore diesel?
Sergio: Recentemente stavo per farlo, ma poi ci ho ripensato, perché la tassa di circolazione è molto alta.
Marco: Con tutti i chilometri che fai tu e *tenendo* conto del fatto che il gasolio costa la metà della benzina, ti conviene senz'altro.
Sergio: *Dando* indietro questa, ricaverei al massimo due milioni. *Sacrificando* tutti i risparmi, arriverei a otto milioni: che ci faccio?
Marco: Potresti trovare un'auto di seconda mano, anche se non di grossa cilindrata.
Sergio: *Provata* una macchina con motore diesel, uno se la tiene per anni.
Marco: Qualcuno potrebbe decidere di cambiare la propria macchina di piccola cilindrata con una più potente.
Sergio: In ogni caso bisognerebbe conoscere il proprietario per sapere come l'ha tenuta.
Marco: Mi sorge il dubbio che tu stia cercando dei pretesti per non separarti dalla tua macchina.
Sergio: Chissà che in fondo tu non abbia ragione?

Lessico nuovo: ventiquattresimo - automobile - distributore - olio - sosta - approfittare - scheda - magnetico - motore - spingere - convenire - recentemente - ripensare - gasolio - ricavare - sacrificare - cilindrata - proprietario - pretesto.
Termini tecnici: implicito.

II ***Ora ripetiamo insieme:***

- Dovendo aspettare sotto il sole, moriremo dal caldo!
- Stavo pensando proprio a questo.
- Approfitterei per avvertire Angela che stiamo per arrivare.
- Fatti i conti, non te la caverai con meno di 60.000 lire.
- Recentemente stavo per farlo, ma poi ci ho ripensato.
- Sacrificando tutti i risparmi, arriverei a otto milioni: che ci faccio?
- Provata una macchina con motore diesel, uno se la tiene per anni.
- Mi sorge il dubbio che tu stia cercando dei pretesti per non separarti dalla tua macchina.

III ***Rispondete alle seguenti domande:***

1. Fermandosi al prossimo distributore, cosa pensa di fare Sergio?
2. Quando si fermano, cosa vorrebbe fare Marco?
3. Perché potrà fare la telefonata anche se non troverà gettoni o spiccioli?
4. Cosa suggerisce Marco a Sergio?
5. Cosa gli risponde Sergio?
6. Perché, secondo Marco, a Sergio conviene comprare una macchina con motore diesel?
7. Cosa gli risponde Sergio?
8. Dopo aver sentito gli argomenti di Sergio, come conclude il discorso Marco?

IV ***Le forme implicite.***

A. Il gerundio semplice.

Nell'unità 11 abbiamo visto che il gerundio semplice si usa per costruire le forme perifrastiche.
Esaminiamo ora tutte le altre sue funzioni, premettendo che questo modo viene usato normalmente se il *soggetto* della frase principale e della frase dipendente *è lo stesso.*

Lessico nuovo: funzione.

1. Forme del gerundio semplice.

	-ARE *-ANDO*				*-ERE* *-ENDO*			
(io)	Aspett*ando*		morirò		Legg*endo*		so	
(tu)	Aspett*ando*		morirai		Legg*endo*		sai	cosa
(lui)	Aspett*ando*	sotto	morirà	dal	Legg*endo*		sa	succede
(noi)	Aspett*ando*	il	moriremo	caldo.	Legg*endo*	i gior-	sappiamo	nel
(voi)	Aspett*ando*	sole,	morirete		Legg*endo*	nali,	sapete	mondo.
(loro)	Aspett*ando*		moriranno		Legg*endo*		sanno	

	-IRE *-ENDO*			
(io)	Usc*endo*		arriverò	
(tu)	Usc*endo*		arriverai	
(lui)	Usc*endo*	subito,	arriverà	in tempo.
(noi)	Usc*endo*		arriveremo	
(voi)	Usc*endo*		arriverete	
(loro)	Usc*endo*		arriveranno	

ESSERE	AVERE
ESSENDO	*AVENDO*

2. Usi del gerundio semplice.

Il gerundio semplice (chiamato anche "presente" nelle grammatiche italiane) non esprime il tempo di un'azione, ma il *rapporto di tempo* fra due azioni. Tale rapporto è di *contemporaneità* rispetto all'azione del verbo principale al *presente*, al *passato* o al *futuro:*

a.	Mentre fa *Facendo*	i conti, si accorge di avere speso troppo.	*PRESENTE*
b.	Mentre faceva *Facendo*	i conti, si accorse di avere speso troppo.	*PASSATO*

Lessico nuovo: –

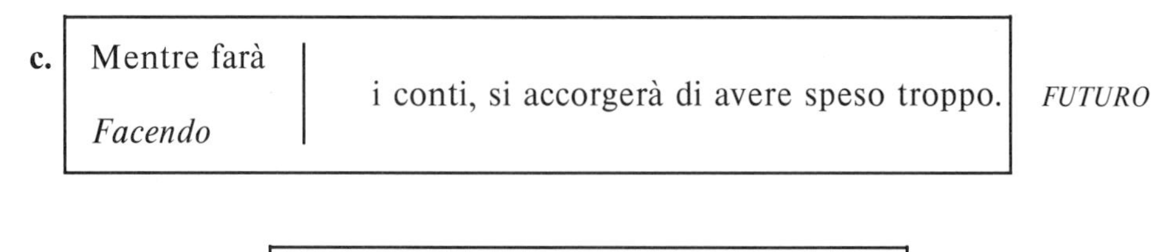

c.	Mentre farà / *Facendo*	i conti, si accorgerà di avere speso troppo.	*FUTURO*

facendo i conti = mentre fa / faceva / farà i conti

Oltre che un rapporto di tempo, il gerundio semplice può esprimere anche un rapporto di *causa,* una *condizione,* o *il modo* in cui un'azione si svolge.

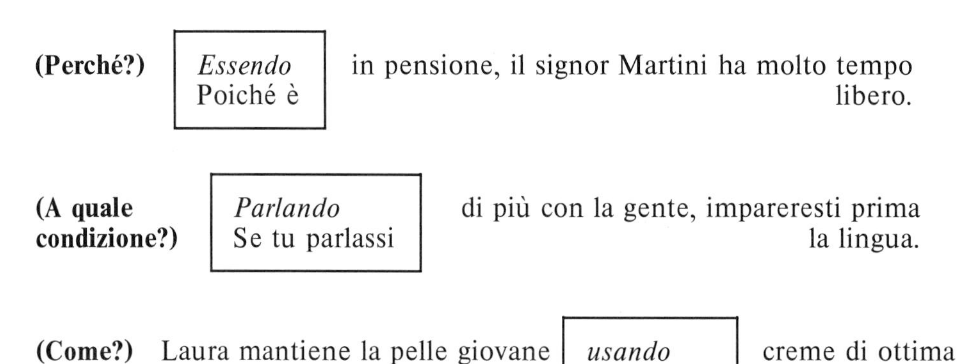

(Perché?) *Essendo* / Poiché è — in pensione, il signor Martini ha molto tempo libero.

(A quale condizione?) *Parlando* / Se tu parlassi — di più con la gente, impareresti prima la lingua.

(Come?) Laura mantiene la pelle giovane *usando* / con l'usare — creme di ottima qualità.

Attenzione!

In pochi casi, quando il senso della frase risulta chiaro, il gerundio semplice si usa in modo indipendente:

Tempo *permettendo*, domenica andremo al mare.
Essendo questa la situazione, c'è poco da fare.
Stando in compagnia, il tempo passa in fretta.
Riducendo il fumo, la salute ci guadagna.

Lessico nuovo: ridurre.

3. Trasformate ora le frasi secondo i modelli precedenti:

1. Mentre faccio colazione, ascolto la radio.
   ....
2. Poiché guadagna ancora poco, Giulio non può andare a vivere da solo.
   ....
3. Se chiamaste un taxi, fareste ancora in tempo al prossimo treno.
   ....
4. Con lo stare a riposo, Lei guarirà presto.
   ....
5. Mentre andava a Roma in macchina, Carlo ha visto un terribile incidente.
   ....

4. Attenzione!

a. Vedo ogni giorno Carlo, *tornando* dal lavoro. = Vedo ogni giorno Carlo *mentre torno* dal lavoro.

io vedo - io torno

b. – – – – Vedo ogni giorno Carlo *che torna* dal lavoro.

io vedo - Carlo torna

5. Completate le frasi secondo il modello:

Ho incontrato Maria *andando* alla posta.	(io ho incontrato - io andavo)
Ho incontrato Maria *che andava* alla posta.	(io ho incontrato - Maria andava)

1. Ho visto Lucia .... dalla banca. (io ho visto - io uscivo)
2. Mi divertivo a guardare la gente .... (io mi divertivo - la gente passeggiava)

Lessico nuovo: –

3. Sentimmo dei rumori .... dalla casa accanto.	(noi sentimmo - i rumori venivano)
4. Vidi il dottor Rossi .... il treno per Milano.	(io vidi - io aspettavo)
5. Ho incontrato spesso Giulio .... a giocare a tennis.	(io ho incontrato - Giulio andava)

B. Il gerundio composto.

Come il gerundio semplice, anche quello composto si usa normalmente se *il soggetto* della frase principale e della frase dipendente *è lo stesso.*

1. Forme del gerundio composto.

Aspettare	*Avendo aspettato* sotto il sole, muoio dal caldo.
Leggere	*Avendo letto* il giornale, sappiamo cosa è successo.
Uscire	*Essendo usciti* subito, arrivarono in tempo.

ESSERE	*AVERE*
essendo stato/a/i/e	*avendo avuto*

2. Usi del gerundio composto.

Come il gerundio semplice, anche il gerundio composto esprime *il rapporto di tempo* fra due azioni. Tale rapporto è di *anteriorità* rispetto all'azione del verbo principale al *passato*, al *futuro* o al *presente.*

a. Quando ebbe fatto / *Avendo fatto* i conti, si accorse di avere speso troppo. — *PASSATO*

b. Quando avrà fatto / *Avendo fatto* i conti, si accorgerà di avere speso troppo. — *FUTURO*

avendo fatto i conti = quando < ebbe fatto / avrà fatto > i conti

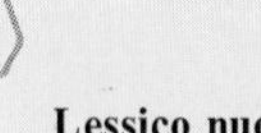

Lessico nuovo: -

Oltre che un rapporto di tempo, il gerundio composto esprime soprattutto un rapporto di *causa* o una *condizione*. In questi casi esso esprime un rapporto di anteriorità anche rispetto all'azione del verbo principale al *presente*.

(Perché?)	*Essendo andato* Poiché è andato	in pensione, il signor Martini ha ora molto tempo libero.
(A quale condizione?)	*Avendo parlato* Se tu avessi parlato	di più con la gente, avresti imparato prima la lingua.
	Avendo dato Se io avessi dato	almeno uno sguardo al giornale, saprei le ultime notizie.

3. Trasformate ora le frasi secondo i modelli precedenti:

1. Ho già ascoltato diverse volte questo disco e posso dirti che è magnifico.

   ....

2. Marco ha visto quel film e ce lo consiglia.

   ....

3. Se aveste dormito più ore, vi sentireste in forma.

   ....

4. Poiché non eravamo mai stati a Napoli, eravamo curiosi di vederla.

   ....

5. Potrete dare l'esame solo se avrete frequentato il corso dall'inizio alla fine.

   ....

C. Il gerundio semplice e composto con i pronomi.

In entrambi i casi i pronomi seguono il verbo e formano con esso una sola parola.

Ascoltando*lo* più volte, ho notato che quel disco è perfetto.

Avendo*lo* ascoltat*o* più volte, so che quel disco è perfetto.

Lessico nuovo: sguardo.

Comprando*la* nuova, potrei tenere la macchina diversi anni.	Avendo*la* comprat*a* nuova, posso tenere questa macchina diversi anni.
Tagliando*li* spesso, Franca conserva i capelli sani.	Avendo*li* tagliat*i* spesso, Franca ha i capelli sani.
Studiando*le* da giovani, le lingue s'imparano senza troppa fatica.	Avendo*le* studia*te* da giovani, abbiamo imparato due lingue senza troppa fatica.
Andando*ci* presto, in segreteria non dovremo fare la fila.	Essendo*ci* andat*i* presto, in segreteria non abbiamo dovuto fare la fila.
Queste pastiglie sono ottime: prendendo*ne* sei al giorno, in poco tempo mi passerà la tosse.	Queste pastiglie sono ottime: avendo*ne* pres*e* sei al giorno, in poco tempo mi è passata la tosse.

ascoltando*lo*	avendo*lo* ascoltat*o*
comprando*la*	avendo*la* comprat*a*
tagliando*li*	avendo*li* tagliat*i*
studiando*le*	avendo*le* studiat*e*
andando*ci*	essendo*ci* andat*i*
prendendo*ne*	avendo*ne* pres*e*

1. Trasformate ora le frasi secondo i modelli precedenti:

1. Siccome c'era già stato diverse volte, Marco non è andato a Parigi con gli amici.

   ....

2. Quel liquore era molto forte. Dopo che ne aveva bevuto appena due dita, Giorgio si è sentito subito girare la testa.

   ....

3. Mentre ti aspettavo, ho approfittato per dare uno sguardo al giornale.

   ....

4. Mario ha portato la macchina dal meccanico, perché ieri, mentre la guidava, ha avvertito un rumore strano.

   ....

5. Questa saponetta è di pessima qualità: dopo che l'ho usata per un breve periodo, mi trovo con la pelle completamente secca.

   ....

Lessico nuovo: -

V

1. Trasformate le frasi, usando la forma conveniente del gerundio:

1. Se accendi la lampada, ci vedi meglio.

   ....

2. Quando ha detto addio al lavoro, Laura era convinta di non avere più problemi.

   ....

3. Mentre andavamo all'aeroporto, ci siamo accorti di aver lasciato a casa i biglietti.

   ....

4. Se si amano gli animali, non si dovrebbe essere d'accordo con i cacciatori.

   ....

5. Siccome abitano al decimo piano, i nostri amici sono nei guai quando l'ascensore non funziona.

   ....

2. Come sopra:

1. Dopo che aveva ballato tutta la sera, Marta non aveva nemmeno la forza di stare in piedi.

   ....

2. Poiché aveva dimenticato le chiavi di casa, per entrare Franco ha dovuto aspettare che ritornasse sua moglie.

   ....

3. Siccome era caduta sulla neve, Giulia dovette stare a riposo per qualche tempo.

   ....

4. Dopo che ebbe dato una rapida occhiata a quell'appartamento, Franco consigliò a Sergio di comprarlo.

   ....

5. Dato che sono stati per diversi anni in Inghilterra, i nostri amici parlano fluentemente l'inglese.

   ....

Lessico nuovo: –

3. Come sopra:

1. Siccome c'è poca luce, le fotografie non riuscirebbero bene.

    ....

2. Queste sigarette sono leggere, ma se ne fumi tante non ti passerà la tosse.

    ....

3. Poiché l'abbiamo mangiata a pranzo, a cena salteremo la pasta.

    ....

4. Siccome l'ho visitato più volte, so quanto è povero quel paese.

    ....

5. Se l'aveste seguita da vicino, avreste capito quanto era complicata quella vicenda.

    ....

VI *L'infinito e il participio.*

1. Oltre che con il gerundio, il rapporto di tempo fra due azioni si esprime anche con l'infinito e con il participio passato:

a.

al futuro

Dopo che avrò finito questo corso, potrò iscrivermi al corso medio.
Avendo finito questo corso, potrò iscrivermi al corso medio.
Dopo aver finito questo corso, potrò iscrivermi al corso medio.
Finito questo corso, potrò iscrivermi al corso medio.

al passato

Dopo che avevo finito quel corso, ho potuto iscrivermi al corso medio.
Avendo finito quel corso, ho potuto iscrivermi al corso medio.
Dopo aver finito quel corso, ho potuto iscrivermi al corso medio.
Finito quel corso, ho potuto iscrivermi al corso medio.

Dopo aver finito il corso =	avendo finito dopo che avrò finito dopo che avevo finito

Lessico nuovo: iscriversi.

		avendo finito
Finito il corso	=	dopo che avrò finito
		dopo che avevo finito

b.

al futuro

Dopo che sarà guarit*a* dall'influenza, Anna dovrà fare una cura per lo stomaco.

Essendo guarit*a* dall'influenza, Anna dovrà fare una cura per lo stomaco.

Dopo essere guarit*a* dall'influenza, Anna dovrà fare una cura per lo stomaco.

Guarit*a* dall'influenza, Anna dovrà fare una cura per lo stomaco.

al passato

Dopo che era guarit*a* dall'influenza, Anna ha dovuto fare una cura per lo stomaco.

Essendo guarit*a* dall'influenza, Anna ha dovuto fare una cura per lo stomaco.

Dopo essere guarit*a* dall'influenza, Anna ha dovuto fare una cura per lo stomaco.

Guarit*a* dall'influenza, Anna ha dovuto fare una cura per lo stomaco.

		essendo guarit*a*
*Dopo essere guarit*a	=	dopo che sarà guarit*a*
		dopo che era guarit*a*

		essendo guarit*a*
*Guarit*a dall'influenza	=	dopo che sarà guarit*a*
		dopo che era guarit*a*

Lessico nuovo: –

1. Trasformate ora le frasi secondo i modelli precedenti:

1. Carlo ha concluso l'affare che gli interessava e poi è partito per una vacanza.

   ....

2. Quando avrete capito come funziona quella macchina, potrete fare da soli.

   ....

3. Dopo che aveva passato un anno in Italia, John parlava fluentemente l'italiano.

   ....

4. Quando avrai finito il denaro che ti ho dato, potrai chiedermene altro.

   ....

5. Ho accompagnato Franco in centro e poi sono tornato a casa.

   ....

c. Altri usi dell'infinito.

A dire il vero, non ho ben capito cosa vuoi che io faccia.
Uno si stanca *a camminare* per queste salite.
A pensarci bene, conviene avere una macchina con motore diesel.
A sentire lui, il problema non esiste.
A sentirla parlare, Maria sembra fiorentina.

Nota: Anche nel caso dell'infinito, il pronome segue il verbo e forma con esso una sola parola.

d. Accordo del participio passato con il soggetto e con l'oggetto.

Il participio passato dei verbi transitivi si accorda con l'oggetto.
Il participio passato dei verbi intransitivi si accorda, invece, con il soggetto.

Finit*o* quest*o* cors*o*, potrò iscrivermi al corso medio.
Finit*a* *la* lezion*e*, andrò al bar a bere un caffè.
Finit*i* *i* sold*i*, scriverò a mio padre perché me ne mandi altri.
Finit*e* *le* vacanz*e*, tornerò al lavoro più riposato.

Partit*o* Mari*o*, andai anch'io in vacanza.
Partit*a* Luci*a*, andai anch'io in vacanza.
Partit*i* *i* mie*i* amic*i*, andrò anch'io in vacanza.
Partit*e* *le* mi*e* amich*e*, andrò anch'io in vacanza.

Lessico nuovo: salita - riposato.

1. Trasformate ora le frasi secondo i modelli precedenti:

1. Dopo aver fatto i conti, Marco si accorse di avere speso troppo.

   ....

2. Dopo che Maria era arrivata a Milano, è cominciato lo sciopero dei treni.

   ....

3. Dopo che erano salite nell'autobus, le due ragazze hanno scoperto che non era quello giusto.

   ....

4. Dopo aver chiarito la faccenda, Sergio e Lucio tornarono ad essere amici più di prima.

   ....

5. Dopo aver preso le medicine, si sentirà subito meglio, signora.

   ....

e. Attenzione!

Con i verbi "vedere" e "sentire", si usa il gerundio nel caso di soggetti uguali. Si usa, invece, l'infinito quando i soggetti sono diversi.

Vedo ogni giorno Carlo, *tornando* dal lavoro. = Vedo ogni giorno Carlo *mentre torno* dal lavoro.

io vedo - io torno

Vedo ogni giorno Carlo *tornare* dal lavoro. = Vedo ogni giorno Carlo *che torna* dal lavoro.

io vedo - lui torna

Sento Luisa *suonare* il pianoforte. = Sento Luisa *che suona* il pianoforte.

io sento - lei suona

Lessico nuovo: –

VII

1. Trasformate le frasi usando l'infinito o il participio:

1. Dopo che ebbe preso lo stipendio, Gianna corse a comprare un vestito nuovo.
2. Quel giorno vidi Carla che piangeva di gioia.
3. All'improvviso sentimmo i bambini che gridavano e corremmo a vedere cosa era successo.
4. Infine, dopo che eravamo usciti dall'ingorgo, ci rendemmo conto che non saremmo arrivati puntuali.
5. Dopo aver strappato la tessera del partito, Franco non ha più voluto occuparsi di politica.

2. Completate le frasi con la conveniente forma implicita, secondo il senso:

1. .... a secco, quei pantaloni sono tornati come nuovi. (lavare)
2. .... la speranza di trovare un posto migliore, Luisa si è rassegnata a fare un lavoro che non le piace. (perdere)
3. .... di notte si corrono più rischi. (viaggiare)
4. .... questo disco, devo ammettere che è fatto molto bene. (risentire)
5. .... con lui, sembra che sia il capo. (parlare)

VIII

A. Raccontate il contenuto del dialogo introduttivo, completando il seguente testo:

Marco propone a Sergio .... a fare benzina al primo .... Sergio gli risponde che .... farà controllare anche l'olio e l'acqua. Aggiunge che, ... per tante ore, sarebbe il caso di fare una .... al bar, dove sicuramente c'è .... Marco dice che allora approfitterebbe .... Angela che loro .... Secondo Sergio sarà difficile trovare .... o ...., ma per Marco non è un .... Infatti, dopo .... diverse esperienze negative, ha preso .... di portare sempre con sé una .... Poiché, ... i conti, Sergio non se la .... con meno di 60.000 lire, Marco gli chiede se non .... comprare una macchina .... diesel.

Lessico nuovo: –

Sergio risponde che recentemente ...., ma poi ci ....
Marco insiste a dire che .... tutti i chilometri che fa e ....
conto del fatto che il .... costa la metà .... benzina, gli ....
.... senz'altro.
Sergio osserva che, ... indietro la macchina che ha e ....
tutti i risparmi, arriverebbe a otto milioni, somma non sufficiente per comprare una macchina con motore diesel. Continua .... altri argomenti e alla fine Marco dice che gli .... il dubbio che lui ....
.... dei pretesti per non .... dalla sua macchina.
Sergio conclude .... che forse Marco .... ragione.

B. I pro e i contro della macchina.

Pietro : Mi pare che gli uomini d'oggi abbiano fatto addirittura un mito della macchina; ormai quasi nessuno si muove a piedi, sicché nelle città non si circola più.

Gianni: Devi ammettere che la macchina offre dei grossi vantaggi rispetto ai mezzi pubblici: si arriva esattamente dove si vuole e si va veloci.

Pietro : E i problemi dell'inquinamento dove li metti?

Gianni: Insomma, se ho ben capito, tu contesti in pieno l'uso della macchina?

Pietro : No, è falso. Io sono contro il suo uso eccessivo e non contro la macchina in se stessa.

Gianni: Ebbene, per spostarsi in città si potrebbe anche fare a meno della macchina, ma se si deve andare da una città all'altra, con il treno non si arriva mai.

Pietro : Tu dimentichi che però in treno si può dormire, si può leggere, non ci si stanca a guidare e all'arrivo si è freschi e riposati.

Gianni: Non nego che tu abbia ragione, ma ormai non si torna indietro.

1. Rispondete alle domande:

1. Perché, secondo Pietro, nelle città non si circola più?
2. Quali sono, secondo Gianni, i vantaggi della macchina?
3. Pietro contesta in pieno l'uso della macchina?
4. Perché, secondo Gianni, non si può fare a meno della macchina per andare da una città all'altra?
5. Quali sono, secondo Pietro, i vantaggi del treno?

Lessico nuovo: insistere - pro - mito - circolare (v.) - veloce - inquinamento - contestare - eccessivo - ebbene - negare.

IX *Rispondete alle seguenti domande:*

1. Lei che tipo di macchina ha?
2. La Sua macchina va a benzina o richiede un altro carburante?
3. Se ha esperienza di macchine con motore diesel, descriva quali ne sono i vantaggi.
4. Nel Suo paese il prezzo dei vari carburanti è uguale?
5. Lei tiene la macchina per anni o preferisce cambiarla spesso?

X *Test*

A. Completate le frasi con le forme implicite convenienti:

1. Se continui a fare il numero di seguito, prima o poi lo troverai libero.
   ....
2. Poiché non hanno ricevuto l'aumento richiesto, gli operai hanno deciso di entrare in sciopero.
   ....
3. Poiché è stato fatto da un artigiano del passato, questo mobile ha un grande valore.
   ....
4. Se facessi quel lavoro per il dottor Renzi, riceveresti un buon compenso.
   ....
5. Quando si vive in provincia, si possono curare di più i rapporti sociali.
   ....
6. Dopo aver conosciuto più da vicino quella ragazza, ho cambiato opinione sul suo conto.
   ....
7. Poiché ha sentito degli strani dolori al petto, l'ingegner Massi è corso subito dal medico.
   ....
8. Se aumentano le tasse si verifica una riduzione dei guadagni.
   ....
9. Dopo che la guerra era finita, ci sono voluti molti anni per ricostruire le città più colpite.
   ....
10. Siccome portano anche la cronaca di altre regioni, alcuni giornali si assicurano una diffusione più ampia.
    ....

Lessico nuovo: carburante.

B. Completate le frasi con le forme implicite, facendo attenzione ai pronomi:

1. Se l'avessi saputo prima, ti avrei avvertito per tempo.
 ....
2. Siccome li avevamo già provati, eravamo sicuri che questi vini vi sarebbero piaciuti.
 ....
3. Poiché all'andata l'avevo spinto al massimo, al ritorno ho lasciato riposare il motore.
 ....
4. Se potessimo cambiarla, sceglieremmo una sede più ampia.
 ....
5. Se vi sedete davanti, ci vedete e ci sentite meglio.
 ....
6. Con il proibirlo nei locali pubblici, il governo ha voluto ridurre gli effetti negativi del fumo.
 ....
7. Se uno lo fa contro voglia, qualsiasi lavoro può risultare pesante.
 ....
8. Se gliela spediamo oggi stesso, la lettera gli arriverà in tempo utile.
 ....
9. Mentre se ne andava, Giorgio ci ha detto che era rimasto deluso della compagnia.
 ....
10. Poiché si è assunto la responsabilità dell'incidente, Marco non può più tirarsi indietro, anche se la colpa non è solo sua.
 ....

C. Completate le frasi con le convenienti forme del participio o dell'infinito:

1. .... sinceri, non ci sembra che l'affare sia conveniente. (essere)
2. .... la patente, Carlo si è fatto comprare subito la macchina dai genitori. (prendere)
3. .... i principali quotidiani, sapremo qual è l'opinione dei vari partiti su questo grave fatto. (leggere)
4. .... i lavoratori, i sindacati non fanno abbastanza per la difesa dei loro interessi. (sentire)
5. .... le somme, dovemmo ammettere che la giornata non era stata del tutto positiva. (tirare)

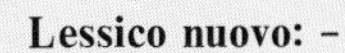

Lessico nuovo: –

D. Completate i dialoghi con la conveniente forma perifrastica:

1. Franca si è già alzata?
   No, ... ancora. (dormire)
2. A quest'ora i negozi sono già chiusi?
   Non ancora, ma .... (chiudere)
3. Che fa il bambino che sta così zitto?
   .... il programma preferito alla tv. (guardare)
4. Perché devi correre a casa?
   Non vedi? .... un temporale e ho lasciato tutte le finestre aperte. (scoppiare)
5. Dici sul serio?
   No, ... (scherzare)

E. Fate il XIV test.

Lessico nuovo: –

A questo punto Lei conosce 2018 parole italiane

I *Vita dura per i pedoni!*

Anna è ricoverata all'ospedale a seguito di un incidente d'auto. Mentre attraversava la strada sulle strisce, una macchina l'ha investita in pieno insieme ad un altro pedone. Nella caduta ha riportato ferite alla testa, alle braccia e alle gambe.
Accanto a lei c'era anche Rita, sua sorella, la quale per fortuna è rimasta illesa.
Appena appresa la notizia, Carla vuole che Rita le racconti come è successo l'incidente e come sta Anna.

Carla: Con tutte quelle ferite, Anna soffre molto?

Rita : Credo di sì, ma lei ha molto coraggio. Ripete sempre: "Non preoccupatevi per me! Le ferite alla pelle mi bruciano un po', ma nel complesso sto bene. Se penso che mi sarei potuta rompere la testa, ringrazio il cielo per come sono andate le cose".

Carla: Qual è la prognosi?

Rita : Il medico con cui ho parlato ha detto: "Cadendo a terra, la ragazza ha battuto la testa, ma dalle radiografie non sembra che il colpo abbia prodotto danni gravi. Anche le ferite alle braccia e alle gambe sono lievi. Dunque, se non ci saranno complicazioni, la ragazza guarirà entro un mese".

Carla: Immagino che ad Anna non piaccia l'idea di stare tutto questo tempo lontana da casa.

Rita : Infatti ha detto ai nostri genitori: "Non so come farò a resistere tanto tempo in questo ambiente. Oggi, per fortuna, è venuta a farmi compagnia una ragazza della mia età che sta nella stanza accanto. Però domani uscirà, così io non avrò nessuno con cui parlare quando non ci siete voi".

Carla: A proposito, ti ha chiesto di me e degli altri amici?

Rita : Come no! Mi ha detto: "Di' a tutti di venire a trovarmi, così mi sentirò meno infelice". Mi ha chiesto anche: "Hai avvertito Giulio che mi trovo in ospedale?"

Lessico nuovo: venticinquesimo - pedone - striscia - investire - caduta - riportare - illeso - apprendere - complesso - prognosi - radiografia - colpo - produrre - danno - lieve - resistere - stanza - infelice.

Carla: Mi pare giusto che in cima ai suoi pensieri ci sia Giulio. È il suo ragazzo, e per di più vive in un'altra città.

Rita : È bene che Giulio venga presto. Potrà aiutarci a seguire le cose con l'assicurazione.

Carla: Perché? Il conducente della macchina che ha investito Anna non ha fatto la denuncia?

Rita : Sì, l'ha fatta il giorno stesso e l'ha firmata in mia presenza; ma sai, se uno non sta dietro alle cose, l'assicurazione non ha nessun interesse a pagare subito.

Carla: Il conducente ha ammesso che la colpa dell'incidente era solo sua?

Rita : Sì, l'ha dichiarato anche alla polizia che è arrivata poco dopo. Ha detto: "Quando all'incrocio ho visto un gruppo di pedoni che attraversava, ho tentato di frenare in tempo, ma non ci sono riuscito. So che c'è il limite di velocità, ma se i freni avessero funzionato come al solito, l'incidente non sarebbe accaduto".

Carla: Nella disgrazia, avete avuto la fortuna di trovare una persona corretta, per cui non c'è bisogno di ricorrere all'avvocato.

Rita : Consoliamoci così!

II ***Ora ripetiamo insieme:***

- Con tutte quelle ferite, Anna soffre molto?
- Se penso che mi sarei potuta rompere la testa, ringrazio il cielo per come sono andate le cose.
- Se non ci saranno complicazioni, la ragazza guarirà entro un mese.
- A proposito, ti ha chiesto di me e degli altri amici?
- Mi pare giusto che in cima ai suoi pensieri ci sia Giulio.
- Il conducente della macchina che ha investito Anna non ha fatto la denuncia?
- Nella disgrazia, avete avuto la fortuna di trovare una persona corretta.
- Consoliamoci così!

Lessico nuovo: - cima - assicurazione - conducente - denuncia - dichiarare - polizia - incrocio - gruppo - tentare - frenare - velocità - freno - disgrazia - consolarsi.

III *Rispondete alle seguenti domande:*

1. Perché Anna è ricoverata all'ospedale?
2. Cosa si è fatta cadendo?
3. Come sta ora?
4. In quanto tempo guarirà?
5. Il conducente della macchina che ha investito Anna ha fatto la denuncia?
6. Ha ammesso che la colpa dell'incidente era solo sua?
7. In quale caso, secondo lui, l'incidente non sarebbe accaduto?
8. Cosa dice l'amica di Rita e di Anna a proposito di questo incidente?

IV ***Il discorso diretto e indiretto.***

Nel dare un quadro generale dei cambiamenti che si verificano nel passaggio dal discorso diretto al discorso indiretto, intendiamo raggiungere anche un secondo scopo: ricapitolare tutti gli argomenti grammaticali visti nelle precedenti unità.

1. Le azioni dipendono da un verbo principale al presente.

Se il verbo principale è al presente, o al passato legato al presente, nel passaggio dal discorso diretto (DD) al discorso indiretto (DI) **cambiano**:
- i pronomi personali (*io, noi* e *tu, voi*), se non sono riferiti a chi racconta;
- i possessivi (*mio, nostro* e *tuo, vostro*), se non sono riferiti a chi racconta;
- l'imperativo.

DD Rita dice: "Così *io* non avrò nessuno con cui parlare quando non ci siete *voi*".

DI Rita dice che così *lei* non avrà nessuno con cui parlare quando non ci sono *loro.*

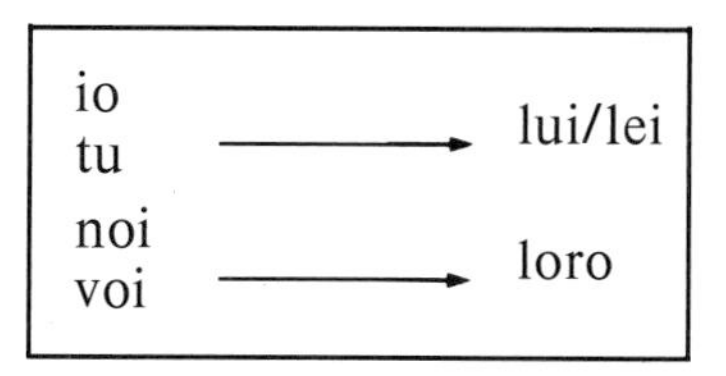

Lessico nuovo: cambiamento - ricapitolare - grammaticale.

DD Rita dice: “Il conducente ha firmato la denuncia in *mia* presenza”.
DI Rita dice che il conducente ha firmato la denuncia in *sua* presenza.

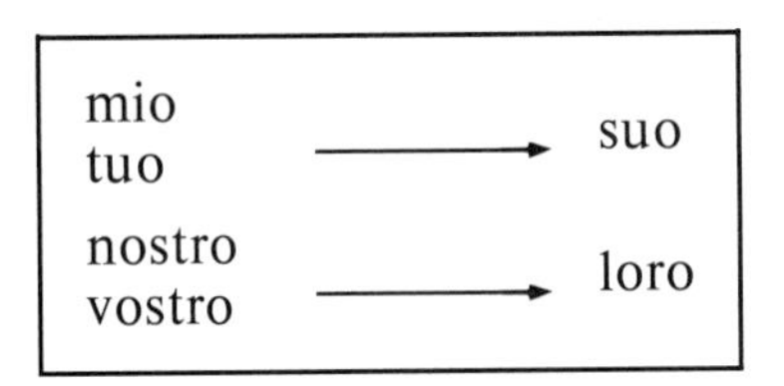

DD Rita dice loro: “*Non preoccupatevi* per me!”
DI Rita dice loro *di non preoccuparsi* per lei.

imperativo ⟶ DI + infinito

2. Le azioni dipendono da un verbo principale al passato.

A. Se il verbo principale è ad un tempo passato non legato al presente, (passato prossimo, passato remoto, imperfetto), nel passaggio dal DD al DI **cambiano:**

1. I pronomi personali *(io, tu, noi, voi)*, se non sono riferiti a chi racconta:
DD Rita ha detto: “Così *io* non avrò nessuno con cui parlare quando non ci siete *voi*”.
DI Rita ha detto che così *lei* non avrebbe avuto nessuno con cui parlare quando non c’erano *loro.*

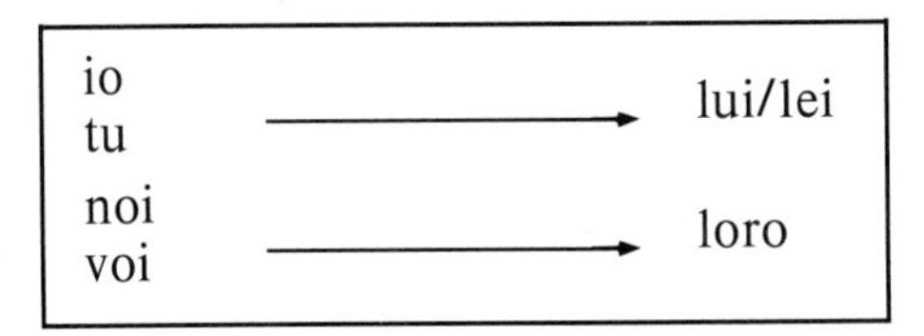

Lessico nuovo: –

2. I possessivi (*mio, tuo, nostro, vostro*), se non sono riferiti a chi racconta:

DD Rita ha detto: "Il conducente ha firmato la denuncia in *mia* presenza".

DI Rita ha detto che il conducente aveva firmato la denuncia in *sua* presenza.

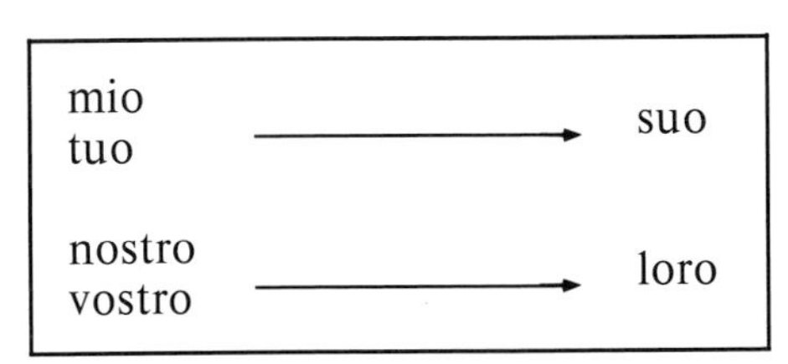

3. L'avverbio di luogo *qui (qua)*:

DD Carla ha detto: "Non so come farò a stare tanto tempo *qui*".

DI Carla ha detto che non sapeva come avrebbe fatto a stare tanto tempo *lì*.

qui (qua) ⟶ lì (là)

4. Il dimostrativo *questo*:

DD Carla ha detto: "Non so come farò a stare tanto tempo in *questo* ambiente".

DI Carla ha detto che non sapeva come avrebbe fatto a stare tanto tempo in *quell'*ambiente.

questo ⟶ quello

5. Gli avverbi di tempo *ora, oggi, domani, ieri*:

DD Rita ha detto: "*Ora* ringrazio il cielo per come sono andate le cose".

DI Rita ha detto che *allora* ringraziava il cielo per come erano andate le cose.

Lessico nuovo: –

DD Carla ha detto: "*Ora* sto bene".

DI Carla ha detto che *in quel momento* stava bene.

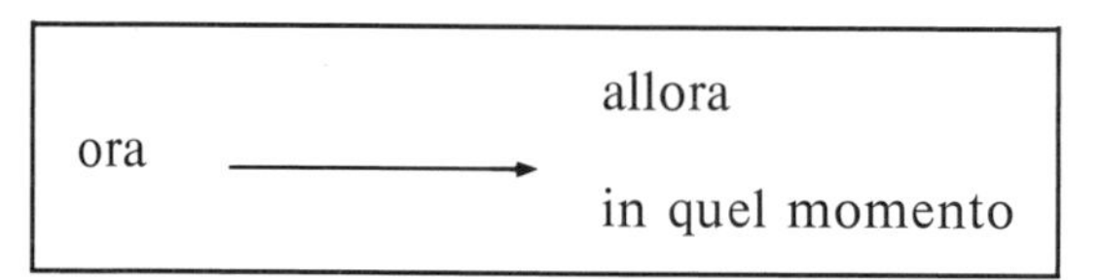

DD Carla ha detto: "*Oggi* mi ha fatto compagnia una ragazza della mia età".

DI Carla ha detto che *quel giorno* le aveva fatto compagnia una ragazza della sua età.

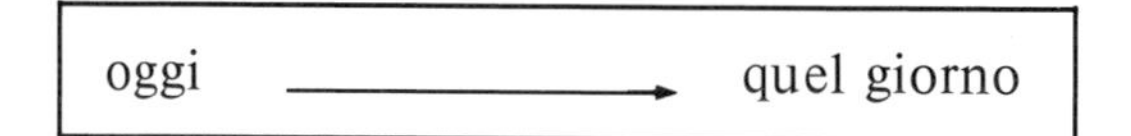

DD Carla ha detto: "Però *domani* la ragazza uscirà".

DI Carla ha detto che però *il giorno dopo* la ragazza sarebbe uscita.

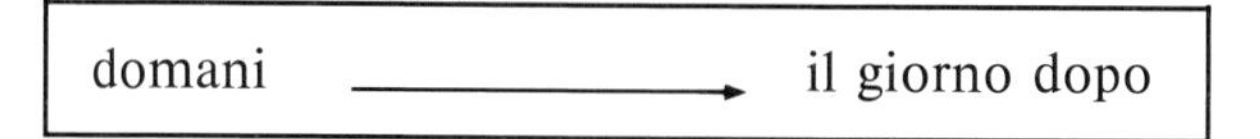

DD Rita ha detto: "*Ieri* Carla ha avuto un incidente d'auto".

DI Rita ha detto che *il giorno prima* Carla aveva avuto un incidente d'auto.

ieri → il giorno prima

6. La preposizione *fra:*

DD Il medico ha detto: "*Fra* un mese circa, la ragazza potrà tornare a casa".

DI Il medico ha detto che *dopo* un mese circa, la ragazza sarebbe potuta tornare a casa.

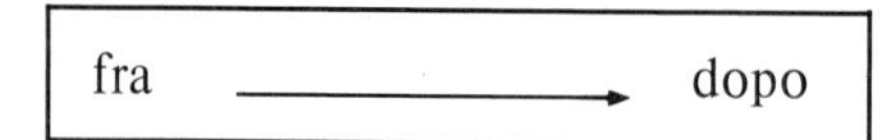

Lessico nuovo: –

7. *Il presente* (indicativo e congiuntivo):

DD Anna ha detto: "Nel complesso *sto* bene".
DI Anna ha detto che nel complesso *stava* bene.

DD Carla ha detto: "*Immagino* che questa idea non le *piaccia*".
DI Carla ha detto che *immaginava* che quell'idea non le *piacesse.*

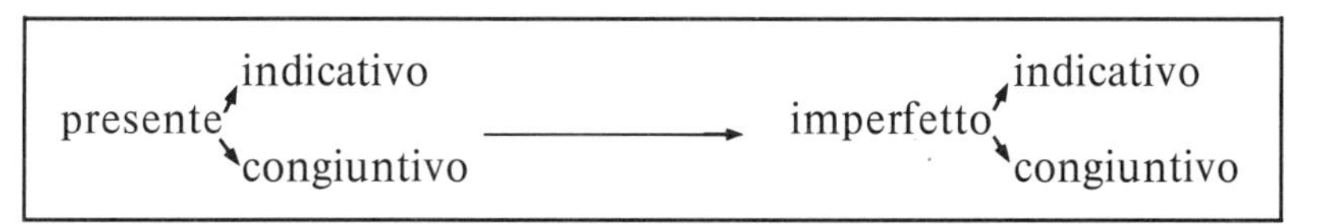

8. *Il futuro e il condizionale semplice:*

DD Anna ha detto: "Non so come *farò* a resistere".
DI Anna ha detto che non sapeva come *avrebbe fatto* a resistere.

DD Anna ha detto: "*Vorrei* vedere tutti gli amici".
DI Anna ha detto che *avrebbe voluto* vedere tutti gli amici.

futuro
condizionale semplice
→ condizionale composto

9. *Il perfetto* (passato prossimo e passato remoto) *ed il passato congiuntivo:*

DD Il conducente ha detto: "*Ho tentato* di frenare, ma *non ci sono riuscito*".
DI Il conducente ha detto che *aveva tentato* di frenare, ma *non c'era riuscito.*

DD Rita ha detto: "Il conducente *dichiarò* alla polizia che la colpa era solo sua".
DI Rita ha detto che il conducente *aveva dichiarato* alla polizia che la colpa era solo sua.

Lessico nuovo: -

DD Il medico ha detto: "Non sembra che il colpo *abbia prodotto* danni gravi".

DI Il medico ha detto che non sembrava che il colpo *avesse prodotto* danni gravi.

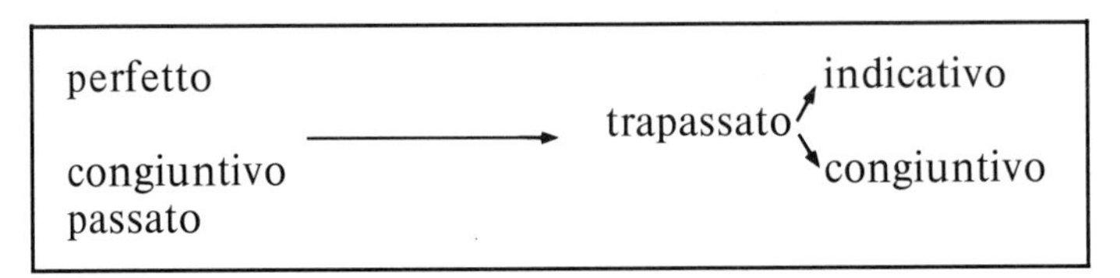

10. *L'imperativo:*

DD Anna ripeteva loro: *"Non preoccupatevi* per me!"

DI Anna ripeteva loro *di non preoccuparsi* per lei.

DD Il medico ha detto a Rita: *"Stia* tranquilla per sua sorella!".

DI Il medico ha detto a Rita *di stare* tranquilla per sua sorella.

imperativo → DI + infinito

11. Il verbo *venire:*

DD Anna ha detto a Rita: "Di' a tutti gli amici di *venire* a trovarmi!"

DI Anna ha detto a Rita di dire a tutti gli amici di *andare* a trovarla.

venire → andare

12. I verbi che dipendono da *chiedere* e *domandare:*

DD Carla ha chiesto a Rita: "Qual *è* la prognosi?"

DI Carla ha chiesto a Rita quale *fosse* la prognosi.
(era)

Lessico nuovo: –

DD Anna ha chiesto a Rita: "*Hai avvertito* Giulio che mi trovo in ospedale?"

DI Anna ha chiesto a Rita se *avesse avvertito* Giulio che lei si trovava in ospedale.
(aveva avvertito)

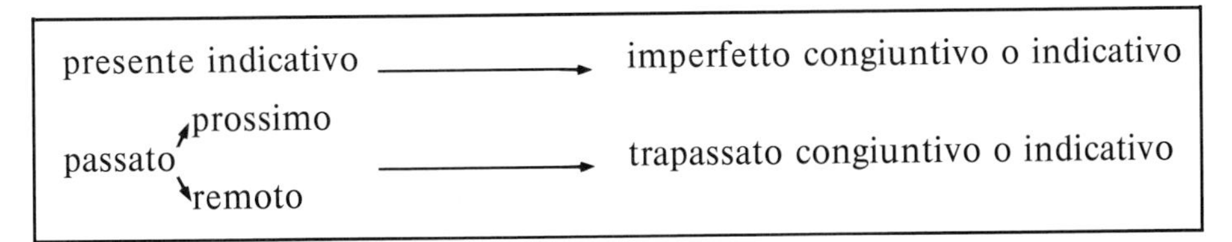

Nota: Se nel discorso diretto c'è un verbo al futuro, nel discorso indiretto questo diventa condizionale composto:

DD Chiesi a Maria: "Quando *tornerà* Paolo?

DI Chiesi a Maria quando *sarebbe tornato* Paolo.

DD Chiesi a Lucia: "*Verrà* anche Giulio?"

DI Chiesi a Lucia se *sarebbe venuto* anche Giulio.

futuro ⟶	condizionale composto

B. Nel passaggio dal DD al DI **non cambiano:**

1. I pronomi personali *lui, lei, loro:*

DD Rita ha detto: "*Lui* ha firmato la denuncia in mia presenza".

DI Rita ha detto che *lui* aveva firmato la denuncia in sua presenza.

DD Anna ha detto: "Di' a *loro* di venire a trovarmi!"

DI Anna ha detto di dire a *loro* di andare a trovarla.

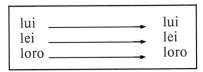

Lessico nuovo: –

2. I possessivi *suo* e *loro*:

DD Carla ha detto: “Al momento dell’incidente, accanto ad Anna c’era anche *sua* sorella”.

DI Carla ha detto che al momento dell’incidente, accanto ad Anna c’era anche *sua* sorella.

DD Anna ha detto: “La *loro* presenza mi farà sentire meno infelice”.

DI Anna ha detto che la *loro* presenza l’avrebbe fatta sentire meno infelice.

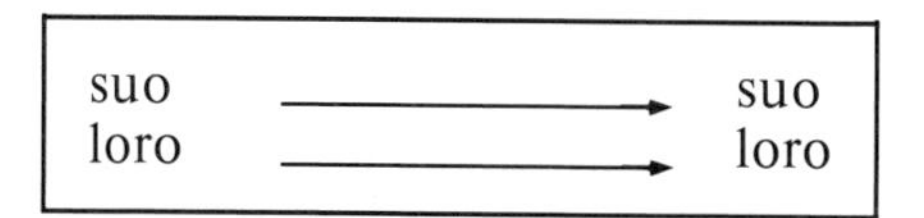

3. Gli avverbi di luogo *lì, là:*

DD Rita ha detto: “Vado *lì (là)* ogni volta che posso”.

DI Rita ha detto che andava *lì (là)* ogni volta che poteva.

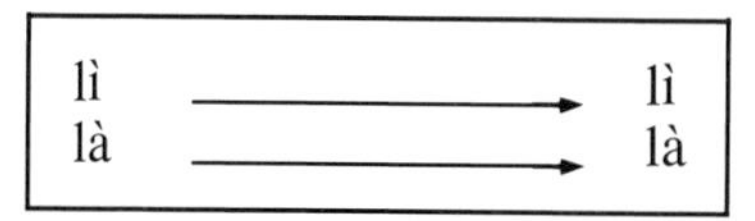

4. Il dimostrativo *quello*:

DD Carla ha chiesto: “Con tutte *quelle* ferite, Anna soffre molto?”

DI Carla ha chiesto se con tutte *quelle* ferite, Anna soffrisse molto.

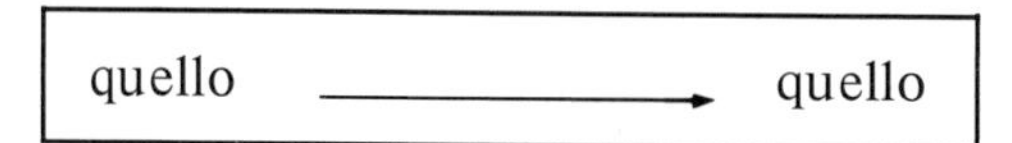

5. Gli avverbi di tempo *allora, in quel momento:*

DD Lui ha detto: “*Allora* i freni non hanno funzionato come al solito”.

DI Lui ha detto che *allora* i freni non avevano funzionato come al solito.

Lessico nuovo: –

DD Carla ha detto: "*In quel momento* c'era anche Rita".

DI Carla ha detto che *in quel momento* c'era anche Rita.

allora	→	allora
in quel momento	→	in quel momento

6. Le espressioni di tempo *quel giorno, il giorno prima, il giorno dopo:*

DD Carla ha detto: "*Quel giorno* Anna ha avuto un incidente d'auto".

DI Carla ha detto che *quel giorno* Anna aveva avuto un incidente d'auto.

DD Carla ha detto: "*Il giorno prima* eravamo uscite insieme".

DI Carla ha detto che *il giorno prima* erano uscite insieme.

DD Carla ha detto: "Ho saputo dell'incidente solo *il giorno dopo*".

DI Carla ha detto che aveva saputo dell'incidente solo *il giorno dopo.*

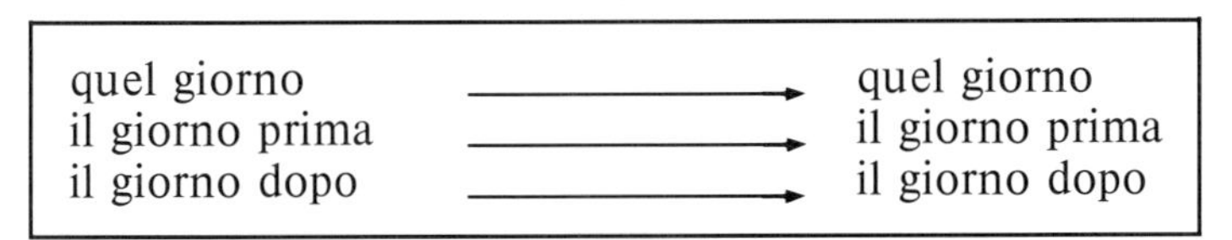

7. *L'imperfetto* (indicativo e congiuntivo):

DD Rita ha detto: "Mentre Anna *attraversava* sulle strisce, una macchina l'ha investita".

DI Rita ha detto che mentre Anna *attraversava* sulle strisce, una macchina l'aveva investita.

DD Rita ha detto: "Carla mi ha chiesto quale *fosse* la prognosi".

DI Rita ha detto che Carla le aveva chiesto quale *fosse* la prognosi.

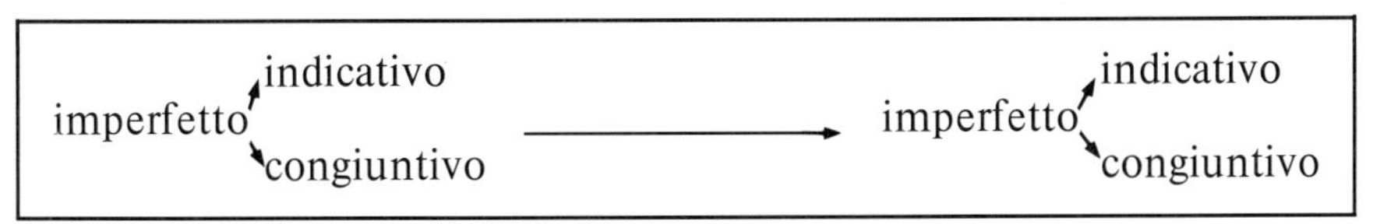

Lessico nuovo: –

8. *Il condizionale composto:*

DD Rita ha detto: "Secondo il conducente, i freni *non avrebbero funzionato* come al solito".

DI Rita ha detto che, secondo il conducente, i freni *non avrebbero funzionato* come al solito.

condizionale composto ⟶ condizionale composto

9. *Il trapassato* (indicativo e congiuntivo):

DD Rita ha detto: "*Avevo avvertito* Giulio, prima che Anna me lo chiedesse".

DI Rita ha detto che *aveva avvertito* Giulio prima che Anna glielo chiedesse.

DD Rita ha detto: "Anna mi ha chiesto *se avessi avvertito* Giulio".

DI Rita ha detto che Anna le aveva chiesto *se avesse avvertito* Giulio.

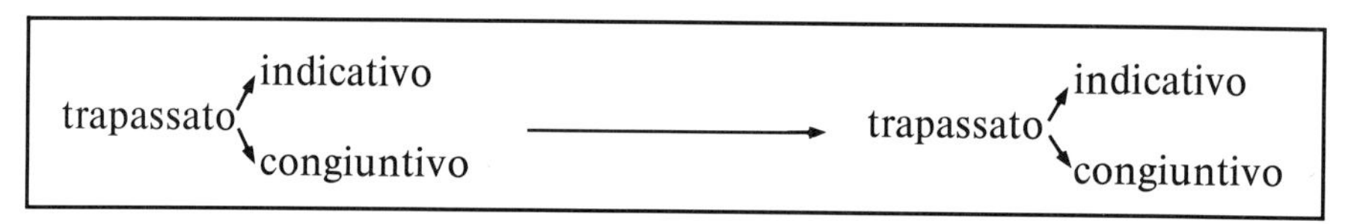

10. *Le forme implicite* (infinito, gerundio, participio):

DD Lui ha detto: "Ho tentato di *frenare*, ma non ci sono riuscito".

DI Lui ha detto che aveva tentato di *frenare*, ma non c'era riuscito.

DD Il medico ha detto: "*Cadendo* a terra, la ragazza ha battuto la testa".

DI Il medico ha detto che, *cadendo* a terra, la ragazza aveva battuto la testa.

DD Carla ha detto: "Appena *appresa* la notizia, sono corsa all'ospedale".

DI Carla ha detto che, appena *appresa* la notizia, era corsa all'ospedale.

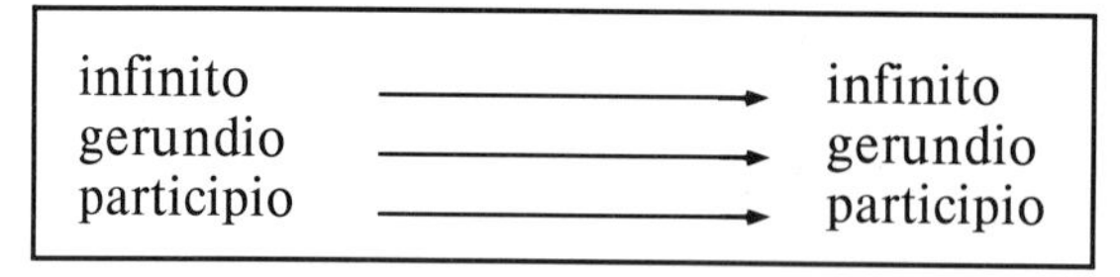

Lessico nuovo: -

11. Il vèrbo *andare*:

DD Anna ha detto: "Ringrazio il cielo per come *sono andate* le cose".
DI Anna ha detto che ringraziava il cielo per come *erano andate* le cose.

andare ⟶ andare

V

1. Cambiate le frasi dal discorso diretto al discorso indiretto:

1. Lucio ripeteva: "A casa mia faccio come voglio io".
....
2. Dissero: "Nella nostra città c'è molto meno traffico".
....
3. Carlo ha aggiunto: "Ve lo dico nel vostro interesse".
....
4. Maria gli disse: "Tu fai molte chiacchiere, ma i fatti sono pochi".
....
5. Giulio rispose: "Voi sbagliate a vendere la casa di campagna".
....

2. Come sopra:

1. Dissi a Marta: "Non puoi telefonare a Lucio a quest'ora".
....
2. Dissero: "Qui stiamo bene perché conosciamo tutti".
....
3. Anna disse: "Tutta questa roba non serve a nulla".
....
4. Carlo rispose: "Qua abita un mio vecchio compagno di scuola".
....
5. Franco aggiunse: "Non mi piacciono affatto questi modi di fare".
....

Lessico nuovo: –

3. Come sopra:

1. Angela gli disse: "Ora non ho tempo di ascoltarti".

   ....

2. Marta ci disse: "Oggi potete restare a pranzo da me".

   ....

3. Franco rispose: "Domani penso di andare a trovare Rita".

   ....

4. Sergio ripeté: "Soltanto ieri Paolo mi ha comunicato il nuovo indirizzo".

   ....

5. Renzo disse: "Ritelefonerò fra una settimana".

4. Come sopra:

1. Ci dissero: "Siamo troppo occupati per poter uscire con voi".

   ....

2. Gianni disse: "Credo che Luigi non abbia più la stessa macchina".

   ....

3. Carla rispose: "Aspetto l'autobus, perché non voglio andare a piedi con questo tempo".

   ....

4. Marta mi ricordò: "Il venti di questo mese Giorgio compirà diciott'anni".

   ....

5. Franco disse: "Ci scommetterei la testa che Lucia non riuscirà a smettere di fumare".

   ....

5. Come sopra:

1. Marta disse: "Finalmente oggi ho ricevuto una lettera dai miei".

   ....

2. Franco disse: "Dovetti aspettare a lungo prima di parlare con il direttore".

   ....

3. Giorgio rispose: "Ho preso la multa perché sono passato con il rosso".

   ....

4. Carla aggiunse: "Credo che loro si siano sposati in chiesa".

   ....

5. Roberto disse: "Mi dispiace che Laura si sia rotta un braccio cadendo sulla neve".

   ....

Lessico nuovo: –

6. Come sopra:

1. Pregò sua moglie: "Prepara il pranzo un po' prima del solito!"

....

2. Il medico gli ha consigliato: "Non beva e non fumi troppo!"

....

3. Anna disse a Luisa: "Cerca Luigi e digli di venire subito da me!"

....

4. Pregai i miei amici: "Prestatemi una guida illustrata della città!"

....

5. Pregammo l'impiegato: "Ci faccia la cortesia di spedirci i documenti a casa!".

....

7. Come sopra:

1. La polizia chiese al conducente: "Com'è successo l'incidente?"

....

2. Marta domandò a Lucia: "Credi davvero che lo sciopero dia risultati positivi?"

....

3. Lucio chiese agli amici: "Avete visto la mostra d'arte moderna che c'è stata in questi giorni?"

....

4. Ci hanno chiesto: "Sapete a che ora riceve il dottor Bianchi?"

....

5. Domandai a Luisa: "Perché hai rifiutato l'invito di Carla?"

....

8. Come sopra:

1. Giulia disse: "Allora lui stava sempre con loro".

....

2. La signora Mari disse: "In quel tempo i bambini potevano giocare liberamente per strada".

....

Lessico nuovo: -

3. Franco disse: "Quel giorno avrei preferito che Marco non facesse il furbo e dicesse esattamente come stavano le cose".

    ....

4. Sergio raccontò: "Il giorno prima avevo alzato troppo il gomito, per cui la mattina non ero in grado di lavorare".

    ....

5. I genitori gli dissero: "Temevamo che ti fosse successo qualcosa".

    ....

9. Come sopra:

1. Marta disse loro: "Per andare in centro bisogna prendere due autobus".

    ....

2. Lucio ripeté: "Andando a questa velocità, si consuma poca benzina".

    ....

3. Franca rispose: "Giunta a casa, sono andata subito a letto, saltando perfino la cena".

    ....

4. Maria disse: "Perduta la pazienza, Marco si è messo a gridare come un pazzo".

    ....

5. John ha detto: "Essendosi espressa in un ottimo italiano all'esame, Margaret ha ricevuto i complimenti di tutti i professori".

    ....

10. Come sopra:

1. Paola mi disse: "Ieri sono rimasta a casa perché non mi sentivo bene".

    ....

2. Carlo aggiunse: "Credo che in questo caso abbia torto Gianni".

    ....

3. Ci dissero: "Lo sciopero dei treni ci ha costretto a rimandare la partenza".

    ....

4. Laura ha detto: "Potendo scegliere, preferirei vivere in collina invece che in pianura".

    ....

Lessico nuovo: –

5. Disse loro: “Suppongo che abbiate capito male le mie parole”.

   ....

6. Consigliarono a Marta: “Passi le vacanze su quell’isola, se vuole riposarsi davvero!”

   ....

7. Marco le suggerì: “Vieni anche tu a teatro, perché ne vale la pena!”

   ....

8. Chiesi a Lucia: “Credi davvero che la ricchezza renda felici?”

   ....

9. Anna rispose: “Stasera, messi a letto i bambini, scriverò alcune lettere urgenti”.

   ....

10. Sergio concluse: “A dire la verità, non ho ancora ben chiaro cosa dovrei fare in quel caso”.

   ....

VI *Il periodo ipotetico nel passaggio dal DD al DI.*

Come abbiamo visto nell’unità 22 (IV.C.), quando nel discorso diretto il verbo da cui esso dipende è *al passato*, nel discorso indiretto il periodo ipotetico risulta di un *unico tipo:*

DD	*DI*
1. **al futuro**	
a. Il medico disse: *“Se non ci saranno* complicazioni, la ragazza *guarirà* entro un mese”.	
b. Il medico disse: *“Se non ci fossero* complicazioni, la ragazza *guarirebbe* entro un mese”.	Il medico disse che *se non ci fossero state* complicazioni, la ragazza *sarebbe guarita* entro un mese.
2. **al passato**	
Il medico disse: *“Se non ci fossero state* complicazioni, la ragazza *sarebbe guarita* entro un mese”.	

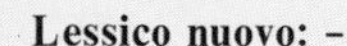

Lessico nuovo: –

Osservate!

a. Se nel discorso diretto il periodo ipotetico contiene il *presente*, questo diventa *imperfetto* nel passaggio al discorso indiretto:

Anna ha detto: *"Se penso* che mi sarei potuta rompere la testa, *ringrazio* il cielo per come sono andate le cose".	Anna ha detto che *se pensava* che si sarebbe potuta rompere la testa, *ringraziava* il cielo per come erano andate le cose.

b. Se nel discorso diretto il periodo ipotetico contiene l'*imperfetto*, il *trapassato* (indicativo o congiuntivo) o il *condizionale composto,* questi non cambiano nel passaggio al discorso indiretto:

1. Lui ha detto: *"Se* i freni *funzionavano,* l'incidente *non accadeva".*	Lui ha detto che *se* i freni *funzionavano*, l'incidente *non accadeva.*
2. Lui ha detto: *"Se* i freni *avessero funzionato,* l'incidente *non sarebbe accaduto".*	Lui ha detto che *se* i freni *avessero funzionato*, l'incidente *non sarebbe accaduto.*

VII ***Cambiate le frasi dal discorso diretto al discorso indiretto:***

1. Laura gli disse: "Se avessi saputo che mi stavi aspettando, mi sarei sbrigata".

   ....

2. Dissero a Luigi: "Se verrai con noi, ti divertirai certamente".

   ....

3. Lui le disse: "Se non fossi rimasto al verde, ti avrei portato un piccolo pensiero".

   ....

4. Mi disse: "Se gli telefonerai prima delle otto di mattina, lo troverai ancora a casa".

   ....

5. Ci risposero: "Se voi prendete la birra, la prendiamo volentieri anche noi".

   ....

6. Aldo concluse: "Se fossi ricco come loro, penserei solo a godermi la vita".

   ....

7. Risposi loro: "Se non c'era la nebbia, ci mettevo molto di meno da Bologna a Milano".

   ....

Lessico nuovo: –

8. Loro osservarono: "Se Marta si fosse rivolta a noi, l'avremmo aiutata con piacere".

   ....

9. Lui aggiunse: "Se rivedessi quell'uomo, lo riconoscerei senza alcun dubbio".

   ....

10. Lui mi disse: "Se mi daranno altro lavoro, diventerò matto".

   ....

VIII

A. Raccontate il contenuto del dialogo introduttivo, completando il seguente testo:

Anna è .... all'ospedale .... di un incidente d'auto. Mentre attraversava la strada ...., una macchina l'ha investita ....
Nella caduta .... ferite alla testa, alle braccia e alle gambe. Accanto a lei c'era anche sua sorella, ... per fortuna è rimasta ....
Anna ripete .... per lei perché .... sta bene.
Se pensa che .... la testa, ringrazia il cielo per come sono andate le cose.
Il medico ha detto che .... a terra, Anna .... la testa, ma dalle radiografie non sembra che il colpo .... danni ....
Quando ha aggiunto che se non ...., guarirà .... un mese, Anna ha detto ai genitori che non .... come .... a resistere tanto tempo in .... ambiente.
Ha pregato Rita .... a tutti gli amici di .... a trovarla, così .... meno infelice.
Il .... dell'auto che l'ha investita ha ammesso che .... era solo sua e ha detto che se i freni .... come al solito, l'incidente non ....

B. Conversazione.

Claude: Questo fine-settimana potremmo visitare Urbino, dove né tu né io siamo ancora stati.
Mary : È un'idea! Ci sono molte cose da vedere. Inoltre credo che gli abitanti lavorino la ceramica. In questo caso mi piacerebbe comprare qualcosa per ricordo.
Claude: Io, invece, spero di trovare degli oggetti vecchi che mi piacciono tanto.
Mary : Penso che ormai anche la gente semplice abbia capito che le cose vecchie piacciono a molti, per cui i prezzi saranno certamente altissimi.
Claude: Se è così, mi contenterò di guardare soltanto.

Lessico nuovo: ceramica - ricordo.

1. Raccontate il contenuto del dialogo usando il discorso indiretto:

Claude ha detto a Mary che .... Lei ha risposto che .... e che .... Inoltre .... Claude ha continuato dicendo che .... Mary ha aggiunto che .... Claude ha concluso dicendo che ....

IX *Rispondete alle seguenti domande:*

1. Nella Sua città succede spesso che i pedoni vengano investiti sulle strisce?
2. Cosa deve fare in questi casi il conducente dell'auto che ha investito un pedone?
3. L'assicurazione nel Suo paese è obbligatoria?
4. Di solito le compagnie di assicurazione pagano subito, o è necessario ricorrere all'avvocato?
5. Se uno ammette di avere la colpa di un incidente, il costo della sua assicurazione sale?
6. In quali casi viene ritirata la patente?
7. Ogni quanti anni viene controllato lo stato delle auto?
8. Se Lei ha avuto un incidente, racconti come si sono svolti i fatti e quali sono state le conseguenze.

X *Test*

A. Cambiate il discorso diretto in discorso indiretto:

1. Lucia ha detto: "Ne ho fin sopra i capelli di questa storia!"

   ....

2. Paolo disse: "Oggi darò l'ultimo esame e poi partirò".

   ....

3. Disse: "Ieri sono andato a trovare i miei amici di Firenze".

   ....

4. Sabato scorso Luisa mi ha detto: "Domani resterò tutto il giorno in casa, perché voglio riposarmi".

   ....

5. Sandro disse: "Mi sarebbe piaciuto cambiare la macchina, ma non mi bastano i soldi".

   ....

6. Disse: "Credo che in questo periodo Maria non abbia un lavoro fisso".

   ....

Lessico nuovo: ritirare.

7. Dissi alla signora: “Si accomodi e faccia come se fosse a casa Sua!”

....

8. Maria disse: “Mi era sembrato che loro non fossero rimasti contenti del loro soggiorno qui”.

....

9. Il medico mi disse: “Se Lei prendesse meno medicine, starebbe meglio”.

....

10. Maria disse a Carlo: “Se tu mi avessi aiutato, a quest’ora avrei finito”.

....

B. Come sopra:

1. Anna disse: “Oggi, andando in centro, ho incontrato Luisa”.

....

2. John disse: “I miei genitori vorrebbero che io tornassi negli Stati Uniti”.

....

3. Franco disse: “Persi l’occasione di vedere quel film alla tv, perché arrivai a casa troppo tardi”.

....

4. Lucio disse: “Se loro si accorgessero che Pino non ha detto la verità, si arrabbierebbero molto”.

....

5. Dissi a Lucia: “Ascolta quello che ti dico ora e non dimenticarlo!”

....

6. Lucio chiese a Mario: “Vuoi venire a pranzo a casa mia domani?”

....

7. Franco mi disse: “Non avevo capito che quella fosse la ragazza di Marco”.

....

8. Prima di partire disse: “Fra due anni tornerò e ci resterò molti mesi”.

....

9. Rita disse a Livio: “Dammi la tua macchina o accompagnami in centro, perché ho molta fretta”.

....

10. Carlo disse a Lucia: “Se mi telefonerai, passerò a prenderti”.

....

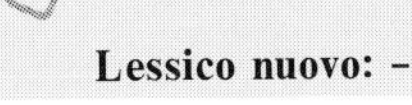

Lessico nuovo: –

C. Cambiate il discorso indiretto in discorso diretto:

1. Paola disse che quel giorno non poteva fare programmi, perché aspettava i suoi amici e non sapeva a che ora sarebbero arrivati.

   ....

2. Lucia pregò Franca di andare da lei e di portarle qualcosa da mangiare.

   ....

3. Mi disse poi che se fosse uscito da casa mia un minuto prima, non avrebbe perduto l'autobus.

   ....

4. Mario disse a Fred che appena avrebbe saputo notizie più precise sui corsi d'italiano all'università, gli avrebbe scritto una lunga lettera.

   ....

5. Luisa disse che le sarebbe piaciuto comprare il vestito che aveva visto in un negozio del centro, ma che non poteva, perché costava troppo.

   ....

6. Marta chiese a Lucio se sapeva dove fosse andato Carlo.

   ....

7. Risposero a Marco che avrebbero accettato il suo invito, a patto che non ci fossero molte persone.

   ....

8. Pregò la signorina di tornare il giorno dopo e di andare nel suo ufficio per ritirare il passaporto.

   ....

9. Rispose che credeva che in Italia la vita fosse più a buon mercato che nel suo paese.

   ....

10. Disse che avrebbe comprato lui i giornali tornando a casa.

    ....

D. Fate il XV test.

Lessico nuovo: -

A questo punto Lei conosce
2056 parole italiane

A) INDICE ALFABETICO DELLE PAROLE USATE NEL TESTO

Avvertenza: *a) I numeri accanto alle parole indicano le unità in cui esse sono state usate. Il numero 0 sta per "Unità introduttiva".*
b) I sostantivi terminanti in ***-e****, i sostantivi maschili terminanti in* ***-a****, i sostantivi femminili terminanti in* ***-o*** *ed i sostantivi singolari terminanti in* ***-i*** *sono seguiti dall'indicazione del genere (m. o f.).*

A
a 0,1,2,3,4,5,6,7,8,9,10,11,12,13,14,15,16,17,18,19,20,21,22,23,24,25
abbandonare 17,23
abbastanza 1,2,4,7,8,10,13,14,16,18,19,20,21,22,23,24
abbigliamento 9
abbracciare 5
-rsi 10
abitante 16,23,25
abitare 1,2,3,4,8,14,15,17,20,22,24,25
abito 10,15
abitualmente 11,15,17
abituare 5,14,22
-rsi 5,21,22,23
abitudine *(f.)* 8,14,15,23,24
acca 14,18,20,21
accadere 8,9,13,16,18,21,25
accanto 14,15,19,24,25
accendere 4,7,11,15,20,22,23,24
accento 14
accettare 5,6,7,9,11,13,16,18,19,20,21,22,25
accidenti! 16,21
accomodare 7
-rsi 4,9,10,11,19,25
accompagnare 7,9,10,12,13,14,16,18,21,22,24,25
accordarsi 14,16,20,23,24
accordo 3,7,8,10,11,12,14,15,16,17,18,20,22,23,24
accorgersi 17,18,20,23,24,25
acqua 5,6,10,11,12,23,24
acquisto 9,14,21
adatto 14,16,18,19,20,21,22,23
addio 1,10,24
addirittura 9,24
addormentarsi 10,16,17,23
addormentato 8
addosso 21
adesso 3,6,7,11
adulto 23
aereo *(agg.)* 5,16,22,23
(s.) 2,10,11,13,14,16,19,22,23
aeroporto 3,7,10,24
affare *(m.)* 4,8,12,14,16,22,24
affatto 7,12,13,25
affermare 13,14,15,18,20
affetto 5,14
affinché 18,20
affittare 4,6,23
affitto 1,4,6,7,8,9,15,17,18,20,21,23
afflusso 14
affollato 10,19,21
agenzia 18,21
aggiungere 12,14,15,19,22,24,25
agosto 6,8,22,23
ah! 3,10,17
aiutare 7,12,13,14,17,18,20,21,22,25
-rsi 16
aiuto 6,11,14,21,23
albergo 2,10,12,13,14,15,16,17,18,19,20,22,23
albero 6,14,16,22,23
alcuno 3,4,7,8,9,10,11,13,14,15,16,18,19,20,21,22,23,25
alimentare *(agg.)* 9
allegro 15,18,20,23
alloggiare 14,23
alloggio 4,23
allora 1,2,5,6,7,8,9,10,11,12,13,15,17,18,19,20,21,22,23,24,25
almeno 6,7,11,12,13,17,20,23,24
alto 7,14,15,18,19,20,22,23,24,25
altrettanto 17,18
altrimenti 7,8,11,12,13,19,22,23
altro 1,5,6,7,8,9,10,11,12,13,14,15,16,17,18,19,20,21,22,23,24,25
alzare 12,18,20,21,25
-rsi 10,15,21,23,24
amare 10,14,21,22,24
amaro 5,15
ambiente *(m.)* 20,21,25
ambito 18,20
americano 0,3,14
amico 0,1,2,3,4,5,6,7,8,9,10,11,12,13,14,15,16,17,20,21,22,23,24,25
-a 0,8,17,22,25
ammalarsi 23
ammettere 17,21,23,24,25
ammobiliato 4,23
ampiezza 16
ampio 10,14,24
anche 0,1,2,3,4,5,6,7,8,9,10,11,12,13,14,15,16,17,18,19,20,21,22,23,24,25
ancora 1,2,4,5,6,7,8,9,10,11,12,13,14,15,16,17,18,19,20,21,22,23,24,25
andare 2,3,4,5,6,7,8,9,10,11,12,13,14,15,16,17,18,19,20,21,22,23,24,25
-rsene 11,12,13,16,17,19,21,22,24
andata 2,19,21,24
angolo 17
animale 22,24
animo 18,20
anno 1,2,3,4,6,7,8,10,11,12,13,14,15,16,17,18,19,20,21,22,23,24,25
annoiarsi 10,11,12,13,19,21
annuncio 4,15,16,23
ansioso 20
antibiotico 23
anticipo 4,13,23
antico 10,14,16,22
antipasto 12,19
antipatico 11,15,21,22,23
anzi 18
apertamente 11,13,19,22
aperto 2,5,12,15,19,22,23,24
apparire 17
appartamento 1,4,6,8,13,14,15,16,17,18,20,21,22,24
appartenere 21
appena 3,4,6,7,8,9,10,11,15,17,18,19,20,21,22,23,24,25
appetito 2,12,13,15,17,22
apposta 22
apprendere 25
approfittare 24
approfondire 22
approvare 11,21,23
appuntamento 2,7,10,13,14,15,17
appunto! 15,23

aprile *(m.)* 5,6,8,13
aprire 1,2,4,6,8,11,12,15,19
arancia 5,23
aranciata 3,7,9,19
area 13
argomento 21,24,25
aria 15,17,19,21,23,24
arma 15
armadio 0,15
arrabbiarsi 10,15,17,22,23,25
arrabbiato 9,15,19
arredato (←arredare) 4
arrivare 2,3,4,5,6,8,10,11,12,13,14,16,17,18,19,20,21,22,23,24,25
arrivederci 1
-rLa 1,5,7
arrivo 4,18,20,24
arrosto 12
arte *(f.)* 6,12,16,25
articolo 11,12,21
artificiale 22
artigiano 7,24
artistico 18
ascensore *(m.)* 3,4,9,11,19,24
ascoltare 3,7,8,12,14,15,16,19,20,24,25
aspettare 3,4,6,7,8,9,11,12,13,15,16,18,19,20,21,22,23,24
-rsi 20,21
aspetto 9,14,15,17,23
aspirina 23
assemblea 11
assicurare 12,21,23,24
assicurazione 25
assoluto 12,14,22,23
assumere 16
-rsi 24
attentato 15
attento 11,18,19,22
attenzione *(f.)* 0,2,5,6,7,8,9,11,13,14,15,16,19,20,21,22,23,24
attesa 10,15,18,20
attività 16
atto 3,15
attraversare 21,22,23,25
attraverso 11,16,18
augurarsi 20
augurio 18,22
aumentare 17,18,19,20,21,22,23,24
aumento 7,13,14,15,22,24
auto 15,20,21,24,25
autobus 2,3,4,6,7,8,11,12,15,19,22,24,25
automobile *(f.)* 24
autore 16
autostrada 2,4,23
autunno 6,18,20
avanti 5,10,15,16,21,23
avanzare 15,22
avere 0,1,2,3,4,5,6,7,8,9,10,11,12,13,14,15,16,17,18,19,20,21,22,23,24,25
avvenire *(v.)* 6,11,13,17
avvertire 9,11,13,18,20,23,24,25
avvocato 5,7,23,25
avvolgere 10
azione *(f.)* 6,8,11,12,13,15,16,17,18,20,21,23,24,25
azzurro 20

B
bacio 5,23
badare 9,10,18,20
bagnato 15,22
bagno 6,9,11,16,22,23
ballare 2,6,12,13,24
bambino 4,5,6,7,8,9,10,12,13,14,15,16,17,18,19,20,24,25
-a 5,6,7,10,17,20
banale 23
banca 3,11,13,15,16,19,23,24
banco 0,1,2,10
bar 2,3,4,7,8,10,11,24
barba 8,10,15,23
base *(f.)* 21
basso 9,11,14,15,20
bastare 7,9,14,15,18,20,22,25
battere 2,18,20,23,25
bellezza 18
bello *(agg.)* 0,2,3,4,5,6,7,8,9,10,11,12,13,14,15,16,17,18,19,20,22,23,25
(s.) 21
benché 18,20
bene *(avv.)* 1,2,3,4,5,6,7,8,9,10,11,12,13,14,15,16,17,18,19,20,21,22,23,24,25
(s.m.) 23,25
bentornato! 10
benzina 13,15,17,21,22,24
bere 2,3,4,5,6,7,8,11,12,13,15,16,18,19,20,21,22,23,24,25
bianco 1,10,12,15,22,23
bibita 5,15,16
biblioteca 2,19,23
bicchiere *(m.)* 5,7,12,13,19,22
biglietto 2,3,7,11,12,13,19,21,22,23,24
binario 2,15
biologia 1,3
birra 3,11,12,15,25
bisognare 4,10,12,14,15,18,19,20,21,22,24,25
bisogno 6,7,11,13,15,18,20,21,23,24,25
blocco 7
blu 0,9,14,15
bocca 12,23
borsa 1,5,7,9,11,12,14,16,22
bosco 22
bottiglia 4,11,15,23
bracciale *(m.)* 11,15
braccio 12,25
bravo 9,14,15,21
breve 10,14,15,18,21,23,24
bruciare 23,25
brutto 2,11,13,15,16,17,18,20,22,23
buca 5
bucato *(agg.)* 12,15,22
buffo 20
buio 2,11,18,20
buongiorno 1,5,9
buono 1,3,5,9,10,11,12,13,14,15,16,18,20,21,23,24,25
busta 5,7
buttare 11,14,19,23
-rsi 6

C
cabina 19
cacciare 16
cacciatore 16,24
cadere 2,4,5,6,8,12,16,24,25
caduta 25
caffè *(m.)* 1,2,4,5,6,7,8,9,10,11,12,13,15,24
calcio 6,8,9,12,21,23
caldo *(s.)* 1,2,3,6,8,11,14,15,19,20,22,24
(agg.) 10,11,15
calmo 11,15,19
calzatura 9
cambiamento 25
cambiare 4,5,6,7,9,10,11,12,13,14,15,16,17,18,19,20,21,22,23,24,25
camera 1,2,3,4,5,10,11,14,16,18,20,23

cameriere 5,12,19
camicia 9,15,19
camminare 6,8,12,19,23,24
campagna 3,4,5,6,12,13,14,20,21,22,25
campare 12
campionato 4
campo 15,16,23
cancellare 17
cane 10,11,19,21,22,23
cantare 20
cantina 4,23
canzone *(f.)* 19
capace 12,22
capello 10,12,14,20,24,25
capire 1,2,4,6,7,9,11,12,13,14,15,16,17,18,19,20,21,22,23,24,25
-rsi 14
capitale *(f.)* 14
capitare 7,9,12,13,14,20
capo 11,12,13,18,20,24
capolinea 19
cappuccino 5,15
carattere *(m.)* 23
carburante *(m.)* 24
carie *(f.)* 23
carino 9,11,12,14
carne 12,15,17,23
caro 4,5,9,10,12,14,15,16,17,21,22,23
carriera 7,13,14,16 18,20
carta 5,21
cartello 20
cartolina 5,9
casa 0,1,2,3,4,5,6,7,8,9,10,11,12,13,14,15,16,17,18,19,20,21,22,23,
24,25
caso 4,6,8,9,11,13,14,15,16,17,18,19,20,21,22,23,24,25
cassa 21,23
cassetta 3,9,11,15
categoria 7,14,15
cattivo 12,14,15,22
causa 5,16,18,23,24
cavallo 21
cavarsela 14,21,24
ce 7,11,13,19,22,24
celeste 10
cena 2,4,5,6,10,11,12,13,15,16,17,18,19,20,22,23,24,25
cento (%) 12,14
centrale 4,7,15,19
centralino 18
centro 1,2,3,4,7,8,9,10,11,12,15,16,17,19,21,22,24,25
ceramica 25
cerca *(in c.)* 7
cercare 1,2,3,4,5,6,7,8,10,11,12,13,14,16,17,18,19,20,22,23,24,25
cerimonia 10,11,16,17
cerino 5,7,11
certamente 12,13,17,22,23,25
certezza 18,20,21,22,23
certo 7,10,11,12,14,15,16,18,19,20,22,23
che *(cong.)* 0,1,2,3,4,5,6,7,8,9,10,11,12,13,14,15,16,17,18,19,20,21,
22,23,24,25
(pr. rel.) 1,3,4,5,6,7,8,9,10,11,12,13,14,15,16,17,18,19,20,21,22,
23,24,25
chi 0,2,3,4,5,7,9,11,12,14,15,16,17,18,19,20,22,23,24,25
chiacchiera 11,23,25
chiamare 7,8,10,11,13,23,24
-rsi 1,15
chiamata 18
chiarire 21,23,24
chiaro 6,8,11,13,14,18,20,22,24,25
chiave *(f.)* 0,1,2,3,4,7,10,13,14,16,17,24
chiedere 1,2,3,4,6,7,8,9,10,11,12,13,15,16,19,21,22,23,24,25
-rsi 18,20,22
chiesa 3,10,22,25
chilo 9,15,22
chilometro 15,18,20,21,22,23,24
chissà 18,24
chitarra 3,14,19,20
chiudere 4,5,7,10,11,12,13,16,17,18,19,23,24
chiunque 16,18,20
chiuso 2,13,21,22,23,24
ci *(pr. pers.)* 2,4,7,8,9,10,11,12,14,15,16,17,18,19,20,21,22,23,24,25
(avv.) 0,1,2,3,6,8,9,12,13,15,17,18,19,20,21,22,23,24,25
ciao 1,2,4,5,6,7,
ciascuno 14,16,21
cielo 12,18,20,25
cilindrata 24
cima 25
cinema *(m.)* 3,4,6,11,12,13,14,15,19,22
ciò 8,12,14,15,16,17,18,19,20,21,22,23
cioè 8,12,16,17,19,20,22
circa 3,4,14,25
circolare 24
circolazione 23,24
citare 14,20,23
città 1,2,3,4,5,6,7,8,9,10,12,13,14,15,16,17,19,21,22,23,24,25
cittadino 10,11,23
civile 10
civiltà 10
classe *(f.)* 0,2,8,14,18,19,20
classico 3,9,12
cliente *(m. e f.)* 5,18,20,23
clima *(m.)* 14,15,23
coda 21
cogliere 23
coincidenza 20
coinvolto (←coinvolgere) 11
colazione *(f.)* 3,5,8,11,15,17,22,23,24
collina 22,25
collo 12
colore *(m.)* 2,9,10,12
coloro 14,16
colpa 18,19,23,24,25
colpire 23,24
colpo 25
coltivare 22
colto 14,23
colui 14
come 0,1,2,3,4,5,6,7,8,9,10,11,12,13,14,15,16,17,18,19,20,21,22,23,
24,25
cominciare 2,3,4,6,7,8,9,10,11,12,13,14,15,16,17,18,19,20,21,22,23,
24,25
commedia 3,4,
commerciale 1
commercio 23
commesso 9
commettere 21,22,23
comodamente 10,14,23
comodo 15,21,23
compagnia 2,5,11,18,20,24,25
compagno 1,2,14,16,19,20,25
compenso *(in c.)* 4,24
compiere 7,11,12,17,20,21,23,25
compleanno 2,12,13,15,18,20,22
complesso *(nel c.)* 25
completamente 20,24
completare 1,2,3,4,5,6,7,8,9,10,11,12,13,14,15,16,17,18,19,20,21,
22,23,24,25
complicato 18,19,24
complicazione *(f.)* 23,25
complimento 8,10,11,14,19,21,25
comporre 11,15

comportamento 20
comportarsi 10,16,18,20,23
composto (←comporre) 4,23
comprare 1,4,5,6,7,8,9,11,12,13,14,15,16,18,19,20,21,22,23,24,25
compreso (←comprendere) 4,7,20
compressa 22,23
computer 23
comune *(agg.)* 14,20,23
comunicare 8,13,25
comunicazione *(f.)* 14,18
comunque 7,9,11,12,14,15,16,17,18,20,21,22,23
con 1,2,3,4,5,6,7,8,9,10,11,12,13,14,15,16,17,18,19,20,22,23,24,25
concerto 3,4,6,9,11,12,13,15,18,19,23
concetto 18,22
concludere 14,16,22,24,25
concordato *(s.)* 10
condizionare 12,13,24
condizione *(f.)* 13,14,15,16,18,20,21,22,24
condominio 4,10,22
conducente *(m. e f.)* 25
confermare 13
confessare 11,16
confezione *(f.)* 9,23
confidenziale 1,5,23
confine *(m.)* 16
confrontare 1,2,3,4,5,6,7,8,14
confronto 10,15,23
confusione *(f.)* 16,19
coniuge *(m.)* 10
conoscente *(m. e f.)* 13,15,19
conoscenza 20
conoscere 0,1,2,3,4,6,7,8,9,10,11,12,13,14,15,16,17,18,19,20,21,22,23,24,25
-rsi 10
conquista 15
conseguenza 13,22,25
conservare 10,14,15,23,24
considerare 16,21,22
consigliare 7,9,11,13,19,22,23,24,25
consiglio 11,12,13,14,19,23
consolarsi 25
consumare 18,20,22,25
contadino *(agg.)* 14
(s.) 15
contare 12,14,15,19,21
contatto 17
contenere 23
contentarsi 14,25
contento 8,9,10,13,14,15,16,18,19,20,23,25
contenuto 4,9,12,13,14,15,16,17,18,19,20,21,22,23,24,25
contestare 24
contesto 18,20
continuare 3,8,10,13,14,15,18,20,21,22,24
continuo 7,12,14
conto 6,7,12,13,15,16,19,21,22,24
contorno 12,23
contrariamente 13,16
contrario 10,11,15,16,19
contrarre 10,11
contratto 15,21
contribuire 14
contro 15,24
controllare 11,19,24,25
controllo 23
conveniente 5,6,7,8,9,10,11,12,13,14,15,16,17,18,19,20,21,23,24
convenire 24
conversazione *(f.)* 1,2,4,5,12,14,18,19,20,21,25
convincere 6,7,16
-rsi 20
convinto 18,20,21,24
coppia 10,14,16
coprire 10
-rsi 11,19,22,23
coraggio 22,23,24
cordiale 5,14
cordialmente 5
cornice *(f.)* 0,16
coro 15
corpo 12
correggere 15,19,20,23
correre 4,7,13,14,16,18,20,23,24
corretto 5,18,20,22,25
corrispondente 14,22
corrispondenza 4,8,23
corrispondere 14,23
corsa 22
corso 1,7,8,9,12,14,15,20,23,24,25
corte 20
cortese 5,12,19,21
cortesia 7,19,25
corto 15,21,22
cosa 0,1,2,3,4,5,6,7,8,9,10,11,12,13,14,15,16,17,18,19,20,21,22,23,24,25
così 3,5,6,8,9,10,11,12,13,14,15,18,19,20,21,22,23,24,25
costare 4,8,10,15,16,23,24,25
costituire 11,14
costo 7,14,15,16,23,25
costoso 10,22
costringere 14,16,25
costruire 11,13,22,23,24
costruzione 23
cotto (←cuocere) 9,15
cravatta 9
credere 2,6,9,11,12,13,14,16,18,19,20,21,22,25
crema 9,24
crepare 12
crescere 18,22,23
crisi *(f.)* 15,16,18,20
cristiano 10
criterio 18
criticare 11,23
cronaca 11,23,24
cucchiaio 5,15
cucinare 3,13,14,15
cugino 5,10,11
-a 5
cui 5,7,8,13,14,15,16,17,18,19,20,21,22,23,24,25
cultura 11,21,23
cuore *(m.)* 14,23
cura 2,8,11,14,16,23,24
curare 23,24
curioso 12,19,20,22,23,24

D

da 1,2,3,4,5,6,7,8,9,10,11,12,13,14,15,16,17,18,19,20,21,22,23,24,25
danno 25
dare 1,3,4,5,6,7,9,10,11,12,13,14,15,16,17,18,19,20,21,22,23,24,25
data 21
dato *(agg.)* 8
dato che 9,24
dattilografo 7
davanti 3,5,10,14,15,16,21,24
davvero 10,12,13,15,16,17,18,20,21,22,25
debole 15,22,23
decidere 6,7,8,9,11,12,13,16,18,19,20,22,23,24
-rsi 10,18,20
decimo 10,23,24

decina 7
decisione *(f.)* 18,20,23
decisivo 14
declinare 5
dedicarsi 7,14,16,20,22
delusione *(f.)* 17,23
deluso 17,21,22,23,24
democratico 11,15
democrazia 15
denaro 7,11,23,24
dente *(m.)* 1,12,22,23
dentifricio 9,15
dentista *(m. e f.)* 23
dentro 4,15,23
denuncia 25
deputato 11,23
derivare 10
descrivere 8,18,19,24
desiderare 5,9,11,16,17,18,20,23
desiderio 12,13,18,20
destinatario 5,18
destino 20
destro 3,11,19
determinare 16
determinato *(agg.)* 3,12,18,20
di 0,1,2,3,4,5,6,7,8,9,10,11,12,13,14,15,16,17,18,19,20,21,22,23, 24,25
dialetto 14,16,23
dialogo 1,2,3,4,6,7,8,9,12,14,15,16,17,18,19,20,21,22,23,24,25
dicembre *(m.)* 6,8,15
dichiarare 25
diciannovesimo 19
diciassettesimo 17
diciottesimo 18
dietro 15,23,25
difesa 15,23,24
differente 16
differenza 11,13,14,16,17,19,22,23
difficile 0,3,4,5,7,8,11,12,14,15,16,18,19,20,21,23,24
difficoltà 8,14,15,21,23
diffondere 14,23
diffusione *(f.)* 14,24
diffuso 20
dimensione *(f.)* 10
dimenticare 3,6,12,18,20,23,24,25
-rsi 10,11,12,17,18,19,20
dimostrare 11,16
dinastia 16
dipendente 13,17,18,20,21,24
dipendere 13,14,15,16,18,25
dire 0,2,3,4,5,6,7,8,9,10,11,12,13,14,15,16,17,18,19,20,21,22,23, 24,25
direttamente 1,2,4,14,16
diretto 7,11,18,19,20,22,23,25
direttore 7,10,11,12,13,14,17,23,25
direzione *(f.)* 2,15
dirigere 15
diritto *(avv.)* 19
(s.) 15
disastroso 20
disco 3,4,5,7,8,9,11,15,16,23,24
discorso 12,13,16,19,20,21,22,23,24,25
discoteca 2,3,11,17,22
discutere 22
disgrazia 25
disoccupato 7,15,16,22
disoccupazione *(f.)* 7
dispiacere *(v.)* 1,2,3,5,6,7,9,10,11,12,13,18,19,20,21,22,25
(s.m.) 20
disporre 21
dissenso 11,22
distinguersi 20
distratto 13,15,20,21,22,23
distributore *(m.)* 24
disturbare 11,18,19
disturbo 23
dito 12,24
diventare 4,12,14,15,16,17,21,22,23,25
diverso 5,8,10,14,16,17,18,19,20,21,22,23,24
divertente 3,11,15
divertimento 22
divertirsi 10,12,13,23,24,25
dividere 6,15,16,18,20
divorzio 10
doccia 10,23
documento 20,25
dodicesimo 12
dolce *(agg.)* 5,11,14
(s.m.) 12,15,23
dolore *(m.)* 8,22,23,24
domanda 1,2,3,4,5,6,7,8,9,10,11,12,13,14,15,16,17,18,19,20,21,22, 23,24,25
domandare 1,11,12,25
domani 2,3,4,5,6,7,10,11,12,13,15,17,18,19,20,21,22,25
domattina 6,10
domenica 2,4,6,8,11,13,15,16,21,23,24
dominare 16
dominio 16
donna 9,10,15,22
dopo 3,4,7,8,10,13,14,15,16,17,18,20,21,22,23,24,25
doppio 0,14,22
dormire 1,2,4,6,8,9,11,13,14,15,17,18,19,20,21,22,23,24
dottore 4,5,7,11,13,14,20,23,24,25
dove 0,1,2,3,4,5,7,9,10,11,13,15,16,17,18,19,20,21,22,23,24,25
dovere *(v.)* 1,2,3,6,7,8,9,10,11,12,13,14,15,16,17,18,19,20,21,22,23, 24,25
(s.m.) 16,23
dovunque 18,20
dubbio 7,12,14,16,18,20,22,24,25
dubitare 18,20,21
due 0
dunque 10,14,15,16,20,25
duomo 21
durante 6,8,22,23
durare 3,6,13,15
duro 17,25

E

e 0,1,2,3,4,5,6,7,8,9,10,11,12,13,14,15,16,17,18,19,20,21,22,23,24,25
eccetera 2,5,8,22,23
ebbene 24
eccessivo 24
eccezione *(f.)* 11,15,18,19,20
ecco 3,7,9,11,19,22,23,24
economia 11,14
economico 7,8,14,15,16,18,20
edicola 3
edificio 17
effettivo 23
effetto 10,14,15,17,19,21,22,24
efficace 23
egli 7
elegante 9,15,22
eleggere 11,23
elementare 1
elemento 22
elettrico 10,22,23
elettronico 10

elezione *(f.)* 6,11
ella 7
enorme 17,23
entrambi 13,16,23,24
entrare 3,4,8,10,11,12,17,19,21,23,24
entro 13,18,19,20,22,25
eppure 10,11,16,17,21,22
errore *(m.)* 5,8,12,13,14,16,17,19,21,22,23
esagerare 15,18,21
esame *(m.)* 1,3,4,5,6,7,9,10,11,12,13,14,15,16,17,18,19,20,21,22,23, 24,25
esaminare 16,20,22,23,24
esattamente 18,20,22,24,25
esatto 23
esclusivamente 16,20
escluso (←escludere) 7
esempio 2,3,4,5,8,13,14,16,20,21,22
esercitare 11
esercizio 0,4,7,8,11,15,23
esigenza 18
esistere 10,14,15,17,18,20,21,22,23,24
esito 13,14,15
esperienza 5,7,8,10,14,20,22,24
espressione *(f.)* 7,8,14,18,19,20,21,25
espresso 22,23
esprimere 2,8,11,12,13,16,17,18,19,20,21,22,23,24
-rsi 10,13,14,20,21,25
esserci 0,3,4,5,6,7,8,9,10,11,12,14,15,16,17,18,19,20,21,22,23,24,25
essere 0,1,2,3,4,5,6,7,8,9,10,11,12,13,14,15,16,17,18,19,20,21,22, 23,24,25
esso 7,8,16,17,19,24,25
-a 8,13,17,22
-i 11,14,15,16
-e 14
estate *(f.)* 4,6,8,10,13,15,18,19,22,23
estendersi 16
estero 5,10,17,18,23
estraneo 17
età 7,10,15,20,21,25
etrusco 16,18
etto 9
europeo 15
eventuale 7,8,13,14,18,21,23
eventualmente 23
evidente 16,18,20
evidenza 17,23
evitare 19,21,22,23

F

fa 4,7,8,11,13,14,15,16,17,18,19,20,21,23
fabbrica 3,5
faccenda 11,12,15,16,18,20,24
faccia 10,12,20
facile 0,5,14,15,16,18,19,23
facilitazione *(f.)* 18
facilmente 22,23
facoltà 7,13
facoltativo 14
falso 1,2,4,5,7,8,12,13,14,15,24
fame *(f.)* 1,8,15,22
famiglia 5,6,7,9,12,14,15,16,18,20,22,23
famoso 9,14,15,16
fare 0,1,2,3,4,5,6,7,8,9,10,11,12,13,14,15,16,17,18,19,20,21,22,23, 24,25
-rcela 21
-rsi 10,13,14,16,18,21
farmacia 23
fastidio 21
fatica 16,21,22,23,24
faticoso 7,10,15,17,21
fatto 9,11,12,13,16,17,18,22,23,24,25
fattore *(m.)* 14,16,21
favore *(m.)* 3,5,7,11,12,13,14,17,19,22,23
febbraio 6,10
febbre *(f.)* 23
felice 10,11,12,14,17,18,19,20,21,23,25
ferie *(f. pl.)* 6,7,11,13,15,16,23
ferita 14,25
fermarsi 10,13,16,21,22,24
fermata 19
fermo 17,19
ferro 21,22,23
festa 2,3,4,6,7,8,9,10,11,17,18,20,23
fiducia 11,14,16,18,19,20,23
figlio 4,5,7,8,9,10,11,13,14,15,16,17,18,19,20,21,22,23
-a 5,7,9,14,15
figura 10,22
figurarsi 14
fila 21,24
filarmonico 15
film 2,3,4,7,8,9,11,12,13,14,15,16,17,19,23,24,25
finalmente 4,5,10,14,17,18,20,21,25
finché 18,21
fine *(f.)* 2,4,7,8,9,10,12,13,15,16,18,20,21,22,23,24
fine-settimana *(m.)* 3,6,8,11,13,15,16,22,25
finestra 0,1,3,4,8,11,12,13,14,18,19,24
finire 1,2,3,4,6,7,8,9,10,11,12,13,15,16,17,18,19,20,21,22,24,25
fino *(prep.)* 2,3,4,6,8,9,12,14,16,17,18,19,20,21,22,25
finora 16
fiore *(m.)* 0,9,11,15,16
fiorentino 14,24
firmare 21,25
fisica 1,3,11
fisico 8,14
fissare 7,15
fisso 9,15,22,23,25
fiume *(m.)* 17,19,23
fluentemente 14,22,24
foglia 6,17
foglio 5,8,23
fondamentale 16,23
fondo 3,7,10,15,21,23,24,25
fonetico 12
fonte *(f.)* 13
forma 4,6,7,8,9,10,11,12,13,14,15,16,17,18,19,20,21,22,23,24
formaggio 16
formale 1,5,11,19
formare 2,4,11,13,15,17,24
-rsi 19
formulare 21
forse 2,3,5,6,7,13,14,15,17,18,20,21,22,24
forte 7,8,11,13,15,23,24
fortuna 1,13,14,15,16,18,20,23,25
fortunato 4,8,10,14,17,20,23
forza 10,13,17,20,24
foto(grafia) 11,14,15,16,19,23,24
fra 1,2,3,4,6,7,8,9,10,11,12,13,14,15,16,17,18,19,20,21,22,23,24,25
fradicio 15,22
francese 0,1,3,8,15,16,22
francobollo 5,7,9,10,15,19,23
frase *(f.)* 1,2,3,4,5,6,7,8,9,10,11,12,13,14,15,16,17,18,19,20,21,22, 23,24,25
fratello 3,5,7,8,9,11,15
frattempo *(nel f.)* 17
freccia 19
freddo 2,6,8,10,11,14,15,16,17,19,20,22,23
frenare 25
freno 25

frequentare 8,11,14,16,19,22,23,24
fresco 5,6,12,16,22,23,24
fretta 3,10,11,12,13,16,19,23,24
fronte *(f.)* 2,19
frutto 12,14,23
-a 22
fumare 3,7,8,11,12,14,15,17,18,19,20,21,22,23,24,25
fumo 18,20,24
funzionare 15,19,23,24,25
funzione *(f.)* 24
fuori 8,12,13,14,15,16,17,19,22
furbo 21,25
furto 23
futuro 6,7,18,24,25

G
galleria 3,23
gamba 10,12,22,25
garage *(m.)* 7,16
gasolio 24
gatto 3,4,5,11,12,21,22
generale *(agg.)* 11,13,14,25
generazione *(f.)* 21
genere *(m.)* 6,9,14,15,16
genitore 1,4,5,9,11,12,14,15,16,18,20,21,22,23,24,25
gennaio 6,8
gente *(f.)* 1,6,8,10,14,15,16,17,19,20,21,22,23,24,25
gentile 5,11,12,13,14,15,19,23
gesto 20
gettone *(m.)* 20,24
ghiaccio 20
già 1,2,4,5,6,7,8,10,11,12,13,14,16,17,19,20,21,22,23,24
giacca 11,19,22
giallo 0,3,4,10,15,23
giardino 11,14,22,23
ginocchio 18
giocare 3,11,14,17,18,21,22,23,24,25
gioco 18
gioia 17,23,24
giornale *(m.)* 0,1,4,5,8,9,11,13,14,15,16,17,19,20,21,23,24,25
giornale radio *(m.)* 7,24
giornata 5,6,10,15,20,21,22,24
giorno 1,2,3,4,5,6,7,8,10,11,12,13,14,15,16,17,18,20,21,22,23,24,25
giovane 3,7,8,9,11,14,15,20,22,23,24
giovedì *(m.)* 2,4,13
girare 3,12,19,24
giro 2,6,9,10,16,22,23
gita 8,13,16
giù 6,14
giugno 6,10,15,16
giungere 4,16,17,25
giusto 4,8,11,16,18,21,22,24,25
gli *(art.)* 1,2,3,4,5,6,7,8,9,10,11,12,13,14,15,16,17,18,19,20,21,22,23,24,25
(pr. ind.) 9,12,13,16,17,18,19,20,21,22,23,24,25
godere 14,21,23
-rsi 25
gola 1,10,17,23
gomito 12,18,20,21,25
gonna 0,4,9,11,13,14,15,16
governo 11,13,15,18,20,23,24
grado 8,14,15,16,21,22,25
grammatica 15,23,24
grammaticale 25
grande 0,1,4,5,7,12,14,15,16,22,23,24
grasso 15,18,20,23
gratuito 23
grave 4,13,14,15,16,23,24,25
grazie! 1,2,3,5,7,8,9,11,12,13,14,16,18,19,21,22,23
greco 16
gridare 12,15,24,25
grigio 15,17
grosso 15,17,18,22,24
gruppo 25
guadagnare 7,8,10,12,14,15,18,20,22,23,24
guadagno 7,16,24
guaio 20,22,23,24
guanto 9,21
guardare 1,4,8,9,11,12,14,19.24.25
guardia 22
guarire 23,24,25
guasto 18
guerra 4,8,14,16,24
guida 9,25
guidare 3,10,13,15,19,21,22,23,24
gusto 20

I
i 0,1,2,3,4,5,6,7,8,9,10,11,12,13,14,15,16,17,18,19,20,21,22,23,24,25
idea 3,5,8,12,14,15,16,17,18,20,21,22,23,25
ideale 18,22
idiomatico 14
ieri 4,6,7,8,9,10,13,14,15,16,17,18,20,21,22,23,24,25
il 1,2,3,4,5,6,7,8,9,10,11,12,13,14,15,16,17,18,19,20,21,22,23,24,25
illegittimo 10
illeso 25
illustrato 9,10,25
imbucare 5,7,15,17,19
immaginare 5,10,13,17,18,20,21,25
imparare 1,2,7,8,14,15,16,18,20,22,23,24
impegno 2,5,10,11,13,14,17,21,22
impiegato 7,11,14,15,23,25
impiego 7,15,17,22
importante 7,9,11,14,16,19,23
importare 7,11,12,13,23
impossibile 18,20
impossibilità 18,20
impressione *(f.)* 5,8,15,17,18,20,22,23
improbabile 18,20
improbabilità 18,20
improvvisamente 9
improvviso 18,21,23,24
in 1,2,3,4,5,6,7,8,9,10,11,12,13,14,15,16,17,18,19,20,21,22,23,24,25
incertezza 18,20,21
incidente *(m.)* 4,12,13,14,15,16,20,21,23,24,25
incontrare 8,9,10,11,16,17,20,21,23,24,25
-rsi 10,13,18,20
incrociare 12
incrocio 25
indeterminato 16
indicare 4,10,11,12,16,19,22,23
indicato 12
indicazione *(f.)* 19
indietro 12,14,15,18,21,23,24
indipendente 17,18,20,22,23,24
indirizzo 1,5,7,8,11,12,13,25
indiscreto 15,19
industria 17
industriale 14,17
infanzia 17,23
infatti 8,9,10,11,13,14,15,16,18,21,22,24,25
infelice 25
inferiore 15
infine 12,19,24
infinito 19
influenza 16,22,23,24
informale 18
informarsi 10,18,22

informazione *(f.)* 3,8,9,11,18,20,23
ingegnere 5,7,10,23,24
ingiustizia 15,23
inglese 1,2,3,4,6,8,11,12,13,14,15,16,18,20,21,22,24,25
ingorgo 19,24
ingrandirsi 17
ingrassare 14
-rsi 23
iniezione *(f.)* 23
iniziale *(agg.)* 11
inizio 3,8,20,23,24
innamorato 15,18,23
inoltre 7,9,12,16,22,23,25
inquinamento 24
inquinare 17,23
insalata 12
insegnante 7,23
insegnare 1,22
inserire 14
insieme 1,2,3,4,5,6,7,8,9,10,11,12,13,14,15,16,17,18,19,20,21,22,23,24,25
insistere 24
insomma 10,17,18,20,24
intanto 18,23
intelligente 15,17,18,20,21,23
intendere 15,19,20,23,25
-rsi di 12
intenso 5,19
intenzione *(f.)* 12,13,15,17,18,20
interessante 11,14,15,16,18,19,20,21
interessare 4,8,9,14,15,19,20,21,22,24
-rsi 11,14
interessato 4,20,23
interesse *(m.)* 11,14,15,16,24,25
interezza 16
intero 7,8,20
interpretazione *(f.)* 15,16
interprete *(m. e f.)* 15,21
interrompere 21,23
intervallo 3,23
intervista 7
intimo 10
intorno 16
inutile 9,11,12
invece 1,2,3,4,6,7,8,10,12,13,14,15,16,17,18,19,20,21,22,23,24,25
inverno 6,14,15
investire 25
invidiare 18,23
invitare 5,7,8,10,11,12,13,17,18,22,23
invito 5,10,12,13,18,19,20,22,23,25
io 0,1,4,6,7,8,10,11,12,13,14,15,16,17,18,19,20,21,22,24,25
ipotesi *(f.)* 18,20,22
irregolarità 20
iscritto *(s.)* 11
(per i.) 5,23
iscriversi 24
isola 4,25
isolato 22
istruzione *(f.)* 14,23
italiano 0,1,2,3,4,5,6,7,8,9,10,11,12,14,15,16,17,18,19,20,21,22,23,24,25

L

l' *(art. f.)* 0,2,5,8,10,11,12,13,14,15,16,17,18,20,21,22,23,24,25
l' *(art. m.)* 0,1,3,4,5,6,7,8,9,10,11,12,13,14,15,16,17,18,19,20,21,22,23,24,25
la *(art.)* 0,1,2,3,4,5,6,7,8,9,10,11,13,14,15,16,17,18,19,20,21,22,23,24,25
la *(pron. dir.)* *(La* 1,5,7,19,21*)*, 7,8,9,12,13,14,15,16,17,18,19,20,21,22,23,24,25
là 0,11,14,19,25
ladro 22,23
laggiù 23
lago 22
lampada 0,19,24
lana 9,10,23
largo 15
lasciare 3,6,7,8,9,11,12,13,15,16,17,18,19,20,21,22,23,24
-rsi 10,22
lassù 22,23
latino 10,16,18,20
latte 5,9
laurea 10,18,20
laurearsi 10,13,18,20
laureato 7,15
lavagna 0
lavare 10,11,15,23,24
-rsi 10,23
lavorare 1,2,3,4,6,7,8,10,12,13,14,15,16,21,22,23,25
lavoratore 7,14,22,24
lavoro 1,4,5,6,7,8,9,10,11,12,13,14,15,16,17,18,19,20,21,22,23,24,25
le *(art.)* 0,1,2,3,4,5,6,7,8,9,10,11,12,13,14,15,16,17,18,19,20,21,22,23,24,25
(pr. dir.) 7,8,11,13,15,16,19,22,23,24
(pr. ind.) 9,11,12,13,15,17,18,20,21,22,24,25
(pr. ind. di cortesia) 4,5,6,7,8,9,11,12,13,15,19,21,22,23
legale 10
legare 15,23
legato 13,16,17,19,25
legge *(f.)* 10,11,17,23
leggere 1,4,7,8,9,11,12,14,15,16,18,19,20,21,23,24
leggero 3,14,15,16,22,24
legislativo 11
legno 7,15
lei 0,1,2,3,4,5,6,7,8,10,11,13,14,15,16,17,18,19,20,21,22,23,24,25
lentamente 1,19
lento 15,22
lettera 1,2,4,5,6,7,8,9,11,13,15,16,17,18,19,20,22,23,24,25
letterario 16
lettere *(facoltà di l.)* 7,10,13
letto 0,2,5,6,8,10,13,14,15,16,17,22,23,25
lettura 10,14,23
levataccia 10,22
lezione *(f.)* 0,1,2,4,6,8,11,18,23,24
li *(pron. dir.)* 7,8,12,14,16,19,20,21,23,24
lì 0,8,11,12,16,18,19,22,25
liberamente 11,25
libero 3,4,5,6,7,10,11,14,15,16,22,23,24
libreria 1,7,9,16,19,23
libro 0,3,4,9,11,12,15,16,18,19,22,23
lieto 5,14
lieve 25
limitato 16
limite *(m.)* 18,21,25
limone *(m.)*5
linea 18,23
lingua 1,2,3,4,5,6,7,8,14,15,16,20,22,23,24
linguistico 14
liquido 7
liquore *(m.)* 5,13,15,23,24
lira 2,5,7,9,11,13,14,15,16,19,21,22,24
lista 11,23
litro 9,15
livello 15,18
lo *(art.)* 1,3,5,7,8,9,10,11,13,14,15,17,20,22,24
(pr. dir.) 4,5,6,7,8,9,10,11,12,13,14,15,16,17,18,19,20,21,22,23,24,25
locale *(s.m.)* 4,11,21,23,24
(agg.) 22,23
località, 2,13,16,18,20,22
lontano 0,1,3,4,5,6,10,12,14,16,22,23,25

loro *(pr. pers.)* 0,1,4,6,8,9,10,11,12,14,16,17,18,19,20,22,23,24,25
(agg. poss.) 0,4,5,7,13,14,16,18,20,21,22,23,24,25
lottizzazione *(f.)* 7,23
luce *(f.)* 4,11,24
lucido 22
luglio 6,8,23
lui 1,6,7,8,10,11,12,13,14,15,16,18,19,20,21,22,23,24,25
luna 10
lunario 7
lunedì *(m.)* 2,7,8,22
lungo 8,10,13,14,15,17,19,22,23,25
luogo 3,17,18,19,20,21,22,25
lupo 12,22

M

ma 0,1,2,3,4,5,6,7,8,9,10,11,12,13,14,15,16,17,18,19,20,21,22,23,24,25
macchiato 5
macchina 0,1,2,3,4,5,6,7,8,9,11,13,14,15,16,17,18,19,20,21,22,23,24,25
macellaio 17
madre 0,5,7,8,9,10,11,15,16
maestro 15
magari! 12,20
maggio 6,23
maggioranza 14
maggiore 14,15,22,23
maggiormente 11,23
maglione *(m.)* 9,21
magnetico 24
magnifico 10,19,21,24
magro 15,22
mah! 3,6,9
mai 1,4,6,7,8,10,11,12,13,14,15,16,17,18,19,20,21,22,24
malato 23
malattia 23
male *(s.m.)* 1,3,4,8,9,10,11,12,13,14,17,18,21,22,23,25
(avv.) 1,8,13,14,15,16,17,18,19,20,21,22,23
mamma 4,15
mancanza 5,12,18,20,23
mancare 6,9,10,13,15,16,17,18,20
-nte (<-mancare) 1,2,3,4,5,6,7,8,9,10,11
mancato 13
mancia 12,19
mandare 5,9,11,23,24
mangiare 1,2,3,4,6,7,8,9,10,11,12,13,14,15,17,18,19,20,21,22,23,24,25
manica 9,19
maniera 22
mano *(f.)* 2,8,9,11,12,13,15,17,19,22,23,24
manodopera 15
mantenere 23,24
-rsi 7,14,22,23
mare *(m.)* 3,4,5,6,7,8,11,12,13,14,16,17,18,20,22,23,24
marito 5,8,10,11,13,14,15,19,21,22
marrone 9,15
martedì *(m.)* 2
marzo 6,8
massa 14
massimo 6,15,24
matematica 1,6
matita 0,19
matrimoniale 2,6
matrimonio 7,10,14,15,16
mattina 2,3,4,6,7,8,10,13,15,21,22,23,25
matto 9,25
me 1,2,4,5,7,9,10,11,12,13,14,15,17,18,19,20,21,24,25
meccanico 13,14,17,19,23,24
media 15
medicina 23,24,25
medico 6,7,8,11,13,17,21,23,24,25
medio 22,24
meglio 3,6,7,10,12,13,15,16,17,18,19,20,21,22,23,24,25
membro 11
memoria 2,12
meno 2,6,7,8,10,11,13,15,18,19,20,22,23,24,25
mensa 1,2,23
mensile *(m.)* 11
mente 17,22
mentre 1,8,11,12,13,16,18,23,24,25
mercato 1,15,18,23,25
mercoledì *(m.)* 2
merito 8
mese *(m.)* 2,3,4,6,7,8,10,12,13,14,15,16,17,20,21,22,23,25
mestiere *(m.)* 7,15,22
metà 16,24
metro 4,15
-quadrato 4
mettere 1,2,4,5,6,7,8,11,12,13,14,15,16,17,18,19,20,22,23,24,25
-rci 12,22,25
-rsi 10,11,12,15,16,17,18,20,25
mezzanotte *(f.)* 2,4,8,10,15,17
mezzo *(s.)* 3,6,7,14,15,19,21,24
(agg.) 2,3,9,10,16,20,23
(avv.) 8,20
mezzogiorno 2
mi *(pr. dir.)* 4,6,7,13,19,21,22,25
(pr. ind.) 1,4,5,7,8,9,12,14,15,16,17,18,19,20,21,22,23,24,25
mica 6,9,15
miele *(m.)* 10
migliore 14,15,18,20,22,23,24
milione *(m.)* 15,16,24
militante 11
mille 3,16
minerale *(agg.)* 5
minimo 11,15
ministro 11,23
minore 15,16,22
minuto 2,3,4,10,15,16,17,19,25
mio 0,1,2,3,4,5,6,7,8,9,10,11,12,13,14,15,16,18,20,21,22,24,25
-a 0,1,2,3,4,5,6,7,8,9,10,11,12,13,14,15,17,18,19,20,22,25
-ei 0,1,4,5,6,7,8,10,11,13,15,16,23,24,25
-e 0,5,7,11,15,24,25
mistero 16
misto 12
misurare 23
mito 24
mittente *(m. e f.)* 5
mobile *(agg.)* 9
(s.) 24
moda 9,10,16,18,20
modello 1,2,3,4,5,6,7,8,9,10,11,12,13,14,15,16,18,20,22,23,24
moderno 6,25
modesto 7,22
modo 4,5,9,10,12,13,14,15,16,17,18,20,21,22,23,24,25
modulo 5,21
moglie 5,7,10,11,12,13,15,17,18,20,24,25
molto 0,1,2,3,4,5,6,7,8,9,10,11,12,13,14,15,16,17,18,19,20,21,22,23,24,25
momento 2,3,5,7,8,9,10,11,13,14,16,17,18,19,20,21,22,23,25
mondiale 14,16
mondo 3,9,10,24
montagna 2,3,6,7,8,10,11,13,16
morbido 22
morire 4,8,14,16,17,24
morte *(f.)* 16
morto 15,17
mostra 6,7,25

mostrare 19
motivo 5,12,13,14,15,16,18,21
moto *(f.)* 3,8,9,18,19
motore *(m.)* 24
multa 16,25
municipio 10
muoversi 17,19,23,24
museo 6,8,19,21
musica 3,5,6,8,9,10,12,15,16

N

nascere 4,17,18
nascondere 21,23
naso 12,23
natura 17
naturale 18
naturalmente 10,21
nazionale 14
nazione *(f.)* 14
ne 3,4,7,9,10,11,12,13,15,16,18,19,20,21,22,23,24,25
né 4,15,18,25
neanche 9,10
nebbia 20,25
necessario 4,10,11,12,13,15,17,18,20,21,23,25
necessità 18,20,23
negare 24
negativo 11,14,16,24
negozio 1,2,5,6,7,8,9,13,14,16,18,19,20,22,23,24,25
nemmeno 9,13,24
neppure 9,12,14,21,22
nero 0,9,15,20,21
nervo 16
nessuno 2,4,7,8,11,12,13,14,15,16,18,20,21,23,24,25
neve *(f.)* 4,6,8,24,25
niente 2,5,7,8,9,11,12,13,14,15,16,17,19
nipote *(m. e f.)* 5
no 0,1,2,3,4,5,6,7,8,9,10,11,12,13,14,15,16,18,21,22,23,24,25
noi 0,1,2,3,4,5,6,7,8,9,10,11,12,13,14,15,16,17,18,19,20,21,22,25
noioso 11,15,19,23
nome *(m.)* 0,2,8,9,14,15,16,23
non 0,1,2,3,4,5,6,7,8,9,10,11,12,13,14,15,16,17,18,19,20,21,22,23,24,25
nonno 5,8,17
 -a 5,6
 -i 13
nono 9
nonostante 18,20
nord 3,14,16
normale 5,15,20,23
normalmente 12,16,19,23,24
nostalgia 5,12,19,21
nostro 0,5,14,15,19,21,25
 -a 0,1,4,5,11,14,15
 -i 0,5,6,10,14,15,16,17,20,21,24,25
 -e 0,5,15,18
nota 8,10,11,12,13,14,16,17,18,20,22,23,24,25
notare 20,21,24
notevolmente 16
notizia 5,9,11,12,13,14,16,17,18,20,23,24,25
noto 16,18,20
notte *(f.)* 2,4,6,8,12,15,16,17,19,20,21,22,23,24
novembre *(m.)* 6
nozze *(f. pl.)* 10
nubile 10
nulla 12,14,15,16,18,19,20,23,25
numero 1,2,3,4,5,6,7,8,9,10,11,12,13,14,15,16,17,18,19,20,21,22,23,24,25
numeroso 12,14,15,16
nuotare 22
nuotata 6,23
nuovo 0,1,2,3,4,5,6,7,8,9,10,11,12,13,14,15,16,17,18,19,20,21,22,23,24,25
nuvola 12
nuziale 10

O

o 0,1,2,3,4,6,7,8,11,12,13,14,15,16,17,18,19,20,21,22,23,24,25
obbligatorio 14,25
occasione *(f.)* 6,8,11,12,13,15,16,18,20,23,24,25
occhiali *(m. pl.)* 7,8,11,12
occhiata 11,24
occhio 4,12,15,16,17,20
occorrere 9,18,20,23
occupare 18
 -rsi 18,20,24
occupato 3,7,10,11,25
odiare 21
odore *(m.)* 20
offendersi 13,16,21,22,23
offeso 20
offrire 1,4,5,6,7,9,11,12,13,15,16,19,22,24
oggettività 18,20,21
oggettivo 13
oggetto 21,23,25
oggi 1,2,4,6,7,8,9,10,11,12,13,14,17,18,19,20,22,23,24,25
ogni 1,2,4,7,8,9,10,13,15,16,19,21,22,23,24,25
ognuno 16
oh! 2,4,11
olandese 0,3
olio 24
oltre 11,14,17,18,20,24
ombrello 4,11,15,18,20,22
omicidio 15
opera 16,22
operaio 3,7,12,15,24
operato *(s.)* 11
opinione *(f.)* 11,14,15,18,19,20,21,24
opportunità 18,20
opportuno 18,20
oppure 6,22,23
ora *(s.)* 1,2,3,4,5,6,7,8,9,10,11,12,13,14,15,16,17,18,19,20,21,22,23,24,25
 (avv.) 1,2,3,4,5,6,7,8,9,10,11,12,13,14,15,16,17,18,19,20,21,22,23,24,25
orario 4,6,7,13,14,15,22
orchestra 15
ordinamento 11
ordinare 12,22
ordine *(m.)* 1,2,4,5,6,7,16,18,20,21,22,23
orecchino 11,19
orecchio 12
organizzazione *(f.)* 16
orientarsi 10,18,19
originale 1,2,3,4,5,6,7,8,14
origine *(f.)* 16
ormai 10,11,12,14,15,16,17,21,22,24,25
oro 19
orologio 1,5,6,15,23
ospedale *(m.)* 23,25
ospitale 5
ospite *(m. e f.)* 18,21,22,23
osservare 2,3,4,6,7,8,9,10,11,12,13,14,15,16,17,18,19,20,22,23,24,25
osservazione *(f.)* 14,23
ottavo 8
ottenere 10,16,18,19,20,23
ottimista 20
ottimo 8,9,10,11,13,15,19,22,23,24,25
ottobre *(m.)* 6

P
pacchetto 5,7,11,13,15,22
pace *(f.)* 22
padano 16,23
padre 0,2,3,4,5,7,8,10,11,12,13,15,18,20,22,24
padrona 20
paesaggio 17
paese *(m.)* 2,3,4,5,7,8,9,10,11,12,14,15,16,17,18,20,21,22,23,24,25
pagamento 19
pagare 1,4,5,6,7,8,10,11,14,15,16,23,25
pagina 15,16
paio 9,15
palazzo 11
palmo 12
pane *(m.)* 9,11
panino 9,17
pantaloni *(m. pl.)* 0,15,23,24
papà 3,15
paradiso 17
parcheggiare 7,16
parcheggio 6,7,8,23
parecchio 16,19
parente *(m. e f.)* 10
parentesi *(f.)* 8,11,12,13,17,18,20,21,23
parere *(v.)* 15,18,19,20,21,24,25
parlamento 11,23
parlante *(m. e f.)* 13,16,17
parlare 1,2,4,6,7,8,11,12,13,14,15,16,17,19,20,21,22,23,24,25
-rsi 10
parola 0,1,2,3,4,5,6,7,8,9,10,11,12,13,14,15,16,17,18,19,20,21,22, 23,24,25
parroco 10
parte *(f.)* 7,11,14,15,16,18,19,21,22,23
partecipare 10,11,20
partenza 4,13,17,21,25
particolare 10,15,16
partire 1,2,4,5,6,7,8,10,11,12,13,15,16,17,18,19,20,21,22,24,25
partita 6,9,11,15,20,23
partito 11,24
Pasqua 17
passaggio 13,14,19,25
passante *(m. e f.)* 19
passaporto 4,7,25
passare 1,2,4,5,6,7,8,10,11,12,13,14,16,17,18,19,20,21,22,23,24,25
passatempo 22
passato *(agg.)* 4,8,9,11,12,13,17,18
(s.) 17,20,24
passeggiare 3,8,24
passeggiata 2,6,8,16
passione *(f.)* 22,24
passo 6,9,12,15,19,22,23
pasta 5,7,13,15,24
pastiglia 9,23,24
pasto 23
patente *(f.)* 7,15,24,25
patto 18,20,25
paura 1,3,7,8,11,13,15,16,18,19,20,21,22,23
pavimento 17
pazienza 11,14,16,19,25
pazzo 9,15,25
peccato! 10,13,18,20,22
pedone *(m.)* 25
peggio 17,22
peggiore 15,23
pelle *(f.)* 22,24,25
pelo 22
pena 12,14,22,25
penna 0,11,13,15,17
pensare 1,2,4,5,6,7,8,10,11,12,13,14,15,16,17,18,19,20,21,22,23, 24,25
pensiero 16,17,19,20,25
pensione *(f.)* 1,7,13,14,15,18,20,23,24
per 1,2,3,4,5,6,7,8,9,10,11,12,13,14,15,16,17,18,19,20,21,22,23, 24,25
perché 1,2,3,4,5,6,7,8,9,10,11,12,13,14,15,16,17,18,19,20,21,22,23, 24,25
perciò 1,8,10,11,12,15,16,17,21,22,23
percorrere 22
perdere 4,7,10,11,14,15,17,18,19,20,21,22,23,24,25
perdonare 13,19,21,23
perfetto 14,15,16,18,20,24
perfino 17,25
pericoloso 19,22
periferia 8,10,15,17,22
periodo 6,8,11,12,14,15,17,23,24,25
permesso 18,20
permettere 1,11,13,18,21,23,24
-rsi 10
però 1,4,5,10,11,13,15,16,17,18,20,22,24,25
persona 2,3,5,7,8,11,12,14,15,16,18,19,20,21,22,23,25
personale *(agg.)* 7,14,18
(s.m.) 23
pertanto 23
pesante 7,15,17,19,22,24
pesare 15,19
pescare 22
pescatore 17
pesce *(m.)* 6,12,13,14,15,19,23
pessimo 15,21,24
petto 12,24
pezzo 22
piacere *(s. m.)* 3,5,7,9,10,13,18,21,22,23,25
(v.) 4,5,6,7,9,11,12,13,14,15,16,17,18,19,20,21,22,24,25
piacevole 5,14,15,21,22,23
piangere 20,21,24
piano *(s.)* 3,4,9,14,15,24
(avv.) 11,12,14,15
pianoforte *(m.)*16,21,22,24
pianoterra *(m.)* 4
pianta 19
pianura 16,23,25
piatto 7,11,12,14,22,23
piazza 1,3,6,19
piccolo 0,1,8,10,12,14,15,17,20,22,24,25
piede *(m.)* 2,3,4,7,8,10,11,12,14,16,17,18,19,22,24
piega 9
pieno 9,10,15,18,20,21,23,24,25
pigliare 14
pigro 21,22
pillola 23
pioggia 2,3,4,15,23
piovere 2,8,11,13,15,16,17,18,20,22
piscina 2,6,23
più 2,3,4,5,6,7,8,9,10,11,12,13,14,15,16,17,18,19,20,21,22,23,24,25
piuttosto 7,9,11,14,17,18,19,20,21,22
pizza 21,23
platea 3,23
po' *(un po')* 1,2,3,4,5,6,7,8,9,10,11,12,13,14,15,16,18,19,20,21,22, 23,24,25
poco 0,7,8,10,13,14,15,16,17,18,20,21,22,23,24,25
poesia 2
poeta *(m.)* 15
poi 1,2,3,4,5,6,7,8,10,11,12,13,14,15,16,17,18,19,20,21,22,23,24,25
poiché 13,14,16,17,18,20,23,24
politica 11,12,17,23,24
politico 11,14,16
polizia 25
pomeriggio 2,4,6,7,8,11,15,21,22
pompelmo 5,23
popolazione *(f.)* 16

popolo 11,16,20
porre 14,21
porta 0,1,2,4,11,12,17,19,21
portacenere *(m.)* 20
portafogli *(m.)* 20
portare 7,8,9,10,11,13,15,16,17,18,19,20,21,23,24,25
portata 18
posata 10
positivo 5,11,24,25
possibile 3,5,6,12,13,18,19,20,23
possibilità 18,20
posta 5,7,9,11,13,15,18,24
postale 5,23
posteriore 13,21
postino 18
posto 3,4,5,6,7,9,10,11,12,13,14,15,16,17,18,20,21,22,23,24
potente 16,24
potere *(s. m.)* 11
(v.) 1,2,3,4,5,6,7,8,9,10,11,12,13,14,15,16,17,18,19,20,21,22,23,24,25
potestà 10
povero 15,24
pranzare 8,10,11,14,22,23
pranzo 2,3,7,8,10,12,13,15,17,18,20,23,24,25
pratica 7,23
praticare 8,14,15
pratico 19
prato 17,22
precedente 5,13,15,16,17,21,22,23,24,25
precedere 10,14,16,17,18,20,21
preciso 3,15,16,19,22,23,25
preferire 1,2,3,4,5,6,7,8,9,10,11,12,13,15,16,17,18,19,20,21,22,23,24,25
prefisso 15,18,24
pregare 7,8,9,11,12,18,19,21,22,25
prego! 3,4,5,11,19,21
premettere 19,23,24
prendere 1,2,3,4,5,6,7,8,9,10,11,12,13,14,15,16,17,18,19,20,21,22,23,24,25
prenotare 2,6,9,17,18,19,20,22,23
preoccupare 22
-rsi 10,11,14,18,19,20,21,22,23,25
preoccupato 4,17
preoccupazione *(f.)* 18,20
preparare 10,11,15,23,25
-rsi 10,11,12,18,20,23
preparazione *(f.)* 11
prescrivere 23
presentare 5,7,8,9,11,13,14,15,19,21,22,23
-rsi 1,6,10,11,15,18,20
presente *(agg. e s.)* 4,6,8,13,17,19
presenza 16,25
presidente 11,16,17,23
pressione *(f.)* 23
prestare 11,13,14,16,17,18,20,22,23,25
prestito 9,15,16,23
presto 2,4,5,6,7,8,10,11,12,13,14,15,16,17,18,19,20,21,23,24,25
presupporre 4
pretendere 7,9,16,18,20
pretesto 24
prezzo 9,13,14,15,17,18,19,20,21,22,24,25
prima 2,3,4,5,6,8,9,10,11,12,13,14,16,17,18,19,20,21,22,23,24,25
primavera 6
primo 1,4,5,6,7,8,10,12,13,14,16,17,18,19,20,21,22,23,24
principale 1,13,14,16,17,18,20,21,23,24,25
principiante *(m. e f.)* 8
privato *(s.)* 4
pro 24
probabile 18,20
probabilità 18,20,23
probabilmente 18
problema *(m.)* 6,7,8,11,12,14,15,16,18,20,22,23,24
procurare 11,19,23
produrre 25
professione *(f.)* 7,14,15,22
professore 0,1,4,5,6,7,9,10,11,13,15,23,25
profondo 17
progetto 18,20,23
prognosi 25
programma *(m.)* 2,3,6,9,15,18,20,21,24,25
progresso 8,16,17,23
proibire 13,17,24
promessa 12,19,23
promettere 4,11,12,17,21,23
pronto 2,3,4,7,11,15,17,18,20,21
pronuncia 0,14,15
proporre 12,18,24
proposito 18,23,25
proprietario 24
proprio *(agg.)* 10,11,12,14,15,16,21,23,24
(avv.) 6,7,8,9,10,11,13,14,15,17,18,19,20,21,22,24
prosciutto 9
prospettiva 7
prossimo *(agg.)* 1,2,4,6,7,12,13,16,18,19,21,23,24
protestare 15,21,22
provare 8,9,11,12,16,17,18,19,20,22,23,24
proverbio 14
provincia 17,24
psichico 8
pubblicare 23
pubblicitario 4
pubblico 7,12,16,19,24
pulire 17
pulito 15,23
pullman 2
punto 0,1,2,3,4,5,6,7,8,9,10,11,12,13,14,15,16,17,18,19,20,21,22,23,24,25
puntuale 21,24
purché 18,20
pure 3,6,7,11,16,18,19
puro 9,23
purtroppo 5,7,10,13,14,15,16,20,21,23

Q

qua 0,19,25
quaderno 0
quadrato 4
quadro 9,16,18,20,22,25
qualche 2,3,5,6,7,8,9,10,11,12,13,14,16,17,18,19,21,22,23,24
qualcosa 2,5,6,7,9,10,11,12,15,16,18,19,20,21,22,25
qualcuno 4,7,16,22,24
quale 1,2,3,5,7,8,9,10,12,14,15,16,17,18,19,20,21,22,24,25
qualità 9,14,15,18,21,24
qualsiasi 7,10,11,16,18,20,23,24
qualunque 16,18,20
quando 1,2,3,4,5,6,7,8,9,10,11,12,13,14,15,16,17,18,19,20,21,22,23,24,25
quantità 15,16
quanto 1,2,3,4,5,6,7,8,9,10,11,12,13,14,15,16,18,19,20,21,24,25
quartiere *(m.)* 17
quarto *(agg.)* 4,10,11
(s.) 2
quasi 1,3,4,5,8,11,12,13,14,15,16,18,20,21,24
quattordicesimo 14
quello 0,3,4,5,6,7,8,9,10,11,12,13,14,15,16,17,18,19,20,21,22,23,24,25
quella 0,4,5,6,8,9,11,12,13,14,15,16,17,18,19,20,21,22,23,24,25
quel 3,4,5,7,8,9,10,11,12,13,14,15,16,17,18,19,20,21,22,23,24,25

quell' 4,5,8,10,11,15,16,17,18,19,20,21,22,23,24,25
quelli 0,11,14,15,20,22,23
quelle 7,8,9,10,11,12,15,18,19,20,21,22,25
quegli 7,19
quei 3,7,8,19,20,21,24
questo 0,1,2,3,4,5,6,7,8,9,10,11,12,13,14,15,16,17,18,19,20,21,22, 23,24,25
quest' 1,2,8,9,11,12,13,16,17,19,21,24,25
questa 0,1,2,3,4,5,6,7,8,9,10,11,12,13,14,15,16,17,18,19,20, 21,22,23,24,25
questi 0,4,5,6,7,8,11,17,19,20,22,23,24,25
queste 0,1,7,9,11,14,22,23,24
questione *(f.)* 7,11,23
qui 0,1,3,4,5,6,7,8,10,11,12,13,14,15,16,17,18,19,20,21,22,25
quindi 8,10,14,20,23
quindicesimo 15
quinto 5
quotidiano *(s.)* 11,15,16,24

R

raccomandarsi 11
raccomandata 18
raccontare 4,5,6,7,8,9,10,11,12,13,14,15,16,17,18,19,20,21,22,23, 24,25
racconto 20
raddoppiare 11
radio *(f.)* 12,14,17,19,20,23,24
radiografia 25
radioregistratore *(m.)* 10
rado 12,15
ragazzo 1,3,4,5,6,8,10,11,12,13,14,15,16,18,19,20,21,22,25
-a 1,3,4,5,6,7,8,9,10,12,14,15,16,17,18,19,20,21,24,25
raggiungere 10,19,21,23,25
ragione *(f.)* 7,8,10,11,14,15,16,18,19,20,21,23,24
rapido 19,20,22,23,24
rapimento 10
rapina 15,23
rapporto 17,18,20,21,22,24
rappresentante *(m. e f.)* 11
rappresentare 16,18,19
raramente 22
raro 15,17,21,22
rasoio 10,23
rassegnarsi 7,24
re 16
realizzabile 13,22
realizzare 13,17,18,20,23
-rsi 20
realizzazione *(f.)* 13
realtà 18,23
recente 9,15
recentemente 24
reciproco 10,23
regalare 7,9,11,12,16,23
regalo 10,13,15,17,20,22,23
regionale 14,16
regione *(f.)* 11,14,16,24
regola 18,20,23
regolare 4,7,16,19,20
relativamente 10,14,16,22
relativo 7,19
religione *(f.)* 16
religioso 10,23
rendere 4,9,11,14,15,16,17,18,20,22,25
-rsi 24
repubblica 11
resistere 25
responsabilità 18,24
restare 1,2,3,6,8,9,12,13,14,15,16,17,18,19,20,22,23,25
resto 20,22
retribuzione *(f.)* 7
riassumere 13,14,21
riassuntivo 13,17
ricapitolare 25
ricavare 24
ricchezza 14,19,25
ricco 15,16,21,25
ricerca 20,23
ricetta 23
ricevere 3,5,7,8,10,11,12,14,15,17,18,19,20,22,23,24,25
ricevuta 18
richiedere 18,20,21,23,24
riconoscere 9,17,23,25
ricordare 1,4,6,7,8,9,10,11,12,14,18,19,20,21,22,24,25
-rsi 10,12,13,17,21
ricordo 25
ricorrere 16,25
ricostruire 1,24
ricoverare 23,25
ridere 14,20
ridotto *(agg.)* 10,14
ridurre 24
riduzione *(f.)* 15,24
riempire 21
rientrare 4,16
riferire 13,14,15,23,25
-rsi 16,17,18,20
rifiutare 13,19,20,25
riguardare 14,20,21
riguardante (←riguardare) 11
rimandare 7,9,13,14,17,21,25
rimanere 3,4,6,7,8,10,11,12,13,16,17,19,20,21,22,23,24,25
ringraziare 5,7,17,22,24
rinunciare 13,15,16,18,20
riparare 4,14,23
ripensare 24
ripetere 1,2,3,4,5,6,7,8,9,10,11,12,13,14,15,16,17,18,19,20,21,22, 23,24,25
riportare 25
riposare 23
-rsi 10,11,13,16,18,20,24,25
riposato 24
riposo 6,10,11,13,17,23,24
riscaldamento 4,7,22,23
rischio 23,24
riscrivere 11,15,22
risentire 14
risolvere 11,15,22,23
risparmiare 23
risparmio 4,5,13,14,19,22,24
rispettare 21,23
rispettivo 14
rispetto *(a)* 11,17,18,19,21,24
rispondere 1,2,3,4,5,6,7,8,9,10,11,12,13,14,15,16,17,18,19,20,21, 22,23,24,25
risposta 1,4,6,7,8,9,14,15,18
ristorante *(m.)* 1,3,4,10,11,12,14,23
risultare 13,16,18,20,24,25
risultato 22,25
ritardo 3,4,8,10,11,12,16,17,19,20,21,23
ritelefonare 7,25
ritirare 25
rito 10
ritornare 2,4,8,11,19,24
ritorno 2,5,10,18,19,21,24
ritradurre 1,2,3,4,5,6,7,8,14
ritrovare 20
riunione *(f.)* 7,13,19,23

riuscire 2,4,7,12,13,14,16,18,19,20,21,22,23,24,25
rivedere 9,13,17,18,20,25
rivendicazione *(f.)* 15,22
rivista 7,17,23
rivolgere 16,23
-rsi 18,19,21,25
roba 9,14,25
romanzo 11
rompere 16,23,25
-rsi 25
rosa *(agg.)* 9
(s.) 11
rosso 0,3,9,15,19,21,25
ruba 11,14
rubare 20,22
rumore *(m.)* 12,13,15,22,24
russo 1

S

sabato 2,4,6,7,8,10,12,13,23,25
sacco 3,14
sacrificare 24
salario 7,15
sale *(m.)* 19
salire 3,4,11,13,16,18,19,20,23,24,25
salita 24
saltare 12,15,17,24,25
salutare 5,6,7,9,11,16,17,18,19,22,23
-rsi 10,23
salute *(f.)* 18,21,22,23,24
saluto 5
salvare 23
salve! 6
sangue *(m.)* 23
sano 14,18,20,21,22,23,24
santo (San) 3
sapere 2,3,4,5,6,7,8,9,10,11,12,13,14,15,16,17,18,19,20,21,22,23,24,25
saponetta 9,24
sapore *(m.)* 19
sarto 10,14
sbagliare 2,15,16,17,18,21,22,25
-rsi 10,16,18,20
sbagliato 18,19,20,23
sbarcare 7
sbrigarsi 10,11,18,19,20,22,25
scaffale *(m.)* 3
scala 2,9,19
scandalo 11,23
scapolo 10,21,22
scarpa 9,15,19,22
scatola 5,22,23
scegliere 3,4,7,8,9,10,11,12,14,16,18,19,20,21,22,23,24,25
scelta 10,11,14,16,18,21
scendere 4,11,16,17,18,19
scheda 24
schema *(m.)* 10,11,13,17,20
scherzare 6,24
scherzo 12,16,19,21,22,23
sciare 2,8,16,22
scioperare 15,22
sciopero 5,6,8,13,14,15,16,17,23,24,25
scippo 15
sciroppo 23
scommettere 12,25
scomodo 15,18,23
sconfitta 16,23
sconosciuto *(agg.)* 18
sconto 9,19
scontrino 9,14,23
scopo 18,21,25
scoppiare 18,24
scoprire 17,18,20,21,22,23,24
scorso (<-scorrere) 4,6,8,10,13,15,16,18,20,21,23,25
scrivere 0,2,3,4,5,6,7,8,9,11,12,13,15,16,18,19,20,23,24,25
scuola 2,4,5,6,7,8,11,14,15,19,20,22,23,25
scuro 18
scusa 4,13,21,23
scusare 3,4,5,6,7,9,11,12,15,19,20,21,22
-rsi 10,11,13,22
se *(cong.)* 1,2,3,4,5,6,7,8,9,10,11,12,13,14,15,16,17,18,19,20,21,22,23,24,25
sé 10,13,14,16,24
sebbene 18,20
secco 15,21,23,24
secolo 14,16,23
secondo *(agg.)* 2,3,12,14,15,19,21,22,23,24,25
(prep.) 1,2,3,4,5,6,7,8,9,10,11,12,13,14,15,16,17,18,19,20,21,22,23,24,25
sede 11,14,24
sedere 3,6,15,21
-rsi 10,11,13,19,22,24
sedia 0,23
sedicesimo 16
segnare 14
segno 4,8,16
segretaria 18,23
segreteria 22,24
segreto 11,13,18,20
seguente 1,2,3,4,5,6,7,8,9,10,11,12,13,14,15,16,17,18,19,20,21,22,23,24,25
seguire 1,6,7,8,9,11,12,13,14,16,18,19,20,21,22,23,24,25
seguito 16,20,24,25
semaforo 19,23
sembrare 4,9,16,17,18,19,20,21,22,24,25
semplice 2,4,6
semplicemente 11,14,22
sempre 1,2,3,4,5,7,8,9,10,11,12,13,14,15,16,17,18,19,20,21,22,23,24,25
senato 11
senatore 11
sensazione *(f.)* 21
senso 12,13,14,15,16,17,18,19,20,21,23,24
sentire 1,4,5,6,7,8,10,11,12,13,14,15,16,17,18,19,20,21,22,23,24,25
-rci 12,24
-rsi 11,13,17,22,23,24,25
sentitamente 5
senza 1,7,8,11,12,13,14,15,16,17,18,19,20,21,22,23,24,25
- altro 5,6,7,9,12,22,24
separarsi 24
separato (<-separare) 6
separazione *(f.)* 10
sequestro 15
sera 2,3,4,5,6,7,8,9,10,11,12,13,15,17,18,20,21,22,23,24
serata 3,6,8,10
sereno 20
serio 18,19,20,21,24
servire 9,11,13,15,16,17,19,22,23,25
servizio 4,5,10,15
sesto 6
seta 9,11,15,23
sete *(f.)* 5,7,18,20
settembre *(m.)* 6,8
settimana 1,4,6,7,8,10,11,12,13,16,17,18,20,23,25
settimanale *(s.m.)* 11
settimo 7
settore *(m.)* 15
sfondato 15

sfortuna 21
sgarbato 19
sguardo 24
si *(pr.)* 7,8,10,11,15,16,17,18,19,20,21,22,23,24,25
si 0,1,2,3,4,5,6,7,8,9,10,11,12,13,14,15,16,17,18,19,20,21,22,23,24,25
sia 13,16,19
sicché 10,24
siccome 21,23,24
sicuramente 6,8,10,11,24
sicuro *(agg.)* 5,6,9,10,11,12,13,14,15,16,17,18,20,21,22,23,24
(avv.) 6,13,21
sigaretta 1,5,7,8,9,11,12,13,14,15,19,20,22,24
significare 10,11,16,21,22
significato 7,9,12,15,16,18,20,21,22
signora 0,1,2,3,4,5,6,7,8,9,10,11,12,13,15,16,17,19,23,24,25
signore 0,1,2,3,4,5,6,7,8,10,11,12,13,15,16,18,19,20,21,22,24,25
signorina 0,1,2,4,5,6,7,8,9,10,11,12,13,14,15,19,21,22,25
silenzio 22
simile 11,13,14,16,18,20
similitudine *(f.)* 13
simpatico 5,11,14,15
sincero 20,24
sindacato 15,24
sindaco 10
singolarmente 16
singolo 2,6
sinistro 5,11
sinonimo 16
sintomo 23
sistema *(m.)* 15,23
sistemare 12,13,21
-rsi 10,18,20,23
sistematico 22
sistemazione *(f.)* 20,22
situazione *(f.)* 7,10,12,13,14,15,17,18,19,20,24
smarrito 18
smettere 12,15,16,17,18,20,21,22,23,25
sociale 15,24
socio-economico 14
soddisfatto 7,22,23
soddisfazione *(f.)* 7,14,15
soffrire 14,21,22,23,25
soggettività 18,21
soggettivo 13,18,20
soggiorno 8,20,25
sogno 22
soldato 16
soldo 4,5,7,8,9,11,12,13,14,16,17,18,20,22,23,24,25
sole *(m.)* 6,7,8,15,20,22,24
solito 2,3,4,5,6,7,8,10,11,13,14,15,16,18,19,20,22,23,25
solo *(agg.)* 2,4,5,6,8,11,14,15,16,18,19,20,21,22,23,24
(avv.) 3 4,6,7,8,11,14,15,16,17,18,20,22,23,24,25
soltanto 3,5,8,9,10,12,13,14,15,16,17,18,19,20,22,23,25
somigliare 16,20
somma 8,10,18,20,23,24
sommato (←sommare) 5
sonno 5,8,14,15
sopportare 14,22,23
sopra 1,3,4,5,6,7,8,9,10,11,12,13,14,15,16,17,18,20,21,22,23,24,25
soprattutto 4,14,15,16,18,20,23
sorella 5,6,15,25
sorgere 17,24
sorpresa 12,21,23
sorpreso 11,14,17,21
sosta 24
sostituire 1,14,15,16,17,18,22,23
sottile 19
sotto 6,7,11,16,18,20,22,23,24
sottolineare 11,17,22
sottoporre 23
sottrarre 10
sovranità 11
spaghetti *(m. pl.)* 7,12,20,22,23
spagnolo 0,1,3,4,5,14,18
spalla 12
sparire 23
spazio 11,14
speciale 11
specialità 12
specializzato 7
spedire 5,11,18,23,24,25
spegnere 4,11,19,23
spendere 4,5,7,8,10,11,12,14,15,16,18,20,21,22,23,24
speranza 18,20,24
sperare 5,7,9,13,14,16,18,19,20,21,22,24,25
spesa 2,6,7,8,9,10,11,13,14,15,18,19,20
spesso 1,3,6,8,9,10,11,12,13,14,15,17,19,20,22,23,24,25
spettacolo 3,4,6,7,9,11,13,18,20,22
spettare 11
spiaggia 3,8,10,15,17
spicciolo 7,24
spiegare 6,8,11,12,14,20,21,22
spingere 24
splendere 20
splendido 15
spontaneo 14,15
sporcare 17
sporco 15
sport 3,7,10,11,14,15,22,23
sportello 21
sportivo 9,10,15
sposarsi 10,13,17,18,20,21,23,25
sposo 10
spostarsi 16,24
spremuta 5,23
stabilirsi 16
stadio 4
stagione *(f.)* 6,15,23
stamattina 4,7,8,9,10,11,13,14,16,18,22
stancarsi 10,19,21,22,23,24
stanco 2,3,4,5,8,10,11,12,13,15,17,19,20,22,23
stanotte 4,17
stanza 25
stare 1,3,4,5,6,7,8,9,10,11,12,13,14,15,16,17,18,19,20,21,22,23,
24,25
stasera 1,2,3,5,6,7,9,11,12,13,15,18,19,21,23,25
statistica 14,19
stato 4,8,10,11,12,13,14,18,20,21,23,25
stazione *(f.)* 2,4,7,9,13,16,18,20
stereo 10
stesso 3,5,7,8,10,12,13,14,16,17,18,19,20,21,22,23,24,25
stile *(m.)* 18
stilista *(m. e f.)* 9
stilistico 12,18
stipendio 7,9,11,14,15,16,22,24
stivale *(m.)* 9,22
stoffa 9,11,15,22,23
stomaco 13,23,24
storia 8,10,12,14,17,20,23,25
strada 2,3,7,8,11,12,15,17,19,21,22,23,25
straniero 0,1,3,8,14,15,23
strano 9,13,14,16,18,20,22,24
strappare 11,24
stretto 15,22
striscia 25
studente 0,3,10,18,20,22,23
studentessa 0,14
studiare 1,2,4,5,6,7,8,10,11,13,14,15,16,20,22,23,24

studio 5,7,8,10,14,15,16,20,22
studioso *(s.)* 16
stufo 7,14
stupido 15,23
stupire 21
su 3,4,5,7,8,10,11,12,14,15,16,17,18,19,20,21,22,23,24,25
subire 13,16,23
subito 2,3,6,7,8,10,11,12,13,14,16,17,18,19,20,21,22,23,24,25
succedere 4,9,11,14,16,17,20,21,22,23,24,25
successivo 14
succo 5,23
sud 3,14,15,20
sufficiente 8,18,20,22,23,24
suffragio 11
suggerire 18,19,23,24,25
suo 0,1,3,4,5,6,7,8,9,10,11,12,14,15,16,17,18,19,20,21,22,23,24,25
-a 0,4,5,7,9,10,11,13,14,15,17,18,19,20,21,23,24,25
-oi 2,4,5,7,11,12,13,14,16,18,20,21,25
-e 0,5,6,12,14,20,24
suonare 3,8,14,16,17,20,21,22,24
superare 8,14,16,18,19,20,21
superiore 15,18
superstizione 21
superstizioso 21
supporre 18,20,25
svantaggio 7,14,15,17
sveglia 7,8,17,18
svegliare 8,19,21
-rsi 10,15,22,23
sviluppo 14
svizzero 0,14
svolgersi 17,24,25
svolgimento *(in s.)* 11
svolta 14

T
tabaccaio 5,15,23
tabella 20
tacco 9,19
taglia 9,13
tagliare 12,24
tale 10,13,16,17,23,24
talvolta 20,22,23
tanto 1,4,5,6,7,8,9,10,11,12,13,14,15,16,17,18,19,20,21,22,23,24,25
tardi 2,3,4,5,6,8,10,11,12,13,14,15,16,19,21,22,25
tasca 18
tassa 16,23,24
tavola 12,19
tavolo 3,7,15,17,21
tazza 5
taxi 8,18,19,20,24
te 2,6,9,11,13,15,16,17,20,21,22,23,24
tè 1,3,5,8,12,15
teatrale 3
teatro 2,3,4,6,7,10,11,12,13,19,23,25
tecnologia 15,23
tedesco 0,1,2,13,15,22
telefonare 3,4,5,6,8,9,10,11,12,13,14,15,16,18,19,20,21,22,25
telefonata 3,4,8,12,13,18,24
telefono 3,4,5,7,8,11,12,13,15,17,21
telegramma *(m.)* 5
teleselezione *(f.)* 18
televisione *(f.)* 1,2,3,4,7,8,9,11,12,13,14,15,16,23,24,25
televisore *(m.)* 2,4,12,15
temere 18,20,25
temperatura 17,18
tempo 1,2,3,4,5,6,7,8,9,10,11,12,13,14,15,16,17,18,19,20,21,22,23,24,25
temporale *(m.)* 18,24
tenda 19
tendere 17,18
tenere 12,13,14,16,17,18,19,20,21,23,24
-rci 12,14,16,18,19,20
tenero 17,22
tennis 6,17,18,23,24
tentare 25
tentativo 20
teoria 15,16,23
termale 2
termine *(m.)* 13
terra 22,25
terrazza 4,19
terribile 16,19,24
terrorismo 15,23
terzo 2,3,18,23
tesoro 14,16
tessera 11,23,24
test 0,1,2,3,4,5,6,7,8,9,10,11,12,13,14,15,16,17,18,19,20,21,22,23,24,25
testa 1,4,9,10,12,14,15,16,17,18,19,22,23,24,25
testo 1,2,4,5,6,8,9,10,11,12,13,14,15,16,17,18,19,20,21,22,23,24,25
ti *(pr. dir.)* 4,7,15,16,20,21,22,24,25
(pr. ind.) 2,4,5,6,8,9,10,12,14,15,17,18,19,20,21,22,24,25
tifoso 23
tipo 7,8,9,11,12,14,15,16,18,21,22,23,24,25
tirare 2,12,22
-rsi 24
titolo 3,7
toccare 12,21
togliere 11,15,18,20,22,23
-rsi 19
tomba 16,18
tornare 1,2,3,5,6,7,8,9,13,15,16,17,18,20,21,22,23,24
torto 15,19,25
tosse *(f.)* 9,19,22,23,24
totalità 16
totocalcio 12,14,15,16
tra 1,2,5,7,11,12,14,15,16
tradurre 1,2,3,4,5,6,7,8,11,13,14,16,23
traffico 6,10,12,15,18,19,20,25
tranquillo 15,18,19,20,23,25
trascurare 23
trasformare 5,8,9,10,11,13,14,15,16,18,19,20,22,23,24
-rsi 11
trattarsi 22,23
trattoria 12,14,23
tredicesimo 13
treno 1,2,3,4,6,7,8,10,11,12,13,14,15,16,17,18,20,22,23,24,25
triste 17,23
troppo 1,2,3,4,6,7,8,9,11,12,13,14,15,16,17,18,19,20,21,22,23,24,25
trovare 2,3,4,5,6,7,8,10,11,12,13,14,15,16,17,18,19,20,21,22,23,24,25
-rsi 5,10,11,14,16,17,18,19,20,21,22,24,25
tu 0,1,2,3,4,5,6,7,8,10,11,12,13,14,15,16,18,19,20,21,22,24,25
tuffo 17
tuo 0,4,5,8,9,11,12,13,14,15,18,20,21,22,24,25
-a 0,5,6,9,11,12,18,20,21,22,23,24,25
-oi 0,1,4,5,7,9,11,13,22
-e 0,5,9,10,15,19,20,23
turista *(m. e f.)* 3,5,19
turno 21
tuttavia 5,14
tutto 1,2,4,5,6,7,8,9,10,11,12,13,14,15,16,17,18,19,20,21,22,23,24,25

U
ubriaco 15,19,23
uccello 16
uccidere 16,23
ufficiale 13,16,23

ufficio 1,2,3,4,5,6,7,8,9,11,14,15,18,20,21,22,23,25
uguale 9,16,18,20,24
ugualmente 11
ultimo 4,5,7,11,13,14,16,17,18,19,20,22,23,24,25
umano 12
umido 15,19
umore *(m.)* 15,18,20,21
un 0,1,2,3,4,5,6,7,8,9,10,11,12,13,14,15,16,17,18,19,20,21,22,23, 24,25
uno 0,5,6,9,10,11,14,15,18,19,20,21,22,23,24,25
un' 0,1,2,5,6,7,9,10,11,12,13,14,16,17,18,19,20,21,22,24,25
una 0,1,2,3,4,5,6,7,8,9,10,11,12,13,14,15,16,17,18,19,20,21,22, 23,24,25
undicesimo 11
unico 11,14,19,21,25
unire 10,14
-rsi 11
universale 11
università 1,3,4,7,8,10,13,16,25
uno 0,10,15,18
uomo 4,10,15,18,20,24,25
urgente 7,11,13,23,25
usanza 10,23
usare 5,6,7,8,10,11,12,13,14,16,17,18,19,20,21,22,23,24
uscire 3,4,5,6,7,8,10,11,12,13,14,15,16,17,18,19,20,22,23,24,25
uso 13,14,16,17,18,20,23,24
utile 1,11,15,19,24
utilitaria 15

V

vacanza 2,4,5,6,7,8,10,11,13,15,16,17,18,20,21,23,24,25
valere 12,15,22,25
valido 22
valigia 3,4,5,14,15,19,22
valore *(m.)* 10,12,14,16,23,24
vantaggio 15,17,23,24
varietà 14,16
vario 8,11,14,15,16,20,22,23,24
vecchio 0,5,8,9,11,13,14,15,17,23,25
vedere 1,2,3,4,5,6,7,8,9,11,12,13,14,15,16,17,18,19,20,21,22,23, 24,25
-rci 12,24
-rsi 10,11,21
velare 10
velo 10
veloce 24
velocità 25
vendere 4,9,11,12,16,19,20,23,25
vendita 4,23
venerdì 2,8,21,22,23
venire 2,3,4,5,6,7,8,9,10,11,12,13,14,15,16,17,18,19,20,21,22,23, 24,25
ventesimo 20
venticinquesimo 25
ventiduesimo 22
ventiquattresimo 24
ventitreesimo 23
vento 2,12,22
ventunesimo 21
veramente 5,8,10,11,13,14,15,17,23
verde 0,6,13,20,23,25
verdura 22
verificarsi 14,24,25
verità 18,19,20,23,25
vero 1,2,3,4,5,7,8,12,13,14,15,16,17,18,20,21,22,24
versamento 21
versione *(f.)* 19
verso 6,11,16,21
vestire 9,12,22,23
-rsi 10
vestito 0,5,7,9,10,13,15,18,20,21,22,23,24,25
vi *(pr. ind.)* 4,8,9,11,12,13,14,16,18,20,21,22
(pr. dir.) 21,22
via 2,3,5,6,7,8,11,14,15,19,21,23
viaggiare 1,2,4,8,10,12,14,15,17,18,20,22,23,24
viaggio 3,6,10,11,12,13,15,16,17,18,19,20,21,22,23
vicenda 11,24
viceversa 16,17
vicino 0,1,4,7,11,13,16,19,20,22,23,24
(s.) 5,21,22
vietato 20
villa 4
vincere 4,12,14,15,16,17,18,20
vino 3,4,6,7,8,11,12,13,15,16,18,19,20,22,23,24
visita 23
visitare 6,8,10,18,21,23,24,25
viso 12
vista 7,8,10,11
vita 5,7,11,14,15,16,17,18,19,20,21,22,23,25
vivamente 5
vivere 1,2,3,4,5,7,8,9,11,12,13,14,15,16,17,20,21,22,23,24,25
vivo 15
voce *(f.)* 5,11,13,15,17,20
voglia 8,11,12,18,19,20,24
voi 0,1,2,3,4,5,6,7,8,9,10,11,12,13,15,16,17,18,19,20,21,22,24,25
volentieri 1,2,3,5,6,7,10,12,13,14,17,22,23,25
volere 2,3,5,6,7,8,9,10,11,12,13,14,15,16,17,18,19,20,21,22,23,24,25
-rci 4,12,16,22,24
volo 16
volontà 18,20
volta 3,4,6,8,9,10,11,12,14,15,16,17,18,19,20,21,22,23,24,25
volume *(m.)* 12,20
vongola 12,23
vostro 0,4,5,8,13,18,20,22,25
-a 0,1,2,3,4,5,6,7,8,14
-i 0,5,15,19,20,21
-e 0,5,8,9,15
voto 10,11,14,16,18,20
vuoto 15

Z

zeppo 15
zio 3,4,5,11
-a 5,11,21
zitto 11,22,24
zona 4,14,15,17,19,23
zucchero 4,5,15
zuppa 12

B) INDICE DEI TERMINI TECNICI

accordo 4,24,25
aggettivo 0,15,16,22,23
alterato 22
anteriore 6,17,21
anteriorità 17,21,24
articolato 3,4,14
articolo 0,5,14,16
assoluto 15,16
atono 9
ausiliare 4,10,17
attivo 23
avverbiale 6,12
avverbio 15,18,22,25
combinato 11,19,23
comparativo 15
comparazione 15
complemento 14
composto 6,10,11,13,16,17,20,21,22,24,25
concessivo 18
concordanza 7,18,21
condizionale 12,13,17,20,21,22,25
congiuntivo 16,18,20,21,22,25
congiunzione 22
coniugare 23
coniugazione 1,16
consonante 0,11
contemporaneità 17,21,24
determinativo 0,14
didattico 0
dimostrativo 16
diretto 7,11,18,19,20,22,23,25
dittongo 0
enunciato 17,18,20,21,22
femminile 0,7,16,22
futuro 6,12,13,17,21,22
gerundio 11,21,22,24,25
imperativo 11,19,25
imperfetto 8,11,13,17,20,22,25
impersonale 10,23
implicito 24,25
indefinito 14,16
indeterminativo 0,16
indicativo 1,4,8,10,11,17,18,19,20,21,22,25
indiretto 9,11,12,14,18,19,20,22,23,25
infinito 1,4,6,7,10,11,12,13,16,18,20,21,23,24,25
interrogativo 3,15,22
intonazione 0
intransitivo 4,23,24
introduttivo 0,1,4,5,6,7,8,14,15,16,21,22,23,24,25
ipotetico 13,22,25
irregolare 3,12,16,19,20,23
lessico 0,1,2,3,4,5,6,7,8,9,10,11,12,13,14,15,16,17,18,19,20,21,22, 23,24,25
maschile 0,7,14,16,22
modale 2,10,11,23
moto *(verbi di m.)* 2,4,12
negazione 16
neutro 23
nome 14,22
oggetto 7,12,14,24
operazione 0
particella 6,11,12,23
participio 4,17,23,24,25
partitivo 12
passato 4,8,10,15,17,18,20,21,22,23,24,25
passivante 23
passivo 23
perfetto 4,8,11,16,25
perifrastico 11,23,24
periodo ipotetico 13,22,25
personale 20,25
piuccheperfetto 17
plurale 0,14,16,19,23
positivo 19
possessivo 5,14,25
posteriorità 17,21
preposizione 0,2,3,4,9,13,14,17,25
presente 1,3,4,10,11,12,13,16,17,18,19,20,21,22,24,25
pronome 7,9,10,11,12,14,15,16,17,18,19,20,23,24,25
prossimo 4,10,13,16,17,20,25
qualificativo 16
relativo 14,15,16,18,19
remoto 16,17,25
ricapitolazione 4,7,11
riflessivo 10,23
semplice 11,13,15,19,20,21,22,23,24,25
singolare 0,10,14,16,19,23
soggetto 4,7,14,18,20,22,23,24
sostantivo 16,22
struttura 16,18,20,21,22,23
superlativo 15
tecnico 0,1,2,3,4,5,6,7,8,9,10,11,12,13,14,15,16,17,18,19,20,21,22, 23,24,25
terminazione 16,22,23
termine 0,1,2,3,4,5,6,7,8,9,10,11,12,13,14,15,16,17,18,19,20,21,22, 23,24,25
tonico 9
transitivo 4,23,24
trapassato 17,20,22,25
unità 0,1,2,3,4,5,6,7,8,9,10,11,12,13,14,15,16,17,18,19,20,21,22,23, 24,25
verbo 0,1,2,3,4,6,8,10,11,12,13,15,16,17,18,19,20,21,22,23,24,25
vocale 0,11

TEST

TEST I

(da fare dopo la prima parte dell'unità introduttiva)

Indicate con un segno (x) la frase corretta. Se non sapete qual è quella corretta, fate un segno sul [?].

1. Il libro è il quaderno sono gialli. [a]
   Il libro e il quaderno sono gialli. [b]
   Il libro e il quaderno è gialli. [c] [?]

2. La pena e la matita sono rosse. [a]
   La penna e la matita sono rose. [b]
   La penna e la matita sono rosse. [c] [?]

3. La cornicia e il fiore sono gialle. [a]
   La cornice e il fiore sono gialli. [b]
   La cornice e il fiore sono gialle. [c] [?]

4. Questo è il giornale di Mario. [a]
   Questo è il giornalo di Mario. [b]
   Questa è la giornale di Mario. [c] [?]

5. Questi sono i chiavi di casa. [a]
   Queste sono le chiave di casa. [b]
   Queste sono le chiavi di casa. [c] [?]

6. Il vestito di Luisa è verde. [a]
   Il vestito di Luisa è verdo. [b]
   Il vestito di Luisa è verda. [c] [?]

7. Questo è il quaderno di Paolo. [a]
   Questo è il quaderne di Paolo. [b]
   Questo è il cuaderno di Paolo. [c] [?]

8. Questo letto è picolo. [a]
   Questo letto è piccolo. [b]
   Questo letto e piccolo. [c] [?]

9. Chi è quello? È il libro. [a]
   Chi è quello? È libro. [b]
   Chi è quello? È Guido. [c] [?]

10. Questo libro qui è di Carla. [a]
    Quel libro qui è di Carla. [b]
    Questo libro lí è di Carla. [c] [?]

11. Io ha una matita nera. [a]
    Io ho una matita nera. [b]
    Io hai una matita nera. [c] [?]

12. Che cosa è questo? È un letto. [a]
    Che cosa è questo? È signor Rossi. [b]
    Che cosa è questo? È Maria. [c] [?]

13. Il signore è no italiano. [a]
    Il signore no è italiano. [b]
    Il signore non è italiano. [c] [?]

14. Marta ha una gonna gialla. [a]
    Marta ha gonna gialla. [b]
    Marta a una gonna gialla. [c] [?]

15. Questi sono i libri e i giornali [a]
    Questi sono i libri e le giornale. [b]
    Queste sono i libri e i giornali. [c] [?]

TEST II

(da fare al termine dell'unità introduttiva)

Indicate con un segno (x) la frase corretta. Se non sapete qual è quella corretta, fate un segno sul [?].

1. La cornice è verda. [a]
   La cornice è verde. [b]
   Il cornice è verdo. [c] [?]

2. Mary è un'inglese. [a]
   Mary è un'inglesa. [b]
   Mary è un inglese. [c] [?]

3. Manuel è uno studente spagnolo. [a]
   Manuel è un studente spagnolo. [b]
   Manuel è uno spagnolo studente. [c] [?]

4. Lucy è una studente americana. [a]
   Lucy è una studenta americana. [b]
   Lucy è una studentessa americana. [c] [?]

5. Sono questi i tui libri? [a]
   Sono questi tuoi libri? [b]
   Sono questi i tuoi libri? [c] [?]

6. Questi chiavi sono di Luisa. [a]
   Queste chiavi sono di Luisa. [b]
   Queste chiave sono di Luisa. [c] [?]

7. Nella classe ci sono pochi spagnoli. [a]
   Nella classe ci sono poci spagnoli. [b]
   Nella classe ci sono poco spagnoli. [c] [?]

8. Il inglese è difficile. [a]
   L'inglese è difficile. [b]
   Lo inglese è difficile. [c] [?]

9. I signori Bianchi hanno una Fiat. [a]
   I signori Bianchi anno una Fiat. [b]
   I signori Bianchi abbiamo una Fiat. [c] [?]

10. È tuo quel libro? No è mio. [a]
    È tuo quel libro? No, è non mio. [b]
    È tuo quel libro? No, non è mio. [c] [?]

11. Professore, è questo il tuo libro? [a]
    Professore, è questo Suo libro? [b]
    Professore, è questo il Suo libro? [c] [?]

12. Klaus è anche svizzero. [a]
    Anche Klaus è svizzero. [b]
    Klaus è svizzero anche. [c] [?]

13. La mia borsa è alla sedia. [a]
    La mia borsa è nella sedia. [b]
    La mia borsa è sulla sedia. [c] [?]

14. Sul banco c'è due penne. [a]
    Sul banco sono due penne. [b]
    Sul banco ci sono due penne. [c] [?]

15. Signor Neri, che macchina ha? [a]
    Signor Neri, che macchina a? [b]
    Signor Neri, che macchina hai? [c] [?]

TEST III

(da fare al termine della seconda unità)

Indicate con un segno (x) la frase corretta. Se non sapete qual è quella corretta, fate un segno sul [?].

1. Carlo, che cosa cerci? [a]
   Carlo, che cosa cercha? [b]
   Carlo, che cosa cerchi? [c] [?]

2. John vive in Italia fa due mesi. [a]
   John vive in Italia da due mesi. [b]
   John vive in Italia due mesi fa. [c] [?]

3. Fred è un studente americano. [a]
   Fred è un'studente americano. [b]
   Fred è uno studente americano. [c] [?]

4. Questa sera parto da Firenze per Roma. [a]
   Questa sera parto da Firenze in Roma. [b]
   Questa sera parto da Firenze a Roma. [c] [?]

5. Oggi il tempo fa bello. [a]
   Oggi fa bel tempo. [b]
   Oggi fa il bello tempo. [c] [?]

6. A che ora finiscete di studiare? [a]
   A che ora finiscite di studiare? [b]
   A che ora finite di studiare? [c] [?]

7. Per l'appartamento pagiamo tanto. [a]
   Per l'appartamento paghiamo tanto. [b]
   Per l'appartamento pagamo tanto. [c] [?]

8. Questa sera andiamo in discoteca. [a]
   Questa sera andiamo a discoteca. [b]
   Questa sera andiamo per discoteca. [c] [?]

9. Che ora è? Sono l'una e un quarto. [a]
   È un quarto dopo l'una. [b]
   È l'una e un quarto. [c] [?]

10. Comincio a studiare questa sera. [a]
    Comincio di studiare questa sera. [b]
    Comincio studiare questa sera. [c] [?]

11. Oggi vado al professore di biologia. [a]
    Oggi vado a professore di biologia. [b]
    Oggi vado dal professore di biologia. [c] [?]

12. Buon giorno, signora; come stai? [a]
    Buon giorno, signora; come sta? [b]
    Buon giorno, signora; come siete? [c] [?]

13. Oggi pago io; Lei paga domani. [a]
    Oggi pago io; Lei pagha domani. [b]
    Oggi pago io; Lei pagi domani. [c] [?]

14. Un biglietto di andata e ritorno per Firenze! [a]
    Un biglietto di andata e ritorno a Firenze! [b]
    Un biglietto di andata e ritorno da Firenze! [c] [?]

15. L’armadio è nella camera a letto. [a]
L’armadio è nella camera da letto. [b]
L’armadio è nella camera di letto. [c] [?]

16. Come sta, signorina? Bella, grazie! [a]
Bene, grazie! [b]
Buono, grazie! [c] [?]

17. Quando parte il prossimo treno per Roma? [a]
Quanto parte il prossimo treno per Roma? [b]
Cuando parte il prossimo treno per Roma? [c] [?]

18. I signori Valente sono di Milano. [a]
I signori Valente sono da Milano. [b]
I signori Valente vengono di Milano. [c] [?]

19. Vorrei prenotare una camera semplice. [a]
Vorrei prenotare una camera singolare. [b]
Vorrei prenotare una camera singola. [c] [?]

20. Questi sono
uno studente inglese e una studenta francese. [a]
un studente inglese e una studentessa francese. [b]
uno studente inglese e una studentessa francese. [c] [?]

TEST IV

(da fare al termine della quarta unità)

Indicate con un segno (x) la frase corretta. Se non sapete qual è quella corretta, fate un segno sul [?].

1. Lei capisci quando il professore parla? [a]
   Lei capische quando il professore parla? [b]
   Lei capisce quando il professore parla? [c] [?]

2. Io esco alle 7; voi quando uscite? [a]
   Io esco alle 7; voi quando escite? [b]
   Io usco alle 7; voi quando uscite? [c] [?]

3. Quell'aereo va in Stati Uniti. [a]
   Quell'aereo va nei Stati Uniti. [b]
   Quell'aereo va negli Stati Uniti. [c] [?]

4. Hai già preso il caffè? [a]
   Sei già preso il caffè? [b]
   Hai già prenduto il caffè? [c] [?]

5. Ho aspettato l'autobus un'ora. [a]
   Ho aspettato per l'autobus un'ora. [b]
   Ho aspettato all'autobus un'ora. [c] [?]

6. Gianni è arrivato in treno delle sette. [a]
   Gianni è arrivato con il treno delle sette. [b]
   Gianni è arrivato con treno delle sette. [c] [?]

7. Questo corso finisce fra due mesi. [a]
   Questo corso finisce per due mesi. [b]
   Questo corso finisce due mesi fa. [c] [?]

8. Dove ha nato, signorina? [a]
   Dove è nata, signorina? [b]
   Dove è nasciuta, signorina? [c] [?]

9. Scelgo quella gonna verde. [a]
   Sceglio quella gonna verde. [b]
   Scelgio quella gonna verde. [c] [?]

10. Cosa ha successo ieri sera? [a]
    Cosa è successo ieri sera? [b]
    Cosa è successa ieri sera? [c] [?]

11. Dove hai conosciuto Paolo? [a]
    Dove hai saputo Paolo? [b]
    Dove sei conosciuto Paolo? [c] [?]

12. È due mesi che cerco una casa. [a]
    Sono due mesi che cerco una casa. [b]
    Da due mesi che cerco una casa. [c] [?]

13. Cerchiamo un appartamento in affitto. [a]
    Cerchiamo un appartamento per affitto. [b]
    Cerchiamo un appartamento d'affitto. [c] [?]

14. Scusi, signore, ha passato l'autobus 23? [a]
    Scusi, signore, è passata l'autobus 23? [b]
    Scusi, signore, è passato l'autobus 23? [c] [?]

15. Che cosa hai offrito ai tuoi amici? [a]
    Che cosa hai offerto ai tuoi amici? [b]
    Che cosa hai offerta ai tuoi amici? [c] [?]

16. Finalmente oggi il tempo fa buono! [a]
Finalmente oggi il tempo è buono! [b]
Finalmente oggi il tempo è bene! [c] [?]

17. Vivo in Italia da quindici giorni. [a]
Vivo in italia fa quindici giorni. [b]
Vivo in Italia fra quindici giorni. [c] [?]

18. Signora, è stata mai a Parigi?
Sì, sono stata l'anno scorso. [a]
Sì, sono ci stata l'anno scorso. [b]
Sì, ci sono stata l'anno scorso. [c] [?]

19. Questa sera alla tv c'è un film giallo. [a]
Questa sera alla tv c'è un giallo film. [b]
Questa sera alla tv c'è un film in giallo. [c] [?]

20. Che dici, andiamo con loro? Io dico sì. [a]
Io dico di sì. [b]
Io dico che sì. [c] [?]

TEST V

(da fare al termine della sesta unità)

Indicate con un segno (x) la frase corretta. Se non sapete qual è quella corretta, fate un segno sul [?].

1. Signora, sono queste le Sue chiavi? [a]
   Signora, sono questi i Sui chiavi? [b]
   Signora, sono questi i Suoi chiavi? [c] [?]

2. Abito in questa città da otto anni. [a]
   Ho abitato in questa città da otto anni. [b]
   Ho abitato in questa città in otto anni. [c] [?]

3. Avete incontrato Carla e il suo fratello? [a]
   Avete incontrato Carla e suo fratello? [b]
   Avete incontrato Carla e sua fratello? [c] [?]

4. Domani andrò al medico. [a]
   Domani andrò per il medico. [b]
   Domani andrò dal medico. [c] [?]

5. Luisa partirà la settimana scorsa. [a]
   Luisa partirà la settimana prossima. [b]
   Luisa partirà la settimana passata. [c] [?]

6. Domani rimanerò in casa tutto il giorno. [a]
   Domani rimarrò in casa tutto il giorno. [b]
   Domani rimarò in casa tutto il giorno. [c] [?]

7. Per venire siamo presi un taxi. [a]
   Per venire abbiamo prenduto un taxi. [b]
   Per venire abbiamo preso un taxi. [c] [?]

8. Signora, sta bene Suo bambino? [a]
   Signora, sta bene il tuo bambino? [b]
   Signora, sta bene il Suo bambino? [c] [?]

9. Sei andato anche tu alla partita? No, non ci sono andato. [a]
   No, ci non sono andato. [b]
   No, non sono ci andato. [c] [?]

10. Avrò dato l'esame e dopo prenderò due giorni di vacanza. [a]
    Dopo avrò dato l'esame, prenderò due giorni di vacanza. [b]
    Dopo che avrò dato l'esame prenderò due giorni di vacanza. [c] [?]

11. Non dimenticarò mai questi giorni. [a]
    Non dimenticherò mai questi giorni. [b]
    Non dimenticerò mai questi giorni. [c] [?]

12. Luigi ha cambiato lavoro fra due settimane. [a]
    Luigi ha cambiato lavoro fa due settimane. [b]
    Luigi ha cambiato lavoro due settimane fa. [c] [?]

13. Quanto zucchero? No zucchero, grazie! [a]
    Non zucchero, grazie! [b]
    Niente zucchero, grazie! [c] [?]

14. Partiremo domani con treno delle nove. [a]
    Partiremo domani con il treno delle nove. [b]
    Partiremo domani in treno delle nove. [c] [?]

15. Quanto ti è costata quella gonna? [a]
    Quanto ti ha costato quella gonna? [b]
    Quanto ti è costato quella gonna? [c] [?]

16. Da due mesi che cerco un appartamento. [a]
È due mesi che cerco un appartamento. [b]
Sono due mesi che cerco un appartamento. [c] [?]

17. I signori Rossi porteranno anche la sua figlia. [a]
I signori Rossi porteranno anche loro figlia. [b]
I signori Rossi porteranno anche la loro figlia. [c] [?]

18. Un biglietto di andata e ritorno per Genova. [a]
Un biglietto di andata e ritorno a Genova. [b]
Un biglietto di andata e ritorno da Genova. [c] [?]

19. Sai parlare in inglese? [a]
Conosci parlare in inglese? [b]
Riesci parlare in inglese? [c] [?]

20. Deve scrivere l'indirizzo sul questo modulo. [a]
Deve scrivere l'indirizzo nel questo modulo. [b]
Deve scrivere l'indirizzo su questo modulo. [c] [?]

21. I signori Esposito hanno venduto loro casa. [a]
I signori Esposito hanno venduto la loro casa. [b]
I signori Esposito hanno venduto la sua casa. [c] [?]

22. Torneremo in 14 luglio. [a]
Torneremo il 14 luglio. [b]
Torneremo a 14 luglio. [c] [?]

23. Anche oggi Piero è arrivato di ritardo. [a]
Anche oggi Piero è arrivato in ritardo. [b]
Anche oggi Piero è arrivato a ritardo. [c] [?]

24. I miei nonni vivono in campagna. [a]
Miei nonni vivono in campagna. [b]
I mii nonni vivono in campagna. [c] [?]

25. Prima farò il bagno e dopo andrò a letto. [a]
Prima avrò fatto il bagno e dopo andrò a letto. [b]
Prima farò il bagno e dopo sarò andato a letto. [c] [?]

TEST VI

(da fare al termine dell'ottava unità)

Indicate con un segno (x) la frase corretta. Se non sapete qual è quella corretta, fate un segno sul [?].

1. Conosci Paolo? Sì, conosco. [a]
   Sì, conoscolo. [b]
   Sì, lo conosco. [c] [?]

2. Partiamo a Roma stasera. [a]
   Partiamo per Roma stasera. [b]
   Partiamo in Roma stasera. [c] [?]

3. Non vedo l'ora di andare in vacanza. [a]
   Non vedo il minuto di andare in vacanza. [b]
   Non vedo il giorno di andare in vacanza. [c] [?]

4. Questa macchina mi è costata molto. [a]
   Questa macchina mi è costato molto. [b]
   Questa macchina mi ha costato molto. [c] [?]

5. Durante la lezione di storia scriveva su un foglio. [a]
   Mentre la lezione di storia scriveva su un foglio. [b]
   Nella lezione di storia scriveva su un foglio. [c] [?]

6. L'esercizio è facile: so farlo da solo. [a]
   L'esercizio è facile: so lo fare da solo. [b]
   L'esercizio è facile: lo so farlo da solo. [c] [?]

7. Quanto tempo rimanerai in questa città? [a]
   Quanto tempo rimarai in questa città? [b]
   Quanto tempo rimarrai in questa città? [c] [?]

8. Quando hai visto Carla l'ultima volta?
   L'ho visto un mese fa. [a]
   L'ho vista un mese fa. [b]
   Ho visto un mese fa. [c] [?]

9. Mio padre lavora sei ore nel giorno. [a]
   Mio padre lavora sei ore al giorno. [b]
   Mio padre lavora sei ore per il giorno. [c] [?]

10. Sei senza soldi? Sì, ne ho spesi tutti. [a]
    Sì, li ho speso tutti. [b]
    Sì, li ho spesi tutti. [c] [?]

11. I signori Roversi hanno portato anche la loro figlia. [a]
    I signori Roversi hanno portato anche sua figlia. [b]
    I signori Roversi hanno portato anche loro figlia. [c] [?]

12. Ieri abbiamo rimasto a casa tutto il giorno. [a]
    Ieri siamo rimasti a casa tutto il giorno. [b]
    Ieri rimanevamo a casa tutto il giorno. [c] [?]

13. Professore, La ringrazio molto! [a]
    Professore, Lo ringrazio molto! [b]
    Professore, Le ringrazio molto! [c] [?]

14. Prendi un po' di aranciata? Sì, grazie, prendo un po'. [a]
    Sì, grazie, ne prendo un po'. [b]
    Sì, grazie, la prendo un po'. [c] [?]

15. Abbiamo avuto sonno, perciò siamo andati a letto presto. [a]
    Avevamo sonno, perciò siamo andati a letto presto. [b]
    Abbiamo avuto sonno, perciò andavamo a letto presto. [c] [?]

16. Ieri a quest'ora sono in viaggio. [a]
Ieri a quest'ora sono stato in viaggio. [b]
Ieri a quest'ora ero in viaggio. [c] [?]

17. Di lettere ho ricevuto molte in questi ultimi tempi. [a]
Di lettere ne ho ricevute molte in questi ultimi tempi. [b]
Lettere ho ricevute molte in questi ultimi tempi. [c] [?]

18. Vuoi una sigaretta? No, grazie, oggi ne ho fumato troppe. [a]
No, grazie, oggi ho fumate troppe. [b]
No, grazie, oggi ne ho fumate troppe. [c] [?]

19. Luisa è tornata a casa perché stava male. [a]
Luisa tornava a casa perché è stata male. [b]
Luisa tornava a casa perché era male. [c] [?]

20. Signora, è Sua questa giornale? [a]
Signora, è Suo questo giornale? [b]
Signora, è Suo il questo giornale? [c] [?]

21. Franco è laureato per medicina. [a]
Franco è laureato nella medicina. [b]
Franco è laureato in medicina. [c] [?]

22. Hai spiccioli per l'autobus? No, non ho. [a]
No, non ce li ho. [b]
No, ce non li ho. [c] [?]

23. Ho conosciuto Sandro quando lavorava in un bar. [a]
Conoscevo Sandro quando lavorava in un bar. [b]
Ho conosciuto Sandro quando ha lavorato in un bar. [c] [?]

24. Con i tempi che vanno è difficile trovare un lavoro. [a]
Con i tempi che corrono, è difficile trovare un lavoro. [b]
Con i tempi che passano, è difficile trovare un lavoro. [c] [?]

25. Marta è partita? Sì, doveva partire stamattina. [a]
Sì, ha dovuta partire stamattina. [b]
Sì, è dovuta partire stamattina. [c] [?]

26. Cercherò di arrivare in tempo per la cena. [a]
Cercarò di arrivare in tempo per la cena. [b]
Cercherò arrivare in tempo per la cena. [c] [?]

27. Mentre aspettavo il treno, leggevo tutto il giornale. [a]
Mentre ho aspettato il treno, leggevo tutto il giornale. [b]
Mentre aspettavo il treno, ho letto tutto il giornale. [c] [?]

28. Viene anche Carla a Lucca? Penso no. [a]
Penso di no. [b]
Penso che no. [c] [?]

29. Saremo partiti dopo che daremo l'esame. [a]
Partiremo dopo che avremo dato l'esame. [b]
Saremo partiti dopo che avremo dato l'esame. [c] [?]

30. Ieri è entrato in classe mentre il professore spiegava. [a]
Ieri è entrato in classe mentre il professore ha spiegato. [b]
Ieri entrava in classe mentre il professore ha spiegato. [c] [?]

TEST VII

(da fare al termine della decima unità)

Indicate con un segno (x) la frase corretta. Se non sapete qual è quella corretta, fate un segno sul [?].

1. Io rimango: rimanghi anche tu? [a]
Io rimango: rimani anche tu? [b]
Io rimango: rimangi anche tu? [c] [?]

2. Luisa ha preso la macchina perché gli serviva. [a]
Luisa ha preso la macchina perché le serviva. [b]
Luisa ha preso la macchina perché la serviva. [c] [?]

3. L'incidente è successo in corso Manzoni. [a]
L'incidente ha successo in corso Manzoni. [b]
L'incidente ha succeduto in corso Manzoni. [c] [?]

4. Ragazzi, vi ha piaciuto il film? [a]
Ragazzi, siete piaciuti il film? [b]
Ragazzi, vi è piaciuto il film? [c] [?]

5. Quanto viene questa borsa? [a]
Per quanto viene questa borsa? [b]
Che viene questa borsa? [c] [?]

6. Se accadi a Firenze, vieni a trovarmi! [a]
Se succedi a Firenze, vieni a trovarmi! [b]
Se capiti a Firenze, vieni a trovarmi! [c] [?]

7. Sei senza soldi? Sì, ne ho spesi tutti. [a]
Sei senza soldi? Sì, li ho spesi tutti. [b]
Sei senza soldi? Sì, ho speso tutti. [c] [?]

8. Vivo in Stati Uniti da quindici anni. [a]
Vivo a Stati Uniti da quindici anni. [b]
Vivo negli Stati Uniti da quindici anni. [c] [?]

9. A Paolo piacciono i liquori: gli compreremo una bottiglia di cognac. [a]
lo compreremo una bottiglia di cognac. [b]
le compreremo una bottiglia di cognac. [c] [?]

10. Vorrei un paio di sportive scarpe. [a]
Vorrei un paio di scarpe sportive. [b]
Vorrei un paio scarpe sportive. [c] [?]

11. Partiamo per Roma la prossima settimana. [a]
Partiamo a Roma la prossima settimana. [b]
Partiamo in Roma la prossima settimana. [c] [?]

12. Ieri sono rimasto a letto perché stavo male. [a]
Ieri ho rimasto a letto perché stavo male. [b]
Ieri rimanevo a letto perché sono stato male. [c] [?]

13. Signora, come sta marito Suo? [a]
Signora, come sta il Suo marito? [b]
Signora, come sta Suo marito? [c] [?]

14. Quando vedo Paolo, lo domando se ci dà la macchina. [a]
Quando vedo Paolo, gli domando se ci dà la macchina. [b]
Quando vedo Paolo, le domando se ci dà la macchina. [c] [?]

15. Per questo esame Luigi si è dovuto preparare in venti giorni. [a]
è dovuto prepararsi in venti giorni. [b]
si ha dovuto preparare in venti giorni. [c] [?]

16. I signori Ferrini hanno portato anche suo bambino. [a]
I signori Ferrini hanno portato anche loro bambino. [b]
I signori Ferrini hanno portato anche il loro bambino. [c] [?]

17. Non lo sa nessuno e neppure Carlo non lo sa. [a]
Non lo sa nessuno e neppure Carlo lo sa. [b]
Non lo sa nessuno e neppure Carlo non sa. [c] [?]

18. A che ora ti sei alzato stamattina? [a]
A che ora ti hai alzato stamattina? [b]
A che ora hai ti alzato stamattina? [c] [?]

19. Ci abbiamo dovuti fermare per dormire un po'. [a]
Siamo dovuti fermarci per dormire un po'. [b]
Abbiamo dovuto fermarci per dormire un po'. [c] [?]

20. Anna e Luisa aspettano una risposta da noi:
quando gli telefoniamo? [a]
quanto le telefoniamo? [b]
quando loro telefoniamo? [c] [?]

21. Quest'anno vanno di moda i colori chiari. [a]
Quest'anno vanno in moda i colori chiari. [b]
Quest'anno vanno alla moda i colori chiari. [c] [?]

22. Francesca è arrivata? No, eppure doveva arrivare un'ora fa. [a]
No, eppure è dovuta arrivare un'ora fa. [b]
No, eppure ha dovuto arrivare un'ora fa. [c] [?]

23. Ieri Piera portava i pantaloni rosi. [a]
Ieri Piera portava i pantaloni rosa. [b]
Ieri Piera portava i rosa pantaloni. [c] [?]

24. Scusi, conosce dov'è la Banca Commerciale? [a]
Scusi, sa dov'è la Banca Commerciale? [b]
Scusi, sai dov'è la Banca Commerciale? [c] [?]

25. Aspettavo l'autobus da dieci minuti, quando è arrivata Franca. [a]
Aspettavo l'autobus per dieci minuti, quando è arrivata Franca. [b]
Ho aspettato l'autobus da dieci minuti, quando è arrivata Franca. [c] [?]

26. All'esame Liza è risposta a tutte le domande. [a]
All'esame Liza ha risposto tutte le domande. [b]
All'esame Liza ha risposto a tutte le domande. [c] [?]

27. Anche questo mese i soldi non mi hanno bastato. [a]
Anche questo mese i soldi non mi sono bastati. [b]
Anche questo mese i soldi mi non sono bastati. [c] [?]

28. Ho ricevuto una lettera da Carla; devo risponderle subito. [a]
Ho ricevuto una lettera da Carla; devo risponderla subito. [b]
Ho ricevuto una lettera da Carla; devo le rispondere subito. [c] [?]

29. A viaggiare sempre in macchina si ci stanca di più. [a]
A viaggiare sempre in macchina si si stanca di più. [b]
A viaggiare sempre in macchina ci si stanca di più. [c] [?]

30. Ieri Sandro è arrivato alle otto, invece io sono arrivato alle sette. [a]
Ieri Sandro arrivava alle otto, invece io sono arrivato alle sette. [b]
Ieri Sandro è arrivato alle otto, invece io arrivavo alle sette. [c] [?]

TEST VIII

(da fare al termine della dodicesima unità)

Indicate con un segno (x) la frase corretta. Se non sapete qual è quella corretta, fate un segno sul [?].

1. Queste sono le chiave dell'appartamento. [a]
   Queste sono le chiavi dell'appartamento. [b]
   Questi sono i chiavi dell'appartamento. [c] [?]

2. Carlo ha detto che ieri è stato male tutto il giorno. [a]
   Carlo ha detto che ieri ha stato male tutto il giorno. [b]
   Carlo ha detto che ieri stava male tutto il giorno. [c] [?]

3. Non ha più sigarette, signora? Le ne posso offrire una io. [a]
   Gliene posso offrire una io. [b]
   Giela posso offrire una io. [c] [?]

4. Quasi quasi prenderei un altro cognac. [a]
   Quasi quasi prenderò un altro cognac. [b]
   Quasi quasi ho preso un altro cognac. [c] [?]

5. Hanno spento le luci: lo spettacolo è per cominciare! [a]
   Hanno spento le luci: lo spettacolo va cominciare! [b]
   Hanno spento le luci: lo spettacolo sta per cominciare! [c] [?]

6. Chi ti ha regalato questo disco? Me l'ha regalato Gianni. [a]
   Mi l'ha regalato Gianni. [b]
   Me ne ha regalato Gianni. [c] [?]

7. Non riuscirai a fare tutto da solo. [a]
   Non riuscirai di fare tutto da solo. [b]
   Non riuscirai da fare tutto da solo. [c] [?]

8. Hai scritto ai tuoi genitori? No, li scrivo domani. [a]
   No, gli scrivo domani. [b]
   No, loro scrivo domani. [c] [?]

9. Carlo, per piacere, mi dà quel foglio! [a]
   Carlo, per piacere, dami quel foglio! [b]
   Carlo, per piacere, dammi quel foglio! [c] [?]

10. Sta arrivando anche Francesca. [a]
    È arrivando anche Francesca. [b]
    Va arrivare anche Francesca. [c] [?]

11. Belli questi orecchini! Chi ti li ha regalati? [a]
    Belli questi orecchini! Chi ti ha regalato? [b]
    Belli questi orecchini! Chi te li ha regalati? [c] [?]

12. Com'è bravo il Suo bambino, signora! [a]
    Com'è bravo Suo bambino, signora! [b]
    Com'è bravo Sua bambino, signora! [c] [?]

13. Per comprare quella macchina ci vuole troppi soldi. [a]
    Per comprare quella macchina ci vogliono troppi soldi. [b]
    Per comprare quella macchina bisognano troppi soldi. [c] [?]

14. Tua sorella sta passando un momento difficile: stagli vicino! [a]
    stalle vicino! [b]
    le stai vicino! [c] [?]

15. Al posto tuo io rimanerei. [a]
    Al posto tuo io rimarei. [b]
    Al posto tuo io rimarrei. [c] [?]

16. Questo vestito ti sta proprio bene. [a]
Questo vestito ti sta proprio bello. [b]
Questo vestito ti sta proprio buono. [c] [?]

17. In trattoria, di solito, uno si spende poco. [a]
In trattoria, di solito, ci si spende poco. [b]
In trattoria, di solito, si spende poco. [c] [?]

18. È difficile decidere così ai due piedi. [a]
È difficile decidere così su due piedi. [b]
È difficile decidere così sui piedi. [c] [?]

19. Marcella non pensa che al matrimonio;
si sposerà anche domani. [a]
si sposerebbe anche domani. [b]
si sposa anche domani. [c] [?]

20. Conosco Franco da molti anni. [a]
Conosco Franco per molti anni. [b]
Ho conosciuto Franco da molti anni. [c] [?]

21. Quando è suonato il telefono, ho dormito ancora. [a]
Quando suonava il telefono, ho dormito ancora. [b]
Quando è suonato il telefono, dormivo ancora. [c] [?]

22. Vi siete divertite, ragazze? [a]
Vi siete divertito, ragazze? [b]
Vi avete divertito, ragazze? [c] [?]

23. Quanti anni hai, Franco? [a]
Quanto sei vecchio, Franco? [b]
Quando hai nato, Franco? [c] [?]

24. Voglio cambiare posto, perché da qui non ne vedo bene. [a]
Voglio cambiare posto, perché da qui ci non vedo bene. [b]
Voglio cambiare posto, perché da qui non ci vedo bene. [c] [?]

25. Carla doveva telefonargli alle nove, ma ne è dimenticata. [a]
Carla doveva telefonargli alle nove, ma se n'è dimenticata. [b]
Carla ha dovuto telefonargli alle nove, ma ne s'è dimenticata. [c] [?]

26. Il treno era pieno: ho fatto il viaggio in piedi. [a]
Il treno era pieno: ho fatto il viaggio a piedi. [b]
Il treno era pieno: ho fatto il viaggio sui piedi. [c] [?]

27. In macchina prende solo dieci minuti. [a]
In macchina ci vuole solo dieci minuti. [b]
In macchina ci vogliono solo dieci minuti. [c] [?]

28. Queste camicie si lava con l'acqua fredda. [a]
Queste camicie si lavano con l'acqua fredda. [b]
Queste camicie uno lava con l'acqua fredda. [c] [?]

29. A quella notizia siamo rimasti a bocca aperta. [a]
A quella notizia siamo rimasti di bocca aperta. [b]
A quella notizia siamo rimasti con bocca aperta. [c] [?]

30. Per arrivare a Siena ci siamo messi solo tre ore. [a]
Per arrivare a Siena ne abbiamo messe solo tre ore. [b]
Per arrivare a Siena ci abbiamo messo solo tre ore. [c] [?]

TEST IX

(da fare al termine della quattordicesima unità)

Indicate con un segno (x) la frase corretta. Se non sapete qual è quella corretta, fate un segno sul [?].

1. Se cerchi il numero di telefono di Renato, posso dartelo io. [a]
   posso te lo dare io. [b]
   lo posso darti io. [c] [?]

2. Qual è Suo sport preferito, dottore? [a]
   Qual è il Suo sport preferito, dottore? [b]
   Qual è lo Suo sport preferito, dottore? [c] [?]

3. Fra poco comincerà a piovere. [a]
   Fra poco comincerà per piovere. [b]
   Fra poco comincerà di piovere. [c] [?]

4. Sono andato da Stefano perché sapevo che a quell'ora
   lo troverei a casa. [a]
   l'avrei trovato a casa. [b]
   lo troverò a casa. [c] [?]

5. Professore, se ha cinque minuti di tempo,
   avrei voluto farLe una domanda. [a]
   vorrò farLe una domanda. [b]
   vorrei farLe una domanda. [c] [?]

6. La signora da che sto a pensione, è molto gentile con me. [a]
   La signora dalla cui sto a pensione, è molto gentile con me. [b]
   La signora dalla quale sto a pensione, è molto gentile con me. [c] [?]

7. Sapevo che Gianna si sposerà entro il mese. [a]
   Sapevo che Gianna si sposerebbe entro il mese. [b]
   Sapevo che Gianna si sarebbe sposata entro il mese. [c] [?]

8. Che trova un amico, trova un tesoro. [a]
   Chi trova un amico, trova un tesoro. [b]
   Il quale trova un amico, trova un tesoro. [c] [?]

9. Per questo esame mi sono dovuto preparare in venti giorni. [a]
   Per questo esame mi ho dovuto preparare in venti giorni. [b]
   Per questo esame sono dovuto prepararmi in venti giorni. [c] [?]

10. Non conosco la persona di cui parlate. [a]
    Non conosco la persona di che parlate. [b]
    Non conosco la personaa di chi parlate. [c] [?]

11. Hai fatto qualche bagno al mare?
    Sì, li ho fatti tanti! [a]
    Sì, ne ho fatto tanti! [b]
    Sì, ne ho fatti tanti! [c] [?]

12. Sandro, come la cavi con l'inglese? [a]
    Sandro, come te la cavi con l'inglese? [b]
    Sandro, come ti cavi con l'inglese? [c] [?]

13. Quel giorno ero senza soldi, se no l'avrei comprato. [a]
    Quel giorno ero senza soldi, se no l'ho comprato. [b]
    Quel giorno ero senza soldi, se no lo comprerei. [c] [?]

14. Sono foto di cui tengo molto. [a]
    Sono foto a cui tengo molto. [b]
    Sono foto con cui tengo molto. [c] [?]

15. La radio ha detto che neppure domani sarebbe piovuto. [a]
La radio ha detto che neppure domani sarà piovuto. [b]
La radio ha detto che neppure domani pioverà. [c] [?]

16. Carlo è capitato qui a Roma e non si è fatto vedere. [a]
Carlo è successo qui a Roma e non si è fatto vedere. [b]
Carlo è accaduto qui a Roma e non si è fatto vedere. [c] [?]

17. Quando parla Gianni io non capisco un acca. [a]
Quando parla Gianni io capisco un'acca. [b]
Quando parla Gianni io non capisco un'acca. [c] [?]

18. Non ho fiducia in chi parla solo di sé. [a]
Non ho fiducia in che parla solo di sé. [b]
Non ho fiducia in cui parla solo di sé. [c] [?]

19. Ho ascoltato con attenzione tutto che hai detto. [a]
Ho ascoltato con attenzione tutto quello che hai detto. [b]
Ho ascoltato con attenzione tutto ciò hai detto. [c] [?]

20. L'ho visto arrivare in macchina di Franco. [a]
L'ho visto arrivare con la macchina di Franco. [b]
L'ho visto arrivare con macchina di Franco. [c] [?]

21. Ieri Enrico mi ha detto che prima di pranzo oggi
sarebbe passato a casa, ma ancora non l'ho visto. [a]
passerebbe a casa, ma ancora non l'ho visto. [b]
sarà passato a casa, ma ancora non l'ho visto. [c] [?]

22. Questo posto le piace moltissimo: ci vivrebbe sempre. [a]
Questo posto le piace moltissimo: ci viverebbe sempre. [b]
Questo posto le piace moltissimo: ci avrebbe vissuta sempre. [c] [?]

23. Ci si annoia a stare sempre senza fare niente. [a]
Annoiasi a stare sempre senza fare niente. [b]
Si ci annoia a stare sempre senza fare niente. [c] [?]

24. Domenica scorsa rimanevo volentieri in campagna. [a]
Domenica scorsa avrei rimasto volentieri in campagna. [b]
Domenica scorsa sarei rimasta volentieri in campagna. [c] [?]

25. In questi ultimi tempi la benzina ha subito diversi aumenti. [a]
In questi ultimi tempi la benzina è subita diversi aumenti. [b]
In questi ultimi tempi la benzina subiva diversi aumenti. [c] [?]

26. Per visitare la galleria ci vuole il biglietto. [a]
Per visitare la galleria si deve il biglietto. [b]
Per visitare la galleria bisogna il biglietto. [c] [?]

27. Lucia rimane a casa perché non le va di uscire. [a]
Lucia rimane a casa perché non la va di uscire. [b]
Lucia rimane a casa perché non ci va di uscire. [c] [?]

28. Signora, posso chiederLa per un favore? [a]
Signora, posso chiederLe un favore? [b]
Signora, posso Le chiedere un favore? [c] [?]

29. Gli studenti chi vogliono dare l'esame devono presentare
la domanda. [a]
Gli studenti che vogliono dare l'esame devono presentare
la domanda. [b]
Gli studenti quali vogliono dare l'esame devono presentare
la domanda. [c] [?]

30. È un film noioso: non vallo a vedere! [a]
È un film noioso: non andarlo a vedere! [b]
È un film noioso: non lo va' a vedere! [c] [?]

TEST X

(da fare al termine della sedicesima unità)

Indicate con un segno (x) la frase corretta. Se non sapete qual è quella corretta, fate un segno sul [?].

1. Non credevo che Lucia si ricorderà di comprarmi i giornali, invece l'ha fatto. [a]
   Non credevo che Lucia si sarebbe ricordata di comprarmi i giornali, invece l'ha fatto. [b]
   Non credevo che Lucia si ricorderebbe di comprarmi i giornali, invece l'ha fatto. [c] [?]

2. Carlo ha detto che ieri è stato male tutto il giorno. [a]
   Carlo ha detto che ieri stava male tutto il giorno. [b]
   Carlo ha detto che ieri ha stato male tutto il giorno. [c] [?]

3. Nella nostra classe ci sono più ragazze di ragazzi. [a]
   Nella nostra classe ci sono più ragazze che ragazzi. [b]
   Nella nostra classe ci sono più ragazze come ragazzi. [c] [?]

4. Luisa mangia poco: è molto magra ragazza. [a]
   Luisa mangia poco: è una ragazza molta magra. [b]
   Luisa mangia poco: è una ragazza molto magra. [c] [?]

5. A chi pensi? A mia madre. [a]
   A che pensi? A mia madre. [b]
   A quale pensi? A mia madre. [c] [?]

6. Il signor Ferri va in ufficio ogni giorno a piedi. [a]
   Il signor Ferri va in ufficio tutti giorni a piedi. [b]
   Il signor Ferri va in ufficio ogni giorni a piedi. [c] [?]

7. Ci volse molto tempo per ricostruire la casa. [a]
   Ci volle molto tempo per ricostruire la casa. [b]
   Ci volé molto tempo per ricostruire la casa. [c] [?]

8. Carla è più simpatica di bella. [a]
   Carla è più simpatica che bella. [b]
   Carla è più simpatica quanto bella. [c] [?]

9. I Rossi hanno tre bambini: Giulio è il loro minore figlio. [a]
   I Rossi hanno tre bambini: Giulio è il loro minimo figlio. [b]
   I Rossi hanno tre bambini: Giulio è il loro figlio minore. [c] [?]

10. Per quel regalo Giorgio spese la metà dello stipendio. [a]
    Per quel regalo Giorgio spendé la metà dello stipendio. [b]
    Per quel regalo Giorgio spendette la metà dello stipendio. [c] [?]

11. Sai l'ora? Il mio orologio va dietro. [a]
    Sai l'ora? Il mio orologio va indietro. [b]
    Sai l'ora? Il mio orologio va in dietro. [c] [?]

12. Di quale ragazza parlate? [a]
    Di cui ragazza parlate? [b]
    Di chi ragazza parlate? [c] [?]

13. Viaggiare in treno è più comodo come in pullman. [a]
    Viaggiare in treno è più comodo di in pullman. [b]
    Viaggiare in treno è più comodo che in pullman. [c] [?]

14. Il traffico di oggi è superiore di quello di ieri. [a]
    Il traffico di oggi è superiore che quello di ieri. [b]
    Il traffico di oggi è superiore a quello di ieri. [c] [?]

15. Loro andarono al cinema, ma io decidei di restare a casa. [a]
    Loro andarono al cinema, ma io decidetti di restare a casa. [b]
    Loro andarono al cinema, ma io decisi di restare a casa. [c] [?]

16. Qualche ragazza sono già partite per le vacanze. [a]
Qualche ragazza è già partita per le vacanze. [b]
Qualche ragazze sono già partite per le vacanze. [c] [?]

17. Appena il professore entrò, tutti smisero di parlare. [a]
Appena il professore entrò, tutti hanno smesso di parlare. [b]
Appena il professore entrò, tutti smettevano di parlare. [c] [?]

18. Quella macchina mi è costata un occhio della testa. [a]
Quella macchina mi è costata un occhio della faccia. [b]
Quella macchina mi è costata un occhio del capo. [c] [?]

19. Mi interessa tutto che riguarda gli etruschi. [a]
Mi interessa tutto il quale riguarda gli etruschi. [b]
Mi interessa tutto ciò che riguarda gli etruschi. [c] [?]

20. Maria, ti è successa qualcosa? [a]
Maria, ti è successo qualcosa? [b]
Maria, ti ha successo qualcosa? [c] [?]

21. Quell'anno a Natale cadé tanta neve. [a]
Quell'anno a Natale cadde tanta neve. [b]
Quell'anno a Natale cadette tanta neve. [c] [?]

22. Il treno era pieno: ho fatto il viaggio fino a Roma in piedi. [a]
Il treno era pieno: ho fatto il viaggio fino a Roma a piedi. [b]
Il treno era pieno: ho fatto il viaggio fino a Roma su piedi. [c] [?]

23. Signora, posso chiederLa per un favore? [a]
Signora, posso chiederLe un favore? [b]
Signora, posso Le chiedere un favore? [c] [?]

24. Per prendere il primo treno ho dovuto alzarmi alle quattro. [a]
Per prendere il primo treno mi ho dovuto alzare alle quattro. [b]
Per prendere il primo treno sono dovuto alzarmi alle quattro. [c] [?]

25. Gianni è migliore ragazzo della classe. [a]
Gianni è il ragazzo più migliore della classe. [b]
Gianni è il ragazzo migliore della classe. [c] [?]

26. Franco è entrato in classe mentre il professore parlava. [a]
Franco è entrato in classe mentre il professore ha parlato. [b]
Franco entrava in classe mentre il professore ha parlato. [c] [?]

27. Per finire questo lavoro lo vuole dieci minuti. [a]
Per finire questo lavoro ne vogliono dieci minuti. [b]
Per finire questo lavoro ci vogliono dieci minuti. [c] [?]

28. Pedro è un spagnolo ragazzo. [a]
Pedro è un ragazzo spagnolo. [b]
Pedro è uno ragazzo spagnolo. [c] [?]

29. Prende un caffè, signora? Posso offrirGlielo io? [a]
Prende un caffè, signora? Posso Glielo offrire io? [b]
Prende un caffè, signora? Lo posso offrirLe io? [c] [?]

30. Per visitare il museo bisogna il biglietto. [a]
Per visitare il museo ci vuole il biglietto. [b]
Per visitare il museo si deve il biglietto. [c] [?]

TEST XI
(da fare al termine della diciottesima unità)

Indicate con un segno (x) la frase corretta. Se non sapete qual è quella corretta, fate un segno sul [?].

1. Carla e Gina presero i biglietti anche per le amiche. [a]
   Carla e Gina prenderono i biglietti anche per le amiche. [b]
   Carla e Gina prendettero i biglietti anche per le amiche. [c] [?]

2. Credo che domani i giornali non usciano. [a]
   Credo che domani i giornali non uscano. [b]
   Credo che domani i giornali non escano. [c] [?]

3. Sandra vuole che suo figlio tiene in ordine la camera. [a]
   Sandra vuole che suo figlio tenga in ordine la camera. [b]
   Sandra vuole che suo figlio tiena in ordine la camera. [c] [?]

4. Lo sapevo già; me l'ha detto Franco. [a]
   Lo sapevo già; mi ha detto Franco. [b]
   Lo sapevo già; me lo diceva Franco. [c] [?]

5. Appena avremo finito gli studi, cercheremo un lavoro. [a]
   Appena avremmo finito gli studi, cercheremo un lavoro. [b]
   Appena avevamo finito gli studi, cercheremo un lavoro. [c] [?]

6. I genitori sono partiti da due ore e lei ne già sente la mancanza. [a]
   lei già ci sente la mancanza. [b]
   lei già ne sente la mancanza. [c] [?]

7. È una foto di cui tengo molto. [a]
   È una foto a cui tengo molto. [b]
   È una foto per cui tengo molto. [c] [?]

8. Siamo sicuri che lo faccia volentieri. [a]
   Siamo sicuri che l'abbia fatto volentieri. [b]
   Siamo sicuri che l'ha fatto volentieri. [c] [?]

9. Stamattina Franca ha giocato a tennis per due ore. [a]
   Stamattina Franca giocava a tennis per due ore. [b]
   Stamattina Franca giocò a tennis per due ore. [c] [?]

10. Perché non sei venuta con noi? Ti avresti divertito. [a]
    Perché non sei venuta con noi? Ti saresti divertita. [b]
    Perché non sei venuta con noi? Ti saresti divertito. [c] [?]

11. Spero che Anna e Carla non si dimenticino di venire stasera. [a]
    Spero che Anna e Carla non si dimentichino di venire stasera. [b]
    Spero che Anna e Carla non si dimenticano di venire stasera. [c] [?]

12. Sarà anche vero ma io non credo. [a]
    Sarà anche vero ma io non ne credo. [b]
    Sarà anche vero ma io non ci credo. [c] [?]

13. Ieri Ugo era stanco perché la notte prima non aveva dormito. [a]
    Ieri Ugo era stanco perché la notte prima non ha dormito. [b]
    Ieri Ugo era stanco perché la notte prima non dormiva. [c] [?]

14. Se volete arrivare in tempo è meglio che prendete un taxi. [a]
    Se volete arrivare in tempo è meglio che prenderete un taxi. [b]
    Se volete arrivare in tempo è meglio che prendiate un taxi. [c] [?]

15. Bisogna che Lei sala al piano superiore. [a]
    Bisogna che Lei salga al piano superiore. [b]
    Bisogna che Lei salisca al piano superiore. [c] [?]

16. Benché piove, non fa molto freddo. [a]
Benché piova, non fa molto freddo. [b]
Benché pioggia, non fa molto freddo. [c] [?]

17. Quando sono arrivato, Piero è partito da due ore. [a]
Quando sono arrivato, Piero fu partito da due ore. [b]
Quando sono arrivato, Piero era partito da due ore. [c] [?]

18. Sembra che la commedia non abbia piaciuto a molti. [a]
Sembra che la commedia non sia piaciuta a molti. [b]
Sembra che la commedia non sia piaciuto a molti. [c] [?]

19. Giulio non è stato mai all'estero. [a]
Giulio è stato mai all'estero. [b]
Mai Giulio non è stato all'estero. [c] [?]

20. Il cielo è scuro: sta per crepare un temporale. [a]
Il cielo è scuro: sta per accadere un temporale. [b]
Il cielo è scuro: sta per scoppiare un temporale. [c] [?]

21. Abbiamo vino bianco e vino rosso: quale preferisce? [a]
Abbiamo vino bianco e vino rosso: che preferisce? [b]
Abbiamo vino bianco e vino rosso: il quale preferisce? [c] [?]

22. Sai che fine ha fatto Giulio? No, non lo so niente. [a]
Sai che fine ha fatto Giulio? No, non ne so niente. [b]
Sai che fine ha fatto Giulio? No, so niente. [c] [?]

23. La città in quale abito è piuttosto piccola. [a]
La città in che abito è piuttosto piccola. [b]
La città in cui abito è piuttosto piccola. [c] [?]

24. Purché gli faccia male, Piero fuma venti sigarette al giorno. [a]
Benché gli faccia male, Piero fuma venti sigarette al giorno. [b]
Perché gli faccia male, Piero fuma venti sigarette al giorno. [c] [?]

25. Gli ho mandato un telegrammo proprio stamattina. [a]
Gli ho mandato un telegramma proprio stamattina. [b]
Gli ho mandato una telegramma proprio stamattina. [c] [?]

26. Lucia resta a casa perché non le viene di uscire. [a]
Lucia resta a casa perché non ne va di uscire. [b]
Lucia resta a casa perché non le va di uscire. [c] [?]

27. Qualunque persona, al posto mio, abbia fatto lo stesso. [a]
Qualunque persona, al posto mio, avrebbe fatto lo stesso. [b]
Chiunque persona, al posto mio, avrebbe fatto lo stesso. [c] [?]

28. Quando seppe che il suo partito ebbe vinto le elezioni, saltò dalla gioia. [a]
Quando aveva saputo che il suo partito vinse le elezioni, saltò dalla gioia. [b]
Quando seppe che il suo partito aveva vinto le elezioni, saltò dalla gioia. [c] [?]

29. Franco, mi raccomando, alzati prima che ritorni tuo padre! [a]
Franco, mi raccomando, alzati prima che ritorna tuo padre! [b]
Franco, mi raccomando, alzati prima di ritornare tuo padre! [c] [?]

30. Luisa è partita?
No, è dovuta partire, ma poi è rimasta a casa. [a]
No, doveva partire, ma poi rimaneva a casa. [b]
No, doveva partire, ma poi è rimasta a casa. [c] [?]

TEST XII

(da fare al termine della ventesima unità)

Indicate con un segno (x) la frase corretta. Se non sapete qual è quella corretta, fate un segno sul [?].

1. Signora, mi scusa del ritardo, ma ho avuto molto da fare! [a]
Signora, mi scusi del ritardo, ma ho avuto molto da fare! [b]
Signora, scusami del ritardo, ma ho avuto molto da fare! [c] [?]

2. Ero certo che Gianni si laureerebbe a pieni voti. [a]
Ero certo che Gianni si sarebbe laureato a pieni voti. [b]
Ero certo che Gianni si laureerà a pieni voti. [c] [?]

3. Se queste cartoline ti piacciono, te le regalo. [a]
Se queste cartoline ti piacciono, te ne regalo. [b]
Se queste cartoline ti piacciono, le ti regalo. [c] [?]

4. Signora, abbi pazienza, è questione di pochi minuti! [a]
Signora, hai pazienza, è questione di pochi minuti! [b]
Signora, abbia pazienza, è questione di pochi minuti! [c] [?]

5. Domenica scorsa Carla avrebbe rimasto volentieri in montagna. [a]
Domenica scorsa Carla rimarrebbe volentieri in montagna. [b]
Domenica scorsa Carla sarebbe rimasta volentieri in montagna. [c] [?]

6. Da allora non sapei più nulla di Sergio. [a]
Da allora non seppi più nulla di Sergio. [b]
Da allora non sappi più nulla di Sergio. [c] [?]

7. Il prezzo della benzina è aumentato ancora. [a]
Il prezzo della benzina ha aumentato ancora. [b]
Il prezzo della benzina si è aumentato ancora. [c] [?]

8. Carla sperava tanto che tu le dessi una mano a tradurre. [a]
Carla sperava tanto che tu le dassi una mano a tradurre. [b]
Carla sperava tanto che tu le desti una mano a tradurre. [c] [?]

9. Anche stamattina il treno è arrivato con mezz'ora in ritardo. [a]
Anche stamattina il treno è arrivato con mezz'ora di ritardo. [b]
Anche stamattina il treno è arrivato con mezz'ora ritardo. [c] [?]

10. Se Suo marito dorme, non lo svegli: passerò più tardi. [a]
Se Suo marito dorme, non lo sveglia: passerò più tardi. [b]
Se Suo marito dorme, non svegliarlo: passerò più tardi. [c] [?]

11. Abbiamo preferito ritornare a casa prima che faceva buio. [a]
Abbiamo preferito ritornare a casa prima che abbia fatto buio. [b]
Abbiamo preferito ritornare a casa prima che facesse buio. [c] [?]

12. Mio padre vorrebbe tanto che mi laurei entro l'anno. [a]
Mio padre vorrebbe tanto che mi laureerei entro l'anno. [b]
Mio padre vorrebbe tanto che mi laureassi entro l'anno. [c] [?]

13. Quando non lo vidi arrivare temei che avesse avuto un incidente. [a]
Quando non lo vidi arrivare temei che abbia avuto un incidente. [b]
Quando non lo vidi arrivare temei che avrebbe un incidente. [c] [?]

14. Il treno parte alle nove: professore, ti sbrighi! [a]
Il treno parte alle nove: professore, si sbriga! [b]
Il treno parte alle nove: professore, si sbrighi! [c] [?]

15. Signora, sii gentile con lui: sta passando un brutto momento. [a]
Signora, sia gentile con lui: sta passando un brutto momento. [b]
Signora, sei gentile con lui: sta passando un brutto momento. [c] [?]

16. Signorina, potrebbe battere a macchina questa lettera? [a]
Signorina, potrebbe battere per macchina questa lettera? [b]
Signorina, potrebbe battere con macchina questa lettera? [c] [?]

17. Se ha una penna in più, me la presterebbe, per favore? [a]
Se ha una penna in più, la mi presterebbe, per favore? [b]
Se ha una penna in più, me ne presterebbe, per favore? [c] [?]

18. Non vedo Giulia da due giorni e già ci sento la mancanza. [a]
Non vedo Giulia da due giorni e già vi sento la mancanza. [b]
Non vedo Giulia da due giorni e già ne sento la mancanza. [c] [?]

19. Carlo, non se la prenda: tutto si sistemerà, vedrai! [a]
Carlo, non prendertela: tutto si sistemerà, vedrai! [b]
Carlo, non prenditela: tutto si sistemerà, vedrai! [c] [?]

20. La Sua presenza non è necessaria: vadasene pure! [a]
La Sua presenza non è necessaria: vattene pure! [b]
La Sua presenza non è necessaria: se ne vada pure! [c] [?]

21. Giorgio non trovò più la macchina che ebbe lasciato la sera prima sotto casa. [a]
Giorgio non trovò più la macchina che aveva lasciato la sera prima sotto casa. [b]
Giorgio non trovò più la macchina che lasciò la sera prima sotto casa. [c] [?]

22. Andrò a letto dopo che finirò questa lettera. [a]
Sarò andato a letto dopo che avrò finito questa lettera. [b]
Andrò a letto dopo che avrò finito questa lettera. [c] [?]

23. È migliore che tu rimanga: andiamo noi. [a]
È meglio che tu rimanga: andiamo noi. [b]
È più buono che tu rimanga: andiamo noi. [c] [?]

24. Questa birra è ottima. [a]
Questa birra è benissima. [b]
Questa birra è molta buona. [c] [?]

25. Giulio la si cava bene con il latino. [a]
Giulio si cava bene con il latino. [b]
Giulio se la cava bene con il latino. [c] [?]

26. Chi vanno piano vanno sani e vanno lontani. [a]
Quali vanno piano vanno sani e vanno lontani. [b]
Chi va piano va sano e va lontano. [c] [?]

27. Nel nostro ufficio ci sono più impiegate di impiegati. [a]
Nel nostro ufficio ci sono più impiegate che impiegati. [b]
Nel nostro ufficio ci sono più impiegate quanto impiegati. [c] [?]

28. Prego, signora, si accomodi pure! [a]
Prego, signora, si accomoda pure! [b]
Prego, signora, accomodisi pure! [c] [?]

29. A tutti i nostri clienti facciamo prezzi speciali. [a]
A tutti i nostri clienti facciamo prezzi semplici. [b]
A tutti i nostri clienti facciamo prezzi favore. [c] [?]

30. Ho alcuna idea su cosa regalare a Francesca. [a]
Non ho alcuna idea su cosa regalare a Francesca. [b]
Non ho alcun idea su cosa regalare a Francesca. [c] [?]

TEST XIII

(da fare al termine della ventiduesima unità)

Indicate con un segno (x) la frase corretta. Se non sapete qual è quella corretta, fate un segno sul [?].

1. Se la tua macchina non va, prendi pure la mia! [a]
   Se la tua macchina non va, prende pure la mia! [b]
   Se la tua macchina non va, prenda pure la mia! [c] [?]
2. Aveva detto che sarebbe venuto a prendermi alla stazione, e invece non l'ho visto. [a]
   Aveva detto che verrebbe a prendermi alla stazione, e invece non l'ho visto. [b]
   Aveva detto che verrà a prendermi alla stazione, e invece non l'ho visto. [c] [?]
3. In fine sei arrivata! Sono due ore che ti aspetto. [a]
   Per fine sei arrivata! Sono due ore che ti aspetto. [b]
   Finalmente sei arrivata! Sono due ore che ti aspetto. [c] [?]
4. Quella mattina il direttore era stanco perché
   la notte prima non aveva chiuso occhio. [a]
   la notte prima non chiudeva occhio. [b]
   la notte prima non ha chiuso occhio. [c] [?]
5. Per andare dai Franchi si passa per una stradolina di campagna. [a]
   Per andare dai Franchi si passa per una stradina di campagna. [b]
   Per andare dai Franchi si passa per una stradiccina di campagna. [c] [?]
6. Se costasse di meno, lo compro anche subito. [a]
   Se costerebbe di meno, lo comprerei anche subito. [b]
   Se costasse di meno, lo comprerei anche subito. [c] [?]
7. Se avessi seguito i miei consigli, ora saresti già sistemato. [a]
   Se avessi seguito i miei consigli, ora fossi stato già sistemato. [b]
   Se seguissi i miei consigli, ora saresti stato già sistemato. [c] [?]
8. Se ti piace ricevere delle cartoline,
   te le manderò qualcuna da Parigi. [a]
   gliene manderò qualcuna da Parigi. [b]
   te ne manderò qualcuna da Parigi. [c] [?]
9. Vi prego mi ascoltiate con attezione! [a]
   Vi prego di ascoltarmi con attenzione! [b]
   Vi prego che mi ascoltiate con attezione! [c] [?]
10. Non capisco il motivo per cui se ne sono andati così presto. [a]
    Non capisco il motivo per che se ne sono andati così presto. [b]
    Non capisco il motivo per quale se ne sono andati così presto. [c] [?]
11. La prendono per un'italiana, anche se sia spagnola. [a]
    La prendono per un'italiana, eppure sia spagnola. [b]
    La prendono per un'italiana, benché sia spagnola. [c] [?]
12. Come si riesce per avere una borsa di studio? [a]
    Come si riesce in avere una borsa di studio? [b]
    Come si riesce ad avere una borsa di studio? [c] [?]
13. A quanto pare, partano già per le vacanze. [a]
    A quanto pare, sono già partiti per le vacanze. [b]
    A quanto pare, siano partiti già per le vacanze. [c] [?]
14. Pare che siano già partiti per le vacanze. [a]
    Pare che sono già partiti per le vacanze. [b]
    Pare che partono già per le vacanze. [c] [?]

15. Quella sera Giulio bevette troppo e la notte stette male. [a]
Quella sera Giulio bevve troppo e la notte stette male. [b]
Quella sera Giulio bevve troppo e la notte statte male. [c] [?]

16. Non mi di' che sei già stanco: è appena mezz'ora che studi. [a]
Non dirmi che sei già stanco: è appena mezz'ora che studi. [b]
Non dimmi che sei già stanco: è appena mezz'ora che studi. [c] [?]

17. Quando l'ho visto in quello stato ho capito subito che
aveva alzato il braccio. [a]
aveva alzato la mano. [b]
aveva alzato il gomito. [c] [?]

18. Le dà fastidio il finestrino aperto? Le lo chiudo io! [a]
Le dà fastidio il finestrino aperto? Te lo chiudo io! [b]
Le dà fastidio il finestrino aperto? Glielo chiudo io! [c] [?]

19. Bisogna che glielo dica Lei appena lo vede. [a]
Bisogna che glielo dice Lei appena lo vede. [b]
Lei bisogna dirglielo appena lo vede. [c] [?]

20. Non avrei mai immaginato che possano accadere tali fatti. [a]
Non avrei mai immaginato che potessero accadere tali fatti. [b]
Non avrei mai immaginato che potrebbero accadere tali fatti. [c] [?]

21. Appena ha saputo che Carla ritornerà, le ha subito telefonato. [a]
Appena ha saputo che Carla era ritornata, le ha subito telefonato. [b]
Appena ha saputo che Carla ritornò, le ha subito telefonato. [c] [?]

22. Il prezzo di queste scarpe è un po' altino. [a]
Il prezzo di queste scarpe è un po' alticcio. [b]
Il prezzo di queste scarpe è un po' altuccio. [c] [?]

23. Venite a cena da noi domani sera?
Sì, se mio marito torna in tempo, venissimo senz'altro. [a]
Sì, se mio marito torna in tempo, verremmo senz'altro. [b]
Sì, se mio marito torna in tempo, verremo senz'altro. [c] [?]

24. I Rossi abitano di fronte all'ufficio postale. [a]
I Rossi abitano in fronte all'ufficio postale. [b]
I Rossi abitano a fronte dell'ufficio postale. [c] [?]

25. Posso entrare? Prego, dottore, accomodisi! [a]
Posso entrare? Prego, dottore, si accomodi! [b]
Posso entrare? Prego, dottore, si accomoda! [c] [?]

26. Siamo sicuri che domani il tempo sarà bello. [a]
Siamo sicuri che domani sarà il tempo bello. [b]
Siamo sicuri che domani il tempo farà bello. [c] [?]

27. Farei subito il bagno, se il mare sarebbe calmo. [a]
Facessi subito il bagno, se il mare sarebbe calmo. [b]
Farei subito il bagno, se il mare fosse calmo. [c] [?]

28. Il marito di Giovanna è tornato a casa ubriaco fradicio. [a]
Il marito di Giovanna è tornato a casa ubriaco cotto. [b]
Il marito di Giovanna è tornato a casa ubriaco zeppo. [c] [?]

29. Ho provato diverse volte e per fine ci sono riuscito. [a]
Ho provato diverse volte e nella fine ci sono riuscito. [b]
Ho provato diverse volte e alla fine ci sono riuscito. [c] [?]

30. Pagando tutto subito, potessi avere uno sconto? [a]
Pagando tutto subito, potrei avere uno sconto? [b]
Pagando tutto subito, sarei potuto avere uno sconto? [c] [?]

TEST XIV

(da fare al termine della ventiquattresima unità)

Indicate con un segno (x) la frase corretta. Se non sapete qual è quella corretta, fate un segno sul [?].

1. Franco è rimasto contento del regalo che gli hai fatto. [a]
Franco è rimasto contento con il regalo che gli hai fatto. [b]
Franco è rimasto contento del regalo che lo hai fatto. [c] [?]

2. Piero è venuto assunto alla Fiat. [a]
Piero è andato assunto alla Fiat. [b]
Piero è stato assunto alla Fiat. [c] [?]

3. La notizia non si va diffusa prima di domattina. [a]
La notizia non deve essere diffusa prima di domattina. [b]
La notizia non si deve essere diffusa prima di domattina. [c] [?]

4. Come la giacca gli piaceva, l'ha comprata subito. [a]
Siccome la giacca gli piaceva, l'ha comprata subito. [b]
Perché la giacca gli piaceva, l'ha comprata subito. [c] [?]

5. Se tu mi dessi una mano, finirei prima. [a]
Se tu mi dassi una mano, finirei prima. [b]
Se tu mi desti una mano, finirei prima. [c] [?]

6. Preferirei che tu restassi a casa. [a]
Preferirei che tu resti a casa. [b]
Preferirei che tu resteresti a casa. [c] [?]

7. Appena lo sentì piangente, la mamma corse a prenderlo. [a]
Appena lo sentì piangendo, la mamma corse a prenderlo. [b]
Appena lo sentì piangere, la mamma corse a prenderlo. [c] [?]

8. Piero va in ufficio tutti giorni a piedi. [a]
Piero va in ufficio ogni giorno a piedi. [b]
Piero va in ufficio ogni giorni a piedi. [c] [?]

9. Lavandola a secco, questa gonna è tornata come nuova. [a]
Avendola lavata a secco, questa gonna è tornata come nuova. [b]
Averla lavata a secco, questa gonna è tornata come nuova. [c] [?]

10. Dopo che ebbe preso lo stipendio, Gianna andò a comprarsi un vestito nuovo. [a]
Dopo che ebbe preso lo stipendio, Gianna è andata a comprarsi un vestito nuovo. [b]
Dopo che prese lo stipendio, Gianna è andata a comprarsi un vestito nuovo. [c] [?]

11. Le lezioni sono state tenute da un giovane professore. [a]
Le lezioni sono state tenute per un giovane professore. [b]
Le lezioni sono state tenute di un giovane professore. [c] [?]

12. È un problema che non è potuto risolvere facilmente. [a]
È un problema che non si può risolvere facilmente. [b]
È un problema che non può si risolvere facilmente. [c] [?]

13. Il raffreddore si prende più spesso a inverno. [a]
Il raffreddore si prende più spesso con inverno. [b]
Il raffreddore si prende più spesso d'inverno. [c] [?]

14. Per riparare la casa si è speso quattro milioni. [a]
Per riparare la casa si sono spesi quattro milioni. [b]
Per riparare la casa si ha speso quattro milioni. [c] [?]

15. Viaggiando si conosce molta gente. [a]
Viaggiando si conoscono molte gente. [b]
Viaggiando uno conosce molte gente. [c] [?]

16. I documenti importanti vanno spediti da raccomandata. [a]
I documenti importanti vanno spediti in raccomandata. [b]
I documenti importanti vanno spediti per raccomandata. [c] [?]

17. Se si ha tempo libero, ci si può dedicare ad un hobby. [a]
Se si ha tempo libero, si ci può dedicare ad un hobby. [b]
Se si ha tempo libero, può si dedicare ad un hobby. [c] [?]

18. Quando si supera un esame, si è felice. [a]
Quando si supera un esame, si è felici. [b]
Quando uno supera un esame, si è felice. [c] [?]

19. Me lo è stato raccontato da Paolo. [a]
Lo è stato raccontato da Paolo. [b]
Mi è stato raccontato da Paolo. [c] [?]

20. Dalla finestra della camera vedo i bambini che vanno a scuola. [a]
Dalla finestra della camera vedo i bambini andando a scuola. [b]
Dalla finestra della camera vedo i bambini andanti a scuola. [c] [?]

21. Se fosti davvero stanca, non andresti a ballare. [a]
Se saresti davvero stanca, non andresti a ballare. [b]
Se fossi davvero stanca, non andresti a ballare. [c] [?]

22. Sono convinto che Carlo anche stavolta la caverà. [a]
Sono convinto che Carlo anche stavolta se la caverà. [b]
Sono convinto che Carlo anche stavolta ce la caverà. [c] [?]

23. Che fosse una persona distratta, lo sapevano tutti. [a]
Che è stato una persona distratta, lo sapevano tutti. [b]
Che è una persona distratta, lo sapevano tutti. [c] [?]

24. Luisa mangia poco, perciò è una molto magra ragazza. [a]
Luisa mangia poco, perciò è una ragazza molta magra. [b]
Luisa mangia poco, perciò è una ragazza molto magra. [c] [?]

25. Quando si raggiunge il proprio scopo, ci si sente soddisfatto. [a]
Quando si raggiunge il proprio scopo, ci si sente soddisfatti. [b]
Quando si raggiunge il proprio scopo, si sente soddisfatto. [c] [?]

26. Dopo d'aver avuto la notizia, telefonò a Giulio. [a]
Avuta la notizia, telefonò a Giulio. [b]
La notizia avuta, telefonò a Giulio. [c] [?]

27. A causa dello sciopero degli aerei
si hanno cancellato diversi voli. [a]
sono stati cancellati diversi voli. [b]
si hanno cancellati diversi voli. [c] [?]

28. Non mi fermerei qui se non sarei tanto stanco. [a]
Non mi fermassi qui se non sarei tanto stanco. [b]
Non mi fermerei qui se non fossi tanto stanco. [c] [?]

29. Quando si ha dei figli, si è sempre un po' preoccupato. [a]
Quando si hanno dei figli, si è sempre un po' preoccupati. [b]
Quando uno ha dei figli, si è sempre un po' preoccupato. [c] [?]

30. Avendolo già visto, so che si tratta di un buon film. [a]
Avendo vistolo già, so che si tratta di un buon film. [b]
L'avendo visto già, so che si tratta di un buon film. [c] [?]

TEST XV

(da fare al termine del corso)

Indicate con un segno (x) la frase corretta. Se non sapete qual è quella corretta, fate un segno sul [?].

1. Fred è un studente americano. [a]
   Fred è un'americano studente. [b]
   Fred è uno studente americano. [c] [?]

2. Io esco alle 7, voi quando uscite? [a]
   Io esco alle 7, voi quando escite? [b]
   Io usco alle 7, voi quando uscite? [c] [?]

3. Comincio a studiare alle nove. [a]
   Comincio di studiare alle nove. [b]
   Comincio studiare alle nove. [c] [?]

4. Ho un terribile mal di denti: devo andare al dentista. [a]
   Ho un terribile mal di denti: devo andare per il dentista. [b]
   Ho un terribile mal di denti: devo andare dal dentista. [c] [?]

5. Il nostro appartamento ha due camere per letto. [a]
   Il nostro appartamento ha due camere a letto. [b]
   Il nostro appartamento ha due camere da letto. [c] [?]

6. Questo aereo va nei Stati Uniti. [a]
   Questo aereo va negli Stati Uniti. [b]
   Questo aereoo va in Stati Uniti. [c] [?]

7. Gianni è arrivato con il treno delle sette. [a]
   Gianni è arrivato in treno delle sette. [b]
   Gianni è arrivato con treno delle sette. [c] [?]

8. È due anni che cerco un lavoro. [a]
   Sono due anni che cerco un lavoro. [b]
   Da due anni che cerco un lavoro. [c] [?]

9. Dove ha nato, signorina? [a]
   Dove è nata, signorina? [b]
   Dove è nasciuta, signorina? [c] [?]

10. Signora, sono queste le Sue chiavi? [a]
    Signora, sono queste le Sue chiave? [b]
    Signora, sono questi i Suoi chiavi? [c] [?]

11. I signori Pini porteranno anche la sua figlia. [a]
    I signori Pini porteranno anche loro figlia. [b]
    I signori Pini porteranno anche la loro figlia. [c] [?]

12. Mario e Franca sono partiti a Roma. [a]
    Mario e Franca sono partiti in Roma. [b]
    Mario e Franca sono partiti per Roma. [c] [?]

13. Quanto tempo rimanerai in questa città? [a]
    Quanto tempo rimarrai in questa città? [b]
    Quanto tempo rimarai in questa città? [c] [?]

14. Ieri abbiamo restato a casa tutto il giorno. [a]
    Ieri siamo restati a casa tutto il giorno. [b]
    Ieri restavamo a casa tutto il giorno. [c] [?]

15. Vuole una sigaretta? No, grazie, oggi ne ho fumate troppe. [a]
    Vuole una sigaretta? No, grazie, oggi le ho fumate troppe. [b]
    Vuole una sigaretta? No, grazie, oggi ho fumate troppe. [c] [?]

16. Ho conosciuto Sandro quando lavorava in banca. [a]
Conoscevo Sandro quando lavorava in banca. [b]
Ho conosciuto Sandro quando ha lavorato in banca. [c] [?]

17. Durante aspettavo il treno, leggevo tutto il giornale. [a]
Mentre ho aspettato il treno, leggevo tutto il giornale. [b]
Mentre aspettavo il treno, ho letto tutto il giornale. [c] [?]

18. Ragazzi, vi è piaciuto il film? [a]
Ragazzi, siete piaciuti il film? [b]
Ragazzi, vi ha piaciuto il film? [c] [?]

19. Quando vedo Paolo, lo domando se ci presta la macchina. [a]
Quando vedo Paolo, gli domando se ci presta la macchina. [b]
Quando vedo Paolo, le domando se ci presta la macchina. [c] [?]

20. Anche questo mese i soldi non mi sono bastati. [a]
Anche questo mese i soldi non mi hanno bastati. [b]
Anche questo mese i soldi mi non sono bastati. [c] [?]

21. Se non ha più sigarette, Le ne posso offrire una io! [a]
Se non ha più sigarette, Gliene posso offrire una io! [b]
Se non ha più sigarette, Gliela posso offrire una io! [c] [?]

22. Hanno spento le luci: lo spettacolo è per cominciare! [a]
Hanno spento le luci: lo spettacolo va cominciare! [b]
Hanno spento le luci: lo spettacolo sta per cominciare! [c] [?]

23. Tua sorella attraversa un momento difficile: stalle vicino! [a]
Tua sorella attraversa un momento difficile: stagli vicino! [b]
Tua sorella attraversa un momento difficile: le stà vicino! [c] [?]

24. Marcella non pensa che al matrimonio;
si sposerà anche domani. [a]
si sposerebbe anche domani. [b]
si sposa anche domani. [c] [?]

25. In trattoria, di solito, uno si spende poco. [a]
In trattoria, di solito, si ci spende poco. [b]
In trattoria, di solito, si spende poco. [c] [?]

26. Sono andato da Stefano perché sapevo che a quell'ora
lo troverei a casa. [a]
l'avrei trovato a casa. [b]
lo troverò a casa. [c] [?]

27. Per questo esame Laura si è dovuta preparare in venti giorni. [a]
Per questo esame Laura si ha dovuto preparare in venti giorni. [b]
Per questo esame Laura è dovuta prepararsi in venti giorni. [c] [?]

28. Non ho fiducia in che parla solo di sé. [a]
Non ho fiducia in chi parla solo di sé. [b]
Non ho fiducia in cui parla solo di sé. [c] [?]

29. Carlo è capitato qui a Pisa e non si è fatto vedere. [a]
Carlo è successo qui a Pisa e non si è fatto vedere. [b]
Carlo è accaduto qui a Pisa e non si è fatto vedere. [c] [?]

30. Nella nostra classe ci sono più ragazze di ragazzi. [a]
Nella nostra classe ci sono più ragazze come ragazzi. [b]
Nella nostra classe ci sono più ragazze che ragazzi. [c] [?]

31. Ci volse molto denaro per riparare l'auto. [a]
Ci volle molto denaro per riparare l'auto. [b]
Ci volé molto denaro per riparare l'auto. [c] [?]

32. Di quale ragazzo parlate? [a]
Di cui ragazzo parlate? [b]
Di chi ragazzo parlate? [c] [?]

33. Qualche ragazza sono già partite per le vacanze. [a]
Qualche ragazza è già partita per le vacanze. [b]
Qualche ragazze sono già partite per le vacanze. [c] [?]

34. Credo che domani i giornali non usciano. [a]
Credo che domani i giornali non uscano. [b]
Credo che domani i giornali non escano. [c] [?]

35. Eravamo sicuri che lo facesse volentieri. [a]
Eravamo sicuri che l'abbia fatto volentieri. [b]
Eravamo sicuri che lo faceva volentieri. [c] [?]

36. Ieri Pia era stanca perché la notte prima non aveva dormito. [a]
Ieri Pia era stanca perché la notte prima non ha dormito. [b]
Ieri Pia era stanca perché la notte prima non dormiva. [c] [?]

37. Purché gli faccia male, Piero fuma venti sigarette al giorno. [a]
Benché gli faccia male, Piero fuma venti sigarette al giorno. [b]
Poiché gli faccia male, Piero fuma venti sigarette al giorno. [c] [?]

38. Signora, è questione di pochi minuti; abbi pazienza! [a]
Signora, è questione di pochi minuti; hai pazienza! [b]
Signora, è questione di pochi minuti; abbia pazienza! [c] [?]

39. Carla sperava tanto che tu le dessi una mano a tradurre. [a]
Carla sperava tanto che tu le dassi una mano a tradurre. [b]
Carla sperava tanto che tu le desti una mano a tradurre. [c] [?]

40. Abbiamo preferito ritornare a casa prima che faceva buio. [a]
Abbiamo preferito ritornare a casa prima che abbia fatto buio. [b]
Abbiamo preferito ritornare a casa prima che facesse buio. [c] [?]

41. Quella mattina il direttore era stanco:
la notte prima non aveva chiuso occhio. [a]
la notte prima non chiudeva occhio. [b]
la notte prima non ha chiuso occhio. [c] [?]

42. La prendono per un'italiana, anche se sia spagnola. [a]
La prendono per un'italiana, eppure sia spagnola. [b]
La prendono per un'italiana, benché sia spagnola. [c] [?]

43. Per andare dai Pieri si passa per una stradolina di campagna. [a]
Per andare dai Pieri si passa per una stradina di campagna. [b]
Per andare dai Pieri si passa per una stradiccina di campagna. [c] [?]

44. Quella sera Giulio bevette troppo e la notte stette male. [a]
Quella sera Giulio bevve troppo e la notte stette male. [b]
Quella sera Giulio bevve troppo e la notte steste male. [c] [?]

45. Farei subito il bagno, se il mare sarebbe calmo. [a]
Facessi subito il bagno, se il mare sarebbe calmo. [b]
Farei subito il bagno, se il mare fosse calmo. [c] [?]

46. La notizia non si va diffusa prima di domattina. [a]
La notizia non deve essere diffusa prima di domattina. [b]
La notizia non si deve essere diffusa prima di domattina. [c] [?]

47. Dalla finestra della camera vedo i bambini che giocano. [a]
Dalla finestra della camera vedo i bambini giocando. [b]
Dalla finestra della camera vedo i bambini stando giocare. [c] [?]

48. Quando si ottiene ciò che si desidera, ci si sente soddisfatto. [a]
Quando si ottiene ciò che si desidera, ci si sente soddisfatti. [b]
Quando si ottiene ciò che si desidera, si sente soddisfatto. [c] [?]

49. Dopo di aver appreso la notizia, telefonò a Cesare. [a]
Appresa la notizia, telefonò a Cesare. [b]
La notizia appresa, telefonò a Cesare. [c] [?]

50. Avendolo letto, so che si tratta di un bel romanzo. [a]
Avendo lettolo, so che si tratta di un bel romanzo. [b]
L'avendo letto, so che si tratta di un bel romanzo. [c] [?]

NOTE

Indice analitico

	Pag.
Prefazione alla quarta edizione (1985)	III
Prefazione alla prima edizione (1973)	VII
Unità introduttiva	1

Unità	Funzioni linguistiche	Strutture linguistiche	Pag.
1. *Se permette, mi presento*	Identificazione personale - Convenevoli - Informarsi sulla salute degli altri - Lingue parlate	Il presente indicativo - Le tre coniugazioni	17
2. *A sciare*	Prendere accordi per una gita in montagna - Come si chiede un biglietto - Come ci si informa su un treno da prendere - Come si indicano le ore - Informarsi sui programmi di vacanze degli altri - Prenotare una camera all'albergo	Verbi di moto - Verbi modali - Le preposizioni semplici	31
3. *Una serata al cinema*	Scegliere un film da vedere - Come ci si informa per telefono su uno spettacolo teatrale - Come si chiede un biglietto al cinema - Come si chiede se un posto è libero	Il presente di alcuni verbi irregolari - Le preposizioni articolate - Gli interrogativi "che", "quale"	47
4. *Paolo ha cambiato casa*	Descrivere il proprio appartamento - Come ci si informa su una camera o un appartamento da prendere in affitto - Annunci pubblicitari	Participio passato - Perfetto (passato prossimo) - Verbi transitivi e intransitivi - Verbi ausiliari - Accordo del participio passato con il soggetto	61
5. *Una lettera*	Dare notizie di sé - Modello di lettera non formale - Modelli di conversazione formale e confidenziale (presentazioni, saluti, dal tabaccaio, alla posta, accettare o declinare un invito, offrire e accettare qualcosa al bar)	I possessivi	77
6. *Un fine-settimana al mare*	Convincere una persona ad unirsi al proprio programma per il fine-settimana - Accettare la proposta di fare una gita - Fissare un appuntamento	Il futuro semplice e composto - La particella avverbiale "ci"	89
7. *In cerca di lavoro*	Discutere sull'opportunità d'accettare un'offerta di lavoro - Informare una persona dei suoi impegni di lavoro - Fissare un appuntamento - Informare una persona su quanto è accaduto in sua assenza - Chiedere informazioni ad una persona sul suo lavoro e sulla sua famiglia	I pronomi diretti	105

Unità	Funzioni linguistiche	Strutture linguistiche	Pag.
8. *Soggiorno di studio in Italia*	Informarsi su come una persona ha appreso una lingua straniera - Parlare del tipo di corso frequentato, delle difficoltà incontrate e del soggiorno di studio nel suo complesso	L'imperfetto indicativo - "sapere" e "conoscere" al passato - Uso di "mentre" e "durante"	125
9. *In giro per acquisti*	Chiedere di vedere capi di abbigliamento - Discutere sulla qualità di questi - Modelli di lingua abituali quando si vanno a fare varie compere	Pronomi indiretti Alcuni sinonimi	151
10. *Nozze in vista*	Parlare di come si svolgerà una cerimonia nuziale e dei progetti di viaggio degli sposi - Chiedere e dare informazioni su un viaggio effettuato - Storia di parole - Note di civiltà	Verbi riflessivi - Forma impersonale (1)	165
11. *Parlando di politica*	Esprimere le proprie opinioni in fatto di politica - Richiedere e suggerire ad una persona di fare/non fare qualcosa - Fissare un incontro per telefono - Ordinamento dello Stato italiano	Pronomi combinati - Imperativo diretto (tu-voi-noi) - Forma perifrastica	181
12. *A cena fuori*	Parlare di cibi e bevande - Scegliere i piatti da ordinare al ristorante - Esprimere il desiderio di mangiare e bere qualcosa - Dire o chiedere qualcosa in modo cortese - Esprimere il desiderio o l'intenzione di fare qualcosa - Esprimere avversione a fare qualcosa	Il condizionale semplice - il verbo "andare" con i pronomi indiretti - Le particelle "ci" "vi" e "ne" - Espressioni idiomatiche in relazione alle diverse parti del corpo	205
13. *Un invito mancato*	Esprimere rimpianto per una occasione perduta - Scusarsi per una dimenticanza - Porre un fatto come certo - Esprimere un'azione voluta, ma non realizzata nel passato e non realizzabile nel presente/futuro - Esprimere un'azione condizionata da un'altra - Porre un fatto come probabile	Il condizionale composto	223
14. *L'italiano e i dialetti*	Esprimersi circa la propria competenza linguistica - Dichiararsi d'accordo sul contenuto di un enunciato - Porre un fatto come conseguenza inevitabile di un altro - Indagare se un fatto è vero o falso - Dare informazioni su dei fatti - Portare esempi - Esprimere intenzione di fare - Breve storia della lingua italiana	I pronomi relativi	245

Unità	**Funzioni linguistiche**	**Strutture linguistiche**	**Pag.**
15. *Paese che vai, problemi che trovi*	Esprimere le proprie opinioni sulla situazione sociale di un paese - Chiedere o dare informazioni su vari argomenti - Esprimere le proprie preferenze - Proporre di fare qualcosa - Esprimere il concetto di superlativo attraverso forme idiomatiche	I gradi di comparazione - Gli interrogativi	267
16. *Un popolo del tempo che fu*	Chiedere informazioni su un popolo scomparso - Esprimere quantità o unità indeterminate - Esprimere sorpresa, ammirazione, rammarico - Riferire le opinioni altrui	Passato remoto - Gli indefiniti	287
17. *Il prezzo del progresso*	Esprimere sorpresa, delusione e rammarico - Porre un fatto come probabile - Parlare della propria infanzia - Esprimere soddisfazione - Collocare le azioni in rapporto temporale fra loro	Il piuccheperfetto - La concordanza dei tempi dell'indicativo	309
18. *Progetti di viaggio*	Discutere con altri un progetto di viaggio all'estero - Esprimere e sollecitare un'opinione su qualcosa - Esprimere soddisfazione, dubbio, accordo, disaccordo - Porre delle condizioni - Esprimere preoccupazione, speranza, attesa, desiderio, necessità, esigenza, un augurio o un dubbio, con frasi indipendenti	Congiuntivo presente e passato	325
19. *Muoversi in città*	Richiedere e dare informazioni su come si arriva in un punto di una città e su quali mezzi si devono prendere - Suggerire e sconsigliare di fare qualcosa - Pregare qualcuno di fare qualcosa	Imperativo indiretto	345
20. *Luoghi comuni sull'Italia*	Esprimere attesa, opinioni soggettive, desiderio - Collocare le azioni in rapporto temporale fra loro, tenendo conto del modo richiesto dal verbo principale - Esprimere preoccupazione, speranza, desiderio, necessità - Esprimere un augurio o un dubbio con frasi indipendenti	Congiuntivo imperfetto e trapassato	361

Unità	Funzioni linguistiche	Strutture linguistiche	Pag.
21. *Venerdì 17*	Parlare della superstizione, mettendo in rapporto il fenomeno generale con casi particolari - Esprimere dubbio, supposizione, sorpresa - Richiedere conferma di ciò che è stato capito da un discorso - Portare esempi - Riferire ciò che ha detto una persona	La concordanza dei modi e dei tempi	385
22. *Tempo libero e divertimenti*	Parlare del modo preferito di passare il tempo libero - Formulare ipotesi al futuro e al passato, usando diverse strutture linguistiche - Esprimere i concetti di piccolo, caro, grande, brutto, cattivo, aggiungendo le appropriate terminazioni a sostantivi, aggettivi e avverbi	Il periodo ipotetico - forme alterate di sostantivi, aggettivi e avverbi	399
23. *Una visita medica*	Parlare dei sintomi che si avvertono quando si è malati - Chiedere al medico informazioni circa la malattia che si ha e le medicine da prendere - Modelli di lingua abituali quando si va in farmacia e dal dentista - Esprimere il concetto di necessità o dovere	Forma passiva - Forma impersonale (2) - "Si passivante" - I diversi valori della particella "si"	419
24. *Automobile, che passione!*	Parlare dei vantaggi di avere un certo tipo di macchina - Modelli di lingua abituali quando si viaggia in macchina e ci si ferma ad una stazione di servizio - Parlare dei pro e dei contro della macchina	Le forme implicite (gerundio, infinito, participio)	451
25. *Vita dura per i pedoni!*	Riferire come si è svolto un investimento - Informarsi sulle condizioni di una persona investita da un'auto e sul comportamento di chi l'ha investita - Riferire i discorsi di altri	Il discorso diretto e indiretto	471

Indice alfabetico delle parole usate nel testo 493
Indice dei termini tecnici 510
Test 511